전정판

운동
역학

Siddhartha Bikram Panday,

고규철, 방현석, 유 실, 전민주, 전형진 저

한국스포츠개발원의
출제기준에 맞춘
스포츠지도사(2급)
시험대비 표준교재

대경북스

전정판을 내면서

'운동역학'의 영문인 sports biomechanics를 우리말로 번역하면 '스포츠생체역학(生體力學)'이지만, 우리나라에서는 학자들이 모여서 스포츠생체역학보다는 운동역학으로 정하는 것이 더 좋다고 의견을 모았기 때문에 한국체육학회 분과학회에 '운동역학회'로 등록하였다.

'스포츠생체역학'이라는 단어의 의미를 하나하나 따져보면 다음과 같다. 먼저 '스포츠'라는 말은 스포츠를 연구 대상으로 한다는 의미이며, '생체'라는 말은 생명체를 뜻하는데, 스포츠를 하는 생명체는 인간밖에 없기 때문에 인간이 하는 스포츠를 역학적으로 연구한다는 말이며, 마지막으로 '역학'(力學)은 힘을 학문적으로 연구한다는 뜻이다.

이상을 종합하여 볼 때 운동역학 또는 스포츠생체역학은 "인간이라고 하는 유기체가 스포츠를 할 때 발휘하는 또는 필요한 힘에 대하여 연구하는 학문"이라고 할 수 있다.

예를 들어 운동화 끈이 풀어져서 다시 매려고 할 때 발을 계단이나 의자에 올려 놓으면 편한데, 여기에도 발을 올려놓으면 허리를 덜 굽히게 되어 회전 토크가 작아지기 때문에 더 편해진다는 역학적인 원리가 숨어 있다.

1968년 제19회 멕시코 올림픽에 출전한 미국의 높이뛰기 선수 포스베리(Dick Fosbury)는 처음으로 배면뛰기 자세를 이용해 금메달을 땄다. 배면뛰기 자세는

무게중심이 자신의 등 밑에 있기 때문에 다리의 방해를 받는 전면뛰기 자세에 비해 역학적인 이점이 있다.

1950년 이후부터 운동장 트랙에 티탄을 깔기 시작했는데, 매트나 타탄을 깔면 바닥이 말랑말랑해져 운동역학적으로 충격력이 줄어들게 된다.

이처럼 운동역학의 원리를 활용하면 운동을 안전하게 할 수도 있고, 경기력의 향상도 도모할 수 있다. 그렇기 때문에 체육·스포츠를 전공하는 학생이라면 운동역학의 주요 개념을 반드시 이해해야만 한다.

이 책은 운동역학의 개요, 운동학과 운동역학의 스포츠 적용, 일과 에너지, 다양한 운동기술의 분석 등 운동역학의 전반적인 내용을 요약 형식으로 간략하면서도 빠짐없이 다루어 체육스포츠를 전공하는 학생들의 교과서로 활용됨은 물론 스포지도사 시험과 같은 각종 시험에도 대비할 수 있도록 하였다.

아무쪼록 이 책을 통해 전공 학생들이 『운동역학』의 올바른 개념을 이해하고, 나아가 연구와 교육 현장에서 학문적 성과를 제고함과 동시에 스포츠과학 연구의 새로운 지평을 열어주기를 기대한다.

2022년 2월

저 자 씀

차 례

제3장 인체역학

제4장 운동학의 스포츠적용

제5장 운동역학의 스포츠적용

제**6**장 일과 에너지

제**7**장 다양한 운동기술의 분석

제1장

운동역학의 개요

01 운동역학의 정의

❶ 운동역학의 정의 ·······································

이 책의 제목이나 스포츠지도사 시험과목 모두 운동역학이지만, 이 과목의 영어 이름은 sports biomechanics, 우리말로 번역하면 스포츠생체역학(스포츠生體力學)이다.

그러나 우리나라에서는 학자들이 모여서 논의한 결과 '스포츠생체역학'보다는 '운동역학'이라고 부르는 것이 더 좋다고 의견을 모았기 때문에 스포츠지도사 시험과목도 '운동역학'이고, 각 대학 체육관련 학과에서 개설한 강의 제목도 '운동역학'이다.

스포츠생체역학의 의미를 하나하나 따져보면 제일 앞에 있는 '스포츠'는 인간생체역학이나 동물생체역학을 연구대상으로 하는 것이 아니라 스포츠를 연구대상으로 한다는 의미이다. 그러므로 사람이 농사를 짓고 건물을 짓는 것이나 소싸움은 연구대상이 아니지만, 승마는 연구대상이 된다.

그다음에 있는 '생체역학'은 기계역학이나 전기역학이 아니고 살아 있는 생물체를 역학적으로 연구한다는 의미이다. 돌고래가 재주 부리는 것을 스포츠라고 하는 사람은 없기 때문에 연구대상이 아니다. 그런데 스포츠를 하는 생명체는 인간밖에 없기 때문에 인간이 하는 스포츠를 역학적으로 연구한다는 말이 된다.

마지막으로 '역학(力學)'은 힘을 학문적으로 연구한다는 뜻이다. 사람이 스포츠를 하려면 몸을 움직여야 하고, 몸을 움직이려면 힘이 필요하기 때문에 그 힘과 관련된 것을 연구한다는 뜻이다.

이상을 종합하여 볼 때 운동역학 또는 스포츠생체역학은 "인간이라고 하는 유기체가 스포츠를 할 때 발휘하는 힘이나 필요한 힘에 대하여 연구하는 학문"이라고 할 수 있다.

그러나 학자에 따라서 강조하는 내용이 다르기 때문에 다음과 같이 여러 가지로 운동역학을 정의한다.

❖ 운동수행을 더 잘 이해하기 위하여 물리학의 법칙을 인간의 운동수행에 적용하는 스포츠과학의 한 분야이다.

❖ 인간의 움직임을 설명하고, 분석하고, 평가하는 학제간 학문(여러 학문이 섞여서 만들어진 종합학문, interdisciplinary studies)이다.

❖ 운동수행능력을 향상시키기 위하여 인체의 움직임과 기술을 연구하는 학문이다.

❖ 살아 있는 유기체의 구조와 기능에 역학적인 기술과 원리를 적용시키는 학문이다.

❷ 운동역학을 나타내는 용어의 변천

오늘날 우리가 운동역학에서 연구하는 것과 비슷한 연구를 최초로 한 사람은 프랑스의 의사이자 생리학자였던 마레(Étienne-Jules Marey, 1830~1904)이다. 그는 인간이 걷는 동작을 1초에 12장의 속도로 촬영해서 분석하였다.

당시에는 마레의 연구를 기능학(kinesiology)이라고 불렀다. 이 말은 '움직임, 體, 肉'이라는 의미를 가지고 있는 'kinein'과 '學, 論, 硏究'라는 의미를 가지고 있는 'ology'를 합성한 단어로 "신체의 움직임을 자연과학적으로 연구하는 것"이라고 종합할 수 있다.

처음으로 인간의 동작을 영화로 촬영해서 분석한 것이므로, 인간의 팔다리가 움직이는 범위(관절의 가동범위 또는 분절의 길이 등)를 밝히거나 움직이는 궤적을 그리는 것이 기능학(kinesiology) 연구의 주종을 이루었다.

우리나라에서 체육이라고 하면 왠지 학문이 아닌 것 같은 선입견이 있듯이 서양 사람들도 'kinein'이라는 단어를 학문적인 용어로는 선호하지 않기 때문에 일부 학자들이 kinesiology 대신에 biomechanics를 사용하기 시작하였다.

1960년대 이전까지는 kinesiology와 biomechanics를 특별히 구분하지 않고 혼용하였다. 그런데 biomechanics라고 하면 물고기도 연구하고 소나 말도 연구해야 한다는 주장이 나오자 human(인간) biomechanics라는 말이 나왔다.

그 결과 human(인간)을 역학적으로 연구하는 것이므로 의사들을 중심으로 인간의 뼈가 힘에 어떻게 견디는지, 또는 혈액이 혈관을 흐를 때 얼

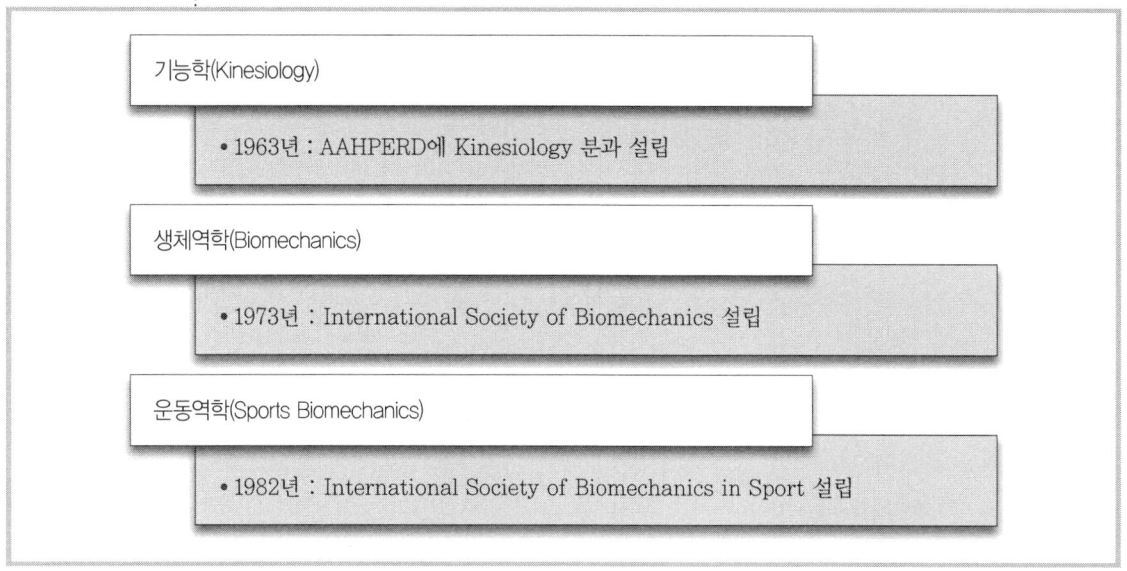

▶ 그림 1.1 　운동역학 관련 세계학회의 설립연도

마나 큰 압력이 작용하는지를 연구하는 것이 human biomechanics의 주를 이루게 되었다.

1960년대 말과 1970년대 초에 발간된《세계생체역학회지(International Journal of Biomechanics)》에 게재된 논문은 거의 모두 의사들이 쓴 것이었다. 체육을 학문으로 만들려고 생체역학을 만들었더니 의사들이 독자치해 버리는 꼴이 되자 체육을 전공하는 학자들이 따로 모여서 만든 것이 'sports biomechanics'이다. 학회 설립연도를 보면 알 수 있을 것이다.

❸ 운동역학의 역사

어떤 과목이든 역사를 말할 때는 고대 그리스 때부터 연구를 시작해서 점차 발달하여 왔다고 한다. 오래된 학문이라고 하면 권위가 생기는지는 몰라도 운동역학을 연구하기 시작한 것은 문예부흥 이후에 체육이 교육적으로 중요하다고 강조한 때부터였다.

처음부터 운동역학을 연구한 것도 아니다. 체육을 연구하다보니까 그 연구 중에서 누구누구의 무슨 연구가 오늘날의 운동역학과 가장 가까운 것이라고 갖다 붙인 것이 운동역학의 역사이다.

❖ 아리스토텔레스(Aristotles, 384~322 BC) : 보통 아리스토텔레스를 '기능학의 아버지'라고 한다. 그가 저술한《동물의 부품(Parts of Animals)》,《동물의 움직임(Movement of Animals)》,《동물의 이동(Progression of Animals)》등에서 근육의 활동을 묘사하고, 처음으로 기하학적으로 분석했기 때문이다 .

❖ 갈렌(Caludius Galen, 131~201) : 갈렌이 최초의 스포츠 의사였기 때문에 '스포츠의학의 아버지'라고 불린다. 검투사들을 수술하고 식

이요법을 실행하면서 인간의 신체와 운동에 대한 지식을 얻었다.

❖ 다빈치(Leonard Da Vinci, 1452~1519) : 인간의 신체를 가장 완벽한 기계로 생각하였고, 그 기계가 움직이는 메커니즘에 대하여 많이 연구하였다. 다빈치가 그린 인체도는 오늘날에도 경이로울 정도로 정교하다.

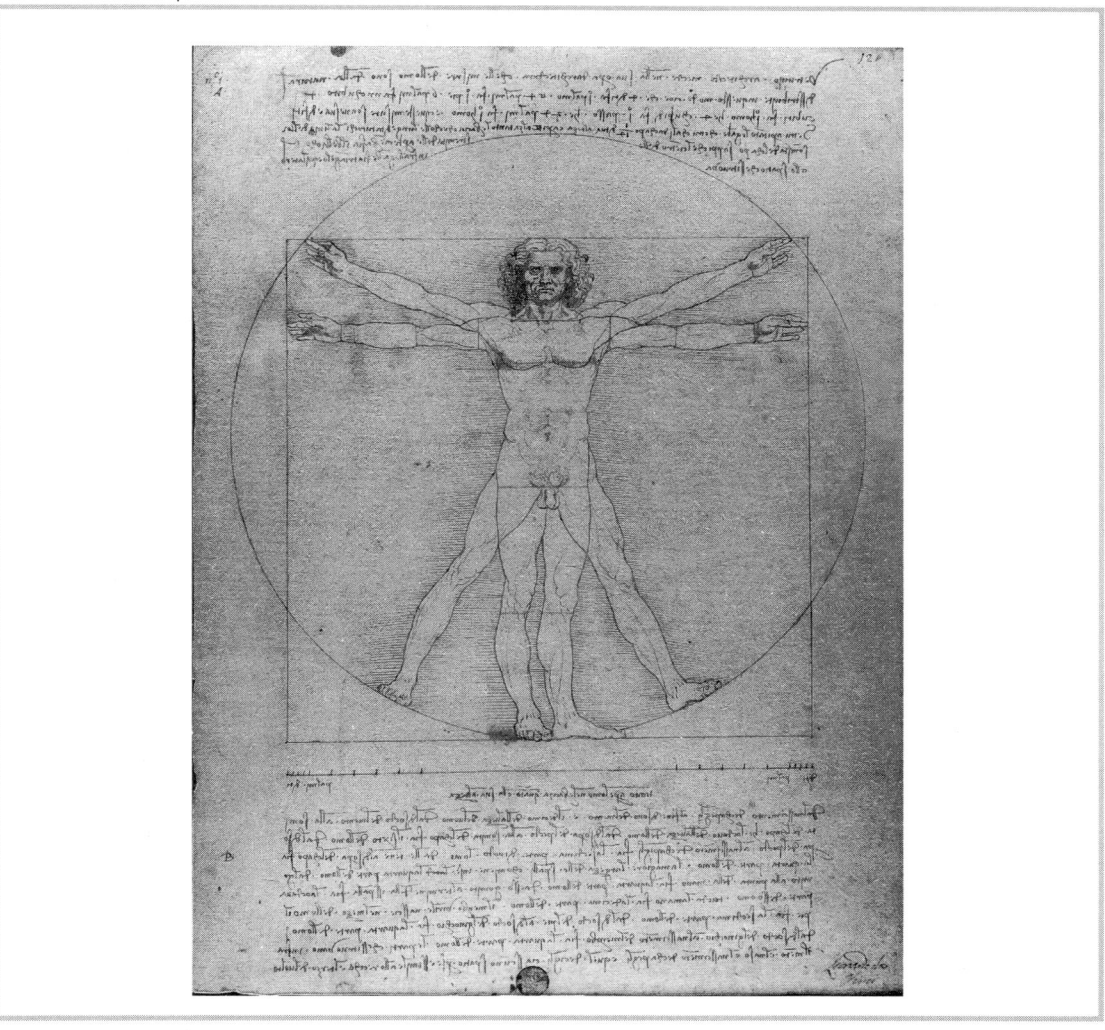

▶ 그림 1.2   다빈치의 인체도

❖ 갈릴레이(Galileo Galilei, 1564~1642) : 어떤 현상이든지 실험을 통해서 재현할 수 있는 원리를 알아내야 한다는 '과학 연구방법'을 만들어 과학 발전의 초석을 다졌고, 수학을 연구에 적용하였다.

❖ 뉴턴(Sir Isaac Newton, 1642~1727) : 운동의 법칙, 만유인력의 법칙, 미적분학 등을 발표했다.

❖ 마레(Étienne-Jules Marey, 1830~1904) : 처음으로 보행동작을 촬영하여 영상분석 방법을 창안하였다.

이상은 운동역학이 시대적으로 어떤 과정을 거쳐서 발달되었는지 간략하게 요약한 것이다. 다음은 운동역학이 전체적으로 어떻게 발전하여 왔는지를 조망한 것이다.

❖ 중세까지는 운동을 과학적으로 연구한 것이 없었고, 문예부흥기 이후에 체육의 중요성이 강조되면서 운동에 과학을 접목시키기 시작하였다.

❖ 처음에는 의학적인 지식이나 해부학적인 지식을 기초로 한 것이 거의 전부였기 때문에 기능학(kinesiology)이 먼저 발달되기 시작하였고, 마레가 보행동작을 영상분석한 것이 운동역학(biomechanics)의 시작이었다.

❖ 갈릴레이가 개구리의 뒷다리에 전류를 통과시키면 근육이 경직되고, 개구리가 뒷다리를 움직이면 미세한 전압이 발생된다는 사실을 발견한 다음부터 근전도(筋電圖)에 관한 연구가 시작되었다. 당시에는 전기에 대한 지식이 일천하였고 전기 기술도 극히 제한적이었기 때문에 별로 발전하지 못하였다.

❖ 1950년대에 컴퓨터의 발명으로 대량의 데이터를 단시간에 처리할 수 있게 되고, 전자공학과 계측공학의 발전에 힘입어 운동역학의 전성

기를 맞게 되었다. 이때 영상분석과 근전도분석에 관한 대부분의 이론과 연구방법 등이 정립되었고, 운동역학이 해부학이나 운동생리학과 동등한 수준의 체육과학 분야의 학문으로 인정받게 되었다.

그러나 체육학 발전에 획기적인 역할을 해줄 것으로 기대했던 근전도 분석의 결과가 일관성이 없게 나타나자 운동역학의 발전은 큰 벽에 부딪치게 되었다.

1980년대에 지면반력분석 방법, 3차원 영상분석 방법, 스트레인 게이지를 이용해서 힘을 측정하는 방법, 근전도의 주파수분석 방법 등이 개발되면서 다시 한 번 운동역학이 크게 발전하였다. 그때 우리나라에도 '한국체육과학연구원(KSSI)'이 설립되면서 체육학의 연구 방향이 자연히 운동역학, 운동생리학, 운동심리학이 주류를 이루게 되었다.

그러나 현재까지도 인체에 상처를 입히지 않고 근력을 정확하게 측정할 수 있는 방법이 개발되지 못하였고, 더 이상의 새로운 연구방법도 개발되지 못하였기 때문에 운동역학 연구가 침체기에 들어갔다고 볼 수 있다.

현재는 기존의 연구방법이나 기술에 수학적인 기법, 컴퓨터과학, 공학을 접목시키는 정도에 머물면서, 학생들이 운동역학은 어렵기만 하고 별로 기대할 것이 없는 과목이라는 인식을 갖게 되었다.

앞으로 운동역학의 발전을 위해서는 운동선수나 체육을 전공하는 학생들이 물리학, 수학, 컴퓨터과학, 공학 등을 잘 모르고 어렵다고 해서 외면하지 말고 적극적으로 공부해야 할 것이다. 앞으로는 어떤 학문이든지 여러 분야의 전공자들이 힘을 합쳐서 연구하는 융합과학이 되지 아니하면 발전을 기대하기 어렵기 때문이다.

02 운동역학의 연구목적과 연구분야

❶ 운동역학의 연구목적

앞에서 공부한 운동역학의 정의를 살펴보면 "○○을 위하여 △△을 한다."의 형식이다. 그러므로 '○○'이 바로 운동역학 연구의 목적 또는 필요성이고, '△△'이 연구방법 또는 연구수단이다. 즉 운동역학의 연구목적은 '운동수행을 더 잘 이해하기 위하여', '인간의 움직임을 설명하고, 분석하고, 평가하기 위하여', '운동수행을 향상시키기 위하여' 등이다.

운동역학의 연구목적
- 인간의 움직임을 이해하고, 설명하고, 분석하고, 평가하기 위해서
- 운동을 효율적으로 하기 위해서
- 운동을 안전하게 할 수 있게 하려고
- 경기력을 향상시키기 위해서

---

❷ 운동역학의 연구분야

앞에서 이미 설명하였듯이 운동역학(스포츠생체역학)은 연구대상을 스포츠에 한정시켰기 때문에 연구분야가 아주 좁을 것 같지만 그렇지는 않다. 예를 들어 스포츠 종목마다 특성이 있기 때문에 달리기역학, 던지기역학, 수영역학, 태권도역학 등으로 나눌 수도 있다. 또 스포츠를 하는 사람의 연령에 따라서 유소년역학, 청소년역학, 노인역학 등으로 나눌 수도 있으며, 직업에 따서 운전기사역학, 농민역학, 임산부역학 등으로 특성화할

수도 있다. 다시 말하면 운동역학의 연구분야는 특정할 수 있을 만큼 많다.

그러나 여기에서는 운동역학의 연구분야를 나누는 가장 일반적인 방법을 간략하게 설명한다.

❖ **스포츠생체역학**(sports biomechanics)……스포츠기술을 수행할 때 인체의 근육 · 관절 · 뼈대의 활동을 연구대상으로 한다. 스포츠 기술에 대하여 역학적으로 잘 이해하는 것이 운동수행, 재활, 부상예방, 기술숙달 등에 아주 중요하기 때문이다.

❖ **운동생체역학**(biomechanics of exercise)……일반적으로 'sports'는 경기종목, 'exercise'는 건강을 위한 운동을 의미한다. 운동의 효과를 극대화하려면 어떻게 해야 하고, 부상을 최소화하려면 어떻게 해야 하는가에 관심이 있다.

❖ **재활역학**(rehabilitation mechanics)……장애가 있는 사람의 운동패턴을 연구하여 그들에게 도움을 줄 수 있는 방법을 찾는다. 의족이나 클러치(지팡이) 같은 장애인을 위한 보조도구나 운동도구에도 관심을 갖는다.

❖ **장비개발**(equipment design)……운동용구(라켓, 볼, 자전거 등), 운동용품(옷, 장갑, 헤드기어 등), 운동시설(운동장, 체육관 등)을 개량하는 연구를 말한다.

❖ **측정 및 분석방법의 개발**……역학적 요인을 더 간편하면서도 정확하게 측정할 수 있는 방법이나 도구를 개발한다든지, 운동을 더 쉽고 정확하게 이해할 수 있도록 분석하는 방법을 개발하는 것이다.

❖ **인체측정 및 해부기능학**(anthropometry & anatomical kinesiology)……신체분절의 질량, 길이, 무게중심, 관성모멘트 등을 측정하고 일반화하는 것에 관심을 갖는다.

❖ **유체역학**(bio-fluid mechanics)……수영, 스쿠버다이빙, 패러글라이

딩과 같이 공중이나 물속에서 하는 스포츠를 연구할 때 필요하다.

❸ 운동역학의 용어

운동역학을 공부하다 보면 운동역학과 비슷한 용어들이 자주 나온다. 그것들을 모아서 구분하면 다음과 같다.

- **정역학**(statics) : 정지하고 있는 물체의 역학
- **동역학**(dynamics) : 운동하는 물체의 역학

- **강체**(rigid body) : 인체에서는 어떻게 움직여도 모양이 변하지 않는 물체를 강체라고 한다. 자세가 변하더라도 크기나 모양이 변하지 않는다고 가정할 수 있는 뼈가 강체에 해당된다.
- **연체**(soft body) : 피부 · 근육 · 연골 등과 같이 자세가 바뀌면 크기와 모양이 변하는 것을 연체라고 한다.

- **운동학**(kinematics) : 힘이나 토크와 관련된 역학적 요인들은 제외하고 거리 · 각도 · 시간 · 속도 등과 같은 요인들만 취급한다.
- **운동역학**(kinetics) : 힘이나 토크와 관련된 요인들도 취급한다. 즉 '운동학+힘과 토크'를 연구하는 것이 운동역학이다.

제2장

운동역학의 이해

01 운동역학의 해부학적 기초

운동역학의 연구대상은 사람이 스포츠활동을 할 때 인체의 움직임이다. 그러므로 운동역학을 공부하려면 인체의 구조와 기능에 대한 기초지식이 있어야 한다. 적어도 뼈 · 근육 · 관절의 이름, 위치, 구조, 기능 등은 알고 있어야 한다. 해부학에서는 생김새에 초점을 맞추지만, 운동역학에서는 어떻게 움직이는가에 초점을 맞춘다는 것이 다르다.

① 인체의 근육뼈대계통

■ 뼈대(골격)계통

인간의 뼈대는 크게 몸통뼈대(축성골)와 팔다리뼈대(사지골)로 나눈다. 몸의 중심부 또는 축에 있는 머리뼈(두개골), 등뼈(흉추), 가슴뼈(흉골), 목뼈(경추) 등이 몸통뼈대이다. 팔에 있는 어깨뼈(견갑골), 위팔뼈(상완골), 손목뼈(수근골), 손가락뼈(지골) 등과 다리에 있는 엉덩뼈(장골), 넙다리뼈(대퇴골), 발목뼈(족근골), 발가락뼈(지골) 등을 모두 합해서 팔다리뼈대라고 한다.

척주는 서로 분리되어 있는 척추뼈들이 여러 개의 인대에 의해 곡선 모양으로 길게 연결되어 만들어진 것이다. 척주에는 4개의 굽이(만곡)가 있어서 목과 허리 부위는 앞으로 볼록하고(전만), 가슴과 엉치 부위는 뒤로 볼록하다(후만). 태어날 때에는 척주에 굽이가 없다. 그런데 자라는 동안 머리의 무게를 지탱하기 위해서 목굽이가 생겼고, 상체의 무게를 지탱하기 위해 허리굽이가 생긴 것이다.

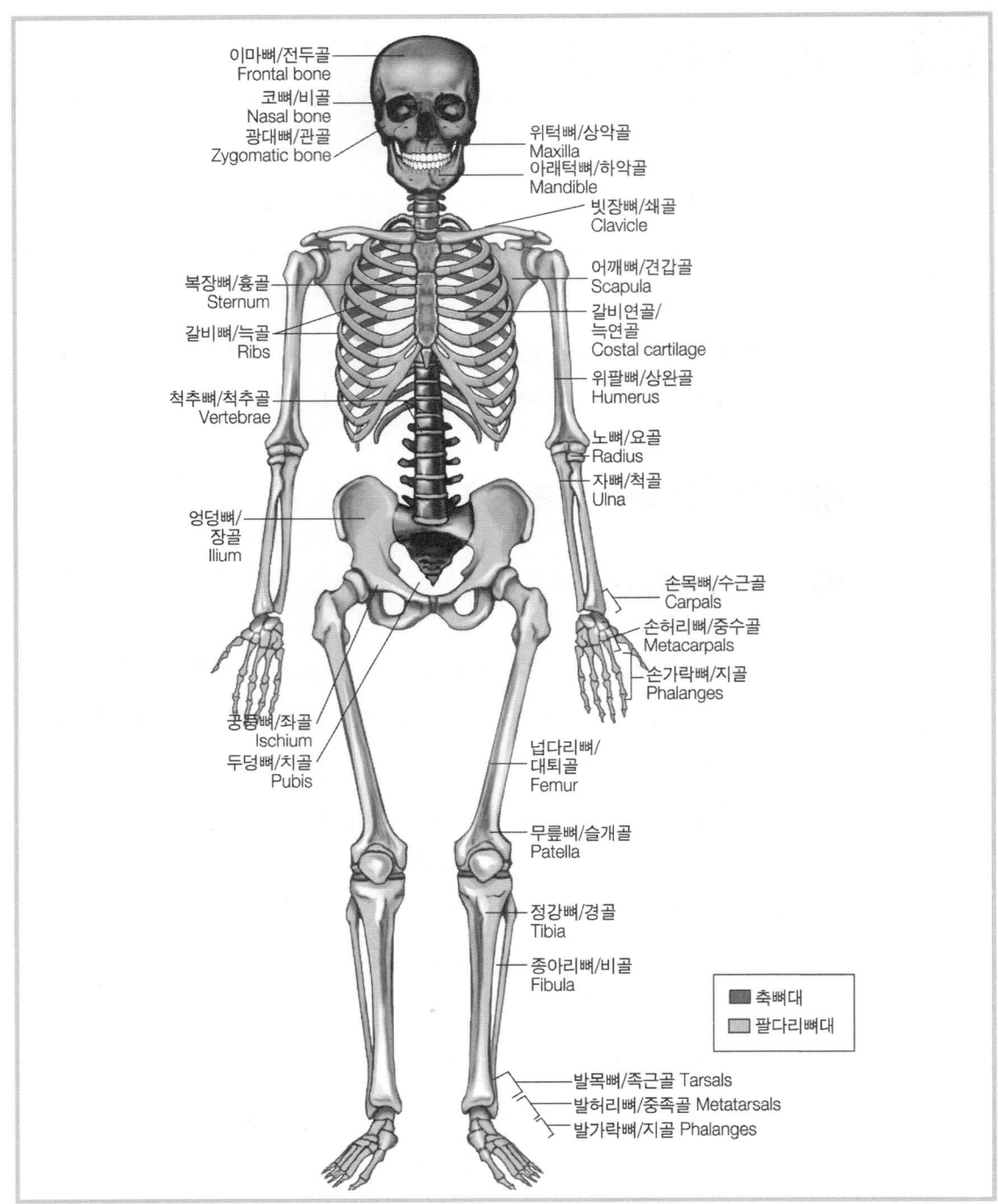

▶ 그림 2.1(A)인체의 뼈대(앞면)

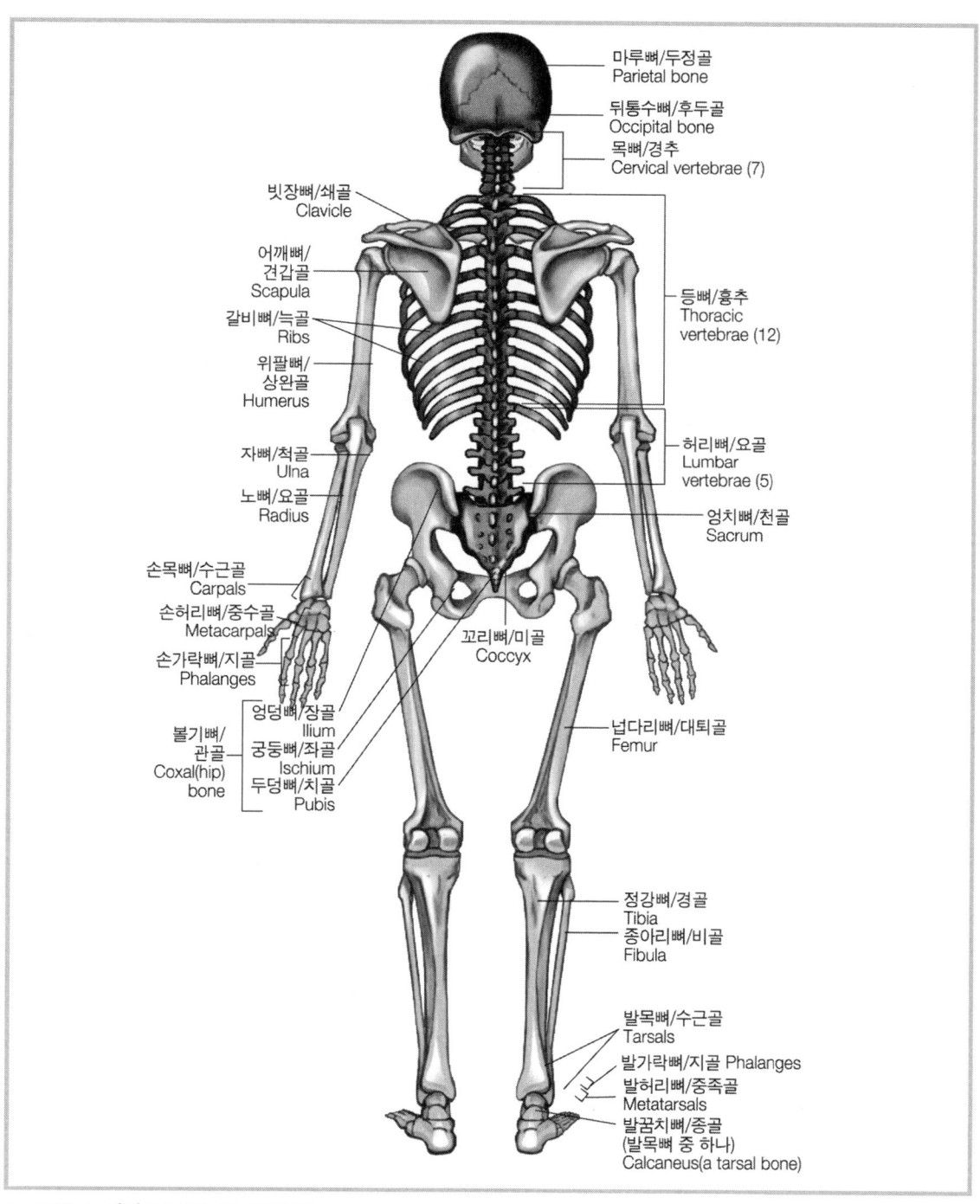

마루뼈/두정골
Parietal bone

뒤통수뼈/후두골
Occipital bone

목뼈/경추
Cervical vertebrae (7)

빗장뼈/쇄골
Clavicle

어깨뼈/
견갑골
Scapula

갈비뼈/늑골
Ribs

위팔뼈/
상완골
Humerus

자뼈/척골
Ulna

노뼈/요골
Radius

손목뼈/수근골
Carpals

손허리뼈/중수골
Metacarpals

손가락뼈/지골
Phalanges

볼기뼈/
관골
Coxal(hip)
bone

등뼈/흉추
Thoracic
vertebrae (12)

허리뼈/요골
Lumbar
vertebrae (5)

엉치뼈/천골
Sacrum

꼬리뼈/미골
Coccyx

엉덩뼈/장골
Ilium

궁둥뼈/좌골
Ischium

두덩뼈/치골
Pubis

넙다리뼈/대퇴골
Femur

정강뼈/경골
Tibia

종아리뼈/비골
Fibula

발목뼈/수근골
Tarsals

발가락뼈/지골 Phalanges

발허리뼈/중족골
Metatarsals

발꿈치뼈/종골
(발목뼈 중 하나)
Calcaneus(a tarsal bone)

▶ 그림 2.1(B) 인체의 뼈대(뒷면)

심장·허파·간 등을 보호하기 위해 가슴 부위의 뼈들이 울타리 모양으로 둘러싸고 있는 것을 가슴우리(흉곽), 여러 내장과 방광·태아를 올려 놓기 위해 엉치 부위의 뼈들이 소반 모양을 하고 있는 것을 골반이라고 한다.

팔과 몸통을 연결해주는 어깨뼈(견갑골)와 빗장뼈(쇄골)를 합쳐서 팔이음뼈(상지대), 다리와 골반을 연결해주는 엉덩뼈(장골)·궁둥뼈(좌골)·두덩뼈(치골)를 합쳐서 볼기뼈(관골) 또는 다리이음뼈(하지대)라고 한다. 팔이음뼈와 다리이음뼈는 몸통뼈가 아니라 팔다리뼈에 속한다.

손목에 있는 16개의 뼈를 합쳐서 손목뼈(수근골), 손바닥에 있는 10개의 뼈를 합쳐서 손허리뼈(중수골, 수장골), 손가락에 있는 28개의 뼈를 합쳐서 손가락뼈(지골)라고 한다. 발목에 있는 14개의 뼈를 합쳐서 발목뼈(족근골), 발바닥에 있는 10개의 뼈를 합쳐서 발허리뼈(중족골, 족저골), 발가락에 있는 28개의 뼈를 합쳐서 발가락뼈(지골)라고 한다.

역학적으로 뼈가 하는 기능은 다음과 같다.

❖ 신체의 모양을 잡아주기
❖ 움직일 수 있게 하기

인체의 뼈가 지금과 같은 모양을 이루기 때문에 현재 인체가 움직일 수 있는 운동만 할 수 있는 것이 아니라, 현재 인체가 움직일 수 있는 운동을 잘 할 수 있도록 하기 위하여 뼈의 모양이 지금과 같이 변한 것이다. 다시 말해서 사람이 살아가는 데 꼭 필요한 운동(움직임)이 가능하도록 뼈의 모양이 진화된 것이다.

■ 근육계통

그림 2.2는 앞과 뒤에서 본 인체의 근육을 그린 것이다. 근육은 바깥층,

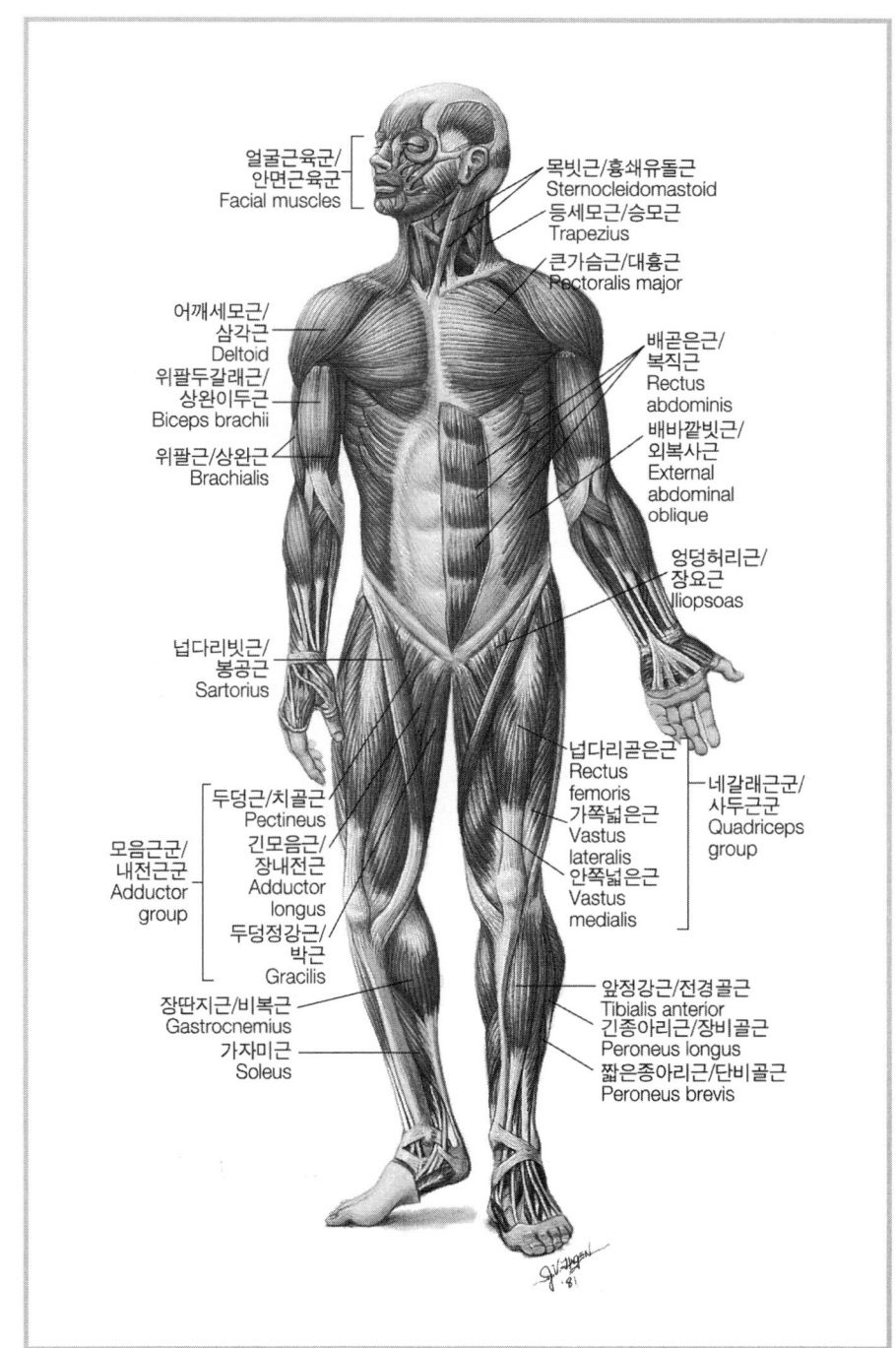

▶ 그림 2.2(A) 인체의 근육(앞면)

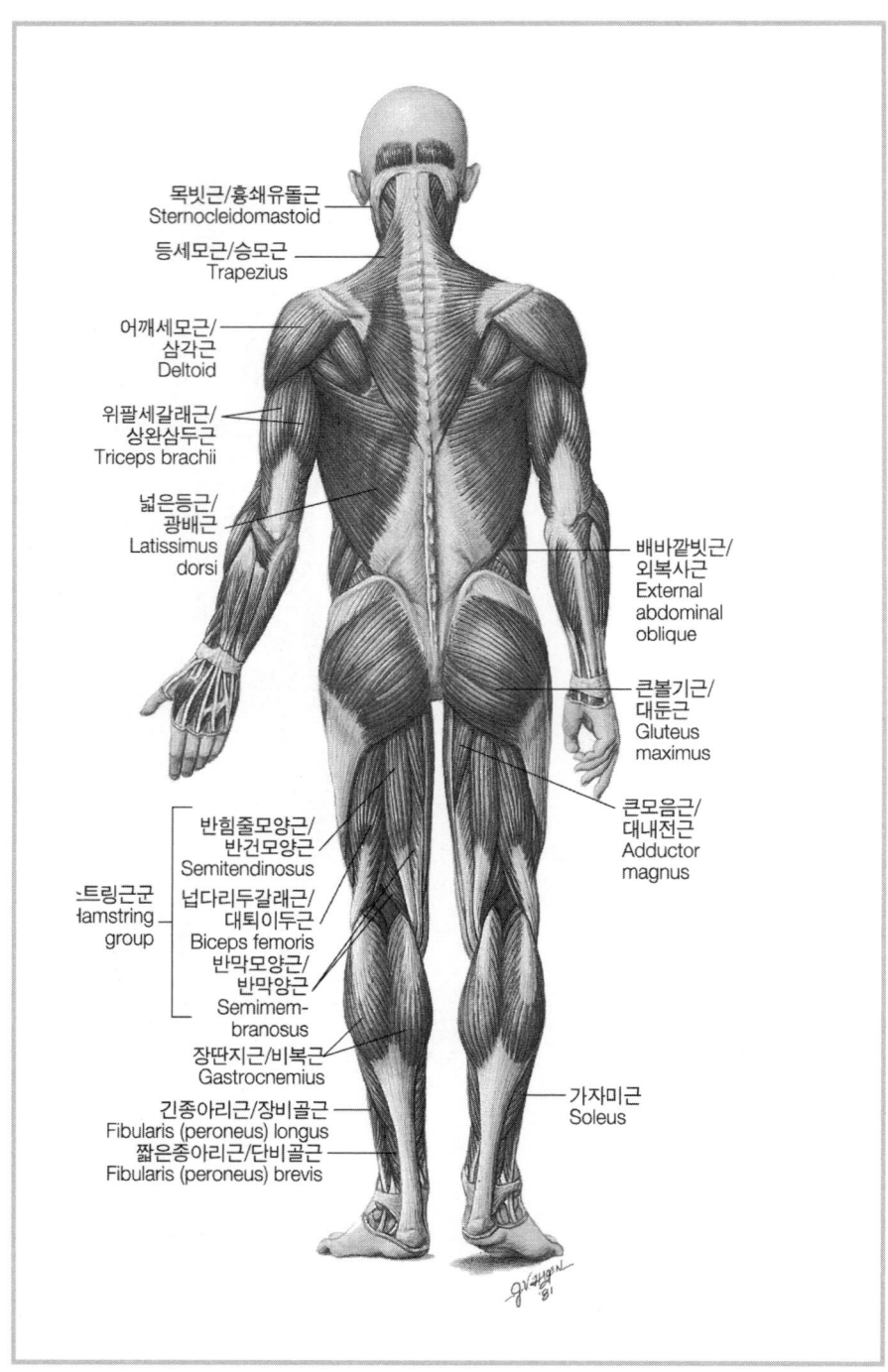

목빗근/흉쇄유돌근
Sternocleidomastoid

등세모근/승모근
Trapezius

어깨세모근/
삼각근
Deltoid

위팔세갈래근/
상완삼두근
Triceps brachii

넓은등근/
광배근
Latissimus
dorsi

배바깥빗근/
외복사근
External
abdominal
oblique

큰볼기근/
대둔근
Gluteus
maximus

큰모음근/
대내전근
Adductor
magnus

반힘줄모양근/
반건모양근
Semitendinosus

스트링근군/
Hamstring
group

넙다리두갈래근/
대퇴이두근
Biceps femoris

반막모양근/
반막양근
Semimem-
branosus

장딴지근/비복근
Gastrocnemius

긴종아리근/장비골근
Fibularis (peroneus) longus

짧은종아리근/단비골근
Fibularis (peroneus) brevis

가자미근
Soleus

▶ 그림 2.2(B) 인체의 근육(뒷면)

중간층, 깊은층에 있기 때문에 그림에 표시하지 못한 근육도 많이 있다.

근육은 신경자극을 받아 수축·이완하는 조직이므로 근육의 기능 중에서 운동을 일으키는 역할이 가장 중요하다. 근육에는 뼈대를 움직이는 뼈대근육(골격근), 심장을 움직이는 심장근육(심근), 내장을 움직이는 내장근육(내장근)의 3종류가 있다.

근육을 현미경으로 보았을 때 가로무늬가 있으면 가로무늬근(횡문근), 없으면 민무늬근(평활근)이라 한다. 또 운동신경의 자극에 의해서 자신이 마음먹은대로 움직일 수 있는 근육을 맘대로근(수의근), 자율신경의 자극에 의해서 움직이기 때문에 자신의 의지와 관계없이 제멋대로 움직이는 근육을 제대로근(불수의근)이라고 한다.

그림 2.3을 보면 뼈대근육과 심장근육에는 하얀 줄무늬(가로무늬)가 있

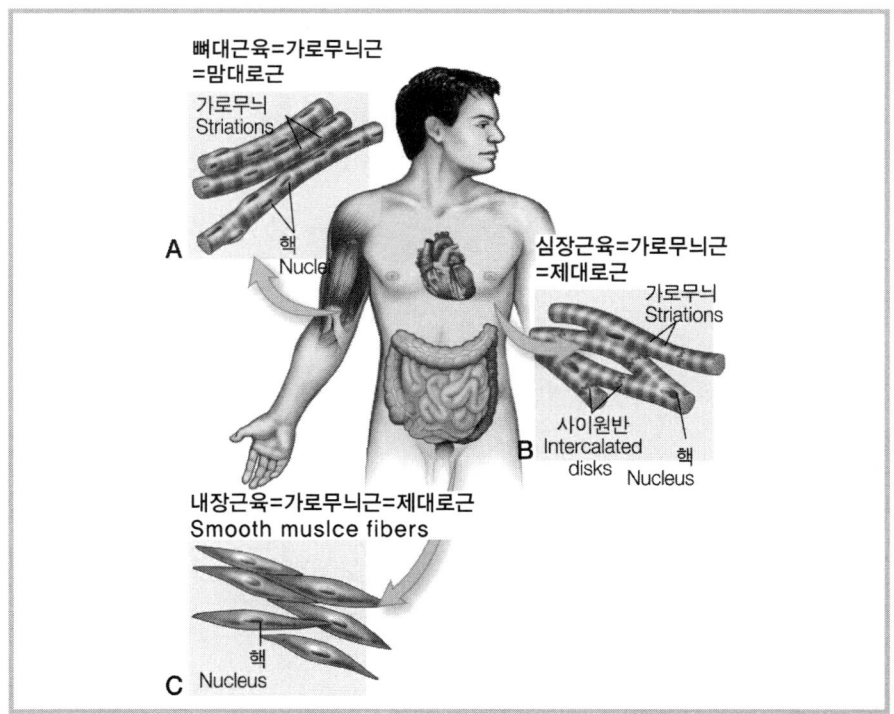

▶ 그림 2.3   근육조직의 종류

다(심장근육은 가로무늬가 있어도 맘대로근이 아니다). 내장근육과 심장근육은 자율신경의 지배를 받기 때문에 자기 마음대로 움직일 수 없다.

근육이 운동을 일으킬 수 있는 것은 우리가 섭취한 음식물 속에 들어 있는 영양소를 이용해서 수축하면서 힘을 발휘하기 때문이다. 근육이 수축할 때에는 힘을 발휘하지만, 늘어날(이완될) 때에는 힘을 발휘하지 않는다. 팔을 굽힐 때에는 수축했던 근육이 이완하면서 팔이 펴지는 것이 아니다. 팔을 굽힐 때에는 굽힘근이, 팔을 펼 때에는 폄근이 수축한 것이다.

근육이 수축하는 방법은 다음 3가지가 있다.

❖ **등장성 수축** : 물건을 들고 가만히 있을 때처럼 근육이 발휘하는 힘의 크기가 변하지 않는(같은) 경우
❖ **등척성 수축** : 힘을 주어서 벽을 밀고 있을 때처럼 근육의 길이는 변하지 않지만 힘은 계속해서 발휘하고 있는 경우
❖ **신장성 수축** : 근육의 길이가 늘어나면서 힘을 발휘하는 경우

신장성 수축은 앞에서 "근육은 수축할 때에는 힘을 발휘하지만, 늘어날 때에는 힘을 발휘하지 않는다"고 한 말과 맞지 않는 것이 아닌가 의문이 들 수 있다. 그러나 이것은 능동적인 것과 수동적인 것을 구별하지 않았기 때문에 생긴 오해이다.

오래매달리기를 생각해보자. 자기는 등척성 수축을 해서 더 매달려 있으려고 하지만, 수동적으로 근육이 늘어나는 상황이다. 이때는 근육이 힘을 발휘하기는 하지만 몸무게를 지탱하기에는 모자라기 때문에 근육의 길이가 점점 늘어나므로 신장성 수축이라고 한다. 신장성 수축의 반대말은 '수축성 수축' 또는 '단축성 수축'이다.

- A에서 B, 또는 B에서 C로 자세가 변화할 때에는 팔근육의 길이가 줄어들면서 힘을 발휘한다. → 수축성(단축성) 수축
- C에서 B, 또는 B에서 C로 자세가 변화할 때에는 팔근육의 길이가 늘어나면서 힘을 발휘한다. → 신장성 수축
- A, B, C의 상태에서 팔의 힘을 완전히 빼면 땅으로 떨어져버린다. → 근육의 이완
- A, B, C 중 어떤 자세를 취하고 가만히 있다. → 근육의 길이가 일정하므로 등척성 수축도 되고, 근력의 크기가 변하지 않으므로 등장성 수축도 된다.
- B에서 A로, 또는 B에서 C로 자세가 아주 느린 속도로 변화한다. → 등장성 수축으로 간주할 수도 있다.

▶ 그림 2.4　단축성 수축, 신장성 수축 및 등장성 수축

❷ 해부학적 자세와 방향 용어

■ 해부학적 자세

　해부학적 자세는 '인체해부도를 그릴 때 사람이 취하고 있다고 가정하는 자세'라는 뜻이며, 인체의 움직임, 자세, 방향, 한 부위와 다른 부위와의 관계를 이야기할 때 기준이 되는 다음과 같은 자세이다(그림 2.5).

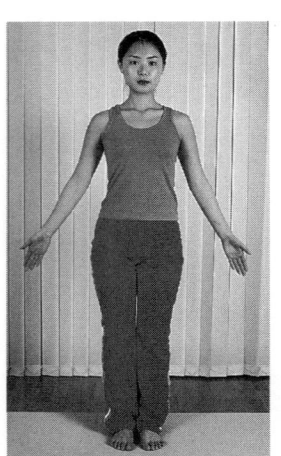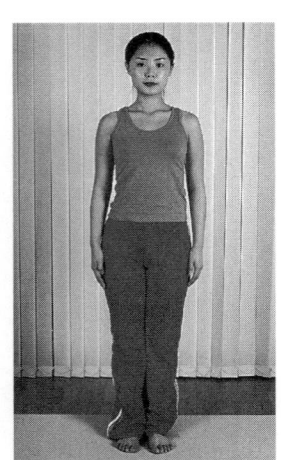

▶ **그림 2.5** 　 해부학적 직립자세(왼쪽)와 자연적 직립자세(오른쪽)

❖ 두 발을 어깨너비로 벌린다.

❖ 발을 11자 형태로 딛는다.

❖ 두 팔을 밑으로 길게 뻗는다.

❖ 손바닥이 앞에서 보이도록 돌린다.

❖ 손가락을 자연스럽게 벌린다.

❖ 정면을 바라본다.

❖ 똑바로 선다.

해부학적 자세가 기준자세라는 말은 '방향에 의미를 부여하는 자세'라는 뜻이다. 그림 2.6을 보면 쉽게 이해할 수 있을 것이다.

어떤 사람이 그림과 같은 모습으로 있다면 앞 방향은 침대쪽이고, 뒷 방향은 천정쪽이다. 오른 방향은 오른손쪽이고, 왼 방향은 왼손쪽이다. 위 방향은 문 밖으로 나가는 머리쪽이고, 아래 방향은 발쪽에 있는 벽쪽이다.

■ 방향 및 위치 용어

인체의 움직임 · 자세 · 한 부위와 다른 부위와의 관계는 상대적인 방향과 위치로 설명하는 것이 편리하다. 예를 들어 "앞으로 또는 오른쪽으로 5미터 걸어갔다."고 하는 것이 "동경 몇 도, 몇 분, 몇 초, 북위 몇 도, 몇 분, 몇 초 지점에서 동경 몇 도, 몇 분, 몇 초, 북위 몇 도 몇 분 몇 초 지점으로 이동했다."고 하는 것보다 훨씬 편리하다.

방향을 동서남북으로 나타낼 수도 있지만 체육에서는 매우 불편하다. 예를 들어 운동장에서 "앞으로 가!" 또는 "우향 앞으로 가!" 대신에 "동남쪽으로 가!" 또는 "서북쪽으로 가!'라고 한다면 매우 불편할 것이다. 그래서 해부학이나 운동역학은 물론 일상생활에서도 대부분 상대적인 방향과 위치를 사용한다.

상대적인 방향과 위치를 표현할 때에는 다음과 같은 용어들을 사용한다. 그런데 일상생활에서 사용할 때와 의미가 다른 경우도 있으므로 주의해야 한다.

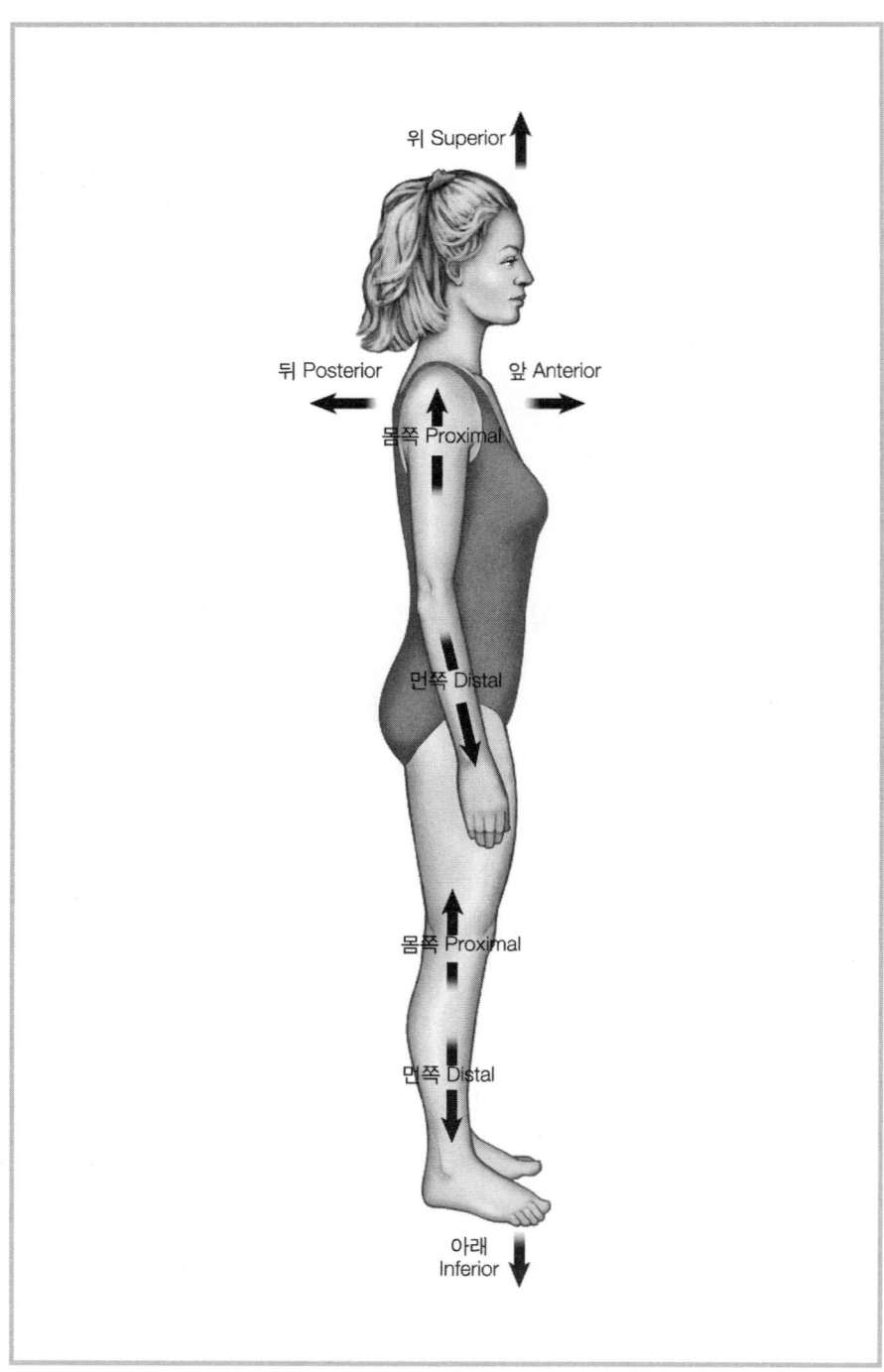

▶ 그림 2.6   인체의 방향과 위치

❖ 위(superior)/아래(inferior) : 위(上)는 머리쪽(하늘쪽이 아님), 아래(下)는 다리쪽(땅쪽이 아님). 영어로 up, low라고 하면 틀린 것은 아니지만 잘 쓰지 않는다. 어깨는 허리 위에 있고, 무릎은 허리 아래에 있다.

❖ 앞(anterior)/뒤(posterior) : 앞(前)은 얼굴쪽, 뒤(後)는 등쪽. 영어로 front, back이라고 하면 틀린 것은 아니지만 잘 쓰지 않는다. 코는 얼굴 앞쪽에 있고, 뒤통수는 뒤쪽에 있다.

❖ 왼쪽(left)/오른쪽(right) : 왼쪽(左), 오른쪽(右)

❖ 안쪽(medial)/가쪽(lateral) : 안쪽(內)은 신체의 중심선쪽, 가쪽(外)은 안쪽의 반대, 가쪽 대신에 옆쪽(측=側)도 쓴다. 엄지발가락은 안쪽(내측)에 있고, 새끼발가락은 가쪽(외측)에 있다.

❖ 겉쪽(superficial)/깊은쪽(deep) : 겉쪽(표=表, 피=皮, 천=淺)은 피부에 가까운 쪽, 깊은쪽(심=深, 안쪽, 속쪽)은 겉쪽의 반대. 각막은 겉쪽(표측)에 있고 망막은 깊은쪽(심측)에 있다.

❖ 배쪽(ventral)/등쪽(dorsal) : 배쪽(복측=腹側)은 배가 있는 쪽, 등쪽(배측=背側)은 등이 있는 쪽. 등뼈는 등쪽(배측)에 있고, 배꼽은 배쪽(복측)에 있다.

❖ 발바닥쪽(plantar)/발등쪽(dorsal) : 발바닥쪽을 저측(底側), 손바닥쪽을 장측(掌側)이라 하고, 손등쪽과 발등쪽은 모두 배측이라 한다.

❖ 몸쪽(proximal)/먼쪽(distal) : 몸쪽은 근위(近位), 먼쪽은 원위(遠位). 팔다리가 몸통에 붙어 있을 때 몸통에 가까운 쪽을 몸쪽, 먼 쪽을 먼쪽이라고 한다. 손목은 팔꿈치보다 먼쪽(원위)에 있고, 손가락보다는 몸쪽(근위)에 있다. 몸통에서는 골반 부위가 몸쪽(근위)이고, 가슴 부위가 먼쪽(원위)이다.

❖ 시작점(origin)/정지점(insertion) : 시작점(始作點)은 이는곳, 정지점

(停止點)은 닿는곳. 뼈대근육의 끝이 서로 다른 뼈에 붙어 있을 때 몸쪽의 뼈에 붙어 있는 점을 시작점, 먼쪽의 뼈에 붙어 있는 점을 정지점(부착점)이라고 한다.

❸ 인체의 면과 축 ·······························

인체를 둘로 자른다고 하면 그림 2.7과 같이 3개의 단면이 있을 수 있다. 이름이 다양하기 때문에 가장 많이 쓰이는 일반적인 단어를 맨 앞에 썼다.

❖ 좌우면(frontal plane)······좌우가 다 보이는 면. 전액면(前額面), 이마면, 관상면(冠狀面), 앞면이라고도 한다.

❖ 전후면(sagittal plane)······앞과 뒤가 다 보이는 면. 시상면(矢狀面 ; 가슴에 화살이 박혀 있다고 가정했을 때 이루는 면), 정중면(正中面 ; 한가운데의 면)이라고도 한다.

❖ 가로면(transverse plane)······보통 수평면(水平面)이라고 하지만, 사람이 누워 있을 때에는 수평면이라고 하기 곤란하기 때문에 가로면이라 한다. 횡단면(인체를 가로로 자르는 면)을 더 많이 쓴다.

그림 2.7에 있는 면은 모두 인체를 정확하게 반으로 자르는 면이기 때문에 앞에 정중을 붙여서 정중좌우면, 정중전후면, 정중가로면이라고 해야 한다. 정중좌우면은 하나밖에 없지만, 좌우면은 수없이 많이 있다.

인체의 면은 어떤 자세를 취하고 있는가와 상관없이 해부학적인 자세를 취하고 있을 때가 기준이 된다. 예를 들어 사람이 누워 있을 때는 지면과 평행한 면이 좌우면이고, 지면에 수직한 면이 가로면이다. 그림 2.8을 보면 이해하기 쉬울 것이다.

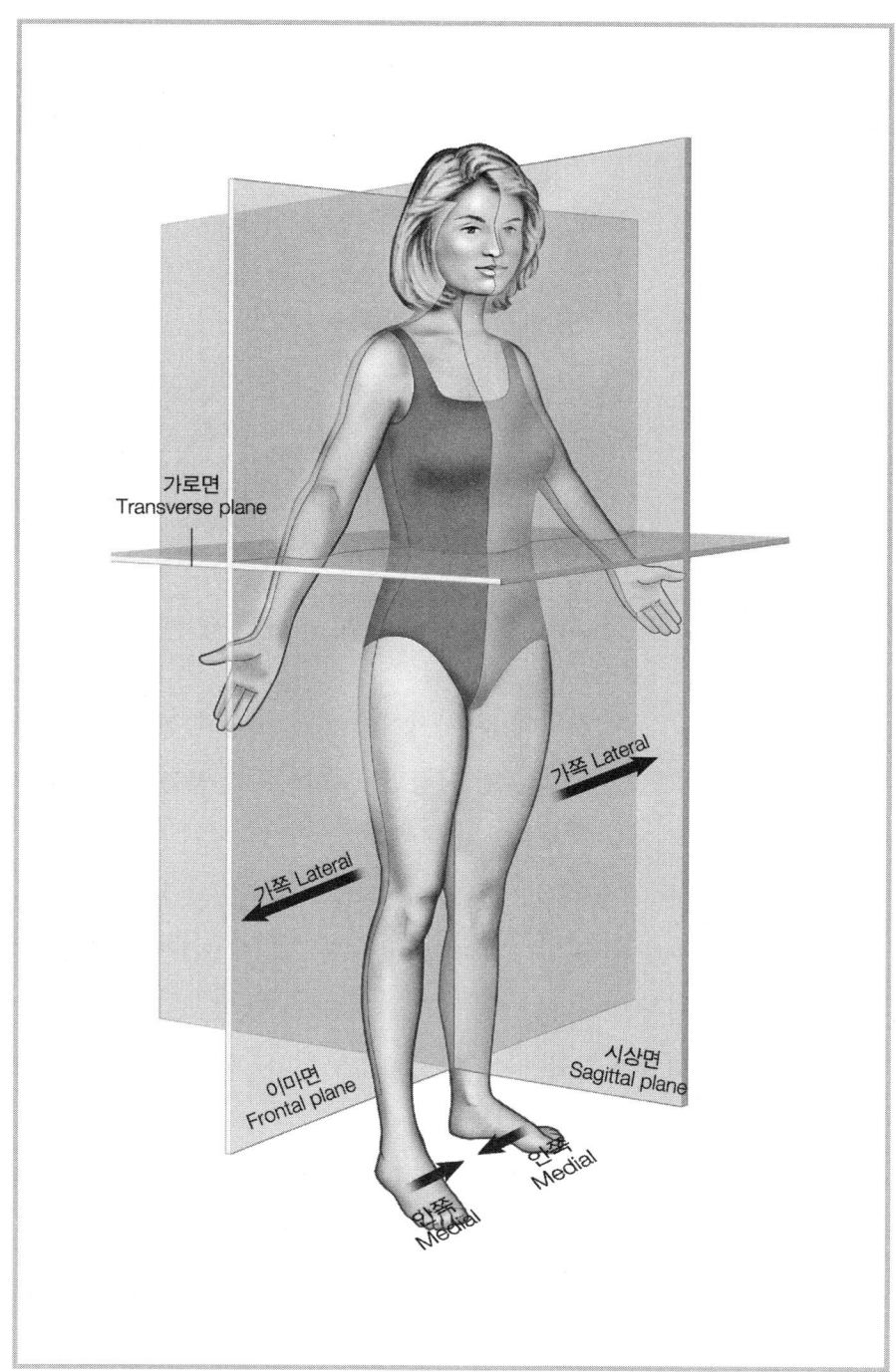

▶ 그림 2.7 　 인체의 면

▶ **그림 2.8**   인체의 이마면, 가로면, 시상면

이 사람의 좌우면(이마면)은 바닥면, 가로면(횡단면)은 허리를 자르고 있는 면, 전후면(시상면)은 머리에서 양쪽 가슴 가운데를 지나 배꼽을 잇는 선을 포함하는 면이다.

인체의 면은 어떤 동작을 전체적으로 보았을 때 운동이 주로 이루어지는 면을 나타낼 때 사용한다. 그림 2.9에서 달리기는 전후면(시상면)상에서 일어나는 운동이고, 팔다리를 양 옆으로 벌리는 것은 좌우면(이마면)상에서 일어나는 운동이며, 스케이팅에서 스핀을 도는 것은 수평면(가로면)상에서 일어나는 운동이다.

한편 회전운동을 나타낼 때에는 회전축을 이용하는 것이 편리하다. 예를 들어 철봉에서 대차운동을 하는 것을 "철봉을 축으로 회전한다."와 같이 표현하는 것이다. 인체는 모두 회전하지만 철봉은 회전하지 않기 때문에 철봉을 회전축이라고 한다.

▶ 그림 2.9　전후면, 좌우면 및 수평면에서 일어나는 운동

　　회전축에는 수직축, 좌우축, 전후축이 있다. 그림 2.10에서 아기가 옆으로 돌아눕는 것은 수직축을 축으로 회전하는 운동이고, 어린이가 매트 위에서 앞구르기를 하는 것은 좌우축을 축으로 회전하는 운동이며, 옆돌기는 전후축을 축으로 회전하는 운동이다.

▶ 그림 2.10   수직축, 좌우축 및 전후축을 축으로 회전하는 운동

　이러한 용어들이 마땅치 않을 때에는 장축(longitudinal axis)과 단축(short axis)을 대신 사용한다. 즉 신체분절 대부분이 긴 막대 모양으로 생겼기 때문에 길이가 긴 축을 장축, 길이가 짧은 축을 단축이라 한다. 인체가 하는 대부분의 회전운동은 장축을 축으로 회전한다.

　그림 2.11의 첫 번째 그림에서처럼 팔을 길게 늘어뜨린 상태에서 오른쪽 손바닥을 돌린 것은 장축을 축으로 팔을 회전시키는 동작이다. 두 번째 그림처럼 뻗고 있던 다리를 들어 올리는 것은 단축을 축으로(넙다리의 안과 밖을 연결하는 직선이 엉덩관절에서 발목까지 연결하는 직선보다 짧으므로) 다리를 회전시키는 동작이다.

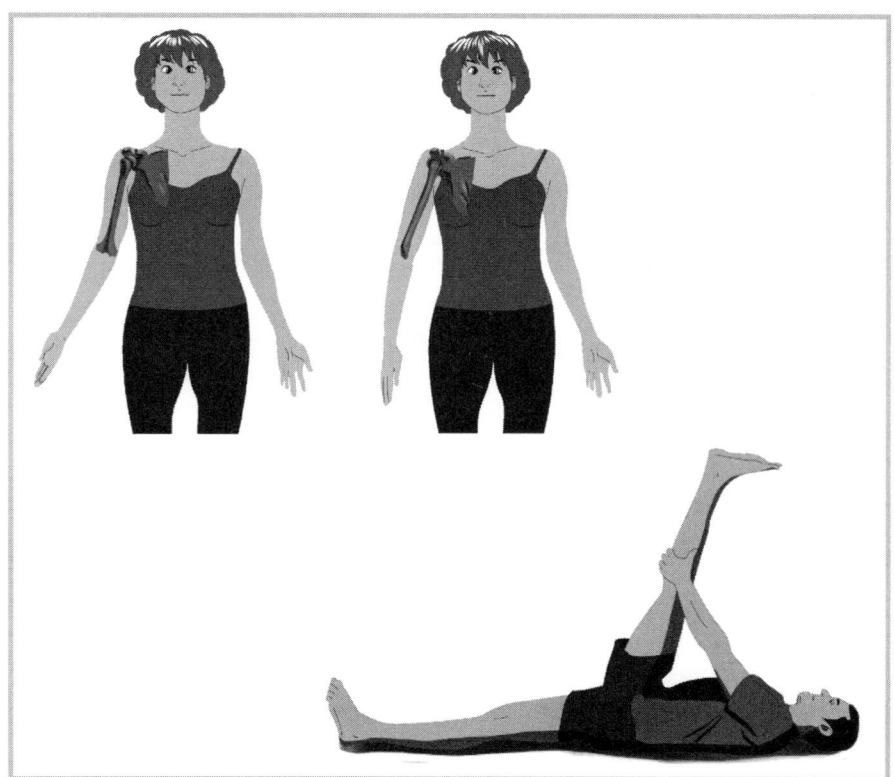

▶ 그림 2.11　장축회전과 단축회전

❹ 관절운동 ··

관절은 2개 이상의 뼈가 서로 만나서 형태와 상관없이 결합되어 있는 부위를 말한다. 관절에는 못움직관절(부동관절), 반관절, 움직관절(가동관절)의 3종류가 있다.

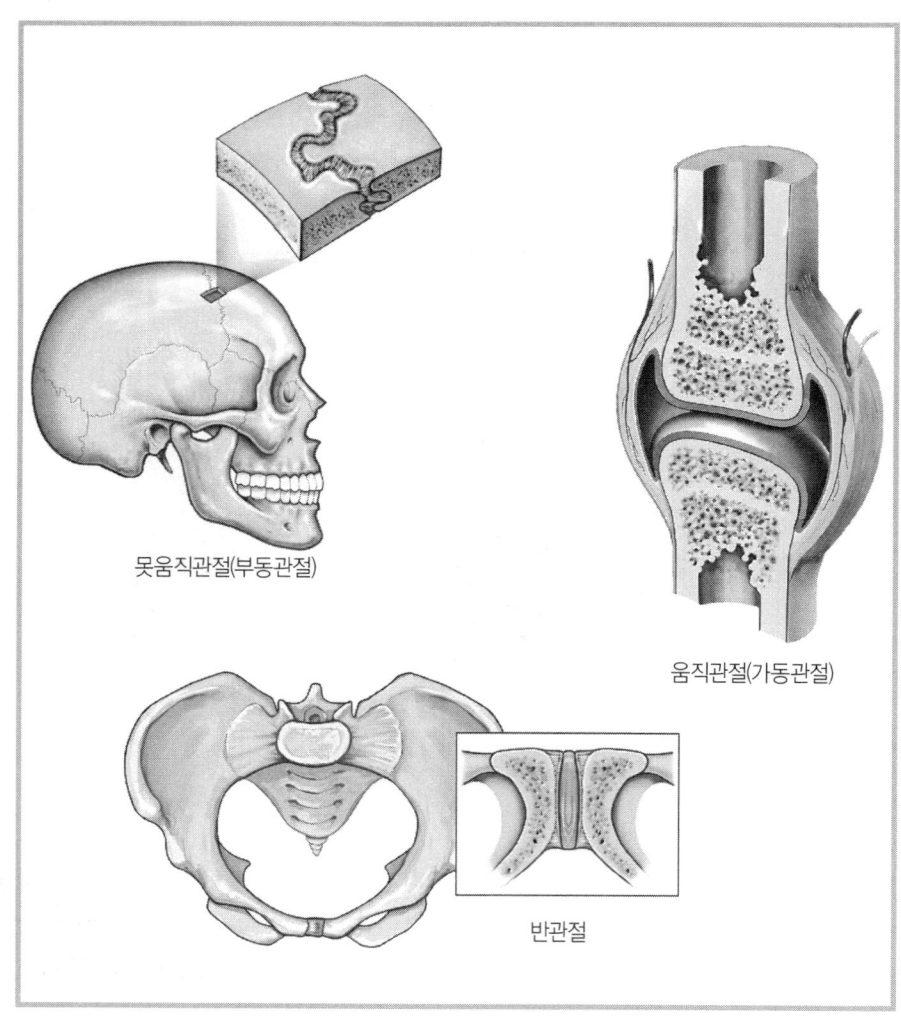

못움직관절(부동관절)

움직관절(가동관절)

반관절

▶ 그림 2.12 관절의 종류

머리뼈에 있는 뼈와 같이 관절을 이루고 있는 뼈가 섬유연결조직에 의해 단단히 봉합되어 있어 전혀 움직일 수 없는 관절을 못움직관절(synarthroses, 섬유관절, 부동관절), 척추와 척추 사이의 관절처럼 아주 조금만 움직일 수 있는 관절을 반관절(amphiarthroses, 연골관절), 팔꿉관절처럼 비교적 자유롭게 움직일 수 있는 관절을 움직관절(diarthroses, 윤활관절, 가동관절)이라 한다.

■ 움직관절의 종류와 기능

운동역학은 인체의 움직임을 연구대상으로 하기 때문에 움직관절에 관심이 많다. 움직관절은 관절의 생김새에 따라서 이름을 붙인다.

다음은 움직관절의 종류와 그 기능을 설명한 것이다.

❖ 경첩관절(hinge joint)……여닫이문의 돌쩌귀(경첩, hinge)처럼 한 방향으로만 회전할 수 있는 관절. 팔꿉관절, 무릎관절, 손가락관절 등이 경첩관절이다. 경첩은 한자어가 아니라 순수한 우리말이고, 접번관절은 일본식 한자어이다.

❖ 회전관절(pivot joint)…… 끝이 뾰쪽하게 나와 있는 뼈 위에 다른 뼈의 구멍이 끼워져 있어서 뼈가 회전할 수 있는 관절. 둘째목뼈(중쇠뼈) 위에 첫째목뼈(고리뼈)가 끼워 얹혀 있어서 머리를 회전시킬 수 있다. 맷돌의 아래짝에 나와 있는 뾰족한 중쇠 위에 위짝이 끼워 얹혀 있는 것과 비슷하다고 해서 중쇠관절이라고도 한다. 팔꿈치를 직각으로 굽힌 상태에서 장축을 축으로 주먹을 회전시키는 동작은 노뼈가 자뼈주위를 회전하는 것이므로 노자관절은 중쇠관절이다.

❖ 안장관절(鞍裝關節, saddle joint)…… 관절면이 말안장같이 생겨서 관절하고 있는 다른 뼈가 앞뒤로 이동할 수도 있고, 좌우로 회전할 수

도 있는 관절. 인체에는 엄지손가락의 손목손허리뼈(carpometacarpal bone, 수근중수골)와 큰마름뼈(trapezium bone, 대능형골)가 이루는 관절이 유일한 안장관절이다. 개나 소와 달리 사람이 엄지손가락과 다른 손가락으로 물건을 집을 수 있는 것은 바로 엄지손가락이 안장관절이기 때문이다.

❖ **타원관절**(楕圓關節, ellipsoidal joint)……한 뼈의 관절면은 타원형으로 볼록하고 다른 뼈의 관절면은 타원형으로 움푹하게 패여 있어서 두 방향으로 움직일 수 있는 관절. 타원관절과 아주 흡사하게 생겼지만 곡면의 곡률이 밋밋해서 타원보다는 작은 곡식 열매에 가깝게 생긴 관절을 융기관절(condyloid joint, 과상관절)이라고 한다. 손목관절(radiocarpal joint, 요골수근관절)이 타원관절이고, 뒤통수뼈(occipital bone, 후두골)와 첫째목뼈 사이의 고리뒤통수관절(atlanto-occipital joint, 환추후두관절)이 융기관절이다.

❖ **절구관절**(ball-and-socket joint)……한 뼈의 관절면은 공(전구) 모양이고, 다른 뼈의 관절면은 공이 들어맞을 수 있는 절구(소켓) 모양으로 된 관절이다. 어깨관절과 엉덩관절은 모두 절구관절이지만 어깨관절은 소켓의 깊이가 얕고 엉덩관절은 좀 더 깊기 때문에 어깨에서 잘 빠지지만(탈구가 잘 되지만) 넙다리는 엉덩이에서 잘 빠지지 않는다. 구관절(球關節, spheroid joint)이라고도 한다.

❖ **평면관절**(平面關節, plane joint)……두 관절면이 거의 평면이고 면의 크기도 작아서 서로 약간 미끄러지는 정도의 움직임만 할 수 있는 관절이다. 척추사이관절과 손목뼈사이관절이 평면관절이다. 회전운동을 할 수 없기 때문에 축이 없는 관절(non-axial joint)이라고도 하고, 미끄러지기만 할 수 있다고 해서 미끄럼관절(gliding joint)이라고도 한다.

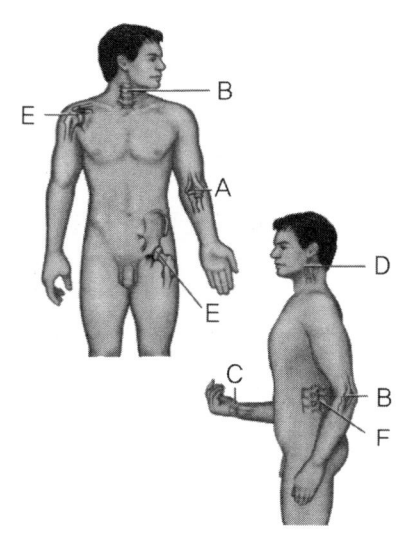

A. 경첩관절

팔꿉관절

B. 회전관절

둘째목뼈(중쇠뼈)에
첫째목뼈(구멍)가 끼
워져 있다.

C. 안장관절

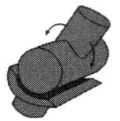

엄지손목
손허리관절

D. 타원관절

고리뼈(첫째목뼈)와
뒤통수뼈가 이루는
관절. 고개를 끄덕일
수 있게 한다.

E. 절구관절

어깨관절
엉덩관절

F. 평면관절

척추뼈사이관절돌기

▶ 그림 2.13 움직관절의 종류

■ 관절운동의 종류

관절에서 일어나는 뼈의 움직임을 관절운동이라 하며, 그 내용은 다음과 같다.

➜ 굽히기와 펴기(flexion & extension. 굴곡과 신전)

전후면상에서 관절각도가 줄어드는 것을 굽히기, 관절각도가 커지는 것을 펴기라고 한다. 위팔이나 넙다리처럼 관절각도를 측정하기 애매한 경우에는 관절에서 머리 방향으로 가는 직선과 신체분절이 이루는 각도를 측정한다. 해부학적 자세로 서 있을 때에는 어깨관절의 각도가 180도이고 팔을 앞으로 들면 90도로 작아지므로 굽히기이다. 팔을 앞으로 계속 들어 올리면 각도가 0도까지 줄었다가 다시 커진다. 이 경우에는 과다굽히기(hyperflexion)라 하고, 반대는 과다펴기(hyperextension)라고 한다.

목(neck) · 손목(wrist) · 발목(ankle)은 굽히기와 펴기를 가장 많이 하는 부위이기 때문에 굽히기와 펴기를 구분하면 오히려 불편할 때가 많다. 그래서 해부학적 자세에서 목 · 발목 · 손목을 움직여서 다른 자세로 만드는 동작은 모두 굽히기라 하고, 어떤 동작인지 구별하기 위해서 방향을 말해준다. 해부학적 자세로 돌아오는 동작은 모두 펴기이다.

❖ 목

앞으로굽히기, 뒤로굽히기, 왼쪽으로굽히기, 오른쪽으로굽히기

펴기=어느 쪽으론가 머리를 굽혔다가 제자리로 돌아가는 동작

과다펴기=뒤로굽히기를 과다펴기라고도 한다.

❖ 어깨

굽히기=팔을 앞으로 드는 동작

펴기=앞으로 들었던 팔을 내리는 동작

과다펴기=팔을 펼 때 해부학적 자세보다 더 뒤로 폈을 때

❖ 팔꿈치

굽히기 = 위팔과 아래팔이 이루는 각도가 작아지는 것

펴기=위팔과 아래팔이 이루는 각도가 커지는 것

어깨와 엉덩뼈에서 굽히기와 펴기는 반드시 전후면상에서 일어나야 하지만, 팔꿈치 · 무릎 · 손목 · 발목에서는 전후면상에서 일어나지 않더라도 위팔과 아래팔이 이루는 각도가 작아지면 굽히기, 각도가 커지면 펴기라고 한다.

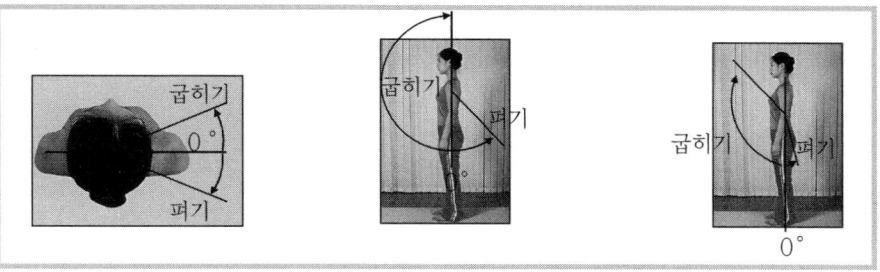

▶ 그림 2.14 목, 어깨 및 팔꿈치에서 굽히기와 펴기

❖ 손목

굽히기 = 손바닥을 쭉 뻗은 상태에서 어느 쪽으로든 손목을 굽히면 손등쪽굽히기(배측굴곡) 또는 손바닥쪽굽히기(장측굴곡)라 한다. 굽혀진 손목을 반듯하게 뻗은 위치로 되돌리는 동작은 모두 펴기(신전)이다.

❖ 손가락

손가락마디가 굽혀지면 굽히기이고, 펴지면 펴기이다.

❖ 허리

똑바로 서 있다가 인사를 하면 굽히기, 반대이면 펴기이다.

허리에서는 왼쪽이나 오른쪽으로 굽힐 수 있고, 굽혔다가 선 자세로 돌아가는 동작은 모두 펴기이다.

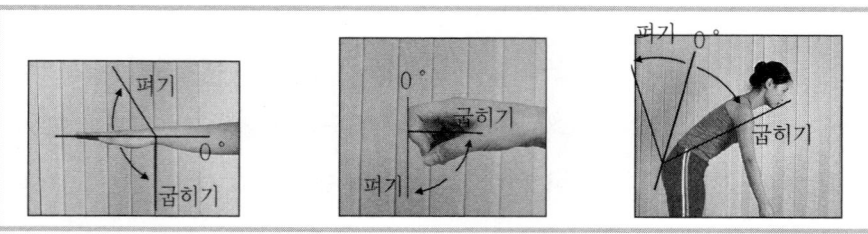

▶ **그림 2.15** 손목, 손가락 및 허리에서 굽히기와 펴기

❖ **엉덩관절**

다리를 앞으로 들면 굽히기, 들었던 다리를 내려서 해부학적 자세로 돌아가는 동작은 펴기이다. 해부학적 자세보다 다리가 더 뒤로 가면 과다펴기이다.

❖ **무릎관절**

종아리를 뒤로 들면 굽히기, 내리면 펴이다. 종아리가 디딤발보다 앞으로 나가는 동작은 무릎관절의 동작이 아니고 엉덩관절에서 일어나는 굽히기동작이다.

❖ **발목**

해부학적 자세에서는 종아리와 발바닥이 90도를 이루고 있는 것이 기준이다.

발등쪽굽히기(배측굴곡)와 발바닥쪽굽히기(저측굴곡)가 있다. 종아리와 발바닥이 이루는 각도가 90도로 되돌아가는 동작은 모두 펴기(신전)이다.

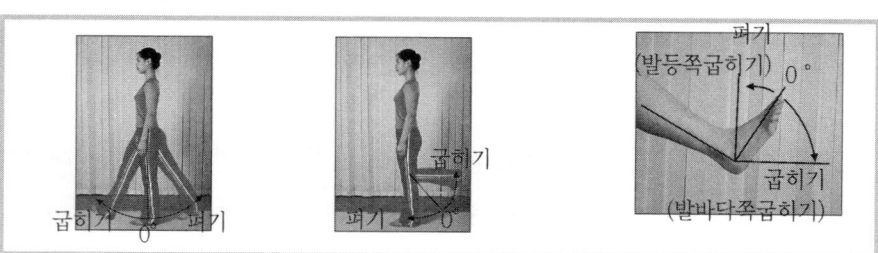

▶ **그림 2.16** 엉덩관절, 무릎관절 및 발목의 굽히기와 펴기

➜ 벌리기와 모으기(abduction & adduction. 외전(外展)과 내전(內展))

❖ 어깨관절과 엉덩관절

좌우면에서 팔다리를 정중선에 멀어지게 하는 동작을 벌리기, 가까워지게 하는 동작을 모으기라고 한다. 벌리기(외전)와 모으기(내전)는 어깨관절·엉덩관절·손가락관절에서만 할 수 있는 동작이다. 세 번째 그림은 해부학적 자세에서 팔을 앞으로 어깨 높이까지 들어올린 다음(굽히기) 수평 옆으로 벌리는 동작이다. 이 동작은 특별히 수평벌리기와 수평모으기라고 한다. 그림에는 없지만 엉덩관절은 넙다리를 엉덩이 높이까지 들어올려서 수평방향으로 벌리는 수평벌리기와 모으기도 가능하다.

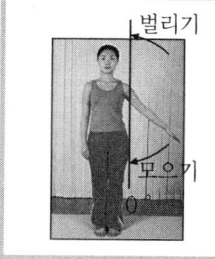 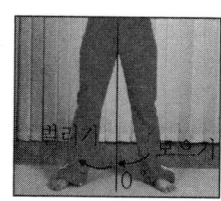 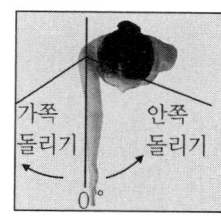

▶ **그림 2.17**　어깨관절과 엉덩관절의 벌리기와 모으기

❖ 손가락

엄지손가락은 노뼈쪽으로 벌리기와 손바닥쪽으로 벌리기가 가능하다. 세 번째 그림처럼 손가락과 손가락 사이를 벌릴 수도 있고 모을

 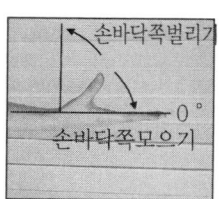 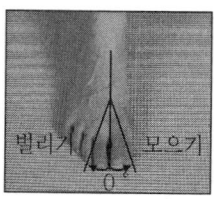 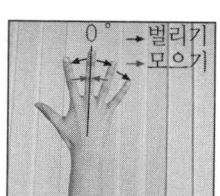

▶ **그림 2.18**　손가락과 발가락의 벌리기와 모으기

수도 있다. 엄지손가락의 끝과 다른 손가락의 끝을 마주 대는 것은 맞대기라 하는데, 엄지손가락만이 굽히기와 펴기, 벌리기와 모으기, 맞대기와 겹치기를 할 수 있다. 관절 모양이 안장관절이기 때문에 그런 동작이 가능하다.

➔ 회전(rotation 또는 twist)

❖ 회전축

회전하지 않는 1개의 직선을 (회전)축으로 하고, 나머지 부분은 모두 회전하는 것을 '회전', '돌기', '돌리기', '구르기', '트위스트' 등이라고 부른다. 회전하는 각 점이 이동한 궤적은 모두 크고 작은 원(圓)이다. 그림 2.19 첫 번째 그림에서는 머리끝과 발꿈치를 연결하는 직선이 회전축이고, 두 번째 그림은 배꼽과 등뼈를 잇는 직선이 회전축이 된다. 목과 몸통에서 일어나는 회전동작에서는 회전방향을 좌 · 우(왼쪽회전과 오른쪽회전) 또는 앞 · 뒤 · 옆(앞구르기, 뒤구르기, 옆구르기)으로 구분한다.

▶ **그림 2.19** 회전축

❖ 가쪽회전과 안쪽회전

회전운동 중에서 회전하는 방향을 가쪽(외측, 바깥쪽, external)과 안쪽(내측, medial)으로 구분할 수 있을 때에는 가쪽회전(외측회전,

lateral rotation)과 안쪽회전(내측회전, 회내, medial rotation)으로 구분한다. 팔 · 다리는 엄지손가락이나 엄지발가락이 회전하는 방향이 안쪽→가쪽이면 가쪽회전, 반대이면 안쪽회전이라고 한다. 안쪽 · 가쪽회전동작은 어깨관절(또는 엉덩관절)과 손목관절(또는 발목관절)에서는 잘 할 수 있지만, 팔꿉관절(또는 무릎관절)과 손가락관절(또는 발가락관절)에서는 할 수 없다. 그림 2.20에서 두 번째 그림은 팔꿉관절의 동작이 아니라 어깨관절의 동작이다.

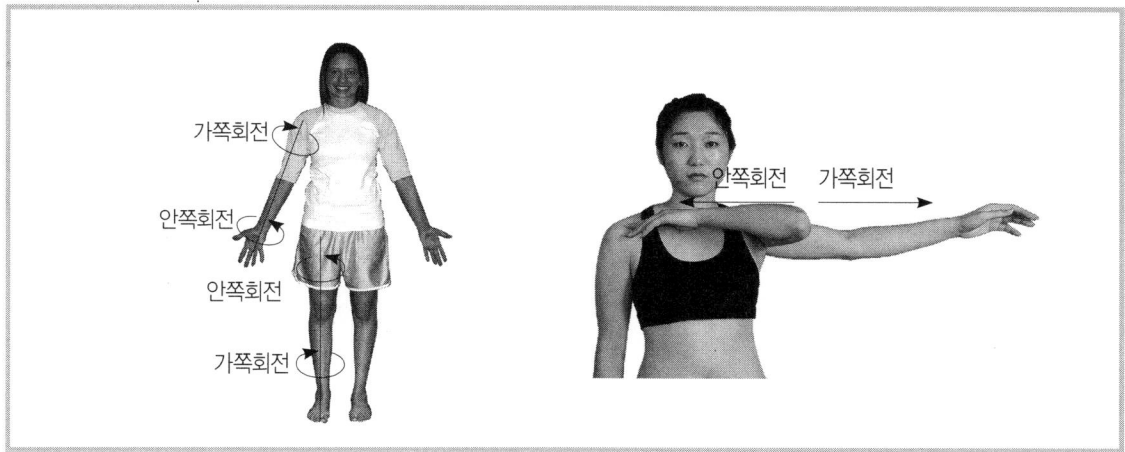

▶ **그림 2.20**　가쪽회전과 안쪽회전

❖ 엎치기와 뒤치기

회전동작 중에서 방바닥에 엎드리거나 돌아눕는 동작, 책상 위에서

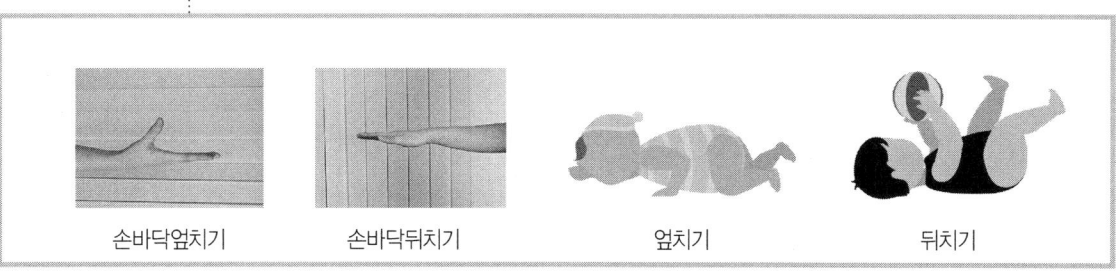

| 손바닥엎치기 | 손바닥뒤치기 | 엎치기 | 뒤치기 |

▶ **그림 2.21**　엎치기와 뒤치기

손바닥이 하늘을 향하도록 뒤집는 동작과 책상바닥을 향하도록 엎는 동작은 업치기(회내, pronation)와 뒤치기(회외, supination)라고 한다. 회외, 회내, 가쪽돌리기, 안쪽돌리기, 엎치기, 뒤치기는 모두 같은 회전동작인데, 회전하는 방향이나 회전한 다음의 자세를 나타내는 용어가 앞에 붙어 있다고 생각하면 된다.

❖ 휘돌리기

휘돌리기동작은 어깨관절·엉덩관절·허리관절 외에 목관절·팔꿉관절·손목관절·무릎관절에서도 가능하지만, 이 관절에서는 휘돌리기는 할 수 없다.

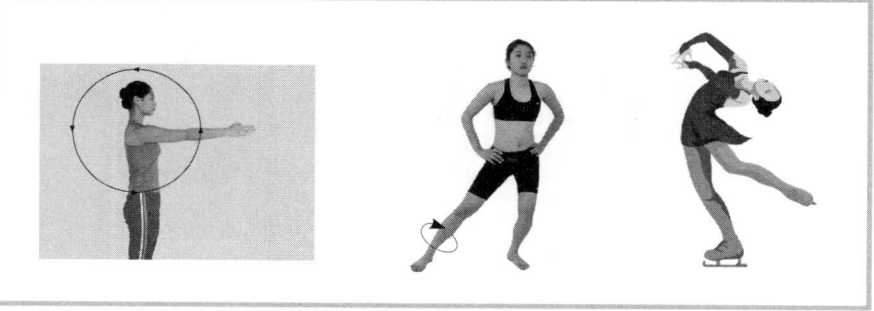

▶ **그림 2.22** 어깨관절·엉덩관절·허리에서의 휘돌리기동작

❖ 번지기

'번지다'는 순수한 우리말로 "엎어지거나 뒤집힌다."는 뜻이고 '삐다' 또는 '접질리다'와 비슷한 말이다. 번지기는 발목에서만 일어나는 동작으로, 그림 2.23과 같이 평평한 땅을 딛고 있던 발바닥을 안쪽 또는 가쪽으로 번지게 만드는 동작이다. 안쪽으로 번지는 것을 안쪽번지기(內飜, inversion, 내번), 가쪽으로 번지는 것을 가쪽번지기(外飜, eversion, 외번)라고 한다.

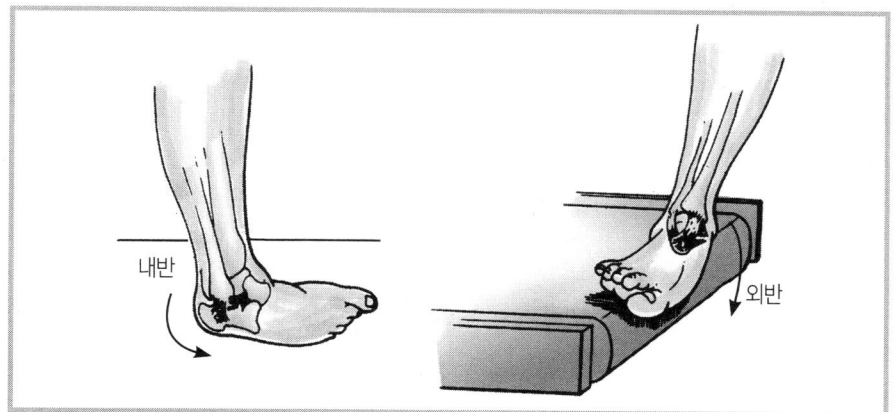

▶ **그림 2.23** 번지기

일본에서는 평소에 많이 사용하는 한자(常用漢字) 5,000자를 정해 놓고, 발음이 같으면 상용한자로 대체해서 사용할 것을 권장하고 있다. 그런데 '翻'과 '反'의 일본어 발음이 같고 '反'이 상용한자이기 때문에 일본에서는 '內反'과 '外反'이라고 쓴다.

그런데 우리나라 학자들이 일본어 책을 번역하면서 한자를 그대로 써버렸기 때문에 '내반'과 '외반'이 굳어져버렸다. 그래서 두 번째 그림을 정상, 내반슬(O형 다리=두 발바닥을 동시에 내번시켰을 때의 무릎 모양), 외반슬(X형 다리=두 발바닥을 동시에 외번시켰을 때의 무릎 모양)이라 하고, 엉덩뼈가 위로 올라간 것을 '외반고' 밑으로 쳐진 것을 '내반고'라고 한다.

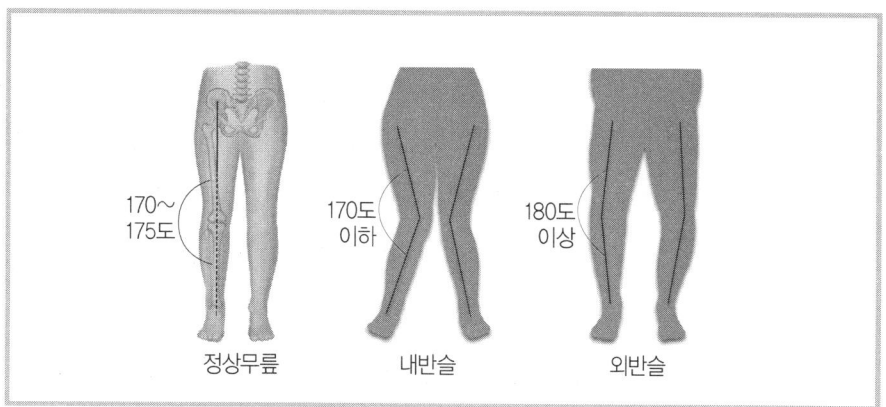

▶ **그림 2.24** 정상무릎, 내반슬, 외반슬

02 운동의 종류

❶ 운동의 정의와 원인

운동에는 스포츠 경기를 하거나 헬스클럽에 가서 하는 운동도 있고, 독립운동이나 새마을운동과 같은 운동도 있다. 그러나 운동역학에서 말하는 운동은 그러한 운동이 아니고 물체가 움직이는 것을 말한다.

정확하게 말하면 물체란 질량과 크기가 있는 것을 말하고, 운동이란 물체의 위치가 시간에 따라서 변하는 것을 말한다.

책상이나 공은 크기도 있고 질량도 있지만 그림자는 질량이 없으므로 책상이나 공은 물체이지만 그림자는 물체가 아니다. 수학 시간에 '점'이나 '직선'은 크기도 없고 질량도 없다고 정의한다 그러므로 점이나 직선은 물체가 아니고 위치만 나타낼 뿐이다.

운동역학에서 물체가 움직인다고 할 때는 물체가 이동하다가 다른 물체와 충돌할 수도 있고, 모양이 변할 수도 있고, 마찰을 일으킬 수도 있다. 그런 경우를 모두 다 생각하면 너무 복잡하기 때문에 물체의 크기를 무시하는 경우가 많다. 그렇게 되면 질량은 있지만 크기는 없는 물체가 되는데, 그때는 물체라는 말 대신에 질점이라는 말을 사용한다. 즉 질점이란 질량은 있지만 크기가 없는 것이다. 그러나 실제로는 크기만 있고 질량이 없는 질점은 존재하지 않으므로 질점은 가상적이다.

사람이 운동하는 것을 나타낼 때 사람을 그리지 않고 점으로 표시해서 그것을 사람의 무게중심이라고 하는 것은 사람의 모양을 다 생각하면 너무 복잡해서 문제를 풀 수가 없기 때문에 사람을 하나의 질점으로 표시한 것이다.

앞에서 물체의 위치가 시간에 따라 변하는 것을 '운동'이라고 하였는데, 여기서 물체를 질점으로 바꾸면 질량만 있고 크기는 없는 질점이 시간에 따라서 위치가 변해야 운동이다. 즉 시간이 지나더라도 제자리에 가만히 있다면 운동을 하지 않고 정지하여 있는 것이다.

운동의 종류는 선운동, 회전운동, 복합운동으로 나누는 경우가 많다. 다음부터 하나하나의 운동에 대하여 설명한다.

❷ 선운동

위치가 시간에 따라서 변하는 것을 다른 말로 이동이라고 한다. 따라서 '운동'을 "질점이 이동하는 것"이라 하고, 질점이 이동한 궤적이 직선이면 직선운동, 곡선이면 곡선운동이라고 한다. 직선운동은 '직'을 생략하고 선운동이라고 할 때가 많다.

질점이 아닌 물체가 아래 그림처럼 직선운동을 했다고 할 때 물체의 표면에 있는 몇 개의 점을 생각하여 보자. 그 질점들은 모두 직선운동을 했을 것이고, 이동한 거리도 모두 같을 뿐만 아니라 질점들이 이동한 궤적이 모두 평행할 것이다. 이와 같이 이동한 거리가 같고, 이동한 궤적이 서로 평행한 운동을 병진운동(竝進運動, 나란히 진행한 운동)이라고 한다.

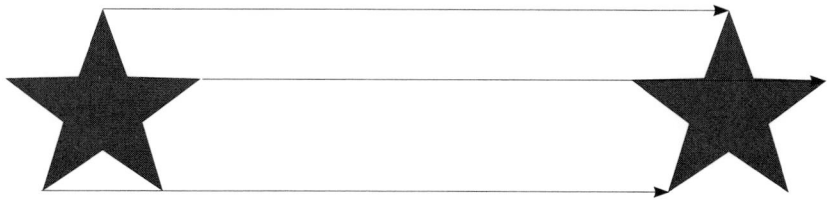

물체가 직선운동을 하면 질점들이 병진운동을 한다.

　　그러나 질점이 아닌 물체가 곡선운동을 했을 때 물체 표면에 있는 몇 개의 질점을 생각하여 보자. 그 질점들도 당연히 곡선운동을 했을 것이지만 이동한 거리는 같지 않다. 밖으로 돈 질점이 더 많은 거리를 이동했고, 이동궤적이 나란하지도 않다. 다시 말해서 물체가 직선운동을 하면 질점들은 병진운동을 하지만, 물체가 곡선운동을 하면 그 질점들은 병진운동을 하지 않는다.

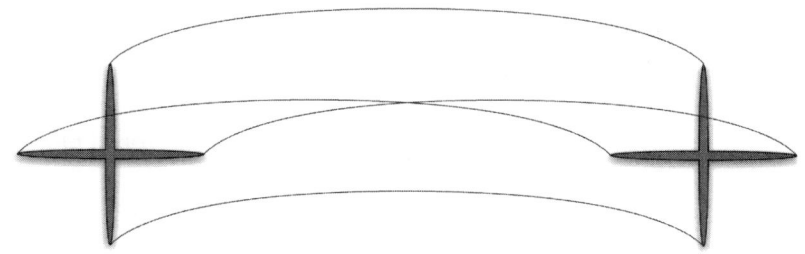

물체가 곡선운동을 하면 질점들은 병진운동을 하지 않는다.

　　다음은 직선운동을 하는 원인을 생각하여 보자. 질점일 경우에는 힘이 어느 방향으로 작용하든 무조건 직선운동을 한다. 질점이 직선운동을 하는 중간에 또다시 힘이 작용하면 힘의 방향으로 방향을 약간 돌리게 된다. 계속해서 힘이 작용하면 질점은 계속해서 방향을 돌려야 하므로 곡선운동을 하게 된다.

정지하고 있는 질점에 힘이 작용하면 힘의 방향으로 직선운동을 한다.

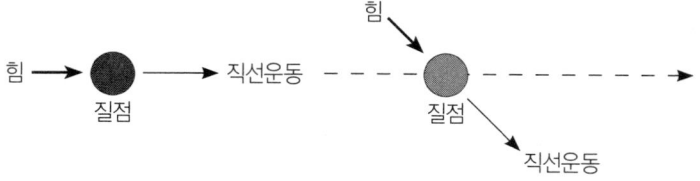

이동하는 질점에 힘이 작용하면 운동방향이 꺾여서 직선운동을 한다.

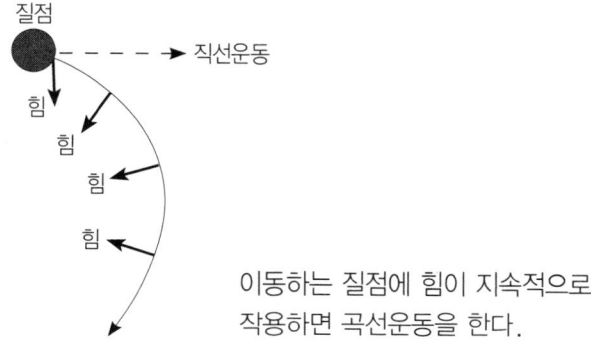

이동하는 질점에 힘이 지속적으로
작용하면 곡선운동을 한다.

그러나 질점이 아니고 물체일 경우에는 다르다. 아래 그림에서 힘이 A
와 같이 작용하면 직선운동을 하지만, 힘이 B와 같이 작용하면 물체는 회
전하면서 앞으로 나가게 된다. A와 같은 힘을 향심력(向心力 ; 중심을 향하
는 힘), B와 같은 힘을 이심력(離心力 ; 중심과 떨어진 힘)이라 한다. 즉 물
체에 향심력이 작용하면 직선운동을 하고, 물체에 이심력이 작용하면 회
전운동과 직선운동이 함께 생긴다.

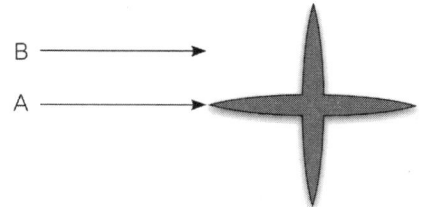

❸ 회전운동

빙글빙글 도는 운동을 회전운동(回轉運動)이라고 한다. 지구가 자전하는 것도 회전운동이고, 공전하는 것도 회전운동이다.

먼저 질점을 생각하여 보자. 질점은 크기가 없으므로 자전은 할 수 없고 공전만 할 수 있다. 질점이 공전하는 것과 같은 운동을 원운동이라 하고, 가운데점을 중심(中心)이라고 한다. 즉 中心에서 일정한 거리(반지름)를 떨어져 있는 원둘레를 따라 이동하는 운동이 원운동이라고 한다.

다음은 질점이 아닌 물체가 빙글빙글 도는 운동을 생각하여 보자. 물체를 질점이라고 생각하면 자전을 할 수 없기 때문에 자전을 생각할 때는 물체 대신에 질점으로 대체할 수 없다. 그러나 공전을 생각할 때에는 물체를 '무게중심(重心)에 전체의 질량이 모여 있는 질점'이라고 생각하면 공전은 원운동이 된다.

다시 자전으로 돌아가서 물체가 지구처럼 공 모양이라고 단정할 수 없기 때문에 가장 간단하게 긴 막대기 모양이라고 가정하여 보자. 긴 막대기가 자전을 하려면 어딘가에 고정시켜 움직이지 못하게 한 다음 돌려야 된다. 그 점을 회전축이라고 한다. 그리고 회전축은 못을 박은 것이므로 점이 아니라 직선이다. 즉 회전축은 움직이지 않는 직선이다.

책상 위에 벽시계를 놓아두었을 때 초침이 움직이는 것을 상상하여 보자. 초침이 회전운동을 하는 것을 관찰해 보면 12시 방향과 초침이 이루는 각도가 계속해서 변하는 것이 회전운동이다. 즉 시간에 따라 각도가 변하는 운동이 회전운동이다. 그래서 회전운동이라는 말 대신에 각운동이라는 말을 사용하는 것이다.

다음은 각운동을 하는 시계의 초침 표면에 있는 몇 개의 질점을 생각하여 보자. 질점 하나하나는 모두 원운동을 한다 그러므로 '각운동'이란 "회

전축을 축으로 시간에 따라 기준방향과 이루는 각도가 자꾸 변하는 운동
이고, 하나하나의 질점은 원운동을 한다.”

　다음은 회전운동의 원인에 대하여 알아보자. 앞에서 회전운동에는 원
운동과 각운동이 있다고 하였으므로 하나씩 알아보려고 한다.

　선풍기가 빙글빙글 돌아가는 것을 원운동이라고 생각하는 사람이 많은
데, 사실은 각운동이다. 인공위성이 지구 주위를 빙글빙글 도는 것, 자전거
를 타고 땅에 그려놓은 원을 따라 도는 것, 실에 돌멩이를 매달아 빙글빙
글 돌리는 것과 같은 운동이 원운동이다

　예를 들어 실에 돌멩이를 매달아 빙글빙글 돌리려면 계속해서 실을 가
운데로 잡아당겨야 하는데, 그 힘을 구심력(求心力 ; 계속해서 중심방향으
로 잡아당기는 힘)이라고 한다. 즉 원운동이 이루어지려면 구심력이 있어야 한
다. 참고로 인공위성의 구심력은 지구의 중력이고, 운동장을 빙글빙글 도는
자전거의 구심력은 선수가 원의 안쪽으로 몸을 기울일 때 생기는 힘이다.

　정지한 시계의 초침을 돌려서 각운동을 하게 만들려면 어떻게 해야 하
는가? 초침의 끝을 초침과 수직한 방향으로 밀어주면 초침이 돌아간다. 이
때 초침이나 긴 막대기를 지렛대라 하고 수직 방향으로 밀어주는 힘축에서
의 거리를 토크라고 한다. 즉 각운동을 일으키려면 지렛대에 토크를 작용시켜

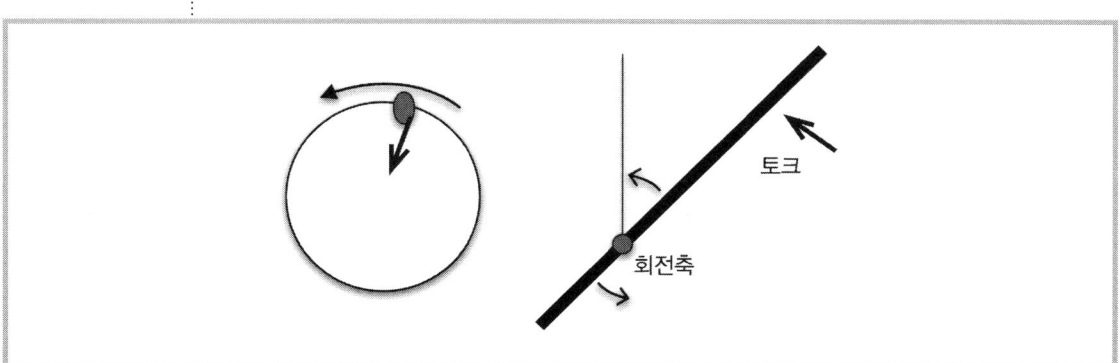

▶ 그림 2.25　회전운동과 각운동

야 한다.

❹ 복합운동

두 가지 이상의 운동이 동시에 일어나는 운동을 복합운동이라고 한다. 앞에서 선운동, 병진운동, 원운동, 각운동 등을 공부하였지만 가장 기본적인 운동은 선운동과 원운동 두 가지이다. 그러므로 복합운동에는 '선운동+선운동', '선운동+원운동', '원운동+원운동' 등 3종류를 생각해볼 수 있다.

'선운동+선운동'을 하면 (대각)선운동이 될 수도 있고 곡선운동이 될 수도 있다. 예를 들어 삽에 두 줄을 묶고 양쪽에서 잡아당기면 대각선으로 움직인다. 대각선으로 움직이지만 선운동이다.

물건을 공중으로 던지면 포물선운동을 한다고 한다. 포물선운동은 곡선운동이지만 수평방향의 선운동과 수직방향의 선운동이 합쳐진 운동이다.

'선운동+원운동'은 두 운동이 합쳐지지 않고 따로따로 계속된다. 예를 들어 디스크 던지기를 하면 디스크가 회전하는 운동과 디스크가 날아가는 운동이 동시에 일어난다. 두 가지 운동이 동시에 일어난다고 해서 두 운동이 합쳐지지는 않고 계속해서 돌아가면서 앞으로 날아간다.

마지막으로 '원운동+원운동'은 일상생활에서 별로 일어나지 않는 운동이므로 생략한다.

반드시 기억해야 할 것은 두 가지 운동이 동시에 일어나서 복합운동이 되더라도 합쳐져서 하나의 운동이 되는 것은 아니라는 것이다.

그리고 사람이 달리기를 할 때처럼 다리는 각운동을 하고, 머리나 가슴이 앞으로 나가는 것은 직선운동이라고 해서 인간의 운동은 대부분이 복합운동이라고 하는 경우도 있다. 이러한 경우는 두 가지 이상의 운동이 서로 다른 위치에서 동시에 일어나는 복합운동이다.

제3장

인체역학

01 인체의 물리적 특성

❶ 질량과 무게

물리학에서는 질량과 무게를 엄격하게 구분한다. 질량은 그 물체의 고유한 양으로 단위는 킬로그램(kg)을 사용하고, 무게는 그 물체에 작용하는 중력의 크기를 나타내는 것으로 단위는 킬로그램중(kg중)을 사용한다.

그런데 저울은 무게를 측정하는 기구인데도 불구하고 저울의 눈금에는 몇 킬로그램이라고 쓰여 있다. 그래서 "당신의 몸무게가 얼마입니까?"라고 물으면 "60킬로(그램)입니다."와 같은 식으로 대답을 한다. 왜 그럴까?

물리학에서 사용하는 무게의 단위를 살펴보면 'kg'이라는 영어와 '중(重)'이라는 한글이 섞여 있다. 국제적으로 사용하는 무게의 단위는 '뉴턴(N)'인데, 우리나라에서만 'kg중'이라는 단위를 만들어서 사용하기 때문이다(외국에서는 'kg중' 대신에 'kgW', 'kgf' 등을 사용한다).

우리나라 일반 국민들 중에서 뉴턴이라는 단위를 아는 사람이 거의 없다. 따라서 한국물리학회에서 "질량 1'킬로그램'인 물체에 작용하는 중력의 크기(=질량 1'킬로그램'인 물체의 무게)를 1'킬로그램重'이라고 정의"하였다.

이렇게 정의하면 질량 5kg인 물체의 무게는 5kg중이고, 무게 20kg중인 물체의 질량은 20kg이기 때문에 대단히 편리하다. 다만 더 편해지고 싶어서 무게와 질량을 구분하지 않고 모두 몇 '킬로(그램)'라고 해버린다.

참고로 국제적으로 사용하는 무게의 단위인 뉴턴(N)과 우리나라에서만 사용하는 무게의 단위인 'kg중' 사이에는 다음과 같은 관계가 있다.

$$1kg중=9.8N$$
$$1N=약\ 0.1kg중=약\ 100g중$$

2 인체의 무게중심

물체는 '크기와 질량이 있는 것'이다. 그런데 물체의 크기나 모양까지 생각하면 물체가 움직이다가 다른 물체와 부딪칠 수도 있기 때문에 물체의 크기 또는 모양을 무시하고 질량만 있는 질점으로 간주하는 경우가 많다.

운동역학에서는 사람이 하는 운동을 주로 취급하고, 사람이 운동을 하다가 다른 물체와 충돌하거나 스쳐지나가는 것을 배제하기 위해서 하나의 질점으로 간주하는 경우가 많다. 이럴 경우 인체의 질량이 전부 모여 있다고 간주할 수 있는 점을 인체의 무게중심(重心, COG : center of gravigy)이라고 한다.

물체의 무게중심(重心)과 중심(中心)은 다르다. 무게중심은 그 물체의 질량이 모두 모여 있다고 간주할 수 있는 점이고, 중심은 원의 한 가운데에 있는 점처럼 모양의 중심이 되는 점이다. 그림 3.1을 보면 균일한 나무판자(왼쪽 그림)는 무게중심과 중심의 위치가 같다. 그런데 반은 나무판자, 나머지 반은 쇠판자로 구성되어 있는 합성판자(오른쪽 그림)는 무게중

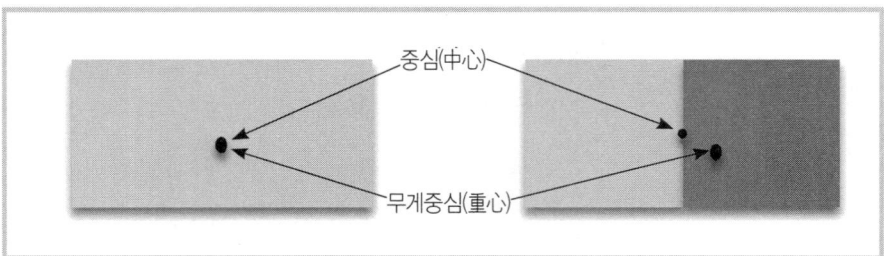

▶ 그림 3.1 　무게중심과 중심의 위치

심과 중심의 위치가 서로 다르다.

인체는 모양이 공이나 판자처럼 단순하지 않기 때문에 무게중심의 위치를 쉽게 알아낼 수 없다. 사람이 해부학적 자세로 서 있을 때 무게중심의 위치는 배꼽보다 약간 아래에 있다고 한다.

그러나 사람마다 체형이 다르기 때문에 똑같이 해부학적 자세를 취하고 있다고 하더라도 무게중심의 위치가 사람마다 다르다. 더군다나 사람은 팔·다리·목·허리 등을 움직여서 다른 자세를 취할 수 있기 때문에 취하는 자세마다 무게중심의 위치가 달라진다.

운동역학에서는 인체의 무게중심의 위치를 알아내는 것이 필수적이다. 이것은 컴퓨터와 인체 측정자료를 이용해서 신뢰할 수 있는 정도까지 계산해 낼 수 있다.

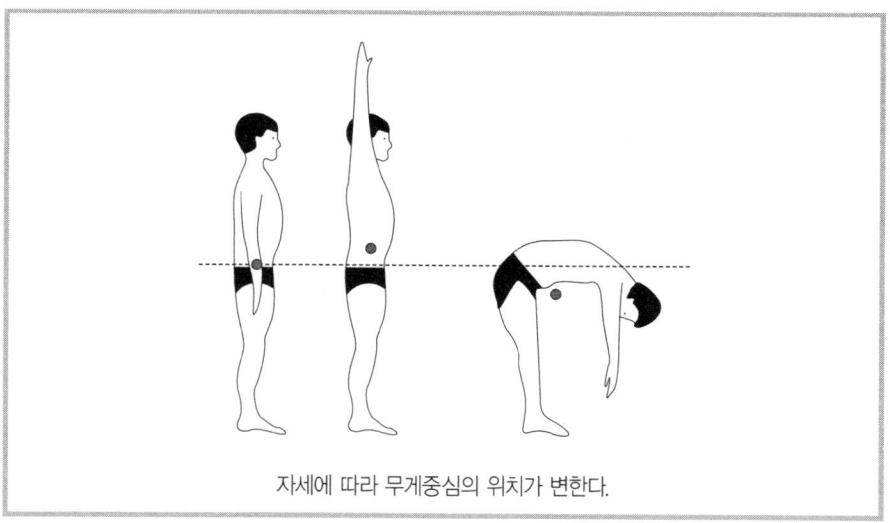

자세에 따라 무게중심의 위치가 변한다.

▶ 그림 3.2　자세에 따른 무게중심의 위치 변화

02 인체의 평형과 안정성

❶ 인체의 평형

　물리학에서 말하는 평형(平衡)은 수학에서 말하는 평행(平行)과는 전혀 다른 의미이다. 평형은 balance 또는 equilibrium을 번역한 단어이다. 이것은 천칭으로 무게를 달 때 양쪽 접시에 있는 물체의 무게가 같으면 두 접시가 어느 한 쪽으로 기울어지지 않고 수평상태를 이루는 데에서 생긴 말이다.

　예를 들어 '물체에 작용하는 힘의 합력이 0이면 물체의 운동상태가 변하지 않는 것'을 뜻하는데, 이것을 "역학적 평형상태에 있다."고 한다. 또 '물체가 흡수하는 열량과 방출하는 열량이 같아서 물체의 온도가 일정하게 유지되는 것'을 "열적 평형상태에 있다."고 한다. 마찬가지로 "물질의 화학변화가 반대방향으로 진행하는 화학변화와 같은 속도로 일어나기 때문에 외관상으로 변화가 일어나지 않는 것처럼 보이는 것을 "화학적 평형상태에 있다."고 한다.

　운동역학에서는 체조선수가 평균대 위에 어떤 자세로든 안정적으로 서 있으면 정적 평형상태에 있는 것이고, 스케이트를 타고 달리다가 가만히 있더라도 안정적으로 앞으로 계속 나가면 동적 평형상태를 이루고 있는 것이다. 마찬가지로 오른쪽으로 미는 힘과 왼쪽으로 미는 힘이 같으면 미는 힘이 서로 평형상태를 이루고 있는 것이다.

　평형상태에 있던 물체의 평형조건이 깨져서 평형상태에서 약간 벗어났더라도 원래의 상태로 돌아오면 안정적 평형상태, 그것이 원인이 되어 형상태가 완전히 깨져버리면 불안정적 평형상태에 있다고 한다. 예를 들어 파도 때문에 배가 옆으로 기울어졌다가 다시 원래상태로 돌아오면 안정된 평형상태이다. 그것이 원인이 되어 배가 점점 더 기울어져 침몰해버리면 불안정한 평형상태이다.

　사람이 어떤 자세를 취하고 있을 때 그 자세가 쉽게 무너지지 않으면 안정적인 자세라 하고, 그 자세가 쉽게 무너지면 불안정한 자세라고 한다. 예를 들어 방바닥에 누워 있는 자세는 안정적인 자세이고, 다리 난간에 외발로 서 있는 자세는 불안정한 자세이다.

　안정적인 자세와 불안정한 자세를 결정하는 요인 중에서 가장 중요한 것이 바닥면의 넓이, 무게중심의 높이, 중심선의 위치이다. 이어지는 3개의 절에서 각각의 요인에 대하여 자세하게 설명한다.

❖ 정적 평형과 동적 평형

　천칭은 제자리에 머물러 있는 상태로 평형을 유지하고, 에스컬레이터를 타고 있는 사람은 움직이지만 평형을 유지하고 있다.

❖ 안정적 평형과 불안정적 평형

　일시적으로 접시가 흔들렸을 때 제자리로 돌아올 수 있는 구슬은 안정적 평형상태, 제자리로 돌아오지 못하는 구슬은 불안정적 평형상태에 있다.

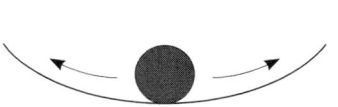 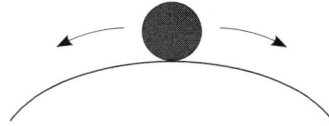

❷ 안정성의 원리 ···

사람이 어떤 자세를 취하고 있을 때 안정성에 영향을 주는 요소는 바닥면의 면적, 무게중심의 높이, 그리고 중심선의 위치이다.

■ 바닥면의 면적

평평한 바닥에 사람이 어떤 자세를 취하고 서 있거나 물체가 놓여 있을 때 지면과 접촉해서 무게를 지탱해주는 점들을 연결해서 만들어지는 평면을 바닥면 또는 기저면이라고 한다.

그림 3.3은 두 발을 모으고 서 있을 때(A), 두 발을 앞뒤로 약간 벌리고 서 있을 때(B), 두 발을 좌우로 약간 벌리고 지팡이를 짚고 서 있을 때(C)의 바닥면을 그린 그림이다.

그림에서 바닥면의 면적이 A<B<C 라는 것을 쉽게 알 수 있다. 즉 바닥면의 면적이 넓을수록 안정된 자세이다. 그러므로 안정적인 자세가 필

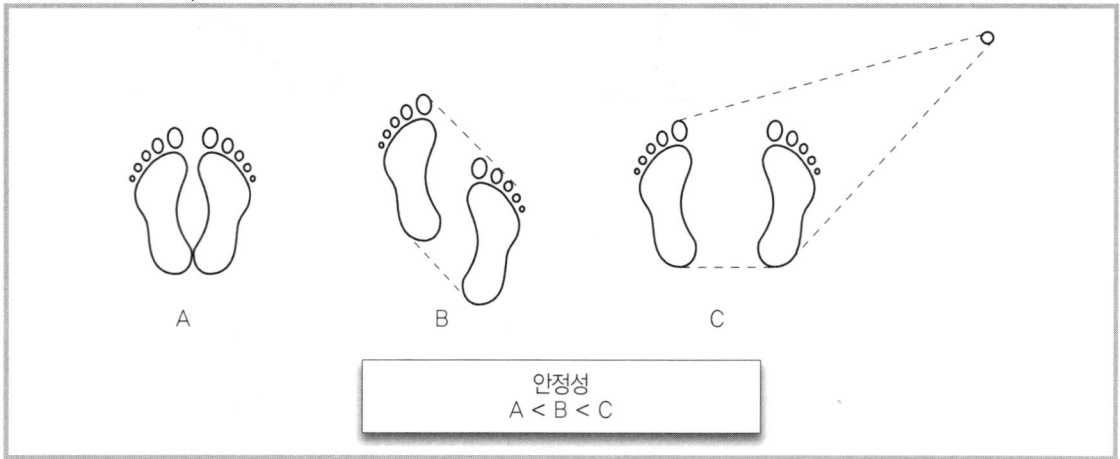

안정성
A < B < C

▶ **그림** 3.3　　바닥면의 면적과 안정성

요하면 바닥면의 면적이 넓도록 발을 딛거나 손을 짚어야 하고, 불안정한 자세가 필요하면 바닥면의 면적이 좁은 자세를 취해야 한다.

예를 들어 노인이 다리에 힘이 없어서 넘어질 위험성이 크면 지팡이를 짚거나 유모차에 의지하여 바닥면의 면적을 넓게 해야 한다. 반대로 축구나 농구경기를 할 때 수비하는 상대선수를 따돌리고 재빨리 공격을 하려면 현재의 자세를 가능한 한 빨리 무너뜨려야 한다. 따라서 지팡이를 짚고 서 있어도 안 될 뿐만 아니라 벌리고 있는 두 발의 간격을 좁혀서 바닥면의 면적을 좁게 만들어야 한다.

안정성의 원리에서 꼭 기억해두어야 할 일은 스포츠 상황에서 안정적인 자세가 좋을 것이라는 선입관을 버리는 것이다. 상대의 공격에 의해서 넘어지지 않으려면 안정적인 자세를 취해야 하고, 재빨리 움직이려면 가능한 한 불안정한 자세를 취해야 한다.

이때 불안정한 자세라고 하면 어쩐지 안 좋은 자세처럼 느껴지기 때문에 가동성이 좋은 자세라고 한다. 그러므로 스포츠 상황에서는 안정성이 좋은 자세가 좋을 때도 있고, 가동성이 좋은 자세가 좋을 때도 있다.

■ 무게중심의 높이

안정적인 자세와 불안정한 자세를 결정하는 요인 중에서 바닥면의 면적 다음으로 중요한 것이 무게중심의 높이이다. 앞에서 인체의 무게중심의 위치는 취하는 자세에 따라서 달라진다고 하였으므로 안정성 또는 가동성도 취하는 자세에 따라 달라진다.

그림 3.4A에서 걷기자세를 취하고 있는 것과 무릎을 약간 굽힌 자세를 취하고 있는 것 중에서 어느 것이 더 안정적인 자세로 보이는가? 무릎을 약간 굽힌 자세가 더 안정적인 자세로 보이는 이유는 무엇일까?

▶ 그림 3.4   무게중심의 높이와 안정성

　　두 자세는 바닥면의 면적은 같고 무게중심의 높이가 다르다. 즉 무게
중심의 높이가 낮으면 안정적인 자세로 보이고, 무게중심의 높이가 높으
면 불안정한 자세로 보인다.

　　반대로 이야기하여 보자. 두 자세 중에서 어느 자세의 가동성이 좋은
가? 무게중심의 높이가 낮으면 가동성이 안 좋은 자세이고, 무게중심의
높이가 높으면 가동성이 좋은 자세이다.

예를 들어 그림 3.4 B의 100미터 달리기 출발자세를 보자. 준비자세에서는 엉덩이를 낮추어서 안정적인 자세를 취하고 있지만, 출발 직전의 차렷자세에서는 엉덩이를 높이 들어 금방이라도 앞으로 쓰러질 것 같은 불안정한 자세 또는 가동성이 좋은 자세를 취하고 있다.

그림 3.4 C에서 차렷자세, 팔을 들고 있는 자세, 어린아이를 목마 태우고 있는 자세를 보면서 안정성과 무게중심의 높이 사이의 관계가 어떠한지도 확인하여 보자.

❖ **무게중심의 높이** : 차렷자세<팔을 들고 있는 자세<어린아이를 목마 태우고 있는 자세

❖ **안정성** : 차렷자세>팔을 들고 있는 자세>어린아이를 목마 태우고 있는 자세

■ 중심선의 위치

인체 또는 물체의 무게중심에서 지면을 향하여 수직으로 그은 직선을 중심선(重心線)이라고 한다. 이것은 안정성에 영향을 미치는 중요한 요소 중 하나이다.

그림 3.5에서 어느 그림이 안정적인 자세로 보이는가? 그리고 가장 불안정해 보이는 것은 C의 돌멩이 그림이다. 왜 그럴까?

중심선이 있는 위치를 살펴보자. A와 B는 모두 중심선이 바닥면의 중앙에 있지만, B가 불안해 보인다. 즉 중심선이 바닥면 안에 있더라도 바닥면의 가장자리까지의 거리가 멀면 안정해 보이고, 가장자리까지의 거리가 가까우면 불안정하게 보인다.

C의 돌멩이 그림은 바닥면 자체가 아주 좁아서 금방이라도 중심선이 바닥면 밖으로 나가버릴 것 같기 때문에 매우 불안하게 보인다. D는 중

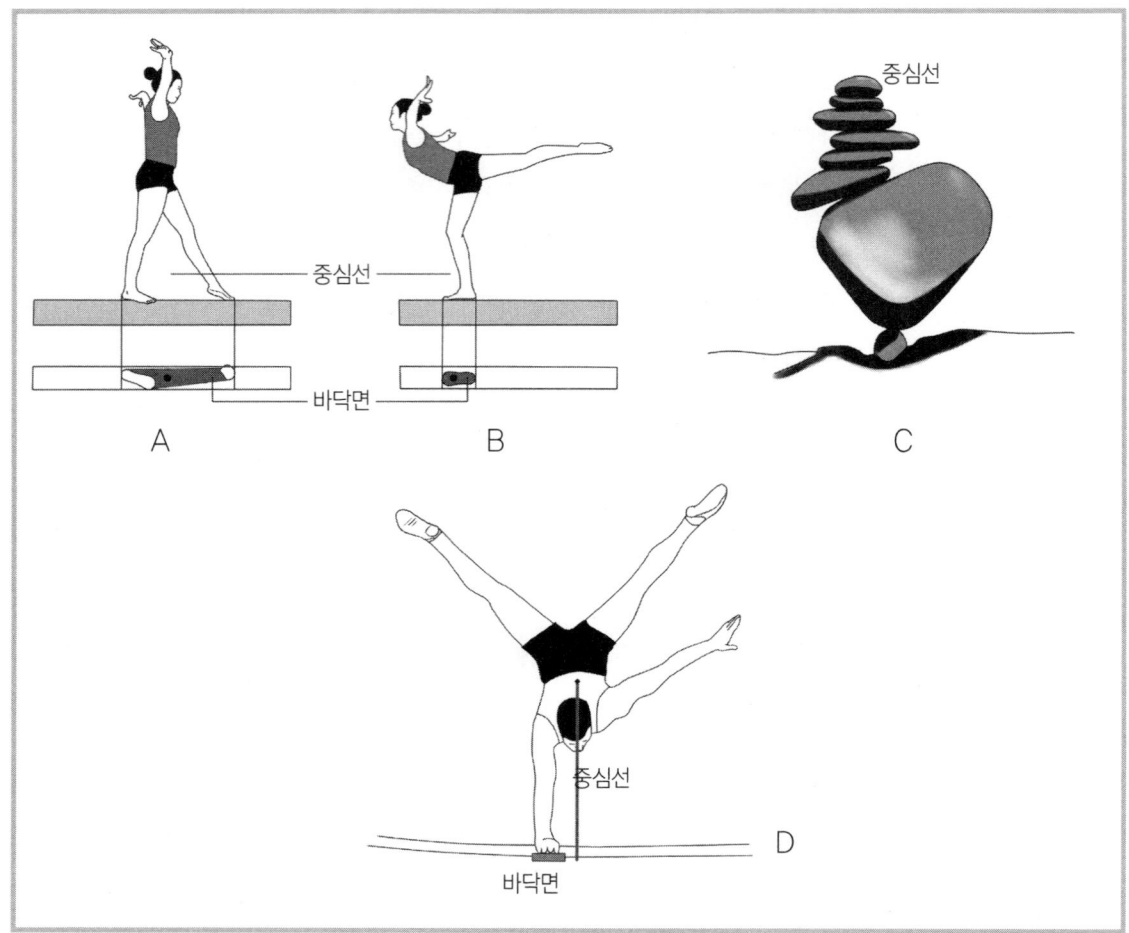

중심선

중심선

바닥면

A

B

C

중심선

바닥면

D

▶ **그림 3.5** 중심선의 위치와 안정성

심선이 바닥면 밖에 있으므로 이 자세로는 계속해서 정지하여 있을 수가 없다. 다시 말해서 중심선이 바닥면 밖으로 나가면 넘어진다.

그림 3.6은 똑바로 서 있던 자세에서 발목, 무릎, 엉덩관절을 축으로 몸을 앞 또는 뒤로 20도씩 기울였을 때 중심선의 위치가 어떻게 변하는지를 표시한 그림이다. 그림에서 알 수 있듯이 발목이나 무릎을 축으로 몸을 기울이면 중심선이 바닥면 밖으로 나가기 때문에 넘어질 수밖에 없다. 그러나 엉덩관절을 축으로 몸을 기울였을 때에는 중심선이 바닥면

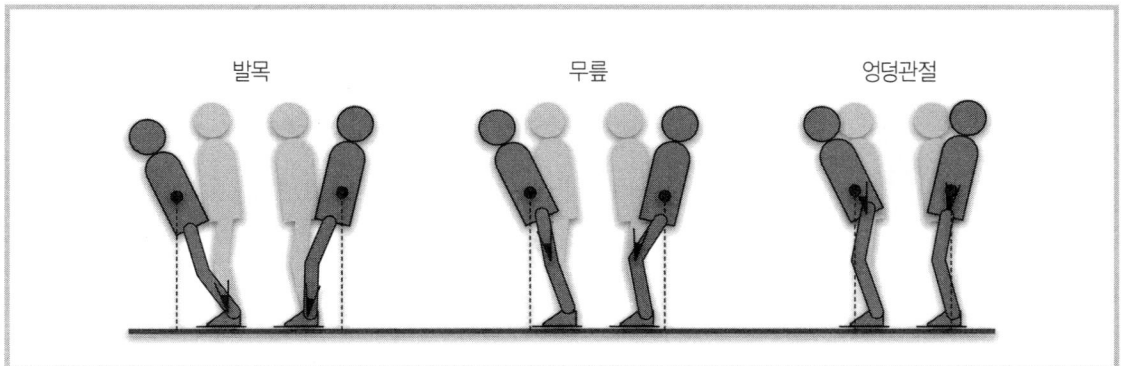

▶ 그림 3.6   똑바로 선 자세에서 발목, 무릎, 엉덩관절을 축으로 몸을 기울였을 때 중심선 위치의 변화

밖으로 나가지 않기 때문에 넘어지지 않는다.

　　한편 태권도 자세를 취하고 있는 사람을 넘어뜨리려면 어느 방향에서 미는 것이 좋겠는가(그림 3.7)? 배꼽이나 엉덩이쪽에서 밀면 쉽게 넘어지겠지만, 앞이나 뒤쪽에서 밀면 넘어지기 어렵다. 왜 그럴까?

▶ 그림 3.7   태권도 자세

중심선이 바닥면 밖으로 나갈 때까지의 거리가 먼 방향에서는 밀어도 잘 넘어지지 않고, 중심선이 바닥면 밖으로 나갈 때까지의 거리가 가까운 방향에서 밀면 쉽게 넘어진다. 다시 말해서 같은 자세를 취하고 있더라도 미는 방향에 따라서 안정성이 클 수도 있고 작을 수도 있다. 그러므로 상대방이 공격할 방향을 미리 예측할 수만 있으면 그 방향에 대하여 안정성이 높은 자세를 취할 수 있다.

■ 기타

사람이 땅 위에서와 얼음판 위에서 똑같은 자세를 취하더라도 얼음판 위에서가 불안정하다. 그 이유는 얼음판이 땅바닥보다 마찰계수가 작기 때문이다. 즉 마찰계수가 작은 면 위에 서 있으면 불안정해진다.

그러므로 같은 아스팔트 도로라고 하더라도 평소일 때와 비가 왔을 때, 그리고 아스팔트 위에 살얼음이 얼었을 때(black ice)는 마찰계수가 다르기 때문에 안정성이 다르다. 운동장에 있는 트랙도 아스팔트 도로와 같이 마찰계수에 따라 안정성이 달라진다.

설악산에 있는 흔들바위는 금방이라도 넘어질 것 같은데 왜 힘껏 밀어도 넘어가지 않을까? 바위가 무겁기(질량이 크기) 때문이다. 마찬가지로 뚱뚱하고 무거운 선수와 가냘프고 가벼운 선수를 밀어서 넘어뜨리려고 한다면 뚱뚱하고 무거운 선수가 훨씬 더 넘어지지 않는다. 그래서 우리나라의 씨름선수나 일본의 스모선수들은 체중을 불리려고 노력하는 것이다.

> **안정성의 원리**
> 바닥면이 넓고, 무게중심의 위치가 낮으며, 중심선이 바닥의 중앙에 있을 때, 그리고 마찰계수가 크고 물체의 질량이 클 때 안정성이 증가한다.

03 인체의 구조적 특성

❶ 인체분절의 모형

인체는 뼈가 기본적인 형태를 잡아주고, 그 뼈가 관절을 축으로 움직이면 운동이 일어난다. 인체가 움직이면 관절과 관절 사이에 있는 근육·신경·혈관·지방·피부는 물론이고, 뼈까지도 모양과 크기 등 모든 것이 약간씩 변한다. 하지만 질량·부피·모양 등은 변하는 정도가 아주 적기 때문에 변하지 않고 일정한 것으로 간주하고, 위치만 변하는 것으로 간주한다.

위에서 설명한 '관절과 관절 사이에 있는 신체의 일부분(근육, 신경, 혈관, 지방, 피부, 뼈 등)'을 분절(segment)이라 한다. 분절의 질량·부피·모양은 운동할 때 변하지 않고 일정한 것으로 간주한다. 그런데 인체에는 작은 분절부터 큰 분절까지 약 1,000개의 분절이 있고, 인체가 운동을 하면 각 분절의 위치가 순간순간 달라진다. 그러므로 인체 전체의 무게중심의 위치를 알려면 약 1,000개 분절의 위치를 매순간마다 알아야 한다.

아무리 컴퓨터로 계산한다고 하더라도 약 1,000개나 되는 분절의 위치를 매순간 계산할 수는 없다. 따라서 몇 개의 분절을 합쳐서 하나의 분절로 간주하여 분절의 수를 적절하게 조절할 필요가 있다. 인체가 100개의 분절로 이루어졌다고 생각하면 '100분절 모델', 50개의 분절로 이루어졌다고 생각하면 '50분절 모델'이라고 한다.

다음은 운동역학에서 가장 많이 사용하는 인체의 분절 모형이다.

❖ 맨 먼저 인체를 몸통부분(axial body)과 팔다리부분(appendicular body)의 2부분으로 나눈다.

❖ 몸통 부분은 머리(두, head), 목(경부, neck), 몸통(체간, trunk)의 3개 분절로 나눈다.

❖ 팔다리 부분은 몸통에 추가된 부속물로 좌우 팔(상지, upper ex-tremity)과 좌우 다리(하지, lower extremity)로 나뉜다.

❖ 팔은 팔이음뼈(상지대, shoulder girdle), 위팔(상지, arm), 아래팔(전완, forearm), 손(수, hand)의 4개 분절로 나눈다.

❖ 다리는 골반(pelvis, pelvic girdle), 넙다리(대퇴, thigh), 종아리(하퇴, leg), 발(족, foot)의 4개 분절로 나눈다.

그림 3.8의 위에 있는 그림은 몸통을 3개, 팔을 2×4개, 다리를 2×4개로 총 19개의 분절로 나눈 19분절모델이다. 그런데 목·팔이음뼈·골반은 어디에서 어디까지인지 경계가 분명하지 않기 때문에 실제로 적용하는 데에는 어려움이 많다. 그래서 그림 3.8의 아래쪽 그림처럼 목+머리를 머리, 팔이음뼈+몸통+골반을 몸통이라고 하는 14분절 모델을 더 많이 사용한다.

그리고 각 분절의 생김새도 문제가 된다. 머리와 몸통은 사각기둥으로 보는 모델과 타원형으로 보는 모델이 있다. 또 위팔·아래팔·넙다리·종아리는 원뿔의 중간을 자른 모양으로, 발과 손은 대부분 공모양으로 본다.

❷ 인체 지레의 종류

운동역학에서는 뼈대근육, 특히 큰근육의 수축에 의해서 생기는 신체분절의 운동에 관심이 있다. 그런데 뼈대근육에 의해서 움직이는 분절은 대부분이 양쪽 끝에 관절이 있고, 분절의 중간 어떤 지점에 근육이 붙어

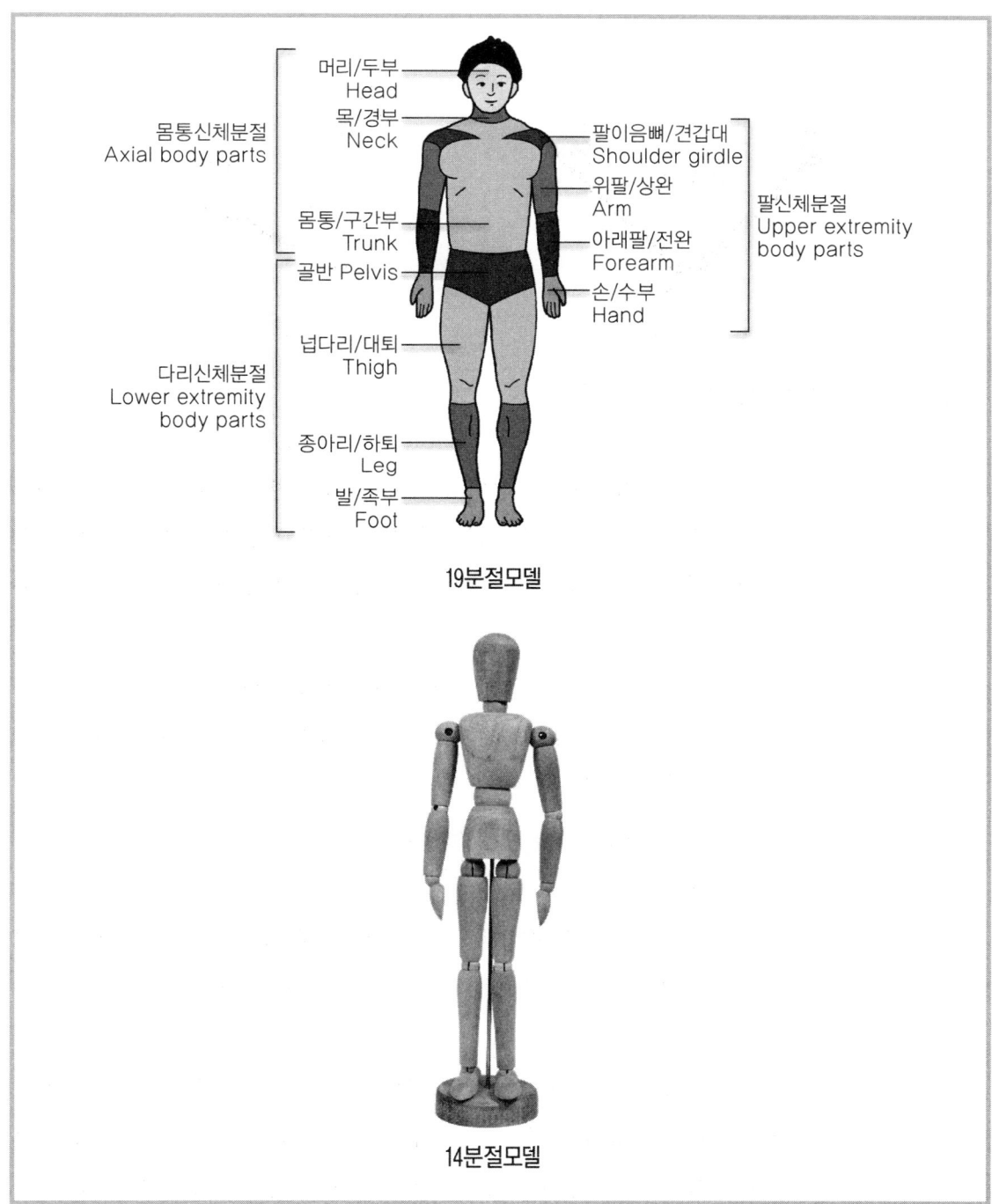

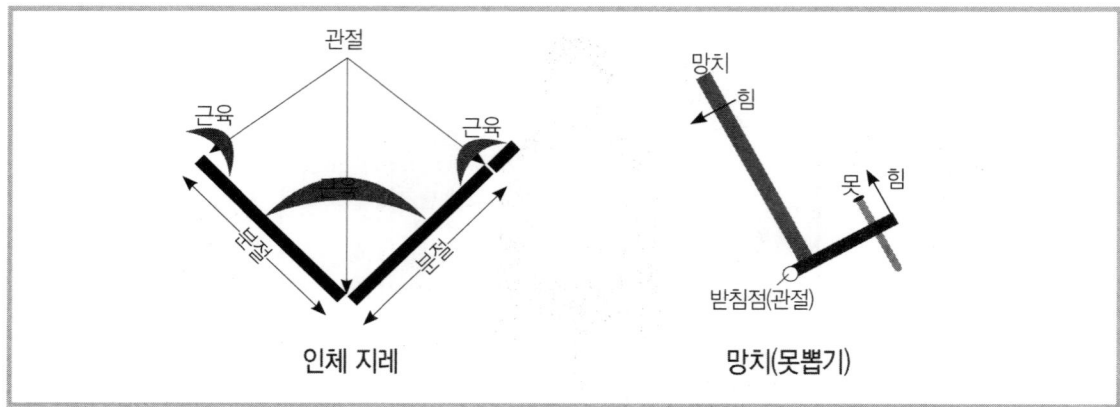

▶ 그림 3.9   인체 지레와 망치

있다. 따라서 근육이 수축하면 관절을 축으로 뼈가 각운동을 하게 된다.

위와 같은 인체구조가 '어느 한 점이 고정되어 있는 긴 막대기에 힘을 작용시켜서 무거운 물체를 들어 올리는 지렛대'와 아주 비슷하기 때문에 인체 지레라고 한다.

그림 3.10은 다음의 3가지 상태를 나타내는 그림이다.

- 제1종지레 : 머리가 앞으로 굽혀지지 않도록 뒤통수근(후두근)이 수축된 상태
- 제2종지레 : 발꿈치가 바닥에 닿지 않도록 장딴지근(비복근)이 수축된 상태
- 제3종지레 : 손바닥에 들고 있는 물건의 무게 때문에 아래팔이 펴지지 않도록 위팔두갈래근(상완이두근)이 수축된 상태

해부 그림 옆에 있는 그림은 움직이지 않는 점을 받침점(O), 뼈를 지렛대(lever), 근육이 붙어서 힘을 작용시키는 점을 힘점(F), 손에 들고 있는 물건과 같이 뼈가 움직이는 것을 방해하는 점을 저항점(R)으로 간단히 표시한 인체 지레의 그림이다.

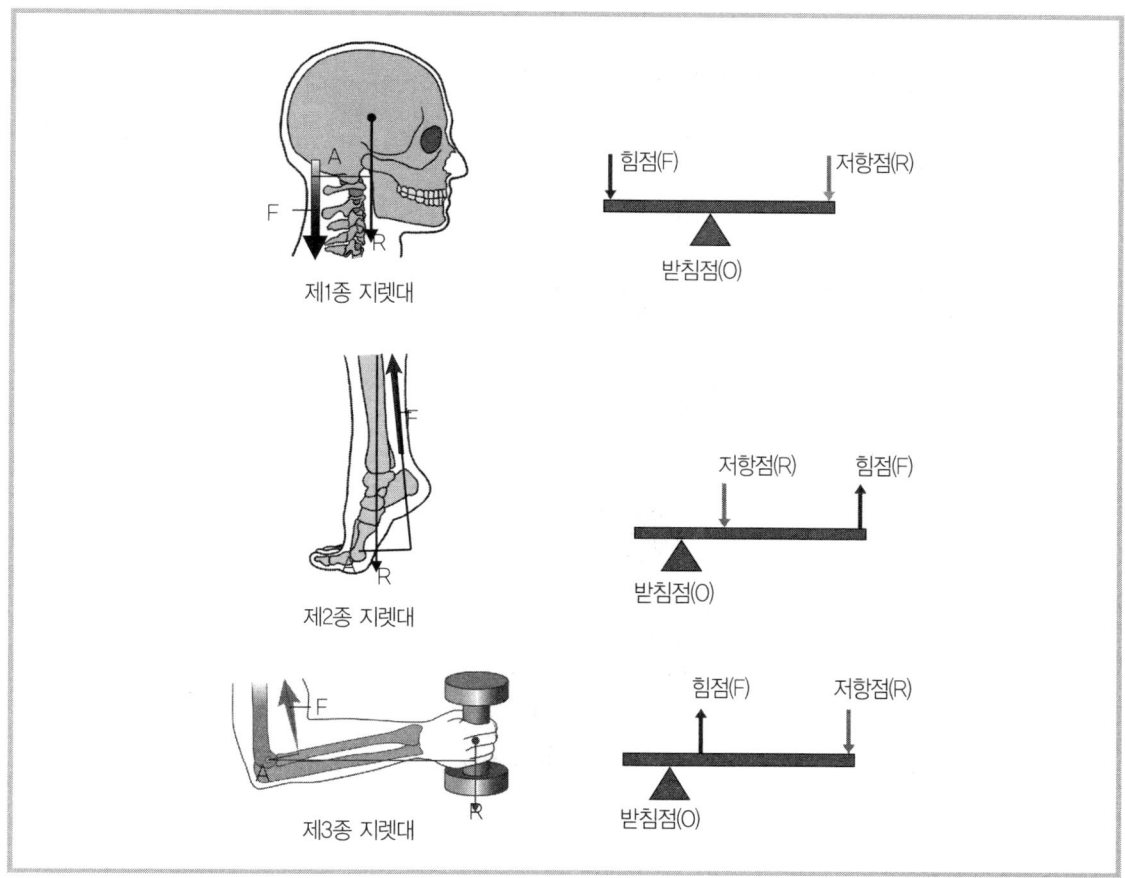

▶ 그림 3.10 인체 지레의 예

위 그림의 인체 지레를 자세히 살펴보면 받침점, 힘점, 저항점의 위치
가 다르다.

- 제1종지레 : 첫 번째 그림처럼 받침점이 가운데에 있고 지렛대의
  양쪽 끝에 힘점과 저항점이 있는 것
- 제2종지레 : 두 번째 그림처럼 받침점이 한쪽 끝에 있고 저항점이
  가운데에 있는 것
- 제3종지레 : 세 번째 그림처럼 받침점이 한쪽 끝에 있고 힘점이 가
  운데에 있는 것

인체의 지레를 1종, 2종, 3종지레로 나누는 이유는 다음에 설명할 역학적 이득과 손해가 다르기 때문이다. 인체 지레의 종류를 가장 쉽게 기억할 수 있는 방법은 가운데에 있는 점을 외우는 것이다. 즉 제1종지레는 받침점, 제2종지레는 저항점, 제3종지레는 힘점이 각각 가운데에 있다.

■ 인체 지레의 역학적 이득과 손해

엄마와 아기가 놀이터에서 시소를 타고 있는 그림에서 엄마의 체중이 아기보다 더 무거운데 시소가 왜 아기쪽으로 돌아갔을까?

편의상 아기가 앉아 있는 위치를 힘점, 엄마가 앉아 있는 위치를 저항점이라 하고, 받침점에서 힘점까지의 거리를 힘팔(FA), 받침점에서 저항점까지의 거리를 저항팔(RA)이라고 하자. 그림에서 아기는 지렛대(시소)를 시계방향으로 돌리려 하고, 엄마는 반시계방향으로 돌리려고 한다. 이때 엄마나 아기가 지렛대를 '돌릴 수 있는 능력'을 회전모멘트 또는 회전능률이라고 한다. 그림에서처럼 힘의 크기(체중)만으로 돌릴 수 있는 능력의 크기가 결정되지 않기 때문에 회전력이라고 하지 않고 회전능률, 회전모멘트 또는 토크라고 하는 것이다.

힘의 회전모멘트와 저항의 회전모멘트를 비교하면 다음과 같다.

❖ 힘의 회전모멘트＝저항의 회전모멘트 : 돌아가지 않고 평형을 유지한다.

❖ 힘의 회전모멘트＞저항의 회전모멘트 : 힘의 방향으로 돌아간다.

❖ 힘의 회전모멘트＜저항의 회전모멘트 : 저항의 방향으로 돌아간다.

그런데 회전모멘트는 힘×힘팔 또는 저항×저항팔로 결정되기 때문에 아기와 엄마의 회전모멘트는 다음과 같다.

❖ 아기의 회전모멘트＝아기의 체중×받침점에서 아기까지의 거리

❖ 엄마의 회전모멘트＝엄마의 체중×받침점에서 엄마까지의 거리

아기의 체중은 가볍지만 힘팔의 길이가 길기 때문에 아기의 회전모멘트가 엄마의 회전모멘트보다 커서 시소가 아기쪽으로 기울어진다.

엄마가 아기한테 앞으로 오라고 손짓하여 아기가 앞으로 오면 다음과 같은 상황이 된다.

• 아기가 앞으로 가면 아기의 힘팔이 작아진다.

• 그러면 엄마의 회전모멘트보다 작아져서 시소가 반대 방향으로 돌아갈 수 있다.

• 그러면 엄마가 아래로 내려올 수 있다.

■ 회전모멘트의 지레 적용

그림 3.11에서 호두까기는 호두를 넣고 손잡이에 힘을 주어 누르면 호두가 부서지는 기구로 저항점이 가운데에 있는 2종지레에 해당된다. 그림과 같은 2종지레에서는 받침점에서 저항점까지의 거리(저항팔)보다 받침점에서 힘까지의 거리(힘팔)가 항상 길다. 그러므로 작은 힘을 들여서 큰 힘이 필요한 일을 할 수 있는 것이다. 이와 같이 작은 힘으로 큰 저

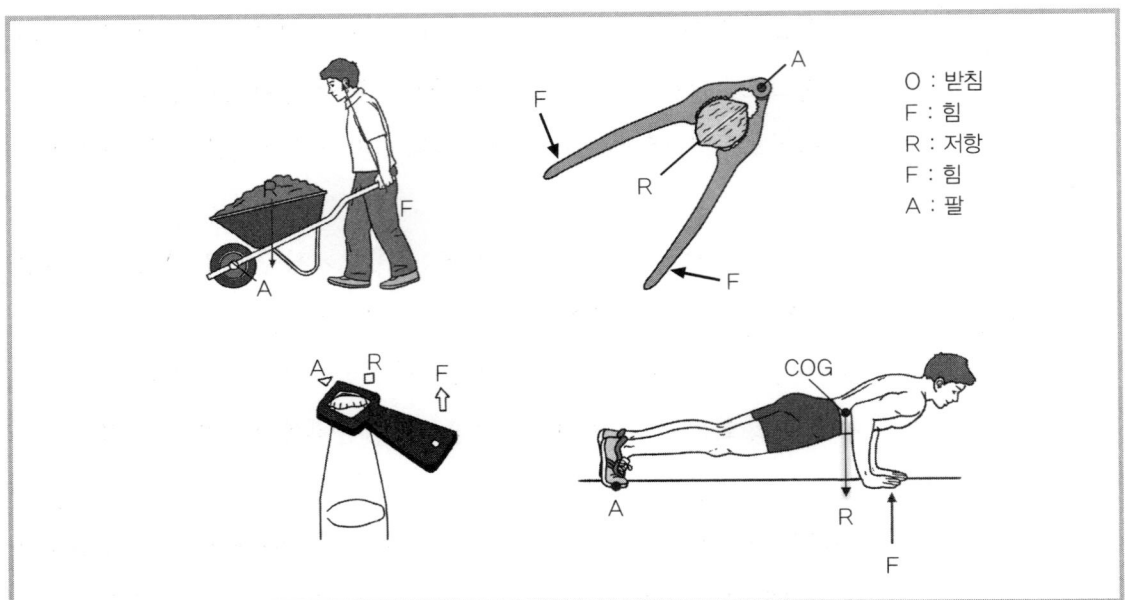

▶ 그림 3.11 2종 지레의 예

항력을 이겨낼 수 있는 것을 힘에 이득이라고 한다.

그러나 움직이는 거리를 생각하여 보자. 손이 움직여야 되는 거리가 긴가? 호두를 깨는 위치가 거리가 긴가? 이와 같이 힘점이 움직인 거리보다 저항점이 움직인 거리가 짧은 것을 거리에 손해라고 한다. 즉 2종지레는 힘에는 이득이지만 거리에는 손해이다.

그림 3.12의 핀셋은 끝부분으로 물건을 집을 것이므로 힘점이 가운데에 있는 3종지레에 해당된다. 그림과 같은 3종지레에서는 힘팔보다 저항팔의 길이가 항상 길다. 그러므로 큰 힘을 들이더라도 아주 가벼운 물체만 집을 수 있는 것이다. 이와 같이 큰 힘으로 작은 저항력을 이겨낼 수 있는 것을 힘에 손해라고 한다.

그러나 움직이는 거리를 생각하여 보자. 손이 움직여야 되는 거리가 긴가? 아니면 핀셋 끝이 움직이는 거리가 긴가? 이와 같이 힘점이 움직인 거리보다 저항점이 움직인 거리가 긴 것을 **거리에 이득**이라고 한다. 즉

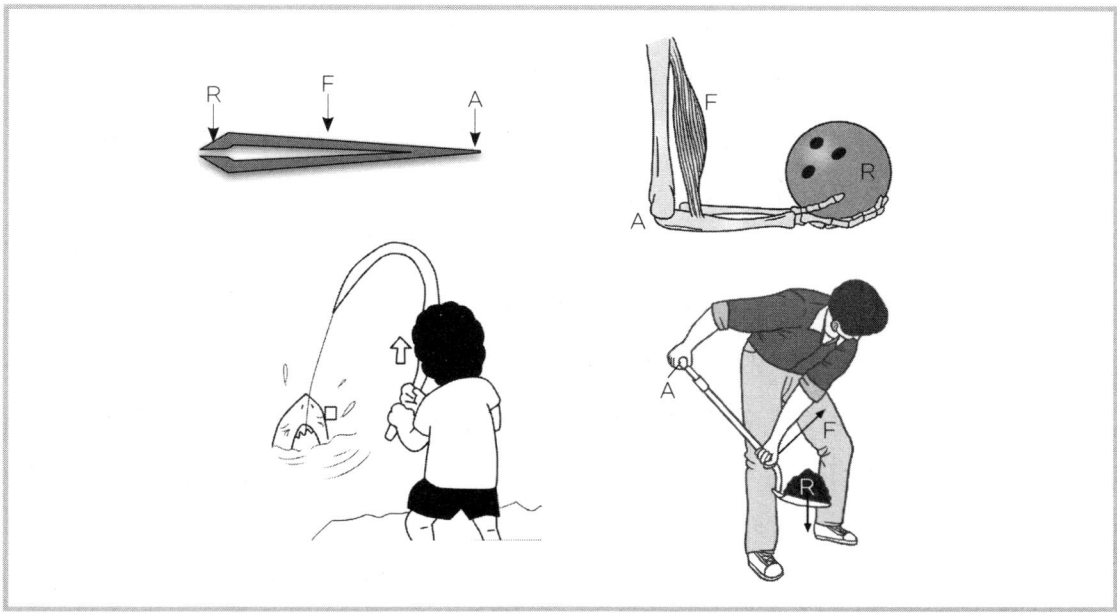

▶ 그림 3.12   3종지레의 예

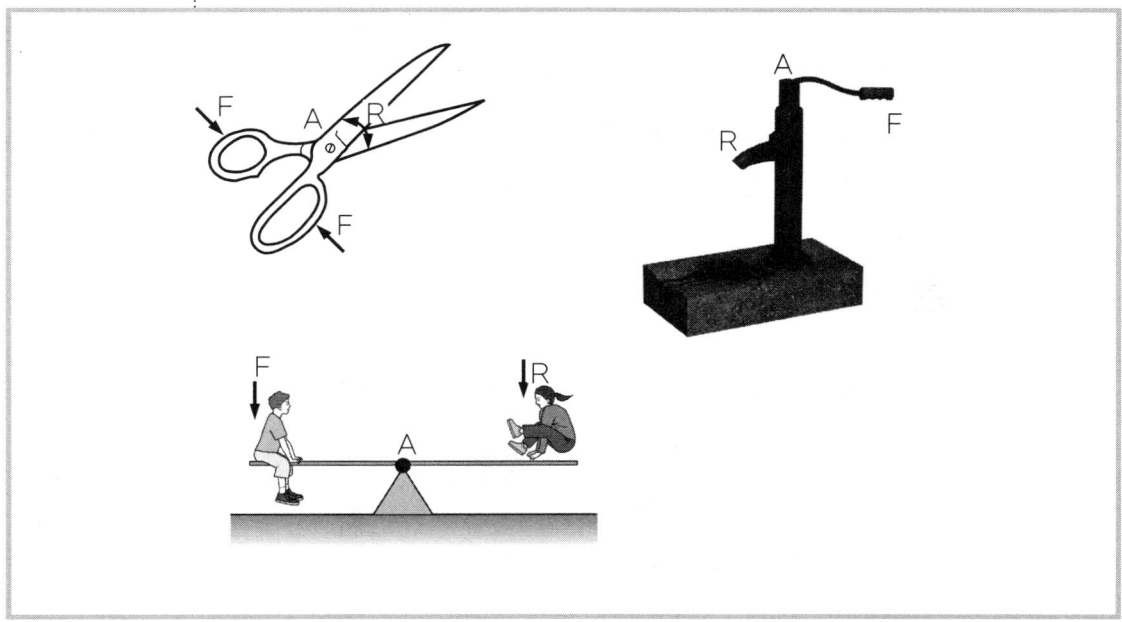

▶ 그림 3.13   1종지레의 예

3종지레는 힘에는 손해를 보지만 거리에는 이득이다.

그림 3.13에서 가위는 날 중간에 천이나 종이를 넣고 손잡이를 잡고 자르는 도구로서 가운데에 받침점이 있는 1종지레이다. 가위는 손잡이를 길게 만들 수도 있고 날을 길게 만들 수도 있기 때문에 1종지레는 힘팔과 저항팔 중 어느 것이 길다고 단언할 수가 없다. 그러므로 힘 또는 거리에 이득을 보거나 손해를 보는 것은 힘팔의 길이와 저항팔의 길이를 어떻게 만드느냐에 따라서 달라진다.

앞에서 힘에 이득이면 거리에 손해이고, 힘에서 손해를 보면 거리에서 이득을 보기 때문에 일 또는 에너지에는 이득이나 손해가 전혀 없고, 항상 본전이다.

인체에는 3종지레가 가장 많고, 3종지레의 대부분은 팔이나 다리에 있다. 팔이나 다리는 힘이 좀 많이 들더라도 빠르게, 넓은 범위를 움직여야 하기 때문에 힘에는 손해, 거리에는 이득인 3종지레가 주로 있는 것이다. 2종지레는 힘에 이득을 보기 때문에 몸통이나 골반처럼 무거운 부위를 움직이는 곳에 주로 있다. 머리ㆍ윗몸ㆍ골반 등을 회전시키는 곳에는 왼쪽으로 회전시킬 때와 오른쪽으로 회전시킬 때에 똑 같은 힘이 들어야 하기 때문에 주로 1종지레가 있다.

■ 회전모멘트의 계산

➜ 다음 그림에서 시소는 누구쪽으로 기울까?

아기의 회전모멘트

　=17kg중×220cm

　=3740kg중cm

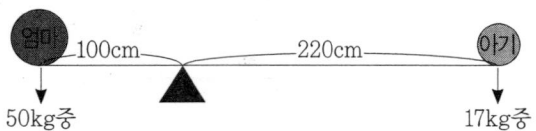

엄마의 회전모멘트

　　=50kg×100cm

　　=5000kg중cm

엄마의 회전모멘트가 더 크다 → 엄마쪽으로 기운다.

➜ 역도선수가 바벨을 들어올리려고 한다. A자세와 B자세를 취할 때 필요한 근력은 몇 배 차이가 나는가?

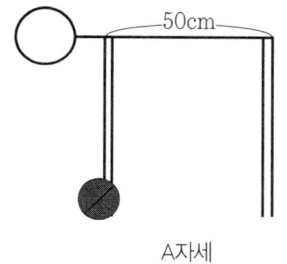
A자세

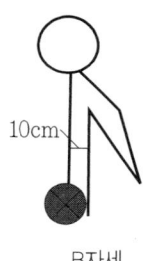
B자세

A자세의 회전모멘트

　　=바벨의 무게×50cm

B자세의 회전모멘트

　　=바벨의 무게×10cm

A자세로 들어올리려면 B자세보다 5배의 근력이 필요하다.

제4장

운동학의 스포츠 적용

01 선운동의 운동학적 분석

❶ 거리와 변위 ··

　　앞으로 운동역학에서 사용하는 단위는 이유 여하를 막론하고 시간은 초(second), 거리는 미터(meter, m), 질량은 킬로그램(kilogram, kg)을 사용해야 한다.

　　운동역학에서는 운동을 '시간이 지남에 따라 물체의 위치가 변하는 것'으로 정의한다. 어떤 물체가 운동을 해서 위치가 바뀌었다고 하면 당연히 얼마나 이동했는지 알고 싶어질 것이다. 그것을 나타내는 방법은 두 가지이다. 그림 4.1에서 점선같이 출발지점에서 도착지점까지 이동한 경로를 따라서 측정한 것을 거리(distance) 또는 길이(length)라 하고, 실선같이 직선으로 측정한 것을 변위(displacement)라고 한다.

　　그러므로 서울에서 부산까지의 거리는 고속도로로 갈 때와 일반 국도로 갈 때가 서로 다르지만, 변위는 이용한 도로와 상관없이 똑같다. 우리가 일상생활을 할 때 변위가 얼마냐고 묻는 사람은 없으므로 대부분 거리를 사용한다. 변위는 직선으로 측정하기 때문에 반드시 방향을 말해주어야 한다. 그러나 거리는 이동한 길을 따라서 측정하고, 대부분의 길이 구불구불하기 때문에 방향을 말할 수 없으므로 방향을 말하지 않아도 된다.

　　체육에서 예를 들면 100미터 달리기는 출발선에서 결승선까지의 거리도 100미터이고 변위도 100미터이다. 그러나 트랙을 한 바퀴 도는 400미터 달리기는 출발선에서 결승선까지의 거리는 400미터이지만 변위는 0m가 된다. 출발지점과 결승지점이 같은 마라톤 코스를 달렸다고 하면 이동한 거리는 42.195킬로미터이지만, 이동한 변위는 0미터이다.

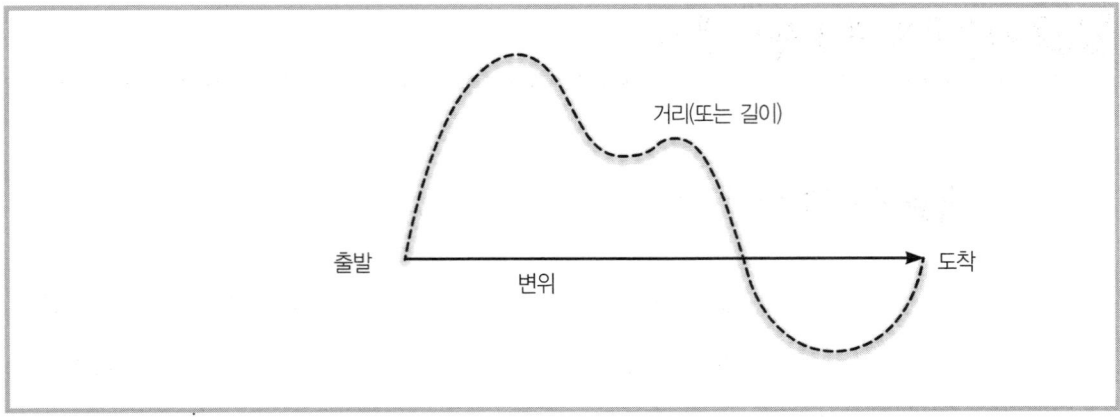

▶ 그림 4.1   거리와 변위

❷ 속력과 속도

속력과 속도는 비슷한 것 같지만, 그 정의부터 서로 다르다. 속력은 이동한 거리를 걸린 시간으로 나눈 값이고, 속도는 이동한 변위를 걸린 시간으로 나눈 값이다.

$$속력 = \frac{이동한\ 거리}{걸린\ 시간} \qquad 속도 = \frac{이동한\ 변위}{걸린\ 시간}$$

어떤 선수가 400미터 달리기를 40초에 달렸다고 가정하면 속력은 '400m÷40s=10m/s'가 되지만, 속도는 '0m÷40s=0m/s'가 된다. 100미터 달리기에서 20초가 걸렸다고 하면 속력과 속도 모두 100m÷20s=5m/s가 된다. 그러므로 속력과 속도를 잘 구별해서 말해야 된다.

그런데 400미터 달리기 선수의 속도가 0m/s 라고 하는 것은 너무 억울하다. "그 선수가 제자리에 가만히 서 있었다는 말인가? 분명히 열심히 뛰었는데 속도가 0m/s 라니!" 그와 같은 모순을 해결할 수 있는 것이 순간속도이다.

"왜 400미터 달리기 선수의 속도는 40초 동안 뛴 것으로 계산하고, 100미터 달리기 선수의 속도는 20초 동안 뛴 것으로 계산하였는가?" 만약 똑같이 10초 동안 뛴 것으로 계산한다면 어떻게 되는가? 40초 동안에 한 바퀴를 돌았으니까 10초 동안이면 약 100미터를 달렸을 것이다. 트랙을 따라 100미터 이동한 것을 직선으로 측정하면 100미터 보다 조금 적을 것이다. 그때의 변위를 90미터라고 가정하면 속력은 100m÷10s=10m/s이고, 속도는 90m÷10s=9m/s가 된다.

만약 0.001초 동안에 이동한 것으로 속력과 속도를 계산하면 어떻게 될까?

0.001초 동안에 0.01미터를 이동했다고 가정하여 보자. 그러면 이동한 거리와 변위가 거의 같을 것이므로 속력은 0.01m÷0.001s=10m/s 이고, 속도는 0.01m÷0.001s=10m/s 가 되어 속력과 속도가 같아진다.

다시 말해서 속도를 계산하는 시간 간격을 아주 짧게 잡으면 그 짧은 시간 동안 곡선으로 이동했다고 할 수 없으므로 거리와 변위가 같아지고, 그러면 속력과 속도가 같아진다. 이와 같이 속도를 계산하는 시간 간격을 아주 짧게 잡아서 계산한 속도를 '순간속도'라고 한다.

❸ 가속도

자동차가 이동할 때에는 일정한 속도로 달리는 경우는 드물고, 속도가 빨라지기도 하고 느려지기도 한다. 이와 같이 '속도가 변하는 것'을 "가속도가 있다."고 한다. 즉 가속도는 속도가 증가하는 것이 아니라 속도가 변화한다는 뜻이다.

가속도(acceleration)는 다음과 같이 정의한다.

$$가속도 = \frac{나중속도 - 처음 속도}{걸린 시간}$$

가속도의 단위는 속도의 단위 m/s를 다시 시간의 단위 s로 나눈 것이므로 m/s^2 이 된다.

다음과 같은 아주 간단한 문제를 풀면서 가속도의 의미를 정확하게 알아보기로 한다.

정지하고 있던 자동차가 출발하여 5초가 지났을 때 속도를 측정했더니 30m/s 이었다고 하자.

❖ 자동차의 처음속도는 얼마였는가?   답. 0m/s

❖ 자동차의 나중속도는 얼마였는가?   답. 30m/s

❖ 자동차의 속도는 얼마나 변하였는가?   답. 30 – 0=30m/s

❖ 자동차의 속도가 30m/s 변화하는 데에 몇 초 걸렸는가? 답. 5 s

❖ 자동차의 속도는 1초에 얼마씩 변했는가?   답. $30m/s \div 5s = 6m/s^2$

❖ 자동차의 가속도는 얼마인가?   답. $6m/s^2$

위의 문제를 풀면서 가속도는 '1초 동안에 속도가 변하는 양' 이라는 것을 알았을 것이다. 그렇다면 다음 문제도 풀어보자.

❖ 출발한 다음 6초가 되었을 때의 속도는 얼마일까?
   답. 30+6=36m/s

❖ 출발한 다음 7초가 되었을 때의 속도는 얼마일까?
   답. 36+6= 42m/s

❖ 출발한 다음 3초가 되었을 때의 속도는 얼마일까?
   답. 0+6×3= 18m/s

다음은 속도가 증가한다는 말과 속도가 빨라진다는 말의 차이점에 대하여 알아보자. 대부분의 학생들이 위의 두 말이 똑같은 말이라고 잘못 알고 있는 이유는 속도가 플러스라는 말과 속도가 마이너스라는 말의 차이점을 잘 모르고 있기 때문이다.

속도가 플러스인 것과 마이너스인 것의 차이는 반대방향으로 간다는 의미이다. 예를 들어 플러스가 앞으로 가는 것이라면 마이너스는 뒤로 간다는 뜻이고, 플러스가 오른쪽으로 가는 것이면 마이너스는 왼쪽으로 간다는 뜻이다.

그런데 자동차가 앞으로 가면 빠르고 뒤로 가면 느리다고 하는 것이 아니고, 앞으로 가든 뒤로 가든 상관없이 1초 동안에 이동한 거리가 많으면 빠르고, 1초 동안에 이동한 거리가 적으면 느린 것이다.

예를 들어 속도가 +20m/s이면 1초 동안 20미터씩 앞으로 간다는 뜻이고, 속도가 −30m/s이면 1초 동안 30미터씩 뒤로 간다는 뜻이다. 어느 것이 더 빠른가? 당연히 뒤로 가는 것이 더 빠르다. 그러므로 A의 속도가 20m/s 이고 B의 속도가 −30m/s 이라고 하면, A의 속도는 B의 속도보다 크지만, 빠르기는 B가 더 빠르다.

마찬가지로 "가속도가 플러스이다."는 "속도가 점점 증가한다."는 뜻은 되지만, "속도가 점점 빨라진다."는 뜻은 아니다. 예를 들어 속도가 −20m/s에서 −10m/s가 되었다면 나중속도(−10) − 처음속도(−20) = (−10) − (−20) = +10이므로 속도가 증가하였지만(가속도가 플러스이지만) 빠르기는 오히려 느려졌다.

❹ 중력가속도 ·····

　　지구상에 있는 모든 물체는 중력 때문에 밑으로(지구중심 방향으로) 떨어지려고 한다는 것은 모두 알고 있을 것이다. 대부분의 물체들은 땅 때문에 밑으로 떨어지지 못하고 제자리에 있지만, 높은 나무 위에 올라가서 공기 중에 돌멩이를 놓으면 저절로 떨어진다.

　　떨어지는 돌멩이를 살펴보면 점점 속도가 빨라진다. 즉 공중에서 어떤 물체가 떨어지면 가속도가 발생하는데, 그것을 중력가속도라고 한다. 중력가속도의 크기는 얼마일까? 무거운 물체와 가벼운 물체를 공중에서 떨어뜨리면 어느 것이 먼저 떨어질까?

　　위의 질문에 답하기 위해 갈릴레이가 피사의 사탑에 올라가서 큰 쇠구슬과 작은 쇠구슬을 동시에 떨어뜨리는 실험을 하였다. 실험 결과는 어떠했는가? 큰 구슬과 작은 구슬이 동시에 땅에 떨어졌다. 이러한 실험 결과는 두 구슬의 속도가 같았다는 말이 되며, 두 구슬의 속도가 같으려면 가속도도 같아야 한다. 다시 말해서 중력가속도는 물체의 무게와 관계없이 모두 똑같다.

　　그림 4.2는 중력가속도의 크기를 알아보기 위해 공중에서 떨어뜨린 공을 일정한 시간 간격으로 촬영한 것이다. 예를 들어 0.1초 간격으로 사진을 촬영하였다고 하면 공과 공 사이의 거리는 0.1초 동안에 떨어진 거리가 된다. 1초 동안에 이동한 거리를 속도라고 하니까 공과 공 사이의 거리에 10을 곱하면 그때그때의 속도가 된다.

　　사진에서 공과 공 사이의 거리가 점점 더 커졌으므로 속도가 계속해서 증가하였다. 가속도는 1초 동안에 속도가 얼마나 증가하였는지를 측정하는 것이므로 가속도를 알 수 있다.

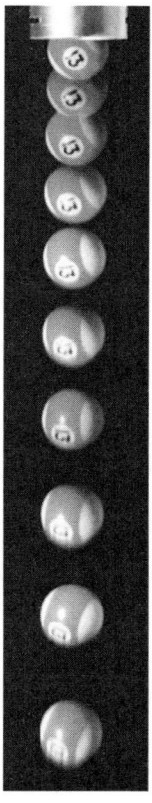

▶ 그림 4.2　공중에서 떨어뜨린 공을 일정한 시간 간격으로 촬영한 사진

위와 같은 실험을 통해서 중력가속도의 크기를 측정한 결과 9.8m/s²이 었다. 즉 공중에서 떨어지는 물체의 속도는 1초에 9.8m/s 씩 빨라진다. 예를 들어서 어떤 순간에 떨어지는 속도가 20m/s이었다면 1초가 지나가면 29.8m/s가 되고, 2초가 지나가면 39.6m/s가 된다.

⑤ 포물선 운동

포물선(抛物線)에서 '포(抛)'는 던진다는 뜻이므로 공중으로 던진 물체(투사체)가 날아가면서 만드는 곡선을 포물선이라고 한다.

투사체는 중력과 공기의 마찰력에 의해서 속도가 변한다. 공기의 마찰력은 크기가 너무 작기 때문에 대부분 무시해버린다. 공기의 마찰력을 무시하면 투사체는 중력에 의해서만 속도가 변하므로 1초에 9.8m/s씩 아래 방향으로(지구의 중심방향으로) 떨어지는 속도가 빨라진다.

투사체의 운동은 수평방향의 운동과 상하방향의 운동으로 나누어서 생각하는 것이 핵심이다. 아주 간단한 연습문제를 몇 개 풀어가면서 상하방향의 운동을 구체적으로 설명하기로 한다.

표 4.1은 50미터 높이의 옥상에서 돌멩이를 가만히 떨어뜨렸을 때(자유낙하)의 속도 변화를 측정한 것이다.

▶ 표 4.1   자유낙하하는 물체의 속도 변화

시간	0초	1초	2초	3초	4초	5초	6초	7초	8초
속도	0	9.8	19.6	29.4	39.2	49.0	58.8	68.6	78.4
특징	출발								

자유낙하하였으므로 0초 때의 속도는 당연히 0이고, 그 다음에는 중력가속도에 의해서 시간이 1초 지날 때마다 속도가 9.8m/s씩 변한다.

여기에서 첫번째로 주의할 점은 어느 방향이 플러스인지 잘 기억해두어야 한다는 것이다. 아랫방향을 플러스로 잡았기 때문에 위의 표처럼 속도가 변한 것이지, 만약 윗방향을 플러스로 잡으면 1초 때는 −9.8, 2초 때는 −19.6, 3초 때는 −29.4m/s로 변해야 한다.

두 번째로 주의해야 할 점은 언제 땅에 떨어지는지 알아야 하고, 땅에 떨어지면 더 이상 속도가 변하지 않는다는 것을 알아두어야 한다. 위의 문제는 50미터 높이에서 떨어뜨렸다고 했으므로 약 3초 후에 땅에 떨어지므로 4초부터 8초까지의 속도는 모두 0이어야 한다. 몇 초 후에 땅에 떨어지는지 계산하는 방법은 지금 당장은 몰라도 된다.

표 4.2는 50미터 높이의 옥상에서 돌멩이를 자유낙하시키지 않고 15m/s의 속도로 수직하방으로 던진 물체의 속도 변화이다.

▶ 표 4.2   15 m/s로 수직하방으로 던진 물체의 속도 변화

시간	0초	1초	2초	3초	4초	5초	6초	7초	8초
속도	15	24.8	34.6	0	0	0	0	0	0
특징	출발		?						

아래로 던졌으므로 0초 때 속도가 0이 아니라 15이고, 1초가 지날 때마다 속도가 9.8씩 변한 것이다. 자유낙하시켰을 때 약 3초 후에 땅에 떨어진다고 하였는데, 아랫방향으로 던졌기 때문에 3초가 되기 전에 땅에 떨어졌을 것이므로 3초 이후의 속도는 모두 0이고, 2초 때 땅에 떨어졌는지 잘 모르기 때문에 물음표를 해 놓은 것이다.

표 4.3은 39.2m/s의 속도로 수직상방으로 던졌을 때의 속도 변화이다.

▶ 표 4.3   39.2 m/s로 수직상방으로 던진 물체의 수직 방향의 속도 변화

시간	0초	1초	2초	3초	4초	5초	6초	7초	8초
속도	39.2	29.4	19.6	9.8	0	−9.8	−19.6	−29.4	−39.2
특징	던짐				최고점				떨어짐

표 4.3은 0초 때(던지는 순간)의 속도가 39.2m/s, 1초 때의 속도가 29.4m/s, 2초 때의 속도가 19.6m/s로 시간이 1초 지날 때마다 속도가

9.8m/s씩 줄었다. 그 이유는 윗방향을 플러스로 잡았는데 중력가속도는 아랫방향으로 작용하기 때문이다.

그러다가 4초 때 속도가 0이 되었으므로 더 이상 올라가지 못한다. 즉 수직방향의 속도가 0이 되는 순간의 높이가 최고점이다. 그 다음에 1초가 또 지나서 5초가 되면 속도가 9.8 또 줄어서 −9.8이 되고, 또 1초가 더 지나면 9.8이 또 줄어서 −19.6이 된다.

8초 때 땅에 떨어졌다고 쓴 이유는 무엇일까? 땅에서 물체를 수직상방으로 던지면 올라가는 데 걸리는 시간과 내려가는 데 걸리는 시간이 무조건 같기 때문이다.

표를 자세히 살펴보면 최고점에 올라간 4초를 중심으로 좌우의 속도의 크기는 똑같고, 플러스와 마이너스만 바뀌어 있다. 즉 좌우가 대칭이다.

다음은 위로 올라간 높이(수직방향의 이동거리)에 대하여 알아보자.

수직방향은 중력가속도 때문에 속도가 계속해서 변한다. 이때 이동거리는 평균속도에 시간을 곱하여 계산한다.

$$수직방향\ 이동거리 = 평균속도 \times 시간$$

예를 들어 표 4.3에서 0초에서 4초 사이에 이동한 거리를 계산하면 다음과 같다.

$$
\begin{aligned}
거리 &= 평균속도 \times 시간 \\
&= \frac{0초때\ 속도 + 4초\ 때\ 속도}{2} \times 4초 \\
&= \frac{39.2 + 0}{2} \times 4 = 74.4미터
\end{aligned}
$$

2초에서 5초 사이에 수직방향으로 이동한 거리를 계산하면 다음과 같다.

$$거리 = 평균속도 \times 시간$$
$$= \frac{2초\ 때\ 속도 + 5초\ 때\ 속도}{2} \times 3초$$
$$= \frac{19.6 + (-9.8)}{2} \times 3 = 14.7미터$$

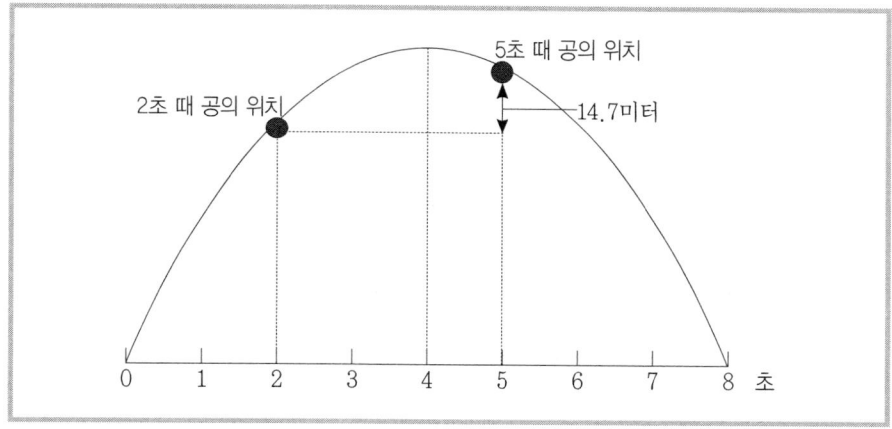

▶ **그림 4.3** 2초 때와 5초 때의 수직방향 이동거리

다음은 수평방향의 운동에 대하여 생각하여 보자. 공기의 마찰력은 무시한다고 하였고, 중력은 수직방향으로 작용하므로 수평방향의 운동에는 아무런 영향도 미치지 않는다. 즉 투사체를 앞으로 밀어주거나 뒤로 당기는 힘이 전혀 없으므로 등속도운동을 한다.

예를 들어 처음에 던진 속도의 수평성분이 30m/s이었다면 표와 같이 속도가 전혀 변하지 않고, 계속해서 앞으로 전진만 하되, 수직방향의 운동을 계산했을 때 땅에 떨어진 시간이 되면 더 이상 전진하지 못한다.

표 4.4와 같이 수직속도 39.2m/s, 수평속도 30m/s로 공을 던졌다고 하면 6초 후에 공은 높이 58.8m, 앞으로 180m인 지점에 있다.

▶ 표 4.4   수직속도 39.8m/s, 수평속도 30m/s로 공을 던졌을 때 수직속도
와 수평속도의 변화

시간	0초	1초	2초	3초	4초	5초	6초	7초	8초
수직속도	39.2	29.4	19.6	9.8	0	−9.8	−19.6	−29.4	−39.2
수평속도	30	30	30	30	30	30	30	30	30
비고					최고점				땅에 떨어짐

$$\text{공의 높이} = \frac{\text{0초 때 수직속도} + \text{6초 때 수직속도}}{2} \times 6$$

$$= \frac{39.2 + (-19.6)}{2} \times 6$$

$$= 9.8 \times 6^2 = 58.8\text{미터}$$

$$\text{공의 수평거리} = \frac{\text{0초 때 수평속도} + \text{6초 때 수평속도}}{2} \times 6$$

$$= \frac{30 + 30}{2} \times 6$$

$$= 30 \times 6 = 180\text{미터}$$

투사체의 운동을 계산하는 것도 중요하지만, 그 기본원리를 머릿속으로 잘 이해하고 있는 것이 더 중요하다.

다음은 포물선 운동의 기본원리들을 정리한 것이다.

❖ 공을 던지는 지점과 떨어진 지점의 높이가 같으면 45도 각도로 던졌을 때 가장 멀리 날아간다.

　[이유] 수직성분이 더 크면 위로만 높이 올라가고 앞으로 나가는 것은 작다. 수평성분이 더 크면 위로 조금밖에 올라가지 못하기 때문에 공이 너무 빨리 땅에 떨어져서 앞으로 나갈 시간이 없다.

❖ 대부분의 던지기 경기에서는 던지는 지점의 높이가 떨어지는 지점보다 높다. 그러므로 높은 곳에서 던질수록 유리하다.

[이유] 1층에서 던지는 것보다 2층에서 던져야 더 멀리 날아간다. 그러므로 신장이 큰 선수 또는 릴리즈 포인트가 높은 선수가 유리하다.

❖ 높은 곳에서 던질수록 45도보다 작은 각도로 던져야 한다.

[이유] 높은 산봉우리에서 계곡으로 돌을 던질 때 45도 각도로 던지는 바보는 없고 대부분 거의 수평하게 던진다. 계곡보다 훨씬 높은 곳에서 던지면 공이 떨어질 때까지 시간이 충분하기 때문에 힘을 들여서 시간을 벌 필요가 없고, 온힘을 다해서 돌을 앞으로 나가게만 하면 된다.

❖ 무거운 물체를 던질수록(던지는 속도가 느릴수록) 던지는 각도를 작게 해야 한다.

[이유] 포환을 던질 때 위로 던지는 바보는 없고, 거의 앞으로 밀기만 한다. 무거운 물체를 던질 때에는 힘의 대부분을 수평방향의 속도를 만들기 위해서 써야 하고, 가벼운 물체를 던질 때에는 수평방향의 속도를 얻기 위해서 쓰는 힘과 수직방향의 속도를 얻기 위해서 쓰는 힘이 균형을 이루어야 한다.

02 각운동의 운동학적 분석

❶ 호도법

우리는 초등학교부터 원을 1바퀴 도는 중심각을 360도(˚)라고 하는 각도법에 익숙해져 있다. 그래서 반 바퀴는 180도, 1/4 바퀴는 90도, 시계의 시침이 1시간 돌아가면 30도, 2시간 돌아가면 60도 하는 식으로 각도의 크기를 짐작한다.

그러나 운동역학이나 수학에서는 '도'를 사용하지 않고 라디안(radian)이라는 단위를 사용한다. radian은 radius(반지름)와 angle(각도)의 두 단어가 합성된 것으로 "반지름의 길이를 기준으로 해서 각도를 나타낸다."는 뜻이다. 이와 같은 각도 시스템을 호도법(弧度法)이라고 한다. 호도법의 뜻은 '호의 길이로 각도를 나타내는 방법'이라는 뜻이다.

그림 4.4에서 원의 반지름을 r, 색칠되어 있는 부분의 호의 길이를 L이라고 할 때, 색칠되어 있는 부분의 중심각을 L/r 라디안이라고 한다. 예를 들어 반지름이 10센티인 원에서 호의 길이가 30센티이면 중심각의 크기가 3라디안이 된다.

원을 1바퀴 도는 중심각은 360도이고, 원둘레의 길이는 $2\pi r$ 이므로 다음과 같이 계산할 수 있다

- 360도=$2\pi r/r$=2π라디안
- 180도=π라디안
- 90도=$\pi/2$ 라디안
- 1라디안=약 57.3도
- 1도=약 0.0175 라디안

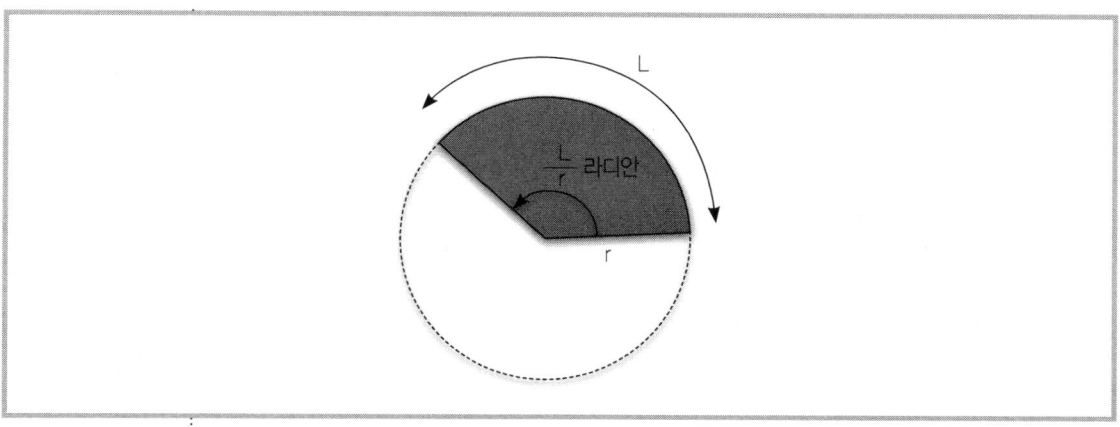

▶ 그림 4.4   호도법

운동역학이나 수학에서 도를 사용하지 않고 라디안을 사용하는 이유
는 라디안이 호의 길이를 계산하기 편리하기 때문이다. 예를 들어 반지
름이 20센티미터인 원의 중심각이 2라디안이면 호의 길이가 반지름의 2
배라는 뜻이므로 20×2= 40센티미터이다.

❷ 각거리와 각변위

각도를 측정할 때 특별한 설명이 없으면 시계 반대방향으로 측정하는
각도가 플러스이고, 시계방향으로 측정한 각도는 마이너스가 된다. 예를
들어 시계 바늘이 12시 방향에서 1시 방향까지 돌아갔으면 −30도 회전한
것이고, 운동장을 시계 반대 방향으로 반 바퀴 돌았으면 180도 회전한 것
이다.

각거리는 출발지점에서 도착지점까지의 각도를 회전한 경로를 따라서
누적하여 측정한 값이다. 각변위는 출발한 지점에서 도착한 지점까지의 각
도를 한 번에 측정한 값이다. 예를 들어 12시 정각에 출발하여 1시 15분까
지 분침이 회전한 각거리는 (−360도)+(−90도)=(−450도) 이고, 각변위는

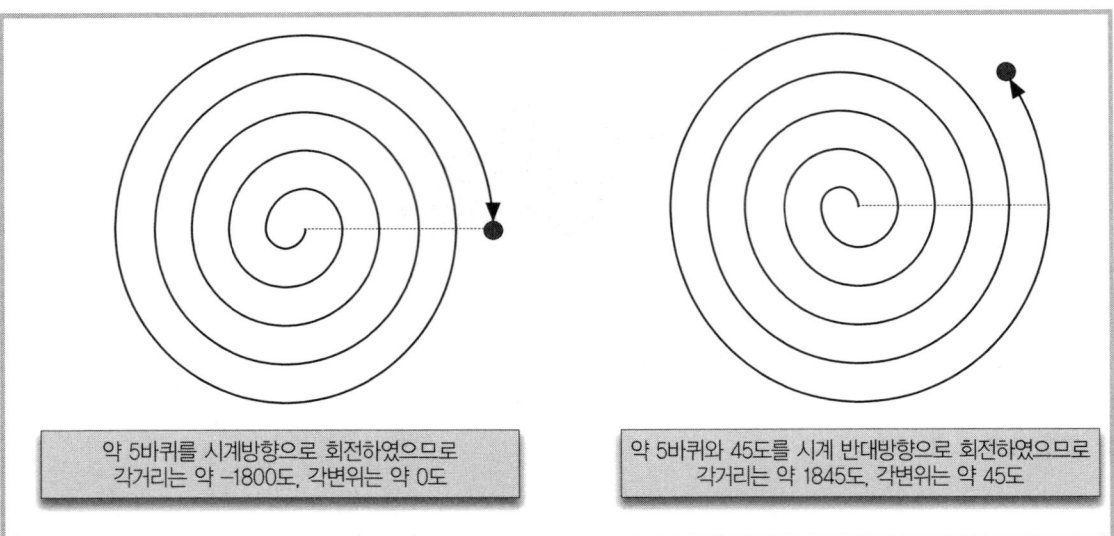

약 5바퀴를 시계방향으로 회전하였으므로
각거리는 약 −1800도, 각변위는 약 0도

약 5바퀴와 45도를 시계 반대방향으로 회전하였으므로
각거리는 약 1845도, 각변위는 약 45도

▶ **그림 4.5** 걕거리와 각변위의 예

(−90도)이다. 즉 각변위는 1바퀴 돌 때마다 다시 0도부터 시작하고, 각거리는 1바퀴 돌 때마다 360도씩 증가한다.

시계 반대방향으로의 회전이 플러스인 것이 이상하다고 생각되는 사람은 지구가 태양을 회전하는 것, 달이 지구를 회전하는 것, 전자가 원자핵을 회전하는 것, 운동장에서 트랙을 회전하는 것 등은 모두 시계 반대방향임을 알아두기 바란다. 다만 한 가지 시계만 시계방향으로 회전한다는 것을 알아두기 바란다.

③ 각속력과 각속도

각속력은 회전한 각거리를 시간으로 나눈 값이고, 각속도는 회전한 각변위를 시간으로 나눈 값이다. 예를 들어 사이클선수가 벨로드롬 경기장을 10분 동안에 20바퀴 반을 돌았다고 하면 다음과 같이 계산할 수 있다.

각거리=360도×20+180도=7380도

각변위=180도

각속력=7380도÷10분=738도/분=738도/60초=12.3도/초

각속도=180도÷10분=18도/분=18도/60초=0.3도/초

선속도를 계산할 때 시간 간격을 아주 짧게 잡으면 선속력과 선속도의 크기가 같아지는데, 이것은 순간속도라고 하였다. 마찬가지로 각속도를 계산할 때도 시간 간격을 아주 짧게 잡으면 각속도와 각속력의 크기가 같아지는데, 이것을 순간각속도라고 한다.

각속도는 각변위를 시간으로 나누어서 계산한다고 하였는데, 그 의미는 무엇일까? 각속도는 1초 동안에 회전한 각도를 의미한다. 시계의 초침은 1초에 1도씩 회전하고, 분침은 1분에 1도씩 회전하며, 시침은 1시간에 30도씩 회전한다. 그러므로 시·분·초침의 각속도는 다음과 같다.

$$초침의\ 각속도 = \frac{1도}{1초} = 1도/초$$

$$분침의\ 각속도 = \frac{1도}{1분} = \frac{1도}{60초} = 약\ 0.017도/초$$

$$시침의\ 각속도 = \frac{30도}{1시간} = \frac{30도}{3600초} = 약\ 0.0083도/초$$

❹ 각가속도

회전운동을 하는 물체의 각속도는 점점 빨라질 수도 있고 점점 느려질 수도 있다. 즉 천천히 돌던 선풍기가 더 빨리 돌 수도 있고 더 느리게 돌

수도 있다. 이와 같이 '각속도가 변하는 것'을 "각가속도가 있다."라고 한다. 각가속도는 다음과 같이 계산한다.

$$각가속도 = \frac{나중\ 각속도\ -\ 처음\ 각속도}{걸린\ 시간}$$

각가속도가 있는 운동도 있다는 것만 알고 있으면 된다. 여기에서는 각가속도가 있는 운동은 취급하지 않는다. 즉 운동역학에서는 '각가속도=0'인 운동(각속도가 일정한 운동)만 취급한다.

❺ 선속도와 각속도의 관계 ·······································

회전하는 물체가 돌아가는 속도를 "1초에 몇 도씩 또는 몇 라디안씩 돌아간다."와 같이 표현한 것이 각속도이고, 이동하는 물체가 이동하는 속도를 "1초에 몇 미터씩 이동한다."와 같이 표현한 것이 선속도이다.

반지름이 1미터인 선풍기 날개가 180도 회전하는 데에 0.1초가 걸렸다고 하자. 그러면 선풍기 날개의 각속도와 선속도는 다음과 같다.

$$\text{각속도} = \frac{180\text{도}}{0.1\text{초}} = \frac{1,800\text{도}}{\text{초}} \text{ 또는 } \frac{\pi\text{라디안}}{0.1\text{초}} = 10\pi\text{라디안/초}$$

$$\text{선속도} = \frac{\text{호의 길이}}{0.1\text{초}} = \frac{\text{반지름} \times \pi}{0.1\text{초}} = 10\pi\text{미터/초}$$

그러므로

$$\text{선속도} = \text{반지름} \times \text{각속도}$$

$$\text{또는 } v = r\omega$$

아래 그림에서 선수가 철봉을 잡고 있는 손에서 발끝까지의 길이가 1.5 미터이고, 2초에 1바퀴씩 회전한다고 하자. 그러면 각속도는 1초에 반 바퀴씩 도는 셈이므로 π rad/s 이고, 발끝의 선속도는 $1.5 \times \pi$ m/s 이다.

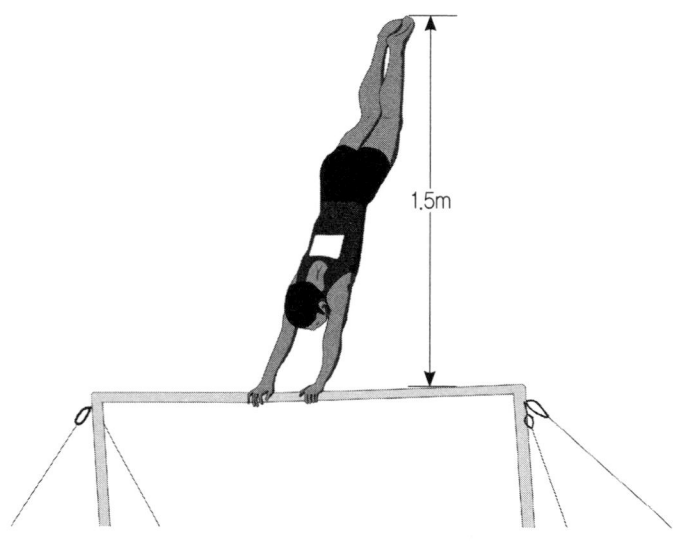

같은 문제를 호도법이 아닌 각도법을 써서 풀면 다음과 같다.

$$\text{각속도} = \frac{1바퀴}{2초} = \frac{360도}{2초} = 180도/초$$

$$\text{선속도} = \frac{반지름이\ 1.5미터인\ 원의\ 둘레}{2초}$$

$$= \frac{1.5미터 \times 2\pi}{2초}$$

$$= 1.5\pi미터/초$$

호도법으로 문제를 푸는 것이 더 어렵다고 생각되면 각도법으로 풀어도 된다.

제5장

운동역학의 스포츠 적용

01 선운동의 운동역학적 분석

❶ 힘의 정의와 단위

물체의 모양이나 운동상태를 변화시키는 원인을 힘(force)이라고 한다. 물체의 모양을 변화시킨다는 것은 물체를 더 길게 늘이거나 더 짧게 줄이는 것을 말한다. 운동상태를 변화시킨다는 것은 운동하는 속도를 변화시키거나 운동하는 방향을 변화시키는 것을 뜻한다. 물론 모양과 운동상태는 동시에 변할 수도 있다.

힘의 작용에 의해서 모양이 변하는 것을 연구하는 분야에는 변형체역학, 유체역학, 열역학 등이 있다. 그런데 이것들은 스포츠지도사 자격시험의 출제범위에 포함되어 있지 않으므로 힘의 작용에 의해서 운동속도나 운동방향이 변하는 것에 대해서만 설명한다.

운동방향이 변하는 것에는 원운동이 있지만 설명이 복잡하다. 따라서 운동속도가 변하는 것, 즉 가속도가 생기는 것으로 힘을 설명한다.

국제적으로 사용하는 힘의 단위는 뉴턴(N)이다. 이것은 운동법칙과 미적분학을 발표하여 물리학과 수학 발전에 큰 업적을 세운 아이작 뉴턴(Sir Isaac Newton)을 기념하기 위해서 그의 이름을 따서 만든 단위이다. 1뉴턴은 질량 1kg의 물체에 $1m/s^2$의 가속도가 생기게 하는 데에 필요한 힘으로 정의된다.

그런데 지구상에 있는 물체를 지구가 끌어당기는 힘을 중력이라 하고, 물체에 작용하는 중력이라는 말 대신에 (일상생활에서는) 물체의 무게라고 하기 때문에 뉴턴은 무게의 단위도 된다.

질량 1kg인 물체의 무게를 '1kg중'이라 하고, 질량 1kg인 물체에 작용하는 중력의 크기를 뉴턴으로 표시하면 9.80665N이다.

1kg중=9.80665N
1N=102g중

❷ 힘의 벡터적 특성

힘은 크기와 방향을 모두 가졌기 때문에 벡터량으로 표현한다. 예를 들어 힘은 세게 민 것과 약하게 민 것의 결과가 다를 뿐 아니라 오른쪽으로 민 것과 왼쪽으로 민 것의 결과도 다르다. 그러나 돈은 많이 쓴 것과 적게 쓴 것은 결과가 다르지만, 돈을 오른쪽으로 지불한 것과 왼쪽으로 지불한 것은 다르지 않다.

힘과 같이 크기와 방향이 모두 있는 것을 벡터(vector), 돈과 같이 크기만 있고 방향은 없는 것을 스칼라(scalar)라고 한다. 힘 이외에 변위와 속도도 반드시 방향을 말해야 하기 때문에 벡터이고, 돈 이외에 거리 · 속력 · 시간 · 일 · 숫자는 방향을 말하지 않아도 되기 때문에 스칼라이다. 시간은 미래와 과거가 있기 때문에 방향이 있다고 생각하기 쉬운데, 미래와 과거는 방향이 아니라 미래를 플러스라고 하면 과거는 마이너스이다. 여기에서 말하는 방향은 동서-남북-상하 또는 좌우-전후-위아래를 뜻한다.

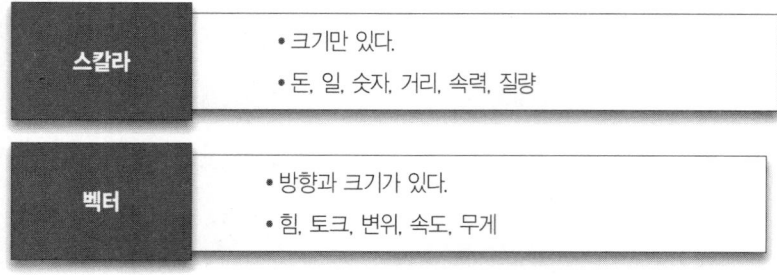

❸ 힘의 종류

■ 근력

근력은 인간이 살아 움직이는 데 필수적으로 필요한 체력요소다. 걷거나 물건을 나르는 등 일상생활은 물론이고, 직업활동을 하거나 운동 또는 취미활동을 할 때에도 반드시 근력이 필요하다.

근력은 모든 연령층에게 중요한 요소이며, 특히 나이가 들수록 더욱 중요한 역할을 한다. 노화에 따른 다리근력의 약화는 운동을 불가능하게 할 뿐만 아니라 낙상 위험을 증가시킨다. 근력은 40대부터 약화되기 시작하여 1년에 약 1%씩 감소되고, 70대 이후에는 연간 3% 정도씩 감소된다.

근력운동은 근육에 어느 정도의 부하를 주어 단련시켜 움직임 개선과 근지구력 향상을 목적으로 하는 운동으로, 보통 근력트레이닝이라고 한다. 즉 뼈대근육의 출력과 지구력을 유지 · 향상시키거나 근육량을 증가시킬 목적으로 하는 운동을 통틀어서 근력트레이닝이라고 한다.

근력트레이닝에서는 뼈대근육에 저항을 걸어 운동하기 때문에 저항트레이닝이라고도 한다. 중력을 이용해서 저항을 거는 것은 특별히 웨이트트레이닝이라 한다. 여기에는 고무 등의 탄성을 이용해서 저항을 거는 경우, 유압이나 공기압을 이용하는 경우 등이 있다.

■ 중력

뉴턴의 업적 중에서 지금까지 설명하지 않은 것이 만유인력 법칙의 발견이다.

만유인력(universal gravitation) 법칙은 "이 세상에 있는 모든 물체는 서로 잡아당기는 힘이 있고, 그 힘의 크기는 두 물체의 질량의 곱에 비례하고, 거리의 제곱에 반비례한다."는 것이다.

모든 물체 사이에는 서로 잡아당기는 힘이 있다. 그런데 작은 물체 사이에는 그 힘의 크기가 너무 작아서 있으나마나 하기 때문에 무시해도 된다. 예를 들어 질량 100kg인 두 사람이 1m 떨어져 있을 때의 만유인력의 크기는 약 0.0000667g중이므로 벼룩 한 마리가 끄는 힘보다 훨씬 작은 힘이다.

그러나 물체가 지구 · 태양 · 달과 같이 거대할 때의 만유인력은 상당히 큰 힘이 된다. 지구와 태양 사이의 만유인력 때문에 지구가 태양 주위를 약 19km/s의 속도로 돈다(참고로 인공위성의 속도가 8km/s인 것과 비교하면 지구가 인공위성보다 약 2.5배의 속도로 움직이고 있다는 것을 알 수 있을 것이다). 또한 지구와 달의 인력 때문에 달이 지구 주위를 1달에 1바퀴씩 돈다.

사람은 지구 위에 살고 있기 때문에 지구나 달이 도는 것을 느끼지 못한다. 다만 1년이 지나면 같은 계절이 오고, 1달이 지나면 달 모양이 같아진다는 것을 알 뿐이다. 지구상에 있는 모든 물체(사람도 포함)에 가장 크게 영향을 미치는 힘은 "지구와 지구상에 있는 물체 사이에 작용하는 만유인력"인데, 말의 길이를 줄이려고 보통 물체의 무게 또는 물체에 작용하는 중력이라고 한다.

중력은 지구와 지구상에 있는 물체 사이에 작용하는 만유인력이기 때문에 지구는 물체를 잡아당기고, 물체는 지구를 잡아당긴다. 그러나 사람이나 물체보다 지구가 너무 크기 때문에 지구는 움직이지 않고, 지구상에 있는 물체는 모두 지구의 중심쪽으로 떨어지려고 한다. 예를 들어 지구를 계란이라고 하면 에베레스트 산을 보고 '계란껍질이 울퉁불퉁하게 생겼네!'라고 하는 것과 비슷하다.

■ 마찰력

어떤 물체가 다른 물체와 접촉되어 있기 때문에 생기는 힘을 마찰력이라고 한다. 예를 들어 자동차는 바퀴가 아스팔트와 계속 접촉되어 있는 상태에서 달리고, 배는 물과 계속 접촉되어 있는 상태에서 항해한다. 따라서 자동차는 바퀴와 아스팔트의 마찰력을, 배는 배와 물의 마찰력을 받는다.

고체와 고체의 접촉에 의해서 생기는 힘은 항상 마찰력이라고 한다 그런데 고체와 물 또는 고체와 공기 사이에 생기는 힘은 마찰력이라고 할 때도 있고, 저항력 또는 항력이라고 할 때도 있다.

마찰력의 크기에 영향을 주는 요인에는 재질, 온도, 습도, 기압, 접촉면의 모양, 접촉면의 상태 등 수없이 많다. 그래서 마찰력의 크기는 실험을 통해서 직접 두 물체를 접촉시켜보지 않고는 알 수 없다. 마찰력을 계산할 수 있는 단 한 가지 방법은 "수직항력과 마찰력은 비례한다."는 것뿐이다.

여기에서 수직항력은 '두 물체가 접촉하는 면에 수직으로 작용하는 반작용력'이라는 뜻이다. 테이블과 같이 평평한 면 위에 물체가 놓여 있다고 하면 수직항력은 물체의 무게와 같다.

그러나 비스듬한 경사면에 물체가 놓여 있다면 수직항력의 크기가 물체의 무게보다 작을 수밖에 없다. 가장 심한 경우는 수직한 면에서는 물체에 작용하는 수직항력이 0이기 때문에 마찰력도 없다.

스포츠 지도자들은 마찰력을 어떻게 측정하고 계산하느냐 보다는 마찰력의 특성을 이용해서 마찰력을 줄이거나 크게 할 수 있는 방법을 아는 것이 더 중요하다.

다음은 마찰력의 특성을 간추린 것이다.

❖ 마찰력은 항상 작용력의 반대방향(운동을 방해하는 방향)으로 생긴다. → 마찰력의 방향이 정해져 있는 것이 아니라 물체를 앞으로 밀

려고 하면 마찰력은 뒤로 생기고, 물체를 옆으로 밀려고 하면 마찰력은 반대방향으로 생긴다.

❖ 마찰력의 크기는 물체가 정지되어 있을 때에는 작용력과 같고, 물체가 움직이면 작용력보다 작다. → 정지하고 있는 물체를 움직이려고 힘을 썼는데도 물체가 움직이지 아니하면 '작용력과 마찰력의 크기는 같고, 방향이 서로 반대이다.' 즉 작용력과 마찰력을 합하면 0이 되기 때문에 물체가 움직이지 않는 것이다. 그러나 물체가 움직였다면 작용력이 마찰력보다 컸기 때문인데, 작용력에서 마찰력을 빼고 남은 힘에 의해서 움직인 것이다.

❖ 물체를 앞으로 밀어서 움직이려고 하면 처음에는 움직이지 않지만, 작용력을 점점 증가시키면 마찰력도 점점 증가하다가 어느 정도가 되면 마찰력은 더 이상 증가하지 못하고 작용력만 증가하므로 물체가 움직이기 시작한다. → 그래서 물체가 움직이기 직전의 마찰력을 최대정지마찰력이라 한다.

❖ 물체가 일단 움직이기 시작하면 마찰력의 크기는 오히려 작아진다. 이것을 "운동마찰력은 최대정지마찰력보다 작다."고 한다. 길거리에서 폐지를 수집하는 할아버지가 리어카를 끌고가지 못할 때 다른 사람이 뒤에서 밀어주어서 리어카가 움직이기 시작한 다음에는 할아버지 혼자서도 잘 끌고 가는 것이 그 예이다.

❖ "마찰력은 항상 운동을 방해한다."는 말을 "마찰력은 운동에 도움이 되지 않는다."라고 오해하면 안 된다. → 즉 마찰력이 커야 유리한 경우에는 마찰력을 증가시키려고 노력해야 하고, 마찰력이 작아야 유리한 경우에는 마찰력을 줄이려고 노력해야 한다. 자동차의 타이어·운동화·스파이크는 마찰력을 증가시키기 위한 노력이고, 헬멧이나 타이츠는 마찰력을 줄이려고 노력한 것이다.

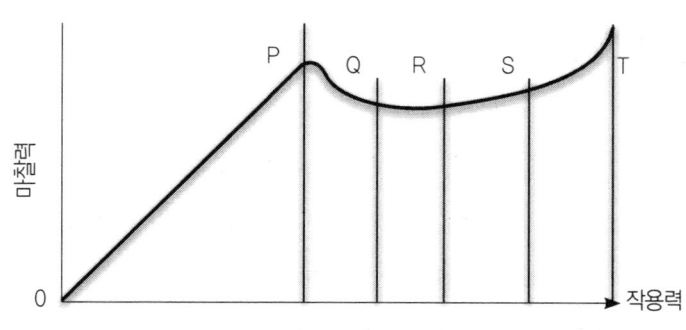

P : 최대정지마찰력
Q : 운동마찰력이 최대정지마찰력보다 작다.
R, S, T : 움직이는 속도가 빨라지면 마찰력의 크기가 다시 커지기 시작한다.

▶ 그림 5.1 마찰력의 변화

■ 압력

"금과 은 중 어느 것이 더 무거운가?"이 질문에 대답하려면 같은 부
피의 금과 은을 저울로 달아보아야 할 것이다. 그래서 어떤 물질 1cm³의
질량을 그 물질의 밀도(density)라고 한다. 표 5.1은 여러 가지 물질들의
밀도를 적어놓은 것이다. 표에서 공기의 밀도는 아주 작고(물의 약 1/1800),

▶ 표 5.1   여러 가지 물질의 밀도

물질	밀도(g/cm³)	물질	밀도(g/cm³)
물	1.00	철	7.8
알코올	0.79	금	19.3
벤젠	0.879	수은	13.55
식용유	0.915	알루미늄	2.7
황산	1.834	공기	0.001226
설탕	1.587		

물의 밀도가 기름 종류보다 크며, 금속 종류는 물보다 밀도가 크다는 것을 알 수 있다.

압력(壓力, pressure)은 '누르는 힘'이라는 뜻이지만, 전압력과 압력으로 구분해야 한다. 예를 들어 체중이 60kg중인 아주머니가 바닥이 평평한 운동화를 신고 밟았을 때의 압력과 체중이 똑같이 60kg중인 아가씨가 하이힐을 신고 밟았을 때의 압력은 다르다.

위의 경우 발을 밟은 전체압력은 아주머니도 60kg중이고 아가씨도 60kg중으로 같지만, 바닥 1cm²를 누르는 압력은 아가씨가 더 크다. 이것을 전압력은 아주머니와 아가씨가 같지만, 압력은 아가씨가 더 크다고 한다.

전압력 = 바닥 전체를 누르는 힘 = 물체의 무게

압력 = 바닥 면적 $1m^2$를 누르는 힘 = $\dfrac{전압력}{바닥면적}$

압력의 단위로는 바닥면적 $1m^2$를 1 N의 힘으로 누를 때의 압력을 1 파스칼(Pa)이라고 한다. 파스칼이라는 단위는 유체역학, 기하학, 수학에 큰 업적을 남긴 프랑스의 학자 파스칼을 기념하기 위해서 그의 이름을 따서 정한 단위이다. 예를 들어 무게가 100 kg중의 쌀을 바닥 면적이 $2m^2$인 상자 안에 넣어놓았다면 전압력과 압력은 다음과 같다.

전압력=100kg중=980N

압력=100kg중÷$2m^2$=50kg중/m^2=490N/m^2=490파스칼

그림 5.2는 유체의 압력에 관한 파스칼의 원리를 설명하는 것이다. 수조에 밀도 ρ(로우)인 액체를 h미터 높이로 채웠다고 하자. 그러면 수조의 밑면을 누르는 전압력과 압력은 얼마나 될까?

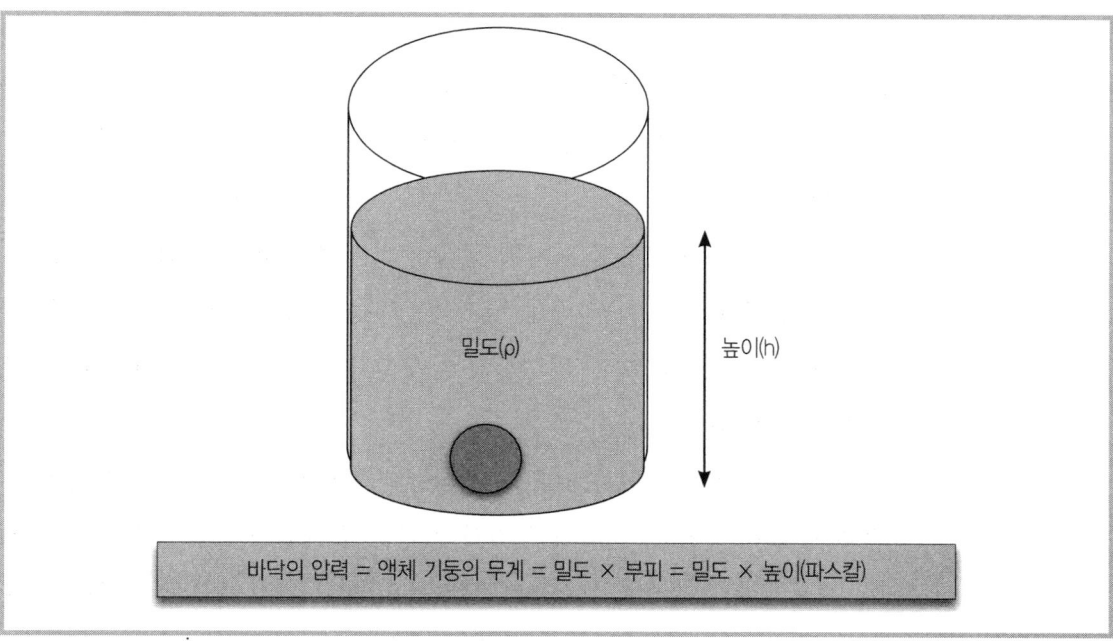

밀도(ρ)

높이(h)

바닥의 압력 = 액체 기둥의 무게 = 밀도 × 부피 = 밀도 × 높이(파스칼)

▶ **그림 5.2**　유체의 압력에 관한 파스칼의 원리

$$
\begin{aligned}
\text{전압력} &= \text{액체무게} = \text{액체의 부피} \times \text{밀도} \\
&= \text{바닥면적(A)} \times \text{높이(h)} \times \text{밀도}(\rho) \\
&= \text{Ah}\rho
\end{aligned}
$$

$$
\text{압력} = \frac{\text{전압력}}{\text{바닥 면적}} = \frac{\text{Ah}\rho}{\text{A}} = \text{h}\rho
$$

즉 액체의 압력은 '액체의 높이(h)×액체의 밀도(ρ)'로 계산한다. 그런데 수조 안에 넣은 액체가 물이라고 하면 물의 밀도가 1이기 때문에 물이 들어 있는 수조의 압력은 h×1=h이다. 즉 수조의 압력은 물의 깊이와 같다.

여기서 단위는 kg중/m^2(파스칼이 아님)이다. 예를 들어 3m 깊이의 물의 압력은 3kg중/m^2이고, 10m 길이의 물의 압력은 10kg중/m^2이다.

체육에서는 사람이 물과 공기 속에 들어간 경우만 생각하면 되므로 밀도는 생각할 필요가 없다. 스쿠버 다이버가 깊게 잠수할수록 물의 압력이 커지고, 높은 산에 올라가면 공기의 두께가 얇아지므로 대기압이 낮아진다.

다음은 압력의 방향에 대하여 생각하여 보기로 하자. 압력은 누르는 힘이라고 했기 때문에 아래 방향으로 작용하는 힘이라고 오해하기 쉽다. 만약 대기압이 사람을 아래 방향으로만 누른다면 어깨가 아파서 살지 못할 것이고 키가 자라지도 못할 것이다.

또 수압이 아래 방향으로만 누른다면 잠수함이 물속 깊이 잠수하면 납작해져야 할 것이고, 물속에 공기가 있다면 공기방울이 납작해야 할 것이다. 그런데 물고기에게 산소를 공급하기 위해서 수조 바닥에 설치한 공기 펌프에서 올라오는 물방울을 보면 납작하지 않고 동그랗다.

이것을 파스칼이 "유체의 압력은 유체의 깊이에 비례하고, 압력의 방향은 모든 방향으로 똑같다."고 하였다. 이것을 파스칼의 원리라고 한다.

파스칼의 원리는 아주 간단한 원리이지만, 일상생활에는 아주 큰 영향을 미친다.

❖ 보통 수면에서 10m 깊이에 들어가면 물 때문에 생기는 수압이 약 1기압이고, 수면에서 공기에 의한 대기압이 약 1기압이기 때문에 수면 10m 깊이에 있는 잠수부가 받는 압력은 약 2기압이다.

❖ 만약 30m까지 잠수하면 잠수부가 받는 압력은 약 4기압이 된다. 압력이 4기압이 되면 숨을 쉬기 위해서 허파 속에 들어 있는 공기의 부피가 1/4로 줄어들기 때문에 숨을 쉬기 어렵게 된다.

❖ 산소통과 연결해서 모자란 공기를 채워주면 해결될 것 같지만 다른 문제가 생긴다.

❖ 물속에서 수면 위로 나오려고 할 때는 반대현상이 일어난다. 위로

올라오면 올수록 압력이 낮아지고, 압력이 낮아지면 허파 속에 있는 공기의 부피가 팽창한다. 그러면 허파꽈리가 터지거나 찢어져서 호흡을 하지 못하게 된다.

❖ 이런 현상을 방지하려면 아주 느린 속도로 올라와서 팽창한 공기를 어떤 방법으로든 배출할 수 있는 시간이 충분해야 한다.

■ 부력

부력(浮力, buoyancy)은 '뜨게 하는 힘'이라는 뜻이고, 무조건 윗방향으로 작용한다.

그림은 물속에 정육면체인 상자가 들어 있는 것이다. 파스칼의 원리에 의해서 물이 상자를 모든 방향에서 누를 것이므로 각 면을 누르는 힘은 다음과 같다.

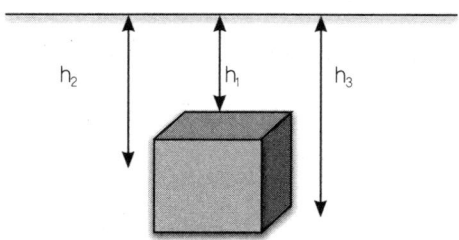

❖ 윗면을 누르는 힘 : h_1×윗면의 면적
❖ 아랫면을 누르는 힘 : h_3×아랫면의 면적
❖ 옆면을 누르는 힘 : h_2×옆면의 면적

옆면은 오른쪽, 왼쪽, 앞쪽, 뒤쪽 4개이고 2개씩 서로 반대 방향으로 누르고 있으므로 어느 방향으로도 밀리지 않을 것이다.

그러나 윗면과 아랫면은 깊이가 다르므로 윗면을 누르는 힘보다 아랫면을 누르는 힘이 더 크다. 결과적으로 상자는 위로 밀어 올리는 힘을 받게 되는데, 그 힘을 부력이라고 한다. 부력은 파스칼의 원리에 의해 생기는 것이지만, 이와 같은 설명을 가장 먼저 한 사람이 아르키메데스이기 때문에 이것을 아르키메데스의 원리라고 한다.

스포츠지도사들은 유체 속에 있는 물체가 받는 부력의 크기가 얼마인지 아는 것보다는 부력의 특성을 알고 그것을 스포츠에 응용하는 것이 더 중요하다.

다음은 부력의 특성을 정리한 것들이다.

❖ 유체 속에 있는 물체는 무조건 부력을 받는다. 예를 들어 물에 떠 있는 배도 부력을 받고, 물속에 가라앉아 있는 돌멩이도 부력을 받는다.

❖ 물에 떠 있는 물체가 받는 부력은 무조건 그 물체의 무게와 같다. 만약 부력이 무게보다 크면 점점 위로 올라오고, 부력이 무게보다 작으면 점점 밑으로 내려간다.

❖ 물체가 유체 속에 있으면 유체를 밀어내고 물체가 그 자리를 차지해야 하기 때문에 부력이 생긴다. 즉 부력의 크기는 물체가 밀어낸 유체의 무게와 같다.

❖ 유체 속에 있는 물체가 받는 부력의 크기는 그 물체 전체의 무게 또는 부피와는 아무런 관계도 없고, 유체 속에 잠겨 있는 부피에만 비례하는 부력을 받는다.

❖ 사람은 태어나기 전에 엄마 뱃속에 있을 때에도 양수라는 물 위에 떠 있었다. 그러므로 사람은 물속에 들어가면 무조건 뜬다. 엄마 뱃속에 있을 때에는 숨을 쉴 필요가 없었지만 태어난 다음부터는 숨을 쉬어야 하고, 숨을 쉬려면 코가 반드시 물 밖으로 나와 있어야 하는데, 엉뚱한 부위가 물 밖으로 나와 있기 때문에 익사하는 것이다 .

❖ 뼈와 근육은 물보다 밀도가 높고 혈액은 물과 밀도가 비슷하며 지방

은 물보다 밀도가 약간 작다. 그러나 전체적으로는 물보다 밀도가 높기 때문에 물속에 가라앉을 것 같지만 비어 있는 공간 때문에 뜨는 것이다.

❖ 공기의 밀도가 뼈·근육·지방·혈액의 밀도보다 아주 작기 때문에 공기의 부력은 있으나마나 하다. 인체의 분절 가운데 밀도가 가장 큰 것은 머리가 아니라 팔다리이다. 이 말은 사람이 물속에 들어가서 가만히 있으면 손발이 가장 밑으로 가라앉는다는 뜻이다.

■ 항력

어떤 물체가 다른 물체 또는 물질과 접촉하기 때문에 생기는 힘을 마찰력이라 한다. 고체와 고체의 접촉 때문에 생기는 힘은 무조건 마찰력이라고 하지만, 고체와 액체 또는 고체와 기체의 접촉 때문에 생기는 힘은 마찰력이라고 할 때도 있고, 저항력 또는 항력이라고 할 때도 있다.

예를 들어서 스키를 탈 때 스키와 눈 사이에 생기는 힘은 마찰력, 사람과 공기 사이에 생기는 힘은 저항력 또는 항력이라고 한다. 비행기가 날아갈 때에는 공기의 저항력을 받고, 배가 항해할 때에는 물의 저항력과 공기의 저항력을 모두 받는다.

항력의 크기는 단면적에 비례하고, 단면적이 같을 때에는 유선형이 항력을 덜 받는다.

물속을 항해할 때 받는 항력이 공기 속을 항해할 때 받는 항력보다 큰 이유는 물의 밀도가 공기의 밀도보다 크기 때문이다.

사이클선수가 허리를 굽히는 것은 단면적을 작게 해서 공기의 저항력을 줄이려는 것이고, 헬멧을 쓰는 이유는 유선형으로 만들어서 공기의 저항력을 줄이려는 것이다.

■ 양력

아래 그림은 물이 가득 채워진 큰 수조에 수도 파이프가 연결되어 있고, 파이프 중간중간에 아주 작은 구멍이 뚫려 있을 때, 파이프 끝을 막아서 물이 흘러나가지 못하는 상태에서 구멍을 통해 물줄기가 솟구치는 것을 나타낸 그림이다. 이 그림을 그린 목적은 파이프 안에서 물이 이동하지 않을 때 물줄기가 솟구치는 최종 높이는 모두 같이 수면까지라는 것을 보여주기 위해서이다.

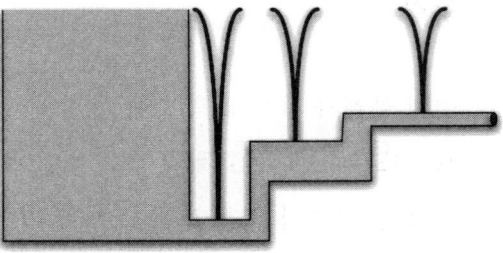

아래 그림은 위의 그림과 똑같은 그림이지만, 수도 파이프 끝이 열려 있어서 물이 밖으로 흘러나가고 있다. 이 그림은 파이프를 통하여 물이 흘러나가면 파이프에 뚫린 구멍에서 솟구치는 물줄기의 높이가 일정하지 않다는 것을 보여주기 위해서 그린 것이다.

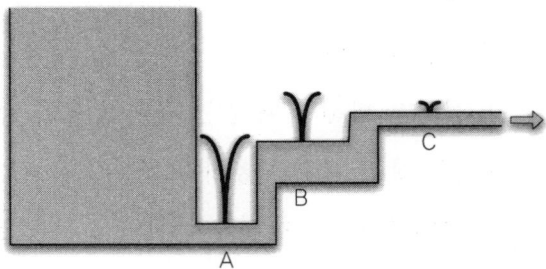

파이프 끝에서 물이 흘러나갈 때와 흘러나가지 않을 때 솟구치는 물줄

기의 높이가 다른 이유를 알아보자. 파이프 끝을 막았을 때에는 A, B, C 세 지점 모두 물이 흐르는 속도가 0으로 같지만, 파이프 끝에서 물이 흘러나 갈 때에는 A, B, C 세 지점에서 물이 흐르는 속도가 다르다.

❖ 파이프 끝에서 물이 흘러나가는 속도와 C지점에서 물이 이동하는 속도는 같아야 한다.

❖ B 지점은 파이프가 가장 굵기 때문에 물이 이동하는 속도가 가장 느리고, A 지점은 파이프 굵기가 중간이기 때문에 물이 이동하는 속도도 중간이어야 한다. 즉 파이프 안에서 물이 이동하는 속도는 C>A>B 이다.

❖ 물이 이동하는 속도가 다르기 때문에 물이 갖고 있는 운동에너지도 달라야 한다. 즉 세 지점의 물이 갖고 있는 운동에너지는 C>A>B 이다.

❖ 이상의 설명에서 물이 솟구치는 높이를 정압이라 하고, 흐르는 물이 가지고 있는 운동에너지를 동압이라고 한다. 정압은 흐르지 않는 유체가 가지고 있는 위치에너지라는 뜻이고, 동압은 흐르는 유체가 가지고 있는 운동에너지라는 뜻이다.

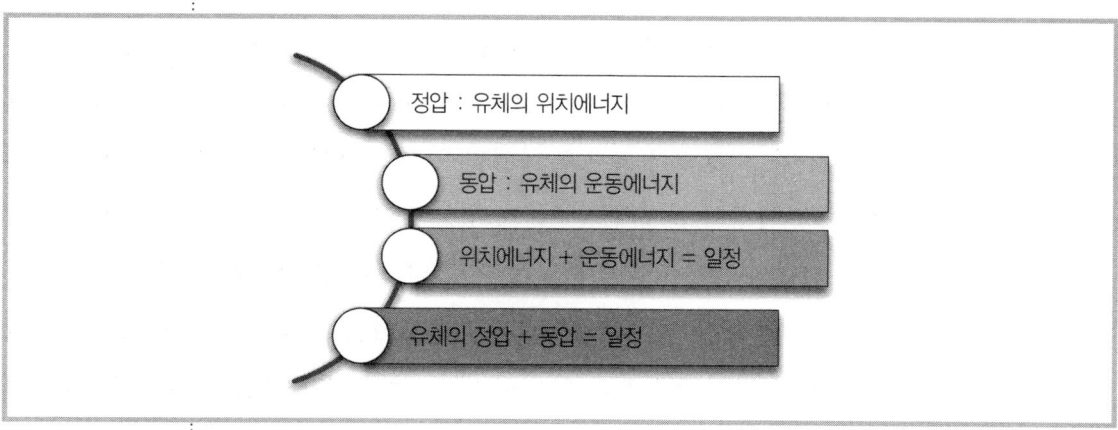

정압 : 유체의 위치에너지

동압 : 유체의 운동에너지

위치에너지 + 운동에너지 = 일정

유체의 정압 + 동압 = 일정

▶ 그림 5.3   정압과 동압의 관계

　지금까지 설명한 '정압+동압=일정하다'는 것을 스위스의 물리학자 베르누이가 최초로 증명하였기 때문에 이것을 베르누이 정리라고 한다. 베르누이 정리를 "유체의 속도가 빠르면 압력이 낮고, 유체의 속도가 느리면 압력이 높다."와 같이 표현하기도 한다.

　다음은 베르누이 정리를 이해할 수 있는 아주 간단한 예들이다.

❖ 선풍기 바람이 직접 얼굴로 오면 숨이 가빠진다. → 선풍기 바람의 속도가 빠르기 때문에 그 부분의 공기의 압력이 낮아진다.

❖ 샤워를 할 때 물이 얼굴로 흘러내리면 숨이 가빠진다. → 물과 함께 공기도 이동하기 때문에 공기의 압력이 낮아진다.

❖ 토네이도가 불어 닥치면 모든 것이 소용돌이 가운데로 빨려들어 간다. → 소용돌이 가운데의 속도가 빠르기 때문에 압력이 낮다.

❖ 소용돌이치는 강물에 뛰어들면 빠져나오기 어렵다.→ 소용돌이 치는 곳은 압력이 낮기 때문에 모든 물체가 소용돌이 중심으로 빨려들어간다.

　베르누이 정리를 이용해서 만든 대표적인 도구가 비행기이다. 사람을 수백 명 실은 육중한 비행기가 어떻게 공중에 뜰까?

　그림 5.4는 비행기 날개의 단면도이다. 비행기 날개의 앞부분은 위쪽으로 볼록하게 나와서 두껍고, 뒷부분으로 갈수록 얇아져서 거의 평평하게 되어 있다. 비행기가 앞으로 나가면 앞에서 뒤쪽으로 바람이 불어오는 셈이 되고, 비행기 날개의 앞부분이 위로 볼록하기 때문에 날개의 위를 통과하는 바람과 밑을 통과하는 바람이 지나가야 할 거리에 차이가 난다.

　그러면 바람의 속도가 위는 빠르고 아래는 느리게 된다. 베르누이 정리에 의해서 날개 윗부분의 압력이 낮고 날개 아래 부분의 압력이 크다. 결과적으로 밑에서 위로 미는 힘이 생기게 되는데, 그 힘을 양력이라고 한다.

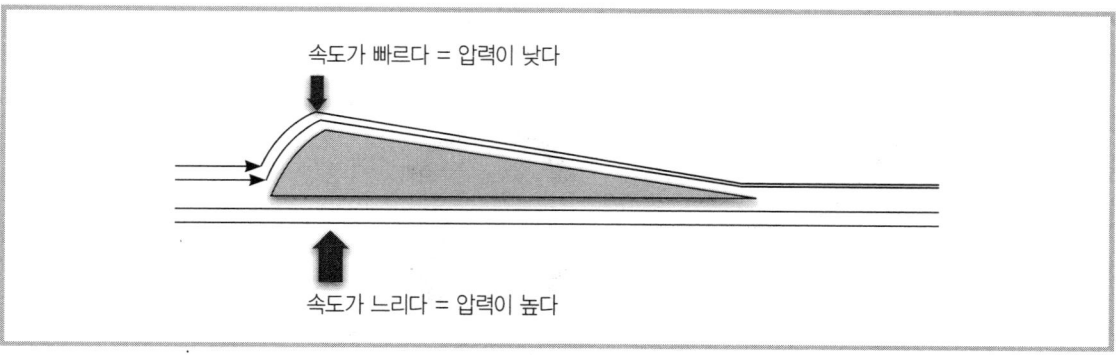

속도가 빠르다 = 압력이 낮다

속도가 느리다 = 압력이 높다

▶ 그림 5.4   베르누이의 정리에 의해 비행기 날개에서 발생하는 양력

베르누이 정리에 의해서 생기는 양력은 "속도가 느린 쪽에서 속도가 빠른 쪽으로 미는 힘이다."와 같이 외워두어야 한다. 비행기 날개는 위쪽이 두껍기 때문에 위쪽으로 양력이 생기지만 경주용 자동차의 날개는 아래쪽이 두껍기 때문에 양력이 아래쪽으로 생긴다.

부력은 반드시 위로 뜨게 하는 힘이지만 양력은 날개를 만드는 방법에 따라서 위로 밀어 올릴 수도 있고 아래로 누를 수도 있다는 것이 다르다.

그리고 저항력을 설명할 때 유선형으로 만들면 저항력이 적어진다고 하는데, 이것도 베르누이 정리로 설명할 수 있다. 배가 빠르게 지나가면 배의 뒤쪽에 소용돌이가 생기지만, 물고기나 잠수함같이 유선형으로 생겼으면 뒤쪽에 소용돌이가 생기지 않기 때문에 저항력이 작아지는 것이다.

마지막으로 공을 던질 때 어느 한 방향으로 스핀을 주어서 던지면 "공이 똑바로 날아가지 않고 휘어지면서 날아간다."는 것을 바나나킥 또는 마그누스 효과라고 한다. 이것도 베르누이 정리로 설명할 수 있다.

그림 5.5에서 공이 점선 화살표 방향으로 날아가면서 굵은 화살표 방향으로 회전한다고 하자. 검은색의 긴 화살표는 공이 날아가기 때문에 반대 방향으로 바람이 부는 셈이 되는 것을 나타낸 것이다.

공의 윗부분은 바람의 방향과 공의 회전방향이 일치하기 때문에 바람

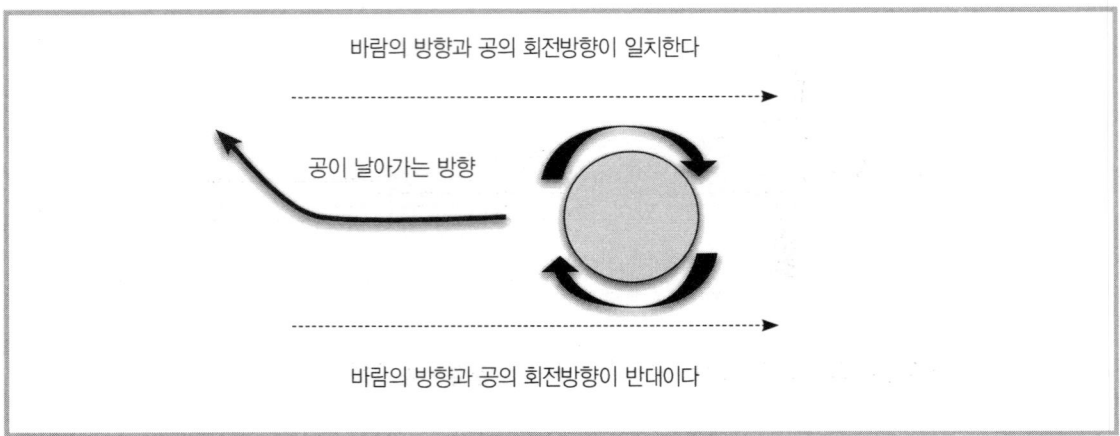

바람의 방향과 공의 회전방향이 일치한다

공이 날아가는 방향

바람의 방향과 공의 회전방향이 반대이다

▶ **그림 5.5**   날아가는 공의 마그누스 효과

의 속도가 빨라지고, 공의 아랫부분은 바람의 방향과 공의 회전방향이
서로 반대방향이기 때문에 바람의 속도가 느려진다. 베르누이 정리에 의
해서 바람의 속도가 빠른 쪽 즉 위 방향으로 공을 미는 힘이 생기기 때
문에 공이 휘어지면서 날아가게 된다.

마그누스 효과는 공에 스핀을 주어 던지면 "공이 회전하는 방향으로 휘
어지면서 날아간다."고 외워두면 쉽다. 공이 위에서 아래로 회전하는 것을
톱스핀, 아래에서 위로 회전하는 것을 백스핀이라고 한다. 공에 톱스핀을 주
면 공이 땅 쪽으로 휘어져서 바운드가 작아지고, 백스핀을 주면 공이 위쪽
으로 휘어져서 바운드가 커진다. 축구에서 바나나킥을 할 때에도 스핀을
주는 방향으로 공이 휘어지면서 날아가고, 투수가 커브볼을 던질 때에도
공이 회전하는 쪽으로 휘어지면서 날아간다.

❹ 뉴턴의 선운동법칙

영국의 물리학자 뉴턴이 발견한 법칙으로, 처음에는 이 세상의 모든 운
동에 다 적용되는 줄 알았으나 빛ㆍ전자ㆍ핵에는 적용하기 어렵다는 것을

나중에 알게 되었다.

뉴턴의 운동법칙은 다음 3가지 법칙으로 구성되어 있다.

■ 제1법칙(관성의 법칙)

"물체에 힘을 가하지 않고 내버려두면 처음에 하고 있던 운동을 그대로 계속한다."는 법칙이다. 이것을 학술적으로 표현하면 "물체에 외력이 작용하지 않는 한 정지하여 있던 물체는 계속 정지하여 있고, 운동하던 물체는 등속도 직선운동을 영원히 계속한다."이다.

그러나 지구상에서는 힘이 전혀 작용하지 않는 경우를 찾아볼 수 없으므로 제1법칙이 적용되는 경우가 없고, 우주공간에서는 적용된다고 한다. 예를 들어 운동장에서 공을 찬 다음 내버려두어도 그 공에는 중력과 마찰력이 작용하기 때문에 언젠가 정지하게 된다. 그렇다면 중력과 마찰력을 제거하면 될 것 아닌가라고 생각할 수도 있지만, 지구상에서는 중력과 마찰력을 완전히 제거할 수 있는 방법이 전혀 없다 .

제1법칙을 관성의 법칙이라고 하는 이유는 "운동하던 물체를 내버려두면 처음에 하고 있던 운동을 그대로 계속한다."는 말과 "물체에는 하고 있던 운동을 습관적으로 계속하려고 하는 성질이 있다."는 말과 뜻이 같기 때문이다(관성이 있다).

■ 제2법칙(가속도의 법칙)

"물체에 힘을 가하면 속도가 변한다."는 법칙이다. "속도가 변한다."라는 말을 "가속도가 생긴다."로 바꾸어 쓸 수 있으므로 제2법칙을 "물체에 힘을 가하면 가속도가 생긴다."라고 하는 것이다.

그렇다면 가속도가 얼마나 생긴다는 말인가?

"힘의 크기에 비례하고, 질량에 반비례하는 가속도가 생긴다."

이것을 수식 형태로 쓰면(비례한다는 것을 분자에, 반비례한다는 것을 분모에 쓰면 수식이 된다) 다음과 같다.

$$\text{가속도}(a) = \frac{\text{작용한 힘}(F)}{\text{물체의 질량}(m)} \qquad \text{즉 } F=ma$$

제2법칙에서 질량(m)의 역할을 살펴보면 "질량이 크면 클수록 가속도가 작아진다." 이것을 "질량은 속도가 변하는 것을 싫어하는 성질이다."라고 바꾸어 말할 수 있는데, 그러면 질량과 관성은 모두 '속도가 변하는 것을 싫어하는 것'이라는 뜻이 된다.

■ 제3법칙(작용 · 반작용의 법칙)

"두 물체가 충돌하면 똑같은 힘을 서로 주고받는다."는 법칙이다. 이때 충돌한 두 물체 중에서 하나가 사람이고 다른 하나가 물체이면 사람이 물체에 준 힘을 작용력, 물체가 사람에게 준 힘을 반작용력이라 한다.

그러나 사람과 사람이 충돌하거나 물체와 물체가 충돌한 경우에는 생각하는 입장에 따라서 작용력과 반작용력이 달라진다. 즉 자기 자신과 관련이 조금이라도 더 많으면 작용력이고, 그 반대는 반작용력이라고 한다.

결과적으로 제3법칙을 "두 물체가 충돌하면 작용력과 반작용력을 주고받으며, 작용력과 반작용력의 크기는 같고, 방향은 정반대이다."라고 표현한다.

충돌하면 대부분 자동차와 사람, 또는 자동차와 자동차가 충돌하는 것을 떠올릴 것이다. 그런데 사람이 땅을 발로 밟고 걷는 것, 라켓으로 공을 치는 것, 상대를 주먹으로 가격하는 것 등은 모두 충돌이다.

예를 들어 내가 주먹으로 상대를 가격하면 작용력이 상대의 얼굴을 아프게 만든다. 그때 상대는 맞고 가만히 있는 것이 아니라 얼굴로 내 주먹에 반작용력을 주기 때문에 주먹도 약간 아픈 것이다. 내가 발로 땅을 뒤로 밀면(작용력을 작용시키면) 땅은 크니까 움직이지 않고 가만히 있지만, 땅이 내 발에게 똑같은 크기의 반작용력을 주면(땅이 내 발을 앞으로 밀면) 나는 앞으로 나가게 되는 것이 걷기이다.

발로 땅을 미는 힘의 반작용력으로 걷기가 이루어진다는 것은 걷다가 작은 돌멩이를 밟았을 때를 생각해보면 확실히 알 수 있다. 작은 돌멩이를 밟으면 작은 돌멩이가 뒤로 밀려나버린다.

그러면 발로 돌멩이를 확실하게 밀 수 없게 됨으로써 다음과 같은 현상이 발생한다.

→작용력이 작다. →작용력과 반작용력은 크기가 같기 때문에 반작용력도 작다. →반작용력이 작아졌으므로 몸을 앞으로 미는 힘이 작아진다. →제대로 걸을 수 없다.

❺ 운동량과 충격량

■ 운동량

①큰 바위덩어리와 작은 농구공이 굴러오고 있을 때 어느 것을 정지시키기 쉬운가? ⇒ 농구공을 정지시키기 쉽다.
②빨리 굴러오는 농구공과 천천히 굴러오는 농구공 중 어느 것을 정지시키기 쉬운가? ⇒ 천천히 굴러오는 농구공을 정지시키기 쉽다.

위의 질문 중에서 '운동하고 있는 물체를 정지시키기 어려운 정도'를 운동량이라고 한다. 그런데 ①번 질문에서는 큰 바위덩어리가 농구공보다 질량이 크기 때문에 운동량이 크다는 것을 알 수 있고, ②번 질문에서는 질량이 같더라도 속도가 빠르면 운동량이 크다는 것을 알 수 있다.

그래서 학문적으로는 운동량을 다음과 같이 정의하고, "운동량은 운동하는 세기를 나타낸다."고 한다.

> 운동량=질량×속도

예를 들어 닭싸움을 할 때 질량이 50kg인 A는 3m/s로 달려가고, 질량이 60kg인 B는 2m/s로 마주 달려와서 부딪쳤다고 하면

> A의 운동량 : 50×3=150 kgm/s
> B의 운동량 : 60×2=120 kgm/s

이므로 A가 B를 밀어내고 이길 수 있다.

우리가 빠르게 달리다가 갑자기 제자리에 서지 못하는 이유는 달릴 때의 운동량이 걸을 때의 운동량보다 크기 때문이고, 기차의 제동거리가 자동차보다 긴 이유는 자동차보다 기차의 운동량이 더 크기 때문이다.

거의 모든 스포츠에서 운동량이 커야 유리한 경우가 많기 때문에 운동량을 크게 하려고 체중을 늘리거나 속도를 증가시킨다. 예를 들어 단거리 달리기에서 두 선수의 최대속도가 비슷하다고 하면 체중이 큰 선수의 운동량이 더 크기 때문에 결승선까지 속도가 줄지 않고 계속해서 달릴 수 있어서 유리하다.

멀리뛰기에서 도움닫기를 하는 것은 앞으로 나가는 속도를 크게 하여 운동량을 최대로 만들어서 더 멀리 뛰기 위해서이다. 각종 체급 경기에서 체급을 나누는 근본적인 이유는 "똑같은 속도로 움직이더라도 체중이 적으면 운동량이 적어서 불리하기 때문이다."

■ 충격량

썰매에 사람이나 짐을 싣고 어느 정도 밀고 가다가 손을 떼었다고 가정하자.

① 정지하고 있던 썰매에 힘을 작용시키면 무엇이 생기는가? → 가속도가 생긴다.

② 가속도는 어떤 역할을 하는가? → 속도를 증가시킨다.

③ 어느 정도 밀고 가는 것은 어떤 역할을 하는가? → 속도를 점점 더 빠르게 한다. 즉 1초 더 밀고 갈 때마다 속도가 가속도만큼씩 증가한다.

④ 밀고 가다가 손을 떼면 무엇이 달라지는가? → 힘이 없어진다. → 가속도가 0이 된다. → 속도가 더 이상 증가하지 않는다.

위의 질문과 답에서 밀기 시작한 이후부터 손을 뗄 때까지 썰매의 질량이 변한 적이 없고, 미는 시간이 길어지면 마지막 속도가 빨라지므로 운동량이 더 커진다는 것을 알 수 있다.

만약 더 세게 힘을 주어 밀면 어떻게 될까?

가속도가 커진다. → 속도가 빨리빨리 증가한다. → 같은 시간 동안 밀면 마지막 속도가 더 빨라진다. → 마지막 운동량이 커진다.

위의 질문과 답에서 "썰매를 세게 밀거나(작용력을 크게 하거나), 미는 시간을 길게 하면(작용시간을 길게 하면) 마지막 운동량이 커진다."는 것을 알 수 있다.

운동역학에서는 '힘×시간'을 역적(力積) 또는 충격량(衝擊量)이라고 정의하고, 역적이 증가하면 운동량이 증가한다고 표현한다. '힘×시간'을 충격량이라고 하는 이유는 다음 절에서 설명한다.

자전거를 타고 가다가 속도를 높이고 싶으면 페달을 밟는다. 페달을 계속해서 밟으면 속도가 점점 빨라지지만, 페달을 밟다가 그만두면 속도가 더 이상 증가하지 않는다. 페달을 밟는다는 것은 힘을 작용시킨다는 뜻이고, 계속해서 페달을 밟는다는 것은 계속해서 힘을 작용시킨다는 뜻이다. 그러므로 힘과 시간의 곱인 역적 또는 충격량이 운동량의 증가량을 나타낸다는 것을 알 수 있다.

❻ 운동량의 보존

앞 절에서 충격량 또는 역적을 설명하기 위해서 했던 질문을 다시 한 번 뒤돌아보자.

① 정지하고 있던 썰매에 힘을 작용시키면 무엇이 생기는가? → 가속도가 생긴다.

② 가속도는 어떤 역할을 하는가? → 속도를 증가시킨다.

③ 어느 정도 밀고 가는 것은 어떤 역할을 하는가? → 속도를 점점 더 빠르게 한다.

④ 밀고 가다가 손을 떼면 무엇이 달라지는가? → 힘이 없어진다. → 가속도가 0이 된다. → 속도가 더 이상 증가하지 않는다.

맨 마지막 문답에서 "속도가 더 이상 증가하지 않는다."는 것은 무엇을 뜻하는가?

이것은 속도가 더 빨라진다는 말도 아니고, 더 느려진다는 말도 아니고, 갑자기 0이 된다는 말도 아니다. 즉 속도가 그대로 유지된다는 말이다. 속도가 그대로 유지된다는 것은 (질량이 변하지 않았으므로) 운동량이 그대로 유지된다는 뜻도 된다.

바꾸어 말하면 "썰매를 밀고 가다가 손을 떼고 가만 놔두면 운동량이 변하지 않고 그대로 유지된다." 이것을 운동량 보존법칙이라고 한다. 즉 운동량 보존법칙이란 "움직이게 만든 다음 손을 떼고 가만 놔두면 속도가 그대로 유지된다."는 말이다.

스키 점프를 예로 들어서 설명한다. 출발할 때 힘차게 뒤로 미는 동작, 폴대로 뒤로 미는 동작, 점프대의 슬로프를 경사지게 만들어서 중력을 이용할 수 있도록 한 것 등은 모두 힘을 계속 작용시켜서 속도를 증가시키는 동작(운동량을 증가시키려는 동작)이다.

그러나 일단 몸이 공중에 뜨면 힘을 작용시킬 수가 없으므로 속도가 더 이상 증가하지 않고, 이륙할 때의 속도를 그대로 유지하게 된다. 이것이 운동량 보존법칙이다.

만약 운동량이 보존되지 않는다면 어떻게 되겠는가?

❖ 스키점프 선수는 수직으로 땅에 떨어지게 될 것이다.
❖ 투수가 공을 던지려고 공이 손에서 떨어지는 순간 공은 수직하게 떨어져버릴 것이다.
❖ 자전거를 타고 달리다가 페달에서 발을 떼는 순간 자전거가 서버릴 것이다.
❖ 이러한 일이 일어나지 않는 것으로 보아서 운동량이 보존된다는 것이 확실하다.

❼ 충돌

충돌하면 무엇이 떠오르는가? 자동차와 사람이 부딪치는 것? 자동차가 건물을 들이받는 것? 북한이 쏜 미사일을 우리나라가 쏜 미사일이 공중에서 폭파해버리는 것?

충돌은 이처럼 어떤 사고가 나는 것만이 아니고 우리 주위에서 아주 흔한 일들이다. 예를 들어 야구 배트로 야구공을 치는 것도 충돌이고, 복싱 선수가 주먹으로 상대 선수를 가격하는 것도 충돌이며, 라켓으로 공을 치는 것도 충돌이다.

당구 치는 것을 예로 들어 설명한다. 큐대로 당구공을 치는 것은 힘을 작용시키는 것이지만, 큐대와 떨어진 당구공에는 마찰력 이외에는 힘이 작용하지 않는다. 당구대의 마찰력이 아주 작기 때문에 마찰력을 무시한다면 힘이 전혀 작용하지 않는다. 굴러가는 당구공에 아무런 힘도 작용시키지 않고 내버려두었으므로 운동량 보존법칙이 성립되어야 한다.

즉 당구공은 굴러가던 속도를 그대로 유지하고 있어야 한다. 그런데 중간에 다른 공과 부딪치면 어떻게 될까? 다른 공과 부딪쳤기 때문에 당연히 그 공으로부터 힘을 받아서 속도가 변한다.

이와 같이 두 공이 부딪치면 (작용반작용의 법칙에 의해서) 순간적으로 서로 힘을 주고받는데, 그 힘을 충격력이라 하고, 두 공이 서로 붙어 있는 극히 짧은 시간을 충돌시간 또는 충격시간이라고 한다.

충돌시간을 아주 짧은 순간이라고 생각하기 쉽지만 그렇지 않는 경우도 많다. 예를 들어 아주 부드럽고 물렁물렁한 고무공이 서로 부딪칠 때는 충돌시간이 제법 길어지고, 심한 경우로 진흙과 공이 부딪치면 진흙이 공에 계속 붙어 있을 수도 있다.

어쨌든 두 물체가 충돌하면 충돌시간 동안에 서로 충격력을 주고받는다. 앞 절에서 '힘×시간'을 역적이라고도 하지만 충격량이라고도 한다고 한 이유는 "두 물체가 서로 충돌해서 충격력을 주고받는 경우"에는 '충격력×충돌시간'을 역적이라고 하는 것보다 충격량이라고 하는 것이 훨씬 쉽게 마음에 와닿기 때문이다.

앞 절에서 '힘×시간이 증가하면 운동량 증가한다'고 한 의미를 다시 한번 음미하여 보자.

사람이 가만히 서 있는데 공이 날아와서 머리에 부딪치는 경우를 생각하여 보자. 공과 머리가 충돌하였으므로 공이 머리에 충격력을 줄 것이다. 충격력이 크기를 원하는가? 작기를 원하는가? 당연히 충격력이 작기를 바랄 것이다.

어떻게 하면 충격력의 크기를 작게 할 수 있을까?

$$
\begin{aligned}
\text{충격량} &= \text{충격력} \times \text{충격시간} \\
&= \text{운동량의 변화량} \\
&= \text{질량} \times \text{속도의 변화량}
\end{aligned}
$$

위의 식에서

① 충격량 또는 운동량의 변화량이 일정한 경우에는 충격시간을 길게 하면 충격력을 작게 할 수 있다. → 공이 머리와 충돌하는 시간을 길게 하려면 공을 물렁물렁하게 만들거나, 머리를 공이 이동하는 방향으로 움직여서 공과 머리가 붙어 있는 시간을 길게 만들어야 한다.

② 위의 식 첫 번째 줄에 있는 충격력을 적게 하려면 세 번째 줄에 있는 질량이나 속도의 변화량을 작게 만들어야 한다. 질량은 변화시킬 수 없으므로 공의 속도 변화량을 작게 만드는 수밖에 없다. → 날아오는 공을 머리로 받아서 튀어나가게 하지 말고 반대 방향으로 움직여서 공이 튀어나가지 못하게 만들어야 충격력을 줄일 수 있다.

일상생활 주변이나 운동하는 어느 곳에나 충격력을 줄이려고 노력하는 경우와 충격력을 크게 하려고 노력하는 경우가 많이 있다.

포수가 두꺼운 글러브를 끼거나 공을 받는 순간 손을 뒤로 빼는 것, 유도에서 넘어질 때 낙법을 사용하는 것 등은 충격력을 줄이기 위한 노력이다. 반대로 타자가 앞으로 나가면서 배트를 휘두르는 것과 배구에서 공격수가 강하게 스냅을 주면서 스파이크를 하는 것은 충격력을 크게 하기 위한 노력이다.

투기 경기에서 공격자는 상대에게 충격력을 크게 주려고 노력하고, 수비자는 상대의 공격에 의해서 받는 충격력을 줄이려고 노력한다. 어쨌든 충격력을 줄이거나 늘리려면 ① 충격시간을 줄이거나 증가시키고, ② 속도변화를 크게 또는 작게 만들어야 한다는 원리만 기억하고 있으면 된다.

충돌에서 두 번째로 생각해야 하는 것은 운동량 보존법칙이다.

두 물체가 충돌하면 서로 충격력을 주고받는데, 뉴턴의 운동 제3법칙에서 작용력과 반작용력은 크기는 같고 방향은 정반대라고 하였다. 만약에 작용력과 반작용력을 합하면 어떻게 될까? 크기가 같고 방향이 정반대인 작용력과 반작용력을 합쳤으므로 당연히 0이고, 힘이 0이므로 운동량 보존법칙이 성립되어야 한다.

즉 충돌한 두 물체의 운동을 모두 합해서 하나의 시스템으로 보면 운동량 보존법칙이 성립된다. 그것을 수식의 형태로 쓰면 다음과 같다.

> 충돌 전 A물체의 운동량+충돌 전 B물체의 운동량
> =충돌 후 A물체의 운동량+충돌 후 B물체의 운동량

라켓으로 공을 치거나 투수가 던진 볼을 배트로 치는 것은 모두 두 물체가 충돌하는 것이지만, 사람이 라켓이나 배트를 손으로 잡고 있기 때문에 운동량 보존법칙이 성립되지 않는다. 운동량 보존법칙이 성립되려면 두 물체가 모두 자유로운 상태에 있어야 한다는 것을 명심해야 한다.

충돌에서 운동량 보존법칙이 성립되는 경우는 당구공이 굴러가다가 다른 공과 충돌하는 경우, 볼링공이 굴러가다가 핀과 부딪치는 경우, 썰매장에서 썰매끼리 부딪치는 경우 등 극히 제한적인 경우밖에 없다.

02 각운동의 운동역학적 분석

❶ 토크(힘의 모멘트)

토크 또는 모멘트에 대해서 인체역학과 각운동의 운동학적 분석에서 이미 설명하였지만, 조금 더 보충해서 설명하기로 한다.

교실 출입문을 여닫거나 지렛대를 이용하는 것을 각운동이라 하며, 각운동을 시키기 위해서는 지렛대와 수직방향으로 힘을 가해야 한다. 그때 '힘의 크기×받침점에서 힘점까지의 거리(힘팔의 길이)'를 힘의 토크=힘의 모멘트=힘의 회전능률이라고 한다.

마찬가지로 '저항력×받침점에서 저항점까지의 거리(저항팔의 길이)'를 저항의 토크=저항의 모멘트=저항의 회전능률이라고 한다. 힘의 토크와 저항의 토크 중에 큰 쪽으로 지렛대는 회전하는데, 이와 같은 운동을 각운동이라 한다. 인체의 뼈대운동은 거의 모두가 각운동이고, 대부분 3종지레에 해당된다.

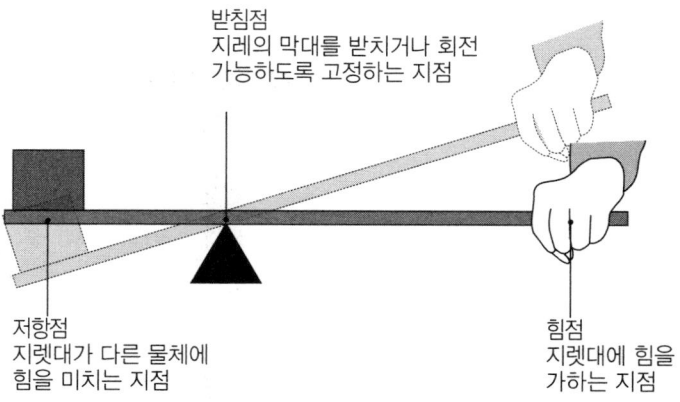

받침점
지레의 막대를 받치거나 회전
가능하도록 고정하는 지점

저항점
지렛대가 다른 물체에
힘을 미치는 지점

힘점
지렛대에 힘을
가하는 지점

❷ 관성모멘트 ···

　　선운동에서는 질량이 큰 물체는 움직이기 어렵고 질량이 작은 물체는 움직이기 쉬우므로 "질량이 물체의 관성의 크기를 나타낸다."고 하였다. 마찬가지로 각운동을 할 때의 관성(각운동을 시키기 어려운 정도)을 '각운동의 관성=회전관성=관성모멘트= moment of inertia'라고 한다.

　　사과를 회전시키는 것과 농구공을 회전시키는 것을 비교할 때 "농구공이 회전시키기 어렵다."는 것을 "농구공의 관성모멘트가 더 크다."라고 한다. 마찬가지로 "사과를 회전시키기가 더 쉽다."를 "사과의 회전모멘트가 더 작다."라고 말한다.

　　농구공의 관성모멘트가 사과의 관성모멘트보다 더 큰 이유는 다음과 같다.

❖ 농구공이 사과보다 질량이 더 크다. 즉 질량이 크면 관성모멘트도 크다.

❖ 사과는 질량이 가운데에 똘똘 뭉쳐져 있지만 농구공은 가운데가 비어 있어서 질량이 멀리 떨어져 있다. 즉 질량이 멀리 흩어져 있으면 관성모멘트가 크다. 다음 그림을 보면 같은 선수이지만 팔다

리를 벌리고 있을 때는 질량이 회전축에서 멀리 떨어져서 흩어져 있으므로 관성모멘트가 더 크다. 즉 같은 선수라도 취하는 자세에 따라서 관성모멘트가 달라진다.

❖ 관성모멘트는 질량과 자세에 따라서만 변하는 것이 아니라 회전 축에 따라서도 변한다. 브레이크 댄스를 추는 소년들을 보면 회전 축을 수시로 변화시키면서 회전한다. 그때 회전축이 몸의 중심부 에서 가까우면 비교적 손쉽게 회전하지만, 회전축이 몸의 중심부 에서 멀리 떨어져 있으면 회전하기 어려워진다. 즉 회전축이 몸의 중심부에 있으면 관성모멘트가 작고, 멀리 떨어져 있으면 관성모 멘트가 크다.

❖ 브레이크 댄스를 추거나 피겨스케이팅에서 회전동작을 할 때에는 자기 마음대로 회전축을 잡을 수 있지만, 철봉의 내리기 동작이나 다이빙에서 회전동작을 할 때에는 몸이 공중에 떠 있는 상태이기 때문에 자기 마음대로 회전축을 잡지 못하고, 무조건 무게중심을 지나는 직선을 축으로 회전하게 된다.

❖ 체조의 도마나 다이빙에서 공중돌기를 할 때에는 온몸을 굽혀 공같 이 만들어야 관성모멘트를 줄여서 반 바퀴라도 더 돌 수 있고, 레슬

링에서 옆굴리기를 방어하려면 팔다리를 옆으로 벌려서 관성모멘트를 크게 만들고 손바닥으로 바닥을 짚어서 회전축이 몸의 중심에서 멀리 떨어지게 만들어야 한다.

❸ 뉴턴의 각운동법칙 ···

선운동에 적용하도록 설명이 되어 있는 뉴턴의 운동법칙을 각운동에 적합하도록 수정한 것을 뉴턴의 각운동법칙이라고 한다.

■ 제1법칙(각관성의 법칙)

❖ **선운동** : 힘이 작용하지 아니하면 정지하여 있던 물체는 계속 정지하여 있고, 직선운동하던 물체는 같은 빠르기로 직선운동을 계속한다.

❖ **각운동** : 토크가 작용하지 아니하면 정지하여 있던 물체는 계속 정지하여 있고, 각운동하던 물체는 같은 빠르기로 각운동을 계속한다.

■ 제2법칙(각가속도의 법칙)

❖ **선운동** : 힘이 작용하면 가속도가 생긴다. 가속도는 힘의 크기에 비례하고, 질량에 반비례한다.

❖ **각운동** : 토크가 작용하면 각가속도가 생긴다. 각가속도는 토크의 크기에 비례하고, 관성모멘트에 반비례한다.

■ 제3법칙(각 반작용의 법칙)

❖ **선운동** : A가 B에게 힘 F를 작용하면 B는 A에게 반작용력 −F를 준다.

❖ **각운동** : A가 B에게 토크 T를 작용하면 B는 A에게 반작용토크 −T를 준다.

선운동과 각운동이 다른 점을 요약하면 다음과 같다.

❖ 선운동은 질량이 관성을 나타내고, 각운동은 관성모멘트가 관성을 나타낸다.

❖ 선운동은 힘이 작용하면 가속도가 생기고, 각운동은 토크가 작용하면 각가속도가 생긴다.

❹ 각운동량과 회전충격량

■ 각운동량

①큰 기차 바퀴와 작은 바람개비가 회전하고 있을 때 어느 것을 정지시키기 쉬운가? ⇒ 바람개비를 정지시키기 쉽다.

②빨리 회전하는 선풍기 날개와 천천히 회전하는 선풍기 날개 중 어느 것을 정지시키기 쉬운가? ⇒ 천천히 회전하는 선풍기 날개를 정지시키기 쉽다.

위의 질문 중에서 '회전하고 있는 물체를 정지시키기 어려운 정도'를 각운동량이라고 한다.

그런데 ①번 질문에서는 큰 기차 바퀴가 작은 바람개비보다 관성모멘트가 크기 때문에 각운동량이 크다는 것을 알 수 있고, ②번 질문에서는 관성모멘트가 같더라도 각속도가 빠르면 각운동량이 크다는 것을 알 수 있다.

그래서 운동역학에서는 각운동량을 다음과 같이 정의하고, 각운동량은 물체가 각운동하는 세기를 나타낸다고 표현한다.

> 각운동량=관성모멘트×각속도

예를 들어 관성모멘트가 20 kgm²인 자동차 바퀴가 3rad/s로 회전하고 있다면 각운동량=20×3=60 kgm²/s 가 된다.

빠른 속도로 돌아가고 있는 발동기의 바퀴를 손으로 잡아도 멈추지 않는 것은 각운동량이 크기 때문이고, 작은 휴대용 선풍기의 날개를 손으로 잡으면 정지하는 것은 각운동량이 작기 때문이다.

피겨스케이팅 선수가 공중회전하기 직전에 아래 그림과 같은 자세를 취하는 것은 (팔다리를 넓게 벌려서 관성모멘트를 크게 하여) 킥 동작에 의해서 큰 각운동량을 얻기 위해서이다.

■ 회전충격량

피겨스케이팅에서 회전하기 직전에 스케이트로 얼음을 지치는 회전모멘트에 얼음판을 스케이트로 민 시간을 곱한 것을 회전충격량이라 한다. 또한 그 동작에 의해서 얻는 각운동량의 크기는 회전충격량과 같다.

그러나 회전충격량을 분석해서 운동기술 향상에 도움을 받을 수 있는 것이 거의 없기 때문에 운동역학에서 회전충격량을 공부하지 않을 것이다.

❺ 각운동량의 보존 및 전이 ·····························

선운동에서 운동량을 '질량×속도'로 정의하고 운동량은 보존된다고 하였다. 마찬가지로 각운동에서도 '관성모멘트×각속도'를 각운동량이라고 정의하고 각운동량도 보존된다고 한다.

각운동에서는 각운동량 보존법칙을 "어떤 물체에 토크를 가해서 각운동을 시키다가 손을 떼어도 각운동량이 보존된다는 것"에 초점을 맞추어서 설명한다. 예를 들어 도마경기에서 공중돌기를 한 다음에 안정적으로 착지하기 어려운 것은 각운동량이 보존되기 때문에 갑자기 각운동량을 없애버릴 수 없기 때문이다.

다이빙선수가 물을 튀기지 않고 입수하기 어려운 것도 각운동량이 보존되기 때문이다. 즉 회전하던 인체가 계속해서 회전하려고 하기 때문에 물속에 일직선으로 입수할 수는 없고, 입수해서 물속에 들어간 부분만 회전시켜야 하기 때문에 어려운 것이다.

피겨스케이팅이나 체조에서 몸이 공중에 떠 있는 상태에서 회전할 수 있는 것은 몸이 공중에 뜨기 직전에 가지고 있던 각운동량이 보존되기 때문에 공중회전 동작을 할 수 있는 것이다.

그런데 각운동이나 선운동 모두 운동량 보존법칙이 성립되지만, 각운동과 선운동이 가장 크게 다른 점은 다음과 같다.

❖ 선운동의 관성은 질량이고, 질량은 변하지 않는다.
❖ 그런데 각운동의 관성은 관성모멘트이고, 관성모멘트는 취하는 자

세에 따라서 언제 어디서나 쉽게 변한다.

위에서 한 말을 수식의 형태로 쓰면 다음과 같다.

각운동량＝일정＝관성모멘트×각속도

위의 식에서 각운동량은 일정한데 관성모멘트가 쉽게 변한다고 하면 각속도도 쉽게 변해야 한다. 즉 사람이 취하는 자세에 따라 관성모멘트가 변하면 각속도도 따라서 변해야 한다.

예를 들면 아래 그림의 피겨스케이팅의 공중동작 중간에 자세를 바꾸는 것을 관성모멘트가 달라지기 때문에 회전속도(각속도)도 매순간마다 변한다.

각운동량 보존법칙을 회전방향의 측면에서 설명할 수도 있다. 예를 들어 다이빙선수가 스프링보드를 떠날 때 앞으로 회전할 수 있는 각운동량만 가지고 있었다면 공중에서는 신체에 토크를 가할 수 있는 방법이 없기 때문에 죽었다 깨어나도 회전방향을 바꾸어서 좌우로 돌 수는 없다.

오른쪽 그림에서 자전거가 움직일 때는 넘어지지 않지만 서 있으면 넘어진다. 왜냐하면 자전

거 바퀴가 돌 때는 각운동량이 있지만 서 있을 때는 각운동량이 없기 때문이다. 그러므로 앞으로 갈 때는 각운동량을 보존하기 위해서(자전거 바퀴가 회전하기 위해서) 자전거가 똑바로 서 있지만, 정지해 있을 때는 각운동량이 없기 때문에 넘어진다.

오른쪽 그림에서 여자아이는 빙그르한 바퀴를 회전할 수 있을까? 없을까? 회전할 수 없다. 왜냐하면 각운동량이 전혀 없었는데 회전했다고 하면 각운동량을 만들어낸 셈이 되고, 각운동량을 만들려면 어딘가를 밟거나 밀어야 하기 때문이다.

회전할 수 있다. 어떻게? 페트병 하나를 어딘가로 던지면 된다. 페트병에 힘을 쓰면 그 반작용으로 의자가 돌아가니까!

❻ 원운동

물체가 이동한 경로가 원이 되는 운동을 원운동이라 하고, 원운동과 각운동을 합해서 회전운동이라고 한다.

원운동과 각운동이 다른 점은 다음과 같다.

❖ 원운동은 한 점(원운동의 중심)을 중심으로 회전하지만, 각운동은 한 직선을 축으로 회전한다.……지구는 태양을 중심으로 회전하지만(원운동), 교실 출입문은 돌쩌귀가 박혀 있는 직선을 축으로 회전한다(각운동).

❖ 일반적으로 원운동은 계속해서 회전하지만, 각운동은 어느 정도 회전하다가 반대 방향으로 돌아오는 경우가 많다.……지구는 태양 주

위를 같은 방향으로 수만 년 동안 회전하고 있지만, 교실 출입문은 열었으면 닫아야 한다.

❖ 원운동은 한 개의 원만 그리지만, 각운동은 여러 개의 질점들이 연결되어 있어서 아주 작은 원을 그리는 질점부터 큰 원을 그리는 질점까지 섞여 있다.……지구는 1개의 공전궤도(원)만 그리지만, 교실 출입문에 있는 질점들은 각기 다른 크기의 원을 그린다.

다음 그림에 있는 공중룰렛이 회전하는 것을 생각하여 보자. 룰렛이 돌기 시작할 때에는 사람들이 거의 수직하게 매달려 있지만, 회전속도가 빨라질수록 거의 수평하게 매달려서 원운동을 한다.

타고 있는 사람들은 원운동을 하고 있는데 룰렛을 매달고 있는 철사줄은 어디를 향하고 있는가? 모든 철사줄이 다 원운동의 중심방향을 향하고 있다.

"룰렛이 한참 회전하고 있을 때 줄이 끊어진다면 어떻게 될까?" 타고 있던 사람은 어디론가 날아가버리고 더 이상 원운동을 하지 않게 될 것이다. 그러므로 원운동을 시키기 위해서는 원운동의 중심 방향으로 잡아당기는 힘이 필요하다. 그 힘을 구심력(求心力)이라고 한다. 바꾸어 말해서 각운동을 시키려면 토크가 필요하고, 원운동을 시키려면 구심력이 필요하다.

이번에는 원운동을 시키기 위해서 필요한 구심력의 크기에 대하여 알아보기로 하자.

아래 그림과 같이 아빠가 아기를 빙빙 돌려줄 때에는 다음과 같은 현상이 나타난다.

❖ 아기의 몸무게가 무거울수록 힘이 더 든다. ⇒ 원운동하는 물체의 질량이 클수록 구심력이 커야 한다.

❖ 아기와 아빠가 손을 직접 잡지 않고 손과 손 사이를 막대기나 끈으로 연결해서 회전반지름을 크게 하면 힘이 훨씬 더 많이 든다. ⇒ 회전반지름이 클수록 구심력이 커야 한다.

❖ 빠르게 회전할수록 힘이 더 든다. ⇒ 회전속도가 빠를수록 구심력이 커야 한다.

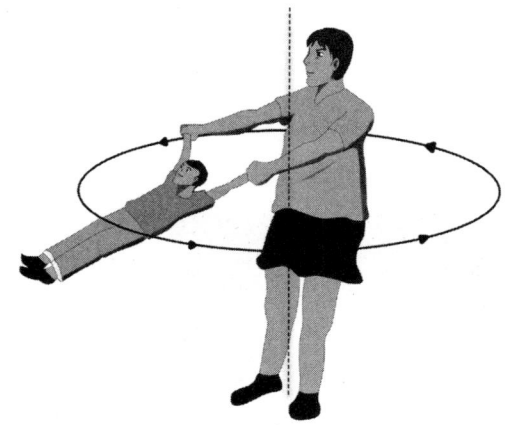

구심력의 크기에 영향을 미치는 것은 질량, 반지름, 회전속도이다. 또 한 가지 잊어서는 안 되는 것은 구심력의 방향이다. 구심력이 항상 원

의 중심방향이라고 하면 간단하지만, 매순간 구심력의 방향이 바뀌기 때문에 그림 속의 아빠도 아기를 따라서 빙글빙글 돌아야 한다.

구심력은 다음과 같이 계산한다.

$$구심력 = 질량 \times 반지름 \times 각속도^2 (F = mrw^2)$$

스포츠에서는 원반던지기와 해머던지기를 할 때 구심력이 필요하다. 원반은 해머보다 질량도 작고, 회전반지름도 짧기 때문에 원반던지기가 해머던지기보다 구심력이 조금 필요하다.

철봉에서는 무릎걸고돌기보다 대차돌기가 회전반지름이 길기 때문에 더 어렵다.

그밖에 농악놀이에서 상고의 길이가 길수록 상고를 돌리기 어렵고, 그네타기를 할 때 그네줄이 길수록 구르기가 어려운 것도 구심력이 크기 때문이다.

아래 사진에서 벨로드롬이 심하게 경사졌는데도 불구하고 사이클이 넘어지지 않고, 오토바이가 거의 쓰러지기 직전까지 심하게 기울인 채로 달리는 이유는 무엇인가?

사이클선수나 오토바이선수 모두 원운동을 하고 있지만 공중룰렛처럼 붙들어 매는 철사줄이 없다. 즉 구심력을 줄 방법이 없으므로 원 밖으로 튕겨나갈 수밖에 없다. 그 힘을 원심력(遠心力)이라 하고, 원심력은 구심력과 크기가 같고 방향이 반대이다.

사이클선수는 원심력을 원의 바깥 방향으로 받기 때문에 벨로드롬 경기장이 기울어졌어도 똑바로 서서 달리는 것이다. 또한 오토바이선수는 자신의 몸을 안쪽으로 기울여서 구심력을 만든다고 설명할 수도 있고, 자신의 몸을 안쪽으로 기울여서 원심력과 맞서는 것이라고 설명할 수도 있다.

높이뛰기에서 바를 넘으려면 위로 높이 올라가기만 해서는 안 되고, 바의 반대쪽으로 넘어가는 선속도도 있어야 한다. 선수가 원을 그리면서 바에 접근하는 것은 "다리근육의 수축에 의해서 생기는 도약력은 신체의 중심을 위로 올리는 데에 사용하고", "원운동에 의해서 생기는 원심력은 바를 넘어가는 선운동을 하는 데에 이용하려는 것이다."

만약 높이뛰기선수가 앞으로 달려가서 바를 뛰어넘는다면(배면뛰기를 하지 않고 전면뛰기를 한다면) 달려가는 속도가 빠르기 때문에 바보다 훨씬 앞 지점에서 위로 뛰어올라야 한다. 그러기 위해서는 각근력의

일부를 몸을 위로 뜨게 만드는 목적 이외의 목적으로 사용해야 한다.

커브길을 달리는 자동차나 기차는 안쪽으로 기울일 수 없기 때문에 노면의 바깥쪽을 안쪽보다 높게 만들어서 (벨로드롬 경기장처럼) 탈선을 방지한다.

트랙을 도는 경기에서는 바깥쪽 레인의 반지름이 크기 때문에 원심력이 작아서 유리하다. 그러나 레인이 없는 쇼트트랙 경기에서는 바깥쪽으로 돌면 원심력은 작지만 거리가 더 멀기 때문에 유리하다고 말하기 어렵다.

제6장

일과 에너지

01 일과 일률

❶ 일(work) ···

■ 일의 정의

사람이 하는 일에는 정신적인 일도 있고 신체적인 일도 있다. 정신적인 일이라고 해서 몸을 전혀 움직이지 않는 것도 아니고, 힘이 전혀 들지 않는 것도 아니다. 그러나 운동역학에서는 정신적인 일과 같이 무형적인 일은 취급하지 않고, 일을 "힘을 들여서 물체의 위치를 이동시키는 것"이라고 정의한다. 그러므로 걷는 것도, 창을 던지는 것도, 상대선수를 밀어내는 것도 모두 일이다.

일의 단위로는 1뉴턴(N)의 힘을 들여서 1 미터(m) 이동시켰을 때 한 일을 1줄(Joule)이라고 정의한다.

일=힘×거리

① 질량 5kg의 물체를 2m 높이로 들어올렸을 때 한 일은 얼마인가?

[풀이] 일은 '힘×거리'로 계산한다고 하였으므로 필요한 힘의 크기를 먼저 알아야 한다. 질량 5kg인 물체의 무게는 5kg중이므로 이 물체를 들어올리려면 5kg중 이상의 힘이 필요하다.

들어올린 거리가 2m이므로 한 일은 다음과 같다.

일=힘×거리=5kg중×2m=10kg중m

② 아래 그림처럼 벽돌에 끈을 달아서 5N의 힘을 들여서 2m 끌고 갔다. 이때의 한 일은 얼마인가?

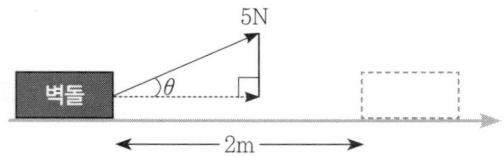

[풀이] 5N의 힘을 들여서 2m 끌고 갔으므로 '일=5N×2m=10Nm=10Joule' 이라고 하기 쉽지만, 정답이 아니다. '일=힘×거리'로 계산할 때는 힘의 방향과 물체가 이동한 방향이 반드시 일치해야 하기 때문이다. 문제의 그림에서는 힘의 방향은 비스듬하게 위·앞 방향인데 물체가 이동한 방향은 수평방향이다. 그러므로 5N의 힘 중에서 점선으로 표시된 수직방향의 힘은 쓸데없이 낭비한 힘이다.

그러므로

$$일=5N×\cos\theta×2m$$

로 계산해야 한다.

이 문제를 낸 이유는 어떤 일을 할 때 물체를 이동시키려는 방향으로 힘을 써야지 비스듬한 방향으로 힘을 쓰면 쓴 힘의 일부를 낭비하는 것이라는 것을 알려주기 위함이다.

■ 양의 일과 음의 일

일에는 양의 일(플러스의 일)과 음의 일(마이너스의 일)이 있다. 예를 들어 상대선수를 앞으로 밀었을 때를 예를 들면 다음과 같다.

❖ 상대선수가 뒤로 물러났다면 힘의 방향과 이동한 방향이 같기 때문에 '양의 일'을 한 것이다.

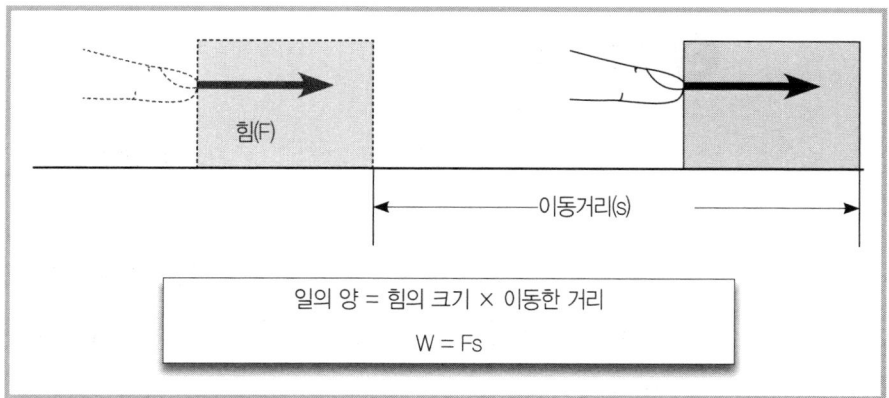

일의 양 = 힘의 크기 × 이동한 거리

W = Fs

▶ 그림 6.1   일의 양

❖ 상대선수가 옆으로 비켜버렸다면 힘의 방향과 이동방향이 직각이기 때문에 일은 하나도 못하고 헛힘만 쓴 것이다.

❖ 상대선수에게 밀려서 오히려 자신이 뒤로 물러났다면 '음의 일'을 한 것이다.

자신이 쓴 힘과 같은 방향으로 이동하면 양의 일, 반대방향으로 이동하면 음의 일이라고 한다. 마찰력은 항상 운동방향과 반대방향으로 작용하기 때문에 항상 음의 일만 한다.

10줄(J)의 일을 했을 때 100원의 임금을 받는다고 가정하면 -10J의 일을 하면 오히려 100원을 내야 된다는 말이 되기 때문에 사회에서는 음의 일은 인정하지 않는다.

그러나 스포츠에서는 상대와 힘을 겨루다가 밀리는 경우가 허다하기 때문에 음의 일을 인정하는 경우가 많다.

❷ 일률(power)

사람에게 일을 시키면 꼼꼼하고 정확한 대신에 일이 더딘 사람도 있고, 꼼꼼하지는 못하지만 일을 빨리빨리 하는 사람도 있다. 운동역학에서는 꼼꼼한지의 여부는 따지지 않고 '일을 하는 빠르기'만을 따진다. 즉 정해진 시간 안에 일을 많이 했는지 적게 했는지에만 관심을 갖는데, 그것을 일률이라고 한다.

일률을 1초 동안 한 일의 양이라고 정의하고, '1초 동안에 1줄의 일을 하는 것'을 '1와트(watt)'라고 한다.

$$\text{일률(와트)} = \frac{\text{한일(줄)}}{\text{걸린 시간(초)}}$$

■ 순발력

운동역학에서는 일률이라는 말을 많이 사용하지만 선수나 지도자들은 순발력이라는 말을 더 많이 사용한다.

일률을 계산하는 수식을 변형시키면 다음과 같다.

$$\text{일률} = \frac{\text{일}}{\text{시간}} = \frac{\text{힘} \times \text{거리}}{\text{시간}} = \text{힘} \times \frac{\text{거리}}{\text{시간}} = \text{힘} \times \text{속도}$$

수식의 맨 끝에 있는 '힘×속도'를 체육에서는 순발력이라고 한다. 즉 '큰 힘을 빠른 속도로 낼 수 있는 선수'를 '순발력이 좋은 선수'라고 한다.

순간적으로 큰 힘을 발휘해야 하는 단거리달리기, 도약경기, 투척경기, 역도경기, 펜싱경기, 복싱경기 등이 순발력이 필요한 대표적인 종목이다.

02 에너지

❶ 에너지의 정의와 종류 ·····

운동역학에서는 에너지를 일을 할 수 있는 능력이라고 정의한다. 그러므로 에너지와 일은 같은 것이다. 그런데 다만 일은 실제로 실행에 옮겼을 때 나타나는 양인데 비해서, 에너지는 아직 일을 실행하지는 않았지만 일을 할 수 있는 가능성 또는 잠재력을 의미한다.

사람이 가지고 있는 에너지는 모두 음식물을 통해서 섭취한 화학에너지이다. 그러나 세상에는 석유에너지, 전기에너지, 빛에너지, 원자에너지 등 여러 종류의 에너지들이 있다.

그러한 에너지들은 보존에너지와 비보존에너지로 나누기도 한다. 예를 들어 휘발유로 자동차 엔진을 돌려서 자동차의 위치를 이동시키는 일을 한 다음, 사람이 자동차를 밀어서 원래 있던 자리로 되돌려 놓았다고 하자. 그러면 자동차가 일을 했다가 다시 되돌려 받은 셈이 되므로 사용했던 휘발유가 다시 생겨야 맞지만, 휘발유는 다시 생기지 않는다.

이와 같이 에너지를 한 번 일로 바꾸어버리면 일을 해주어도 다시 에너지로 환원시킬 수 없는 것을 비보존에너지라고 한다. 이 세상에 있는 대부분의 에너지들은 비보존에너지이다.

비보존에너지와 달리 에너지를 일로 바꾸었다가 그 일을 다시 에너지로 바꿀 수 있는 에너지를 보존에너지라고 한다.

다음 절에서 설명하는 3가지 에너지는 보존에너지이다. 운동역학에서 보존에너지를 집중적으로 공부하기 때문에 보존에너지를 역학적 에너지라고도 한다.

❷ 에너지의 종류 ·····························

■ 위치에너지

'높은 곳에 있다.'는 이유 때문에 가지고 있는 에너지를 위치에너지라고 한다. 위치에너지는 보존에너지라고 하였으므로 당연히 다음의 식이 성립되어야 한다.

> 위치에너지
> = 높은 위치에 있던 물체가 땅으로 떨어지면서 할 수 있는 일
> = 땅에서 높은 위치로 올려놓을 때 해주어야 하는 일

질량 m인 물체를 들어 올리려면 '무게=mg'만큼의 힘을 써야 하고, 물체를 다시 원위치시키려면 들어 올린 높이(h) 만큼 이동시켜야 하므로 '해야 하는 일=mgh'가 된다.

> 위치에너지=무게×높이=mgh

[문제] 무게 100kg중인 바벨을 역도선수가 1.8m 높이로 들어올렸다. 역도선수가 한 일은 얼마인가? 또 들어올려진 바벨이 가지고 있는 위치에너지는 얼마인가?

[풀이] 일=힘×거리=100kg중×1.8m=180kg중m

바벨의 위치에너지=선수가 한 일=180kg중m

■ 운동에너지

'정지하여 있지 않고 운동하고 있다.'는 이유 때문에 가지고 있는 에너지를 운동에너지라고 한다.

운동에너지는 보존에너지이기 때문에 다음의 식이 성립된다.

> 운동에너지
> = 운동하던 물체가 정지하면서 할 수 있는 일
> = 정지하고 있는 물체를 속도 v로 운동하게 만들 때 해주어야 하는 일

질량 m인 물체를 속도 v로 만들 때 힘을 얼마나 써야 할지 모르므로 막연하게 F라고 하면, 질량 m인 물체에 힘 F를 가했으므로 'a=F/m' 만큼의 가속도가 생길 것이고, 속도가 v가 될 때까지 걸리는 시간은 't=v/a' 이다.

그러므로 정지하고 있던 질량 m인 물체를 속도 v로 운동하게 만드는 데에 필요한 일은 다음과 같다.

일=힘×거리=F×(평균속도×시간)

$$=F \times \left(\frac{o+v}{2} \right) \times \left(\frac{v}{a} \right)$$

$$=ma \times \frac{v}{2} \times \frac{v}{a} = \frac{1}{2}mv^2$$

즉 질량 m인 물체가 속도 v로 운동하고 있을 때 가지고 있는 운동에너지는 다음과 같다.

$$운동에너지 = \frac{1}{2} mv^2$$

[문제] 체중(질량)이 100kg인 A선수는 속도 10m/s로 운동하고 있고, 체중이 50kg인 B선수는 속도 20m/s로 운동하고 있다. A선수와 B선

수의 운동에너지는 각각 얼마인가?

[풀이] A선수 : 운동에너지$= \frac{1}{2}mv^2 = \frac{1}{2}(100kg)(10m/s)^2$

$= 5,000J$

B선수 : 운동에너지$= \frac{1}{2}mv^2 = \frac{1}{2}(50kg)(20m/s)^2$

$= 10,000J$

즉 체중이 2배인 선수보다 속도가 2배인 선수의 운동에너지가 더 많다.

■ 탄성에너지

용수철과 같이 탄성체를 변형시켰다가 놓으면 원래 모양으로 되돌아가면서 일을 할 수 있다. 이와 같은 에너지를 탄성에너지라고 한다.

탄성에너지는 보존에너지이므로 다음의 식이 성립된다.

> 탄성에너지
> = 용수철이 원래 모양으로 되돌아가면서 할 수 있는 일
> = 원래 모양의 용수철을 변형시킬 때 해주어야 하는 일

용수철의 탄성계수를 k, 변형된 길이를 x라고 하면 용수철을 잡아당기기 직전에 필요한 힘은 0이고, x만큼 잡아당겼을 때 필요한 힘은 kx이다. 따라서 용수철을 잡아당기기 위해서 필요한 힘의 평균은 kx/2이다.

kx/2의 힘을 들여서 x만큼 잡아당겨야 하므로 용수철의 탄성에너지는 다음과 같다.

> 용수철의 탄성에너지
> = 늘어난 용수철이 원래 모습으로 돌아가면서 할 수 있는 일
> = 원래 모습의 용수철을 x만큼 늘여 놓을 때 해주어야 하는 일
> $= \frac{1}{2}kx^2$

[문제] 천정에 매달려 있는 용수철에 질량 10kg인 물체를 매달았더니 용수철의 길이가 5cm 늘어났다. 이 용수철이 가지고 있는 탄성에너지는 얼마인가?

[풀이 1] 용수철의 탄성에너지=용수철을 늘이기 위해서 한 일=힘×거리

용수철의 길이가 5cm 늘어났을 때에는 10kg중의 힘이 작용하지만, 그 전에는 0~10kg중의 힘이 필요하였으므로 평균 힘은 5kg중이다.

∴ 5kg중×0.05m(단위를 통일)=0.25kg중m

[풀이 2] 0.25kg중m=0.25×9.8N(중을 N으로 고친 것임)

=2.45Nm=2.45Joule

**용수철 상수 k를 구할 수 있는 학생은 대단히 우수한 학생

■ 역학적 에너지 보존법칙

그림 6.2에서 언덕 위에 놓여 있던 공이 굴러 내려오면 위치에너지가 운동에너지로 변환된다. 그 공이 한 바퀴 도는 동안에는 운동에너지가 위치에너지로, 다시 위치에너지가 운동에너지로 변환된다. 공이 다시 바닥을 굴러가는 동안에는 위치에너지는 없고 운동에너지만 있다가 용수철과 부딪치면 속도가 점차로 줄면서 운동에너지가 탄성에너지로 변환된다.

마지막으로 공이 정지하면 용수철의 탄성에너지가 운동에너지로 변환되면서 공이 다시 튕겨져 나와서 제자리로 돌아간다.

이와 같이 위치에너지, 운동에너지, 탄성에너지가 서로 변환되더라도 역학적 에너지 전체의 양에는 변화가 없다는 것을 역학적 에너지 보존법칙이라고 한다.

그러나 실제로는 공이 굴러가면서 바닥면과의 마찰력에 의해서 에너지가 조금씩 소모되기 때문에 한두 번 왔다갔다 하다가 멈추어 서 버린다.

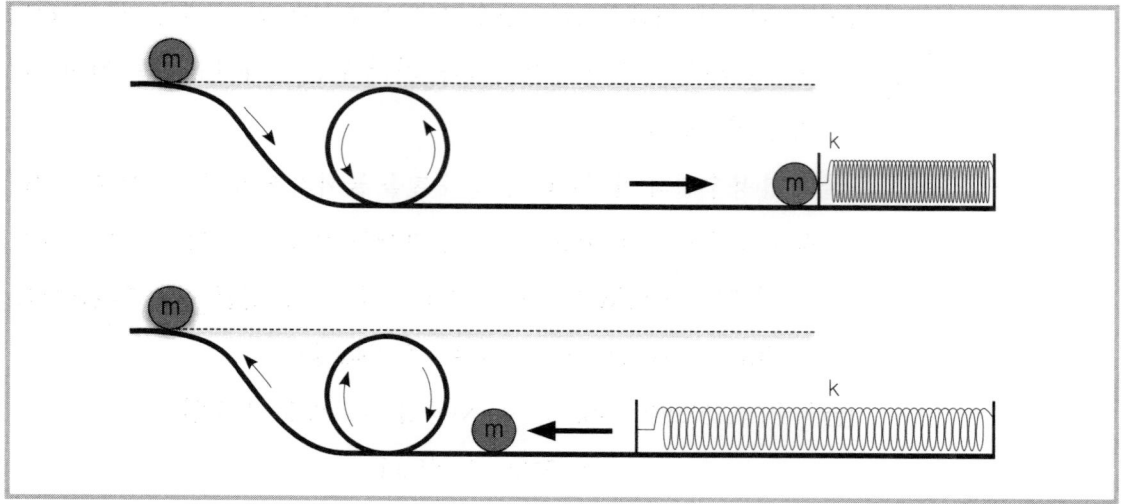

▶ **그림 6.2**   역학적 에너지 보존법칙

❸ 인체의 에너지 효율 ···

　사람은 음식물이 가지고 있는 화학에너지를 소화과정을 통해서 흡수한 다음 에너지 대사과정을 거치면서 ATP의 결합에너지로 변환시켰다가, 맨 마지막에는 근육을 수축시킴으로써 기계적 에너지로 변환시킨다.

　사람은 운동만 하는 것이 아니라 생명을 유지하거나 성장발달하는 데에도 에너지가 필요하다. 에너지 효율은 사용한 에너지를 100으로 보았을 때 목적한 일을 얼마나 했는지를 퍼센트로 나타낸 값을 말한다. 인체의 에너지 효율이 몇 퍼센트인지는 아직까지 알려지지 않았다.

　다만 사람이 만든 기계, 예를 들면 가솔린 기관은 약 40퍼센트, 디젤기관은 약 35퍼센트, 발전기는 약 30퍼센트, 증기기관은 약 10퍼센트인데 비하여 인체의 에너지효율은 훨씬 높을 것이라고 추측만 하고 있을 따름이다.

제7장

다양한 운동기술의 분석

01 동작분석

❶ 영상분석의 개요

　　스포츠 경기에서는 여러 가지 기술동작들을 잘 수행할 수 있어야 한다. 그런데 대부분의 기술동작들은 섬세하거나 아주 빠르게 실시되기 때문에 육안으로 보아서는 잘 잘못이나 미비점을 발견하기 어렵다. 그래서 선수가 수행하는 기술동작을 촬영한 다음 느린 속도로 재생하면서 살펴보거나, 알고 싶은 변인을 추출해서 분석하는 것을 영상분석이라고 한다.

　　촬영된 영상을 재생해서 다시 볼 때의 좋은 점은 다음과 같다.

❖ 자신이 수행한 기술동작을 볼 수 있다.
❖ 내가 기술동작을 수행하는 것과 다른 사람이 기술동작을 수행하는 것을 비교해서 차이점을 알 수 있다.
❖ 같은 동작을 수없이 다시 볼 수 있다.
❖ 간단한 측정만 해도 거리 · 각도 · 시간 등을 비교적 정확하게 알아낼 수 있다.

　　순식간에 이루어지는 기술동작은 1초에 수백 또는 수만 장씩 촬영하면 다음과 같은 것들을 알아낼 수 있다.

❖ 기술동작의 구조를 정확하게 알 수 있다.
❖ 느린 동작으로 보면서 동작 하나하나를 순차적으로 연습할 수 있다.
❖ 아주 미세한 차이도 잡아낼 수 있다.
❖ 촬영한 영상을 이용하여 필요한 변인을 산출하면 더 많은 것들을 알아낼 수 있다.

한편 영상분석에는 다음과 같은 어려움이 있다.

❖ 선수의 기술동작을 스포츠경기 현장에서 촬영하기 어렵다.
❖ 실험 상황에서 촬영한 것과 경기 현장에서 촬영한 것이 일치한다고 보기 어렵다.
❖ 촬영장비와 촬영기술이 있어야 한다.
❖ 분석하려면 시간·노력·자금이 비교적 많이 필요하다.
❖ 상당한 물리학적·수학적인 지식이 있어야 한다.

그러나 체육학에서 운동역학이 하나의 분과학문으로 자리를 잡게 된 계기를 제공한 것이 영상분석이다. 또한 근전도분석이나 지면반력분석에 비하여 분석방법이 쉽고 눈으로 직접 확인할 수 있다는 장점이 있기 때문에 가장 많이 사용하는 분석방법이다.

❷ 2차원 영상분석의 활용

비디오로 촬영한 경기 장면은 비디오나 TV 화면으로 보아야 한다. 물리학에서 직선을 1차원(1D), 평면을 2차원(2D), 공간을 3차원(3D) 이라고 하므로 화면은 2차원이다. 그래서 촬영한 영상을 화면으로 보면서 분석하는 것을 2차원 영상분석이라고 한다.

2차원 영상분석의 가장 큰 단점은 공간(3차원)에서 일어나는 동작을 화면(2차원)으로 보는 것이다. 그렇게 되면 앞뒤 또는 좌우의 움직임을 정확하게 볼 수 없다는 단점이 생긴다.

2차원 영상분석을 하려면 많이 움직이는 방향과 수직되는 서서 사진을 촬영해야 움직이는 방향의 움직임을 비교적 정확하게 촬영할 수 있다. 움직이는 방향과 45도 방향에서 촬영하면 전후·좌우 방향의 움직임을 모두 관찰할 수는 있지만, 어느 방향의 움직임도 정확하게 분석할 수 없다는 단점이 생긴다.

아무리 좋은 위치에서 사진을 촬영해도 다음과 같은 한계가 있다.

❖ 렌즈에서 먼 곳에 있는 물체는 작게 나오고 가까운 위치에 있는 물체는 크게 나온다(원근오차).

❖ 완전히 평면에서만 이루어지는 스포츠 동작은 없기 때문에 어느 한 방향의 움직임은 분석할 수 없다.

❖ 크기와 실물의 크기가 다르기 때문에 무엇인가를 이용해서 비례식으로 풀어야 한다.

❖ 실물의 크기로 환산할 수 있도록 자(尺) 같은 것을 동시에 촬영해도 오차가 생긴다

그래서 2차원 영상분석은 어떤 변인의 분석보다는 재생하면서 다시 보는 데 치중하는 것이 좋다.

❸ 3차원 영상분석의 활용

카메라 1대로 촬영하면 전후 또는 좌우 중에 어느 한 방향을 분석하기 어렵다는 단점을 극복하기 위해서 카메라 2대로 촬영해서 분석하는 것을 3차원 영상분석이라고 한다. 즉 카메라 1대로는 좌우가 잘 나오게 촬영하고, 나머지 1대로는 전후가 잘 나오게 촬영하면 전후 · 좌우 · 상하 3방향을 모두 정확하게 분석할 수 있다는 개념이다.

그렇게 하려면 선수가 기술동작을 수행할 때 서로 직각되고 똑같은 거리만큼 떨어진 위치에 카메라 1대씩을 설치해야 한다. 그런데 경기장에서 그렇게 카메라를 설치한다는 것이 사실상 불가능하다.

　　그래서 별 수 없이 카메라 2대(또는 여러 대)를 약 30도 이상 틀어진 각도이면서 떨어진 거리가 약간 다른 위치에 설치해서 촬영하고, 상당히 복잡한 수학적인 계산을 거쳐서 정확한 위치를 계산할 수 있는 방법을 연구한 것이 3차원 영상분석 방법이다.

　　3차원 영상분석 방법을 사용하면 한 선수가 수행하는 기술동작을 원하는 각도에서 본 것처럼 돌려가면서 볼 수 있다는 장점이 생긴다. 그러나 너무 복잡해서 어지간한 수학 실력을 가진 사람은 분석할 수 없다는 단점이 있다. 요사이는 영상분석 프로그램 자체를 판매하기 때문에 하라는 대로만 하면 분석을 할 수는 있지만, 자신이 모르면 무슨 의미를 갖고 있는지 해석할 수 없다.

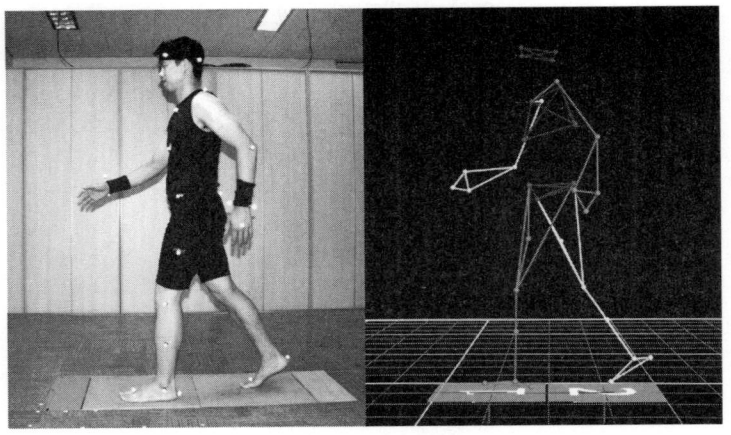

02 힘측정

❶ 힘측정이란

　　인간이 운동할 때 발휘하는 근력의 크기를 측정하려고 수많은 노력을 해왔으나, 지금까지는 마땅한 방법을 찾아내지 못하였다.

근육이 발휘하는 힘을 측정하려면 근육의 어느 지점을 잘라서 측정장치를 삽입해야 가능하기 때문에 간접적인 방법으로 측정할 수밖에 없다.

손으로 밧줄을 잡아당기는 힘을 측정했을 경우 다음과 같은 결과를 낼 수 있다.

❖ 그 힘은 하나의 근육이 발휘한 것이 아니고 여러 근육이 협동해서 발휘한 힘이다.

❖ 관절·뼈·피부 등을 거쳐서 전달된 힘이기 때문에 과소평가되었거나 순간적인 변화가 완화되었다.

❖ 측정된 힘 중에는 체중의 일부가 섞여 있을 가능성이 크다.

사람이 발휘하는 힘의 형태는 밀기, 당기기, 누르기, 던지기, 비틀기 등 다양하다. 따라서 힘의 종류에 따라서 측정하는 방법도 달라야 한다.

다음에 힘을 측정하는 원리 3~4개를 간단하게 설명한다.

■ 잡아당기는힘

잡아당기는 힘(장력)은 용수철이나 철사를 잡아당겨서 늘어난 길이로 측정하는 것이 기본원리이다. 그런데 잡아당겼을 때 길이가 많이 늘어나면 관절의 각도가 변하기 때문에 늘어나는 길이가 작아야 한다. 또 늘어나는 길이가 작아지면 늘어난 정도의 차이를 가늠하기 어렵기 때문에 측정오차가 커진다.

■ 누르는 힘

누르는 힘(압력)은 몸무게를 측정하듯이 저울로 측정하는 것이 기본원리이다. 그런데 저울로 압력을 측정하면 전체적인 압력(전압력)만 측정할 수 있고, 발바닥의 어떤 특정 부위에 미치는 압력은 측정할 수 없다. 이런 경우에는 압력소자라고 하는 아주 작은 알맹이들을 이용해서 측정한다. 그 알맹이들은 누르면 압력의 크기에 따라서 여러 가지 색깔로 변한다.

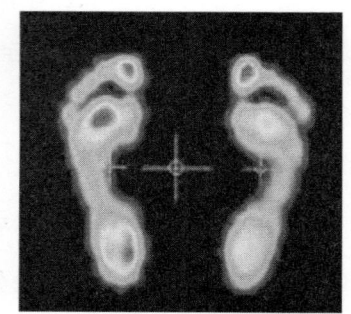

옆의 그림은 압력소자를 이용해서 사람이 서 있을 때 발바닥의 압력분포를 측정한 그림이다.

■ 던지거나 때리는 힘

던지거나 때리는 힘은 장력이나 압력을 측정하는 방법으로는 측정할 수 없다. 던지거나 때리는 힘은 약 1000분의 1초 정도의 짧은 시간에 순간적으로 나오는 힘이기 때문에 압전물질(외부의 힘이 작용할 때 전위차가 생기거나 외부에서 전압이 걸릴 때 형태가 바뀌는 물질)을 이용해서 측정한다. 라이터처럼 누르면 딱 소리가 나면서 불꽃이 튕기는 것이 압전물질이다. 압전물질은 순간적으로 누르면 전기가 발생하지만 계속해서 누르고 있으면 전기가 발생하지 않는다.

■ 비트는 힘

비트는 힘은 적당한 크기의 금속막대 양쪽 끝을 잡고 비틀어서 측정한다. 금속막대의 중앙 부위가 옆으로 쏠린 각도를 이용해서 측정한다. 철봉을 붙드는 힘은 철봉에 얇은 금속 필름을 붙여서 측정하거나, 철봉이 휘어진 정도를 이용해서 측정한다.

03 근전도분석

❶ 근전도의 원리

그림 7.1은 실험실에서 근육에 있는 근육섬유 하나를 떼어내서 1/1000초(1 ms) 동안 전기자극을 주었을 때 근육이 수축하면서 발휘하는 장력을 측정한 것이다.

이와 같이 단 1회의 자극으로 근육섬유가 수축하였다가 이완되어 본래의 상태로 되돌아가는 것을 연축(single twitch)이라고 한다.

자극이 도착한 다음 약 5/1000초 동안은 수축하지 않고 있다가(잠복기) 수축하기 시작해서 장력의 크기가 점차 커진다(수축기). 약 25/1000초가 지나면 장력의 크기가 점점 작아져서 약 100/1000초가 지나면 완전히 수축을 멈춘다(이완기)는 것을 알 수 있다.

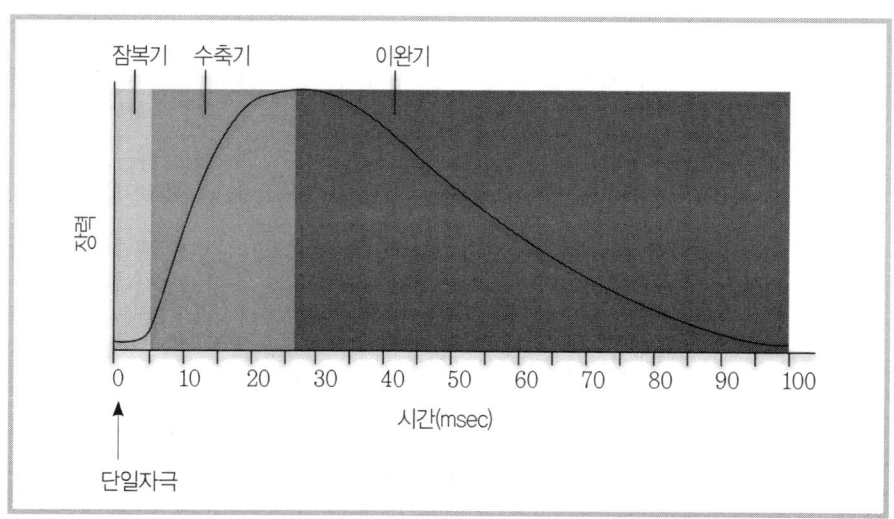

▶ 그림 7.1   근육섬유의 연축

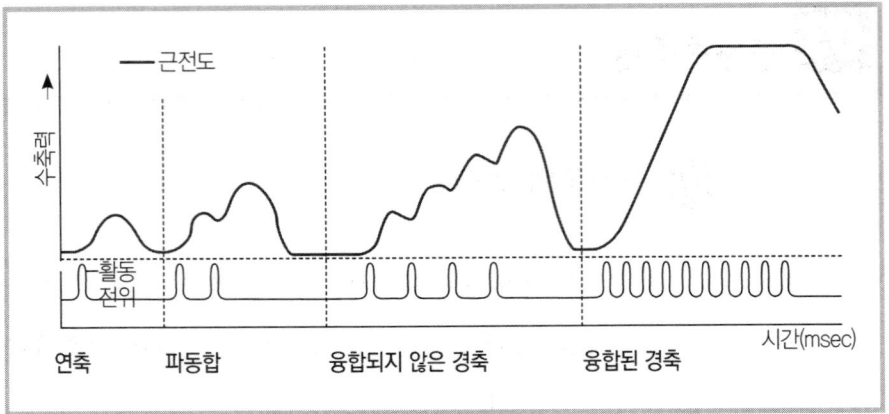

▶ 그림 7.2 근육섬유의 경축

그림 7.2는 약 2/1000초 간격으로 전기자극을 1번, 2번, 4번, … n번 가했을 때 수축력의 변화를 표현한 그림이다. 그림에서 전기자극을 여러 번 연속해서 가하면 근육의 수축력이 일정해진다는 것을 알 수 있다. 이 와 같이 연속적인 자극에 의해서 근육이 일정한 크기의 수축력을 발휘하는 것을 경축(tetanic twitch)이라고 한다.

우리가 운동을 할 때 발휘하는 근력은 대부분 경축하면서 발휘하는 수축력이고, 동시에 수축하는 근육섬유의 수가 수십 개에서 수억 개에 이르기 때문에 여러 개의 근육섬유가 발휘하는 수축력이 합해진 것이다.

위에서 설명한 두 그림은 근육의 수축력에 대한 것이다. 그런데 그림 7.3은 1개의 근육섬유에 신경자극이 도달했을 때 근육섬유의 전기활동을 그린 그림이다. 근육의 전기활동을 그림으로 그린 것을 근전도(EMG)라고 한다. 이 그림은 근전도가 어떻게 발생하는지를 보여준다.

평소에 근육섬유의 표면이 −70밀리볼트(mV)로 유지되던 것(분극)이 신경자극이 도착한 다음 약 1.5/1000초가 지나면 전압이 올라가기 시작한다(탈분극). 약 2/1000초가 되면 +30밀리볼트까지 증가하였다가 다시 원

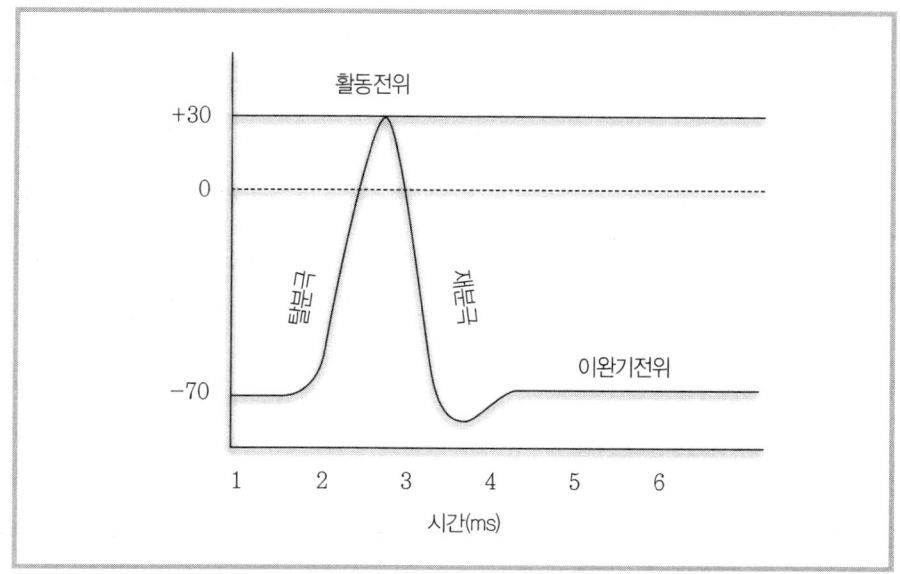

▶ **그림 7.3   근육섬유의 전기활동**

래의 −70밀리볼트로 돌아간다(재분극).

　　근육섬유는 실처럼 길게 생겼고, 위에서 설명한 탈분극과 재분극이 근육섬유를 따라서 밑으로 이동하면서 일어나기 때문에 +30밀리볼트의 전압이 근육섬유를 따라서 이동하는 것처럼 보인다. 이와 같이 근육섬유를 따라서 이동하는 30밀리볼트의 전압을 활동전위의 이동이라고 한다.

❷ 근전도의 측정

　　1개의 근육섬유에서는 활동전위가 이동하지만, 근육에서는 수십에서 수억 개의 근육섬유가 동시에 수축하기 때문에 1개의 근육섬유에서 발생하는 전기활동을 측정하는 것은 실험실에서만 가능하다. 우리가 운동을 할 때 측정하는 근육의 전기활동은 적어도 수십 개의 근육섬유에서 발생한 전기활동이 합해진 것을 측정할 수밖에 없다.

근육의 전기활동을 측정하려면 어떤 형태로든 전깃줄을 근육에 연결해야 한다. 작은 단추만한 크기의 금속판을 피부에 접착제로 부착하는 것을 표면전극이라 하고, 작은 주사바늘을 근육에 꽂는 것을 침전극이라고 한다.

침전극은 상처를 낼 뿐 아니라 세균에 오염될 염려가 있기 때문에 병원에서만 사용할 수 있고, 체육에서는 표면전극만 사용할 수 있다. 표면전극은 크기가 상당히 크고 피부에 부착하기 때문에 적어도 수천 수만 개의 근육섬유에서 일어나는 전기활동이 뒤섞여 있다.

그림 7.4는 표면전극을 통해서 수집된 근전도의 예이다. 수천 수만 개의 근육섬유에서 일어나는 전기활동이 뒤섞여 있기 때문에 컴퓨터 없이는 분석할 수 없다. 근육의 전기활동이 1600년대에 알려졌지만 컴퓨터가 없어서 분석을 못하다가 1950년대 이후에야 분석할 수 있게 되었다. 우리나

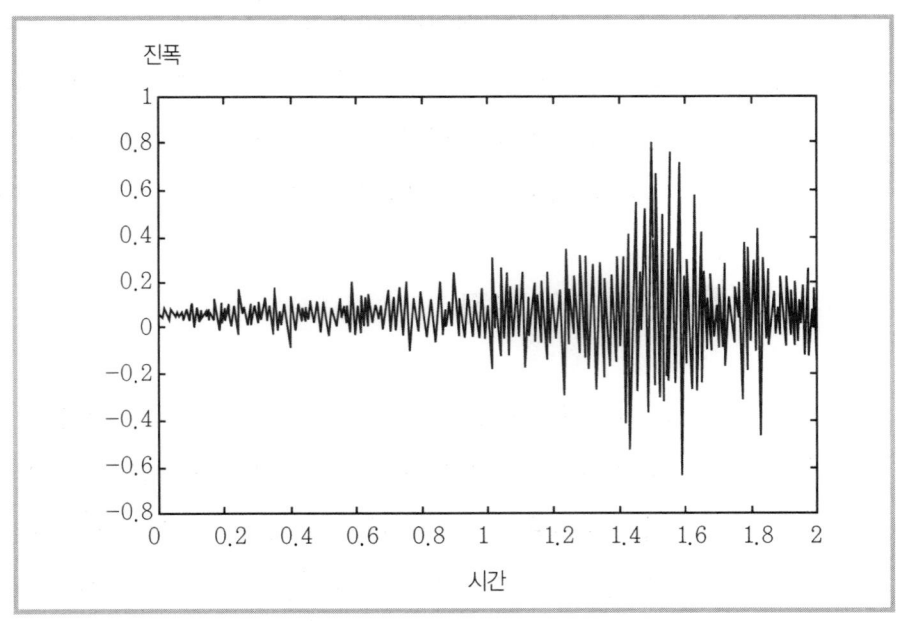

▶ 그림 7.4   표면근전도

라에서는 1970년대부터 근전도 분석을 시작했다.

그림에서 보듯이 플러스와 마이너스가 뒤섞여 있고, 진폭이 큰 때도 있고 작은 때도 있다.

❸ 근전도의 분석과 활용

스포츠지도사가 근전도를 분석하기는 어렵고, 다른 사람이 측정해서 분석해준 결과를 이해할 수 있는 정도이면 충분하다.

앞 절의 표면근전도 샘플에서 진폭이 큰 부분은 근육의 활동이 활발하다는 것을 나타낸다. 그러므로 근전도가 아주 가늘고 길면 근육이 활동하지 않았다는 증거이고, 근전도의 진폭 변화로 근육의 활동시기, 활동 지속시간, 활동강도 등을 알 수 있다.

여러 근육의 근전도를 동시에 수집하면 근육의 활동강도는 물론이고 활동순서도 알 수 있다. 근전도분석 초기에 어떤 동작에는 무슨 근육이 어떤 순서로 동원된다고 한 것들이 그런 종류의 연구 결과이다. 근전도분석도 실제 동작을 육안으로 확인할 수 없기 때문에 영상분석과 함께해야 활용범위를 넓힐 수 있다.

근전도분석 방법 중에 주파수를 분석하는 방법도 있다. 앞 절에 있던 표면근전도 샘플은 1초 동안에 1센티씩 종이 위를 이동하면서 근전도를 그린 것이다. 1초 동안에 1미터씩 종이 위를 이동하면서 근전도를 그리면 근전도가 조밀한 곳과 엉성한 부분이 구별된다.

조밀한 부분이 주파수가 높은 때이고, 엉성한 부분이 주파수가 낮은 때이다. 주파수가 높다는 것은 신경자극이 짧은 시간 간격으로 왔다는 것을 나타내므로 큰 근력을 발휘했다고 추측할 수 있다. 반대로 신경자극이 띄엄띄엄 온 부분은 작은 근력을 발휘했다는 것을 알 수 있다.

근전도분석 방법 중에 피로도를 분석하는 방법도 있다. 근육이 피로해지면 진폭이 작아지고 주파수도 낮아진다는 점을 이용해서 근육이 얼마나 피로해졌는지를 추측하는 것이다. 피로도 분석을 한다고 해서 정확하게 몇 퍼센트 지쳤고, 몇 분 후이면 운동을 지속할 수 없게 된다고 나오는 것은 아니고, 추측만 하는 것이다.

근전도분석의 가장 어려운 점은 근력을 크게 또는 작게 발휘했다는 것은 알 수 있지만, 실제로 얼마만큼의 근력을 발휘했다고 말할 수 없다는 점이다. 언제는 10뉴턴의 힘을 발휘했고, 또 언제는 20뉴턴의 힘을 발휘했으므로 2배의 힘을 발휘했다고 해야 되는데, 실제로는 그렇게 하지 못하다. 언제보다 언제가 힘을 더 발휘했다고만 할 수 있는 것이다.

근전도분석의 두 번째 어려운 점은 사람마다, 또 근육마다 근전도의 진폭·주파수·피로도가 다르다는 것이다. 이것은 나와 너의 근전도를 비교할 수 없다는 의미이므로 근전도를 분석할 때 주의해야 한다. 예를 들어 나의 근전도 진폭이 너의 근전도 진폭보다 크니까 나의 근력이 너의 근력보다 크다고 하면 안 된다는 뜻이다.

상대 진폭과 상대 주파수를 이용해서 말할 수 있는 방법도 있지만, 너무 어렵고 복잡하니까 생략한다.

❹ 지면반력 분석

사람의 활동 대부분은 땅을 딛고 한다. 땅을 발로 딛는다는 것은 어떤 형태로던 땅에게 힘을 가한다는 것을 의미한다. 그러면 작용반작용의 법칙에 의해서 땅이 사람의 발에 반작용력을 주게 된다. 땅이 사람의 발에게 주는 반작용력을 지면반력이라 한다.

지면반력을 측정하는 기본원리는 그림 7.5에서 보이는 바와 같이 사각

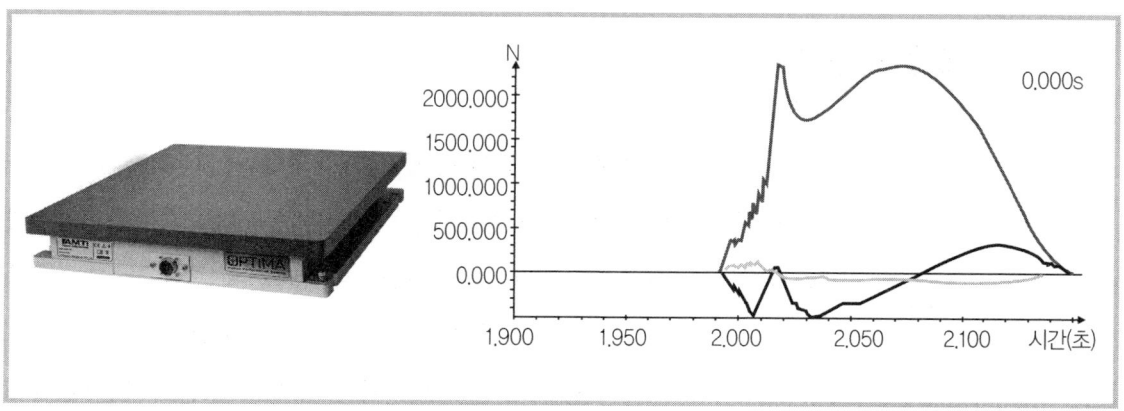

▶ **그림 7.5** 지면반력 측정기와 보행 중에 측정한 지면반력

형 판의 네 구석에 압력센서를 장치해 놓고 그 위에 똑같은 사각형 판을 올려놓은 것이다. 위에 있는 판을 사람이 밟으면 네 구석에 있는 압력센서가 힘을 측정한다.

4개의 센서에서 측정된 힘을 모두 합하면 사람이 판을 누른 전체의 힘과 같고, 4개의 센서에서 측정된 압력을 이용해서 계산하면 사람이 판을 밟은 위치를 알 수 있다. 사람이 판을 밟은 위치를 압력중심(center of pressure)이라 한다.

그러나 현재 학교의 실험실이나 병원에서 사용하고 있는 지면반력 측정기들은 압력센서 대신에 6축 힘 변환기(6axis force transducer)가 장착되어 있다. '6축 힘 변환기'라는 말은 "전·후, 좌·우, 상·하 6개 방향의 힘과 토크의 크기를 숫자로 변환해주는 장치"라는 뜻이다. 즉 Fx, Fy, Fz, Mx, My, Mz를 일정한 시간 간격(예 ; 1/100 초)으로 계속해서 측정한 다음, 각 순간마다 압력중심의 위치 및 여러 가지 변수들을 계산해서 그래프나 그림으로 볼 수 있게 만들어져 있다.

❺ 보행분석 ‥‥‥‥‥‥‥‥‥‥‥‥‥‥‥‥‥‥‥‥‥‥‥‥‥‥‥‥‥‥‥‥

인간이 일상생활 중에 하는 동작 중에서 가장 중요한 동작 중의 하나가 걷기동작이다. 보행동작은 한 발만 땅을 딛고 있는 단일지지기와 두 발이 모두 땅에 닿아 있는 이중지지기가 연속적으로 일어나면서 이동하는 동작이다. 이에 반해 달리기동작은 한 발만 땅을 딛고 있는 단일지지기와 두 발이 모두 땅에서 떨어져 공중에 있는 공중기가 연속적으로 일어나면서 이동하는 동작이다.

그림 7.6은 보행동작을 보행주기(gait cycle)별로 구분한 것이다.

Percent of gait cycle은 사람마다 보행주기(왼발이 땅에 닿는 순간부터

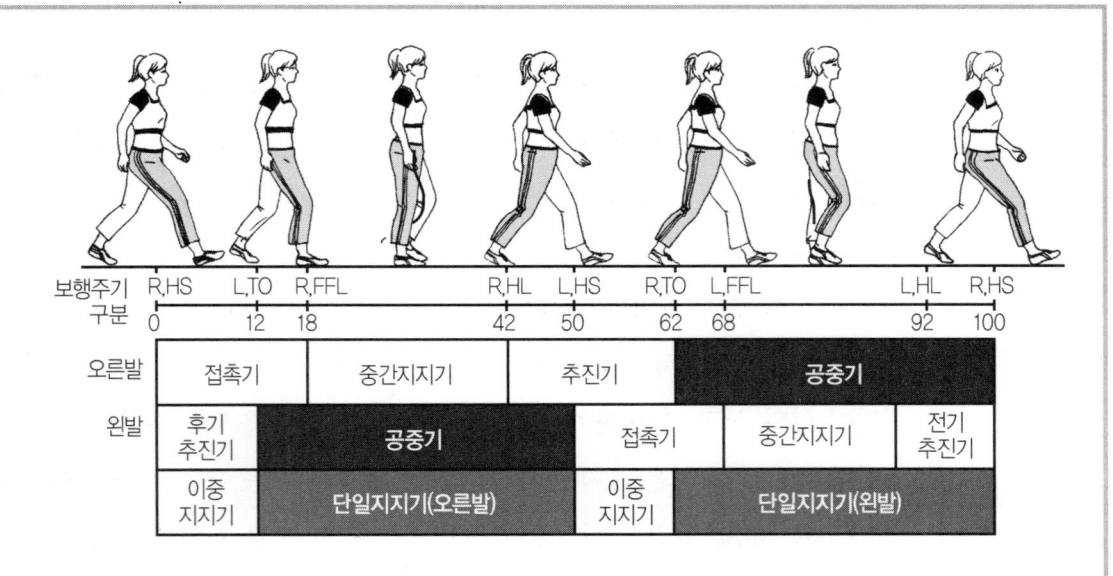

그림에서 R=right, L=left, H=heel, T=toe, S=strike, O=off, FFL=full forefoot load(발바닥 전체가 지면과 접촉)의 약자이고, Contact period=접촉기, Midstance period=중간지지기, Propulsive period=추진기, Swing phase= 공중기, Double lim support=이중지지기, Single limb support=단일지지기이다.

▶ **그림 7.6   보행주기의 구분**

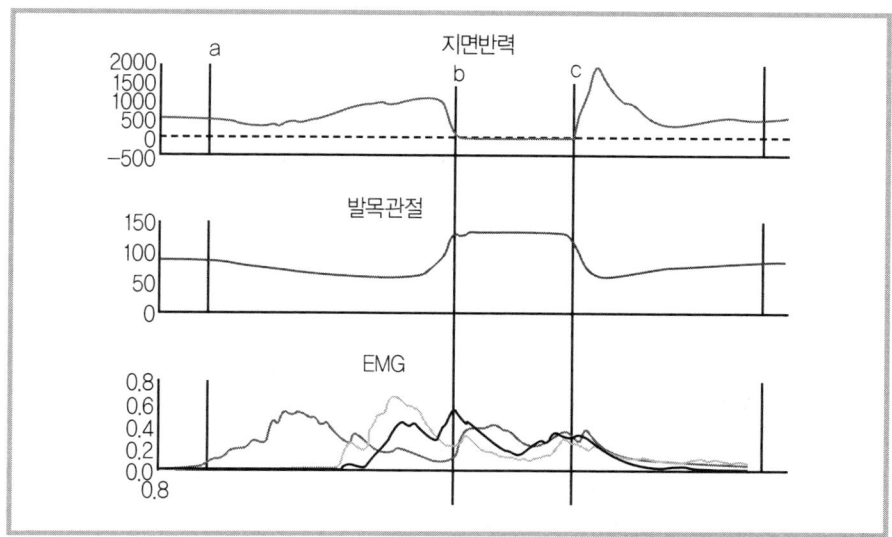

▶ **그림 7.7**   지면반력, 영상분석 및 EMG 데이터의 동기화

다음 왼발이 땅에 닿는 순간까지의 시간 간격)가 다르기 때문에 한 주기를 100%로 했을 때 각각의 시간을 %로 나타낸 것이다. 그렇게 하는 것을 표준화(normalize)라 하고, 표준화하면 다른 사람과 직접 비교할 때 편리하다.

사람마다 보행주기뿐만 아니고 Percent of gait cycle도 다르고, 지면반력의 크기와 방향도 다르지만 많은 사람의 평균을 내서 기준치로 이용하고 있다. 보행에 장애가 있는 사람, 재활치료를 받고 있는 사람, 의족을 만들어서 착용하는 사람 등의 보행동작을 분석해서 최대한 기준치와 유사한 동작이 되도록 만드는 것이 보행분석의 최종 목표이다.

보행분석은 대부분 영상분석, 지면반력분석, 근전도분석을 동시에 할 수 있는 보행분석 시스템을 이용해서 한다. 보행분석과 같이 여러 가지 분석을 동시에 수행할 때 가장 중요한 것이 동기화(synchronize)이다.

참|고|문|헌

권영미 외 역(2015). 눈으로 배우는 해부생리학(제14판). 대경북스.

김용수 외(2017). 눈으로 배우는 사람해부. 대경북스.

김용수 외(2017). Anatomical Chart for Fitness Professional. 대경북스.

김창국 역(2017). 생체역학(제7판). 대경북스.

김창국 외(2016). 인체해부학 아카데미. 대경북스.

박성순 외(2015). 운동역학(전정판). 대경북스.

박찬희(1996). 스포츠 생체역학. 세종출판사.

신원범(2020). . 대경북스

이성철(2015). 운동역학. 대경북스.

이연종, 백진호(2002). 스포츠 생체역학. 도서출판 홍경.

정철수, 신인식(2005). 운동역학총론, 서울 : 대한미디어.

주명덕(2001). 운동역학. 대한미디어.

진성태(2015). 일반물리학. 대경북스.

진성태(2016). 원리중점 운동역학. 대경북스.

진성태 외(1997). 1급 경기지도자 연수교재 : 스포츠생체역학 Ⅱ, 한국체육과학연구원 경기지도자연수원.

한국운동역학회(2015). 운동역학. 대한미디어.

Ackland, T. R., Elliott, B. C., and Bloomfield, J. (2009). *Applied Anatomy and Biomechanics in Sport* (2nd ed.).

Bartlett, R. (2007). *Introduction to Sports Biomechanics* (2nd ed.). New York, NY: Routledge.

Bartlett, R. (1999). *Sports Biomechanics: Preventing Injury and Improving Performance.* New York, NY: Routledge.

Bauer, W., and Westfall, G. D. (2011). *University Physics with Modern Physics.* New York, NY: McGraw-Hill.

Blazevich, A. (2007). *Sports Biomechanics*. London: A&C Black Publishers.

Chapman, A. E. (2008). *Biomechanical Analysis of Fundamental Human Movements*. Champaign, IL: Human Kinetics.

Cummings, K., Laws, P. W., Redish, E. F., and Cooney, P. J. (2004). *Understanding Physics*. Hoboken, NJ: John Wiley & Sons.

Cutnell, J. D., and Johnson, K. W. (2012). *Physics (9th ed.)*. Hoboken, NJ: John Wiley & Sons.

Enoka, R. M. (2008). *Neuromechanics of Human Movement (4th ed.)*. Champaign, IL: Human Kinetics.

Ewen, D., Schurter, N., and Gundersen, P. E. (2012). *Applied Physics (10th ed.)*. Upper Saddle River, NJ.

Giambattista, A., Richardson, B. M., and Richardson, R. C. (2010). *College Physics: with an Integrated Approach to Forces and Kinematics (3rd ed.)*. New York, NY: McGraw-Hill.

Griffith, W. T., and Brosing, J. W. (2009). *The Physics of Everyday Phenomena: A Conceptual Introduction to Physics (6th ed.)*. New York, NY: McGraw-Hill.

Grimshaw, P., and Burden, A. (2006). *Sport and Exercise Biomechanics*. New York, NY: Taylor & Francis.

Hall, S. J. (2012). *Basic Biomechancis (6th ed.)*. New York, NY: McGraw-Hill.

Hamill, J., and Knutzen, K. M. (2009). *Biomechanical Basis of Human Movement (3rd ed.)*. Baltimore, MD: Lippincott Williams & Wilkins.

Hare, A. P.(1976). *Handbook of Small Group Research*, New York : Free Press.

Hay, J. G. (1985). *The Biomechanics of Sports Techniques (3rd ed.)*. Englewood Cliffs, NJ: Prentice-Hall.

Holliday, D., Resnick, R., and Walker, J. (2011). *Fundamentals of Physics (9th ed.)*. Hoboken, NJ: John Wiley & Sons.

Hong, Y., and Bartlett, R. (2008). *Routledge Handbook of Biomechanics and Human Movement Science*. New York, NY: Routledge.

Hsu, T. (2004). *Foundations of Physics*. Peabody, MA: CPO Science.

Johnson, A. T. (1991). *Biomechanics and Exercise Physiology*. New York, NY: John Wiley & Sons.

Knudson, D. (2007). *Fundamentals of Biomechanics (2nd ed.)*. New York, NY: Springer.

Lisppert, L. S. (2011). *Clinical Kinesiology and Anatomy (5th ed.)*. Philadelphia, PA: F.A.Davis Company.

McGinnis, P. M. (2005). *Biomechanics of Sport and Exercise (2nd ed.)*. Champaign, IL: Human Kinetics.

Miller, D. I., Nelson, R. C. (1973). *Biomechanics of Sport*. Philadelphia: Lea & Febiger.

Mow, V. c., and Hayes, W. C. (1997). *Basic Orthopaedic Biomechanics (2nd ed.)*. Philadelphia, PA: Lippincott-Raven.

Murray, M. P., Drought, A. B., & Kory, R. C.(1964). Walking patterns of normal men, *J. Bone Joint Surg., 48A, 335*-360.

Neumann, D. A. (2002). *Kinesiology of the Musculoskeletal System*. St. Louis, Mi: Mosby.

Nigg, B. M., Machintosh, B. R., and Mester, J. (2000). *Biomechanics and Biology of Movement*. Champaign, IL: Human Kinetics.

Noble, M. L. & Kelley, D. L.(1969). Accuracy of tri-axial cinematographic analysis in determining parameters of curvilinear motion. *Res. Q. Amer. Assoc. Health Phys. Ed., 40*, 643-645.

Payton, C. J., and Bartlett, R. M. (2008). *Biomechanical Evaluation of Movement in Sport and Exercise*. New York, NY: Routledge.

Rex, A. F., and Wolfson, R. (2010). *Essential College Physics*. Glenview, IL: Pearson.

Robertson, D. G., Caldwell, G. E., Hamill, J., Kamen, G., and Whittlesey, S. N. (2004). *Research Methods in Biomechanics*. Champaign, IL: Human Kinetics.

Seroussi, R. E. & Pope, M. H.(1987). The relationship between trunk muscle electromyography and lifting moments in the sagittal and frontal planes. *Journal of Biomechanics, 20*, 135-146.

Serway, R. A., and Vuille, C. (2012). *College Physics (9th ed.)*. Boston, MA: Brooks/Cole.

Tillery, B. W. (2009). *Physical Science (9th ed.)*. New York, NY: McGraw-Hill.

Touger, J.(2006). *Introductory Physics*, New Jersey : Wiley.

Tongue, B. H. & Sheppard, S.(2005). *Dynamics : Analysis and Design of Systems in Motion*. Hoboken, NJ : John Wiley & Sons.

Watkins, J. (2010). *Structure and Function of the Musculoskeletal System (2nd ed.)*. Champaign, IL: Human Kinetics.

Winter, D. A.(1990). *Biomechanics and Motor Control of Human Movement (2nd ed.)*. Toronto : John Wiley and Sons, Inc. 52-58.

Winter, D. A.(2009). *Biomechanics and Motor Control of Human Movement (4th ed.)*. New York, NY: John Wiley & Sons.

Wolfson, R. (2012). *Essential University Physics (2nd ed.)*. Glenview, IL: Pearson.

찾아보기

ㅈ

저 | 자 | 소 | 개

Siddhartha Bikram Panday

계명대학교 체육학부 사회체육전공 교수

고규철

회신사이버대학교 융합스포츠지도학과 교수

방현석

동명대학교 스포츠재활과 학과장

유실

한양여자대학 스포츠건강관리과 교수

전민주

한림성심대학교 레저스포츠과 학과장

전형진

한양대학교 미래인재교육원 겸임교수

(가나다 순)

운동역학 전정판

초판발행   2022년 3월 4일
초판2쇄   2024년 3월 5일
발 행 인   김영대
발 행 처   대경북스
ISBN   978-89-5676-886-1

등록번호 제 1-1003호
서울시 강동구 천중로42길 45 2F · 전화 : 02) 485-1988, 485-2586~87
팩스 : 02) 485-1488 · e-mail:dkbooks@chol.com · http://www.dkbooks.co.kr

운동생리학
아카데미

서영환 저

dcb
대경북스

머리말

　운동생리학(運動生理學, exercise physiology)은 운동이라는 자극(stress)에 정상적으로 반응(response)하는 인체의 기능적인 변화와 규칙적이고 반복적인 자극을 주는 트레이닝 등에 의해서 나타나는 적응현상(adaptation)을 다루는 학문이다.

　운동생리학의 기원은 기원전 400년경 의학의 아버지라 불리는 Hippocrates까지 거슬러 올라간다. 이후 과학과 의학의 발전에 따라 함께 발전해 왔으며, 건강을 유지·증진시키는 데 운동이 효과적이라는 사실이 알려지면서 1800년대의 학자들은 규칙적인 운동의 필요성을 역설하였다. 1960년대에 이르러서는 이러한 인식이 대중적으로 확산되기에 이르렀다.

　'86 아시안게임과 '88 서울올림픽은 우리나라의 체육과학이 도약하는 계기가 되었다. 체육이론의 접목을 통한 경기력 향상은 우리나라의 경제성장과 더불어 세계의 이목을 집중시켰는데, 이러한 체육과학의 중심에 운동생리학이 자리매김하고 있음은 주지의 사실이다. 특히 1990년 이후 경제적 안정과 여가시간의 증가로 말미암아 국민들의 건강증진에 대한 관심이 많아지고, 생활체육에 대한 참여가 활발해지면서 체육전공자들의 역할이 크게 기대되고 있다.

　첨단과학의 발달, 자동화와 기계화, 컴퓨터 네트워크화 등에 의해 생활의 편리성이 증대하고 여가시간은 크게 증가하였으나, 지나친 영양섭취와 신체활동의 부족으로 인해 현대병이라고 불리우는 생활습관병이 만연하기에 이르렀다. 이에 더하여 날로 복잡해지는 사회환경의 급격한 변화에 적응하기 위해 현대인이 받는 신체적·정신적 스트레스는 건강을 심각하게 위협하고 있다.

　이러한 시점에서 운동 프로그램의 계획과 적용을 통해 건강을 유지 및 증진시키고, 스트레스 해소를 꾀하는 운동과학의 역할은 현실적으로 매우 중요해졌다고 할 수 있다.

　이 책은 대학에서 체육학을 전공하는 전공자들이 기본적으로 알아야 할 인체의 생리학적 지식과 운동의 발현기전, 그리고 운동 시 발생하는 생리적 변화를 이해시키는 데 중점을 두고 집필하였다. 운동생리학의 개관, 세포와 물질이동을 시작으로 에너지대사와 운동, 신경계통·뼈대·관절 및 근육계통·내분비계통·호흡계통·순환계통과 운동, 그리고 마지막으로 환경과 운동의 순으로 구성하였다.

　이 책을 통하여 운동생리학을 이해하고, 체육관련 지도자가 되려는 모든 분들께 유용한 길잡이가 될 수 있기를 바라며, 나아가 관련 응용학문의 기초를 닦는 데 도움이 되었으면 한다. 미진한 점은 앞으로 개정·보완하여나갈 것을 약속 드린다.

2016년 10월

저 자   씀

차례

01 운동생리학의 개관

02 세포와 물질이동

03 에너지대사와 운동

04 신경계통과 운동

05 뼈대·관절 및 근육계통과 운동

06 내분비계통과 운동

08 순환계통과 운동

09 환경과 운동

01

운동생리학의 개관

① 신체활동, 운동 및 체력

1) 신체활동

신체활동(physical activity)은 에너지를 소비하는 근육의 활동에 의해 이루어지는 신체의 모든 움직임이다. 운동(exercise)은 체력의 유지 내지 향상을 위해 계획·구조화된 반복적인 신체활동이라 할 수 있다.

신체활동은 걷기, 쇼핑, 계단 오르기, 정원 가꾸기, 육체노동 등 일상생활에서 쉽게 할 수 있는 활동이다. 충분한 신체활동은 심장동맥질환·고혈압·당뇨·비만·뼈엉성증 등의 발병위험을 감소시키는 데 기여하고, 스트레스·불안감·우울증을 감소시킨다. 반면 신체활동이 부족하면 여러 질병을 유발시킬 수 있다.

신체활동량을 증가시키기 위한 대표적인 방법인 빠르게 걷기는 체중감량 후 체중유지, 좋은 콜레스테롤(HDL 콜레스테롤) 증가, 혈압감소, 심장혈관계통질환 예방, 암으로 사망할 수 있는 위험도감소 등에 기여한다. 현대인은 좌식생활방식과 바쁜 일상으로 신체활동량이 급격히 줄어들고 있다. 자동차로 하는 출퇴근의 증가, 컴퓨터사용과 텔레비전 시청시간의 증가, 자동화로 인한 편리함 등이 그 주된 이유이다.

과거에는 운동을 권장하는 데 그쳤으나, 최근에는 일상생활에서 신체활동량을 늘리는 것이 건강증진에 중요하다고 모두 알고 있다. 미국의 질병관리와 예방을 관장하는 기관에서는 가능한 매일 적당한 강도의 신체활동(예 : 빠르게 걷기)을 30분 이상 할 것을 권장하고 있다.

2) 운동

(1) 운동이란

사람의 몸은 수많은 세포로 구성되어 있다. 이들 세포들은 세포막을 통하여 필요한 물질들을 받아들이고, 쓰고 남은 노폐물을 내보내는 운동을 끊임없이 하고 있다. 이러한 세포운동에 의하여 인간은 생명을 유지시키고 있다. 즉 사람을 비롯한 모든 생명체의 특징적인 현상은 체내에서 끊임없이 움직이고 있다는 것이다.

그런데 이러한 움직임은 기초에너지대사를 통한 최소한의 활동일 뿐이어서 생명 그 자체를 일시적으로 존속시킨다는 데 의의가 있다. 따라서 생명을 유지함과 동시에 그것을 발달·

성장시키려면 어느 수준 이상의 자극이 필요한데, 가장 효과적인 자극이 바로 운동이다. 운동은 세포 자체의 활동성을 높여 심장·허파·혈관·근육 등 여러 종류의 세포로 이루어진 인체기관의 형태와 기능을 발달시키며, 나아가 생리적 노쇠현상을 지연시켜준다.

그러나 현대사회의 바쁜 생활형태는 적절한 수준의 운동을 할 수 있는 기회를 좀처럼 만들어주지 못한다. 이러한 비활동적인 생활양식은 나이를 먹음에 따라 우리의 건강을 조금씩 좀먹어가고 있다. 세포의 활동수준이 낮아지면 근육의 힘은 약화되고, 섭취한 만큼의 에너지소비가 이루어지지 않아 비만이 되어 심장·허파·혈관 등은 제기능을 다하지 못하게 된다. 이러한 생리적 퇴행현상은 인체 각 부위의 기능을 저하시킬 뿐만 아니라, 결국에는 무서운 질병을 야기시키는 원인이 된다는 데 문제의 심각성이 있다. 그러므로 이를 방지하기 위해서는 의식적이고 지속적인 노력이 필요하다. 즉 각자가 자신의 체력적성에 맞는 운동종목과 방법을 찾아내어 지속적으로 실행할 수 있는 건강프로그램을 작성해야 한다.

규칙적인 운동은 두통, 스트레스, 변비, 호흡곤란, 관절염, 불면증, 소화계통장애, 심장질환 등에 긍정적인 효과를 가져다준다. 운동이 만병통치약은 아니지만 가장 값싼 예방약이다. 규칙적인 운동은 신체적 잠재력을 극대화시킬 뿐만 아니라 완전한 건강생활을 영위하게 한다.

(2) 운동의 원리

운동은 온몸의 생리적 기능이 총동원되는 종합적인 움직임인데, 운동이 일어나는 과정은 다음과 같다. 먼저 대뇌겉질의 이마엽(전두엽)에서 사고한 것을 운동에 관련되는 근육에 지시하면서 머리 윗부분으로 자극을 보내면 이에 따라 운동신경을 통하여 필요한 근육에 자극을 전달하면 근육의 수축과 이완을 통하여 운동(움직임)이 일어난다. 이를 도식화하면 그림 1-1과 같다.

이에 따라서 에너지생산을 돕기 위한 산소섭취량이 증가하고, 충분한 산소를 공급하기 위하여 허파가 확장되고 호흡수가 증가하게 된다. 이러한 신체적·생리적 변화를 조절하기 위

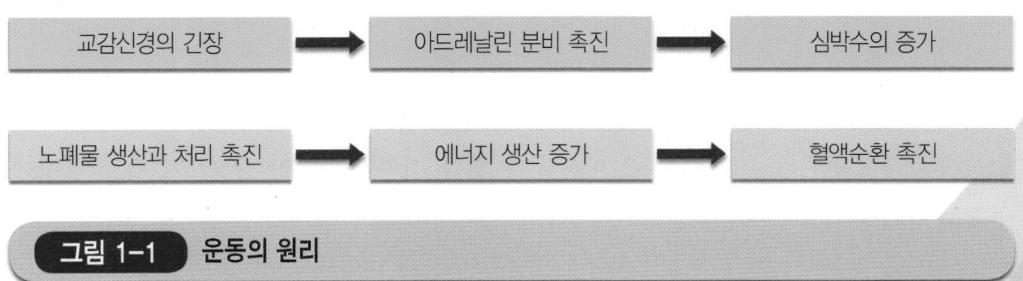

그림 1-1 운동의 원리

하여 신경계통이 호르몬을 조절함으로써 뇌·신경·근육·허파·심장·혈관 등이 총동원되어 이루어지는 조화를 운동의 원리라고 할 수 있다.

(3) 운동의 종류

운동은 에너지동원체계에 따라 크게 유산소(aerobic)운동과 무산소(anaerobic)운동으로 분류한다. 그러나 실제로는 두 에너지동원체계가 혼용된 혼합운동인 경우가 많다. 축구를 예로 들면 전반적으로는 유산소운동이지만, 빠른 동작을 하거나 신속히 이동할 때는 무산소운동이 된다. 이와 같이 에너지동원체계가 혼용되어 있는 운동을 '혼합운동'이라 한다.

한편 동일종목의 운동이라도 운동강도와 체력수준에 따라 유산소운동이 되기도 하고 무산소운동이 되기도 한다. 따라서 운동종목을 선정할 때는 유·무산소운동인가의 판단 이상으로 운동방법의 선택도 중요하다.

인체는 무산소와 유산소의 두 가지 에너지생산과정에 의해 근수축 또는 다른 생물학적 일의 수행에 필요한 에너지원인 아데노신삼인산(ATP : adenosine triphosphate)을 생산한다.

무산소에너지 생산과정에는 두 종류가 있다. 근육에 저장된 ATP와 크레아틴인산(CP : creatine phosphate)의 분해에 의해 화학적 에너지가 생성되는 과정과 글리코겐(glycogen)의 무산소분해를 통해 소량의 ATP와 대사부산물인 젖산이 생산되는 과정이 있다. 유산소에너지생산과정에서는 세포의 미토콘드리아에서 지방과 탄수화물의 분해과정에 산소를 사용하여 대량의 ATP를 생산한다. 표 1-1은 무산소운동과 유산소운동에서 에너지생산경로의 차이점을 보여주며, 표 1-2는 유산소 및 무산소운동의 종목이다.

유산소운동에서는 운동에 필요한 에너지를 산소를 이용하여 생산한다. 전신운동이며 지구력운동이므로 에너지소비가 많으며, 지방을 연료로 쓰고, 피로물질인 젖산축적이 적다는 장점이 있다. 유산소운동은 건강관련 체력요소인 심장허파지구력 향상과 비만방지에 효과적이기 때문에 건강증진을 위한 운동으로 장려된다. 유산소운동은 심장허파(심폐)지구력운동이라고도 한다. 유산소운동은 무산소운동에 비하면 안전성이 높다. 운동강도를 조절하기 쉽고, 심장의 부담이 갑자기 증가하지 않으며, 국소에 갑자기 강한 힘이 작용하지 않고, 근육이나 인대의 파열과 같은 운동상해 발생위험이 적다.

한편 무산소운동은 운동에 필요한 에너지를 산소의 도움없이 생산하는 빠른 운동으로, 단시간에 폭발적인 다량의 에너지를 이용할 수 있다. 갑자기 혈압이 상승하기 쉽고, 심장에 부하가 가해지기 쉬우며, 피로물질인 젖산이 축적되는 단점이 있지만, 건강관련 체력의 하나인 근력강화에 효과적이다. 무산소운동은 유산소운동에 비하여 지방소비가 적고, 소비에너

표 1-1 운동의 원리

운동의 종류	에너지원	ATP생성의 한계요소	ATP생산의 주요 사용처
무산소운동	크레아틴인산(CP), 저장된 ATP	근육이 갖고 있는 적은 CP와 ATP용량	높은 강도의 짧은 활동 : 10초 내에 피로축적
	포도당, 글리코겐	젖산축적에 의한 빠른 피로도	높은 강도의 짧은 활동 : 1~3분 내에 피로축적
유산소운동	포도당, 글리코겐, 지방	근육의 포도당과 글리코겐의 소진 : 불충분한 산소공급	낮은 강도의 긴 활동 : 피로축적까지 3분 이상 걸림

표 1-2 유산소운동과 무산소운동의 종목

운동의 종류	운동종목
유산소운동	걷기, 조깅, 에어로빅댄스, 사이클, 천천히 수영하기, 줄넘기 등
무산소운동	웨이트트레이닝, 단거리 전력달리기, 높이뛰기 등
혼합운동	축구, 농구, 배구, 탁구, 빠른 수영 등

지가 비교적 적다.

(4) 운동의 효과

운동을 정기적으로 계속해서 실시함으로써 얻을 수 있는 신체적 효과는 그림 1-2와 같다.

3) 체 력

(1) 체력이란

체력이라고 하면 근력·지구력 등을 연상하며, 누구든지 체력에 관해서는 일단 상식적인 이해를 하고 있다고 볼 수 있다. 그러나 체력의 개념은 명확하지 않고, 나라에 따라 차이도 있으며, 같은 나라 사람끼리라도 반드시 같은 생각을 하고 있는 것은 아니다.

체력을 파악하는 방법을 크게 나누면 다음의 3가지이다.

- 달리기·던지기·점프로 대표되는 신체적 행동력 또는 행동의 기초가 되는 신체적 능력을 의미하는 것으로, 행동체력이 여기에 해당된다.
- 외부에서 받는 스트레스에 대항하여 신체를 방위하거나 환경에 적응하는 능력(일명 방위체력)도 포함한 더 넓은 의미의 체력이다.

1. 호흡순환계통기능의 향상
·안정심박수의 감소 ·안정혈압의 저하 ·1회심장박출량의 증가 ·분당심장박출량의 증가 ·최대산소섭취량의 증가 ·운동내성의 증가

4. 요산대사의 개선
·고요산혈증 ·통풍

5. 순환계통질환의 개선
·고혈압증 ·허혈심장질환(협심증, 심근경색)

2. 지질대사의 개선
·고지질혈증 ·비만 ·지방간

6. 호흡계통질환의 개선
·기관지천식 ·만성폐색성허파질환

3. 당질대사의 개선
·당내성이상 ·당뇨병

7. 체력의 향상
·신체적 요소 : 행동체력, 방위체력 ·정신적 요소 : 행동체력, 방위체력

그림 1-2 운동으로 얻을 수 있는 신체적 효과

- 신체와 정신은 불가분의 관계이고, 신체활동은 정신요인에 의해 규제받기 때문에 체력에는 정신요인까지 포함시켜야 한다는 의미이다.

첫 번째는 스포츠경기의 기록·승부·전투능력·노동력 등 인간행동의 원동력이 되는 신체적 능력을 체력으로 생각하는 입장인데, 이는 체력이라는 말에 대한 일반적·상식적 이해와 거의 일치한다. 체력이라고 하면 이러한 행동체력을 연상하는 사람이 많다. 이러한 종류의 체력은 신체자원(physical resource)이라고도 불린다. 엄밀하게 말하면 행동체력이든 신체자원이든 정신요인을 포함시켜 생각하는 경우와 그것을 일단 따로 떼어놓고 생각하는 경우가 있다. 이것은 어떠한 경우라도 육체노동과 스포츠에서 가장 중시되는 체력이며, 운동선수는 이러한 종류의 체력이 특히 우수해야 한다.

두 번째는 신체에 불리한 환경변화에 적응하여 내부환경의 항상성을 유지하는 능력, 생

물학적 침해·스트레스·병 등에 저항하는 능력 등도 체력의 일부로 보는데, 이것도 체력의 정의에서 빠뜨릴 수 없다. 특히 건강과 체력의 관계에서는 이러한 종류의 체력이 중요하다.

세 번째는 사람의 몸과 마음은 불가분의 관계에 있고, 행동과 운동성과와 살아나는 능력에는 그 사람의 정신요인이 밀접하게 관련되어 있다고 보는 체력이다. 사람의 행동을 전인적으로 파악할 때, 정신요인을 제외하여 생각하는 것은 불가능하고 의미도 없다. 동기부여 여하에 따라 운동성과에 커다란 차이가 생기는 것을 볼 때 운동성과와 정신요인을 분리하여 생각할 수는 없다.

그렇다고 해서 정신요인까지 체력의 개념에 포함하여 다루는 것이 타당할까? 체력의 '체'자는 '몸'을 가리키며, '마음'과 대립되는 말이다. 체력을 문자 그대로 해석하면 '몸의 힘'이기도 하며, 체력은 정신력의 반대말이기도 하다. physical fitness의 physical에도 정신적인 면을 포함하지 않는 것이 보통이다. 이렇게 생각하면 운동성과와 정신의 관계는 분리할 수 없지만, 체력에 정신을 포함시키는 것은 너무 앞서가는 것이라고 생각된다.

지금까지의 고찰을 기초로 하여 체력을 정의하면 다음과 같다.

"체력이란 인간의 활동과 생존의 기초가 되는 신체적 능력이다."

주로 활동에 관여하는 것이 행동체력이고, 주로 생존에 관여하는 것이 방위체력이지만, 사람의 기본적 행동은 생존을 위해 존재한다는 점으로 보면 양자를 반드시 구별할 수 있는 것은 아니다.

(2) 체력의 분류

① 행동체력과 방위체력

체력은 여러 가지 요소로 이루어져 있다. 체력은 크게 나누면 인간의 행동에 직접 관여하는 요소집단과 생존에 크게 관여하는 요소집단으로 나눌 수 있다. 전자가 이른바 행동체력이고, 후자가 이른바 방위체력이며, 각각은 그림 2-3과 같이 분류된다.

행동체력은 행동을 일으키는 능력, 행동을 유지하는 능력, 행동을 조절하는 능력으로 나눌 수 있다. 행동을 일으키는 직접적인 원동력은 근육의 수축력인데, 여기에는 근력(정적근력과 동적근력으로 나눈다)과 근력에 시간인자를 가미한 순발력이 있다. 근력은 악력처럼 시간인자를 특별히 고려하지 않고 몇 차례 시행함으로써 얻어진 최대치로 나타낸다. 이에 비해 순발력은 근수축에 의해 생기는 일량과 그 일량을 발생시키는 데 들어간 시간의 비율을 나타낸 것으로, 커다란 운동량을 가능한 재빨리 낼 수 있는 능력을 말한다.

속도를 문제삼지 않고 무거운 물건을 들어올리거나 밀 때는 근력이 중요하지만, 빨리 달

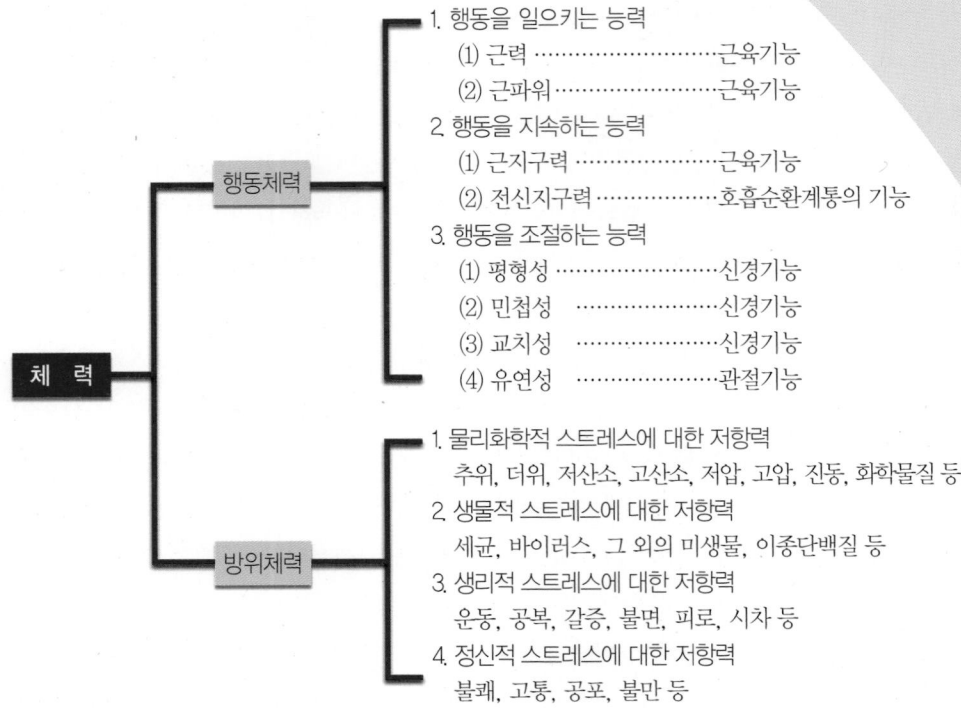

체 력
- 행동체력
  - 1. 행동을 일으키는 능력
    - (1) 근력 ·························근육기능
    - (2) 근파워·························근육기능
  - 2. 행동을 지속하는 능력
    - (1) 근지구력 ·····················근육기능
    - (2) 전신지구력 ·············호흡순환계통의 기능
  - 3. 행동을 조절하는 능력
    - (1) 평형성 ·····················신경기능
    - (2) 민첩성 ·····················신경기능
    - (3) 교치성 ·····················신경기능
    - (4) 유연성 ·····················관절기능
- 방위체력
  - 1. 물리화학적 스트레스에 대한 저항력
    추위, 더위, 저산소, 고산소, 저압, 고압, 진동, 화학물질 등
  - 2. 생물적 스트레스에 대한 저항력
    세균, 바이러스, 그 외의 미생물, 이종단백질 등
  - 3. 생리적 스트레스에 대한 저항력
    운동, 공복, 갈증, 불면, 피로, 시차 등
  - 4. 정신적 스트레스에 대한 저항력
    불쾌, 고통, 공포, 불만 등

그림 1-3 **행동체력과 방위체력**
체력은 넓은 개념이다. 일반상식적인 체력은 여기에서 행동체력으로 나타냈다.

리거나 물건을 멀리 던지거나 멀리뛰기·높이뛰기에서는 순발력이 큰 쪽이 유리하다. 따라서 대부분의 스포츠에서는 커다란 근력보다 오히려 커다란 순발력이 요구된다.

근력은 근육의 단면적에 비례하는데, 이 값은 $1cm^2$당 6.4kg 전후이다. 따라서 강한 근력을 발휘하기 위해서는 근육이 굵어야 한다. 근력트레이닝은 전력에 가까운 강한 힘을 내면서 실시하는데, 이때 필연적으로 현저한 근육의 비대를 동반하게 된다. 여기에 비해 순발력은 비교적 작은 힘으로도 되기 때문에 가능하면 신속하게 근육을 수축시켜야 효율적인 트레이닝이 된다. 근력을 높인다고 해서 반드시 순발력이 좋아지는 것은 아니다.

운동을 지속하는 능력에는 근지구력과 전신지구력이 있다. 전자는 최대근력의 일부(예를 들면 1/3)의 힘을 몇 회 반복하여 발휘할 수 있는가에 의해 측정된다. 보통사람은 최대근력의 1/3의 힘을 1초에 1회의 비율로 발휘했을 경우에 약 60회 지속할 수 있다고 한다.

근지구력은 근육의 굵기와 근력의 힘과는 관계없고, 근육의 질과 관계가 있다. 특히 근육을 구성하는 적색근육섬유와 백색근육섬유의 비율과, 근육 속의 모세혈관의 발달상황이 여기에 크게 관여하고 있어서 적색근육섬유의 비율이 클수록, 모세혈관이 잘 발달되어 있는 사람일수록 근지구력이 강하다.

근육이 1회 내지 여러 번 수축할 때에는 무산소에너지가 사용되므로 산소의 공급은 필요없다. 무산소에너지를 공급하는 ATP와 크레아틴인산, 글리코겐만 충분하면 된다. 하지만 수축을 수십 회 이상 반복하기 위해서는 유산소에너지가 필요하므로 근육에 산소를 충분히 공급할 필요가 생긴다. 모세혈관의 발달은 근육에 대한 산소의 공급을 활성화하며, 적색근육섬유에는 산소를 사용하여 에너지를 생산하는데 필요한 효소가 많이 함유되어 있다.

전신지구력이란 격렬한 전신운동을 장시간(5분 이상) 계속할 수 있는 능력이다. 이때 이용되는 에너지는 주로 유산소에너지이기 때문에 전신지구력은 유산소능력이 큰 관계가 있기 때문에 이 능력이 큰 사람일수록 전신지구력이 강하다. 유산소능력에는 호흡·순환·혈액 등의 산소운반능력과 조직의 산소이용능력이 관계되어 있는데, 수많은 체력요소 중에서 건강에 특히 중요하다.

운동을 조절하는 능력이란 근육의 수축에 의해 발생한 힘을 그 운동의 목적에 맞게 가능한 효과적으로 이용할 수 있도록 몸의 움직임을 조절하는 능력인데, 이는 민첩성, 평형성, 교치성, 유연성 등으로 나누어진다. 조정력이라고 불리는 체력은 복합체력인데, 여기에는 평형성·민첩성·교치성 등의 요소를 포함된다.

한편 방위체력은 운동생리학과 체력학에서 막 접근이 시작된 단계에 있기 때문에 연구보고도 적다. 따라서 그 내용의 규정과 분류에 관해 합의가 되었다고 말하기는 어렵지만, 건강과 생명을 위협하는 스트레스와 건강침해에 대해 저항하는 능력을 여기에 포함시킬 수 있다. 예를 들면 추위·더위·저산소·가속도·진동 등의 물리적 스트레스에 대한 저항력, 약제·독극물·알코올 등의 화학적 스트레스에 대한 저항력, 세균·바이러스·이종단백 등의 생물학적 스트레스에 대한 저항력, 공복·갈증·불면·시차·운동 등의 생리적 스트레스에 대한 저항력, 불쾌·고통·슬픔·공포·불만 등의 정신적 스트레스에 대한 저항력 등은 여기에 포함된다고 할 수 있다.

② 건강관련 체력과 운동기능

체력에는 여러 가지 요소가 있다(그림 1-4). 각 요소의 중요도는 스포츠종목이나 연령에 따라 다르지만, 시대에 따라서도 변화되어 간다. 운동부족이 생활습관병의 원인이 되어 사망원인의 하나로 이어지는 오늘날, 운동부족에 의해 현저히 저하되는 건강과 관련된 체력요소

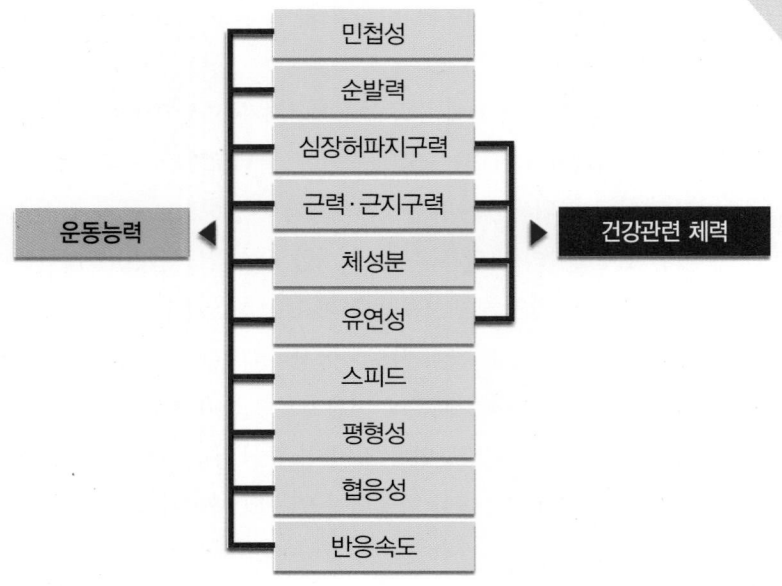

그림 1-4   **체력의 구성요소와 건강 관련 체력**

가 중요해지고 있다. 다시 말해서 운동능력으로서의 체력보다도 심장허파지구력, 근력, 근지구력, 유연성, 체성분 등과 같은 건강관련 체력(health-related fitness)이 중요해진 것이다.

심장허파지구력(cardiorespiratory endurance)은 전신지구력이나 유산소체력이라고도 불리며, 오래달리기(1,500m 달리기, 12분간 달리기 등)나 20m 왕복달리기(shuttle run)테스트에 의해 평가된다. 또, 실험실에서 최대산소섭취량을 측정하여 평가하기도 한다. 이것은 자전거에르고미터나 트레드밀에서 운동을 부하하여 산소섭취량을 측정하는 것으로, 서서히 부하강도를 높여 산소섭취량의 최고치를 구하는 것이다.

운동이 부족하면 허파·심장·근육 등의 기능이 저하되어 심장허파지구력이 저하된다. 따라서 심장허파지구력에는 유전적 요인도 영향을 미치지만, 평소의 운동량을 반영하여 호흡순환계통이나 대사기능의 좋고나쁨을 나타낸다고 할 수 있다.

어떤 집단을 대상으로 추적연구한 결과에 의하면 체지방률보다 심장허파지구력이 사망률에 더 많은 영향을 미친다고 한다. 심장혈관계통질환으로 사망할 확률은 심장허파지구력이 높은 사람보다 낮은 사람이 34배 높다고 한다. 심장허파지구력을 높이기 위해서는 심박수나 호흡수를 높여 호흡순환계통을 자극하는 것이 좋다. 이 경우에는 비만해소를 위한 운동(소비에너지를 높이는 것에 중점을 둔다)보다 약간 강도가 높은 운동이 필요하다.

근육은 스포츠선수에게만 필요한 것이 아니다. 젊은 여성 중에는 몸상태를 무시한 채(지방이든 근육이든 상관없이) 마르려고만 하는데, 이는 매우 잘못된 일이다. 과도한 체지방이나 내장지방은 감소시켜야 하지만, 근육을 망가뜨리면 건강상 문제가 생긴다. 근육은 에너지를 소비하고(비만예방), 당뇨병을 막아주며, 고령자의 골다공증이나 골절을 막아주는 데 중요한 역할을 한다. 근력(muscle strength)은 연령과 함께 저하한다. 근력저하는 근량의 저하로 보아도 좋다.

유연성(flexibility)이 건강에 미치는 영향은 많이 알려져 있지 않지만, 운동장애 예방이나 전도·골절 방지에 도움이 된다. 근력·근지구력(muscle endurance)이나 유연성의 필요최저치는 명확하게 밝혀지지 않았으나, 성별·연령별 평균치를 기준으로 하면 될 것이다. 근력을 높이기 위해서는 8~10종목의 근력운동을 각각 8~12회 반복할 수 있는 무게로 주 2일 이상 실시할 것이 권장되고 있다. 또한 유연성을 향상시키려면 주요한 근육이나 힘줄 스트레칭을 1회 10~30초×34회씩, 주에 여러 번 실시하면 좋다.

체성분(body composition)이란 신체의 구성성분을 분석한 것인데, 이것은 보통 근육, 뼈, 지방, 기타로 나누어진다. 이것을 체력에 포함할지에 대해서는 의견이 나뉘지만, 지방이 늘고 근육이나 뼈가 감소하면 건강에 심각한 영향을 미치므로 건강관련 체력에 포함시킨다.

❷ 운동생리학

1) 운동생리학의 정의

운동생리학은 일회적 또는 반복적인 운동으로 초래되는 생리적·기능적 변화와 그 변화의 원인을 설명하는 학문이다. 즉 여러 가지 형태의 운동을 했을 때 인체가 반응 또는 적응하여 운동을 수행할 수 있는 능력과 건강에 미치는 효과를 연구하는 것이 운동생리학이다.

인간이 운동을 수행할 수 있는 능력은 신체를 이루고 있는 각 계통의 기능과 상호 조절기능의 개선이 바탕이 되어 향상된다.

반복적인 운동에 의해 얻어지는 인체의 생리기능과 운동수행능력의 향상은 특정 종목의 기록향상에만 의미가 있는 것이 아니라, 개인적인 차원에서 기능적으로 우월하고 보다 건강한 개체로 살아가는 데 운동이 유용한 수단으로 이용될 수 있다는 것을 뜻한다.

인체의 생리적·기능적 변화는 운동의 특성뿐만 아니라 개인의 내·외적 조건에 따라서도 다르게 나타난다. 예를 들어 근력운동과 심장허파지구력 운동은 인체의 여러 계통에 미치는 영향은 다를 뿐만 아니라, 개인의 성·연령·체력수준은 물론이고 운동을 실시하는 장소의 환경조건에 따라서도 각기 다르다. 그러므로 운동생리학은 필연적으로 다양한 형태의 운동과 그 운동을 실시하는 유기체의 내·외적 환경요인이 갖는 상호관계를 연구영역으로 포함하고 있다.

2) 운동생리학의 필요성

보건·체육관련 전문가들은 반드시 운동 시 일어나는 인체의 생리적 과정을 이해하고 있어야 한다. 운동생리학을 포함한 여러 분야의 과학적 접근이 경기력 향상을 보장하는 것은 아니지만, 인체의 수행능력을 극대화시키기 위한 최적의 방법을 찾는 데는 크게 도움이 된다.

때때로 전수받은 기술과 경험에 의해서 학생들을 지도해도 어느 정도 성과를 거두는 경우도 있지만, 그것이 최적의 방법이라고는 할 수 없다. 즉 전통적인 기술전수와 경험에만 의존하는 방법은 그 자체가 지도의 중요한 요건이기는 하지만, 지도자 자신의 경험이라는 한정된 범위 내에서만 지도방법이 결정되기 때문에 보다 창조적이고 새로운 방법을 모색할 수 없게 된다.

운동생리학을 통해서 운동 중에 일어나는 인체의 기능적 변화의 원인을 알게 되면 체계적인 지도과정과 새로운 지도방법을 모색할 수 있는 능력을 갖도록 해주고, 지도받는 선수가 선수로서뿐만 아니라 장차 뛰어난 지도자가 될 수 있는 바탕을 마련해준다.

생활체육지도자나 건강관련 분야의 전문가들에게는 보다 포괄적인 건강관련 지식이 요구된다. 왜냐하면 생활체육활동에 참여하거나 전문적인 운동처방을 요망하는 사람들의 가장 중요한 동기는 건강문제이기 때문이다.

생활양식과 식생활이 급속하게 서구화되기 시작한 1980년대 이후부터 고혈압, 비만, 허혈심장병, 당뇨병 등과 같은 만성퇴행성 질환이 크게 증가하였고, 점점 연소화되어가는 경향을 띠고 있다. 그러한 질병을 예방하고 치료하기 위해서는 다양한 환경조건하에서 나타나는 운동에 대한 반응을 이해하고 적용시킬 전문가가 더욱 더 필요하게 되었다.

3) 운동의 특이성

　운동의 효과는 운동의 종류, 운동하는 시기, 운동하는 방법, 그리고 운동하는 사람의 생리·심리적 상태에 따라서 다르다는 것을 '운동의 특이성'이라고 한다. 운동의 특이성을 설명하는 방법은 여러 가지이다. 앞에서 말한 것은 여러 가지 상황에 따라서 운동의 효과가 다르다는 설명이고, 운동의 효과가 다르기 때문에 어떤 효과를 기대하려면 그런 운동을 해야 한다고 설명할 수도 있을 것이다.

　예를 들어 근력을 향상시키기 위해 트레이닝을 해야겠다고 결심하였으면 근력을 향상시키는 운동을 해서 근력을 향상시켜야 하고, 지구력을 향상시키려고 한다면 지구력을 향상시킬 수 있는 운동을 해야 한다고 설명하는 것이다. 또 다른 방법으로는 어떤 운동을 하면 그 운동 특유의 운동효과가 나타나기 때문에 다른 종류의 운동을 해서는 똑같은 결과를 얻을 수 없다고 설명하는 사람도 있다.

　한편 에너지원을 이용하여 운동의 특이성을 설명할 수도 있다. 예를 들어 지구력운동을 할 때에는 유산소에너지원을 이용하기 때문에 지구력운동을 하면 유산소에너지 이용능력이 향상된다. 반대로 짧은 시간 동안에 폭발적인 순발력을 필요로 하는 운동을 할 때에는 무산소에너지원을 이용하기 때문에 순발력 운동을 하면 무산소에너지 이용능력이 향상된다.

　그림 1-5를 보면 운동 중에 사용하는 에너지원이 운동의 종류와 운동의 지속시간에 따

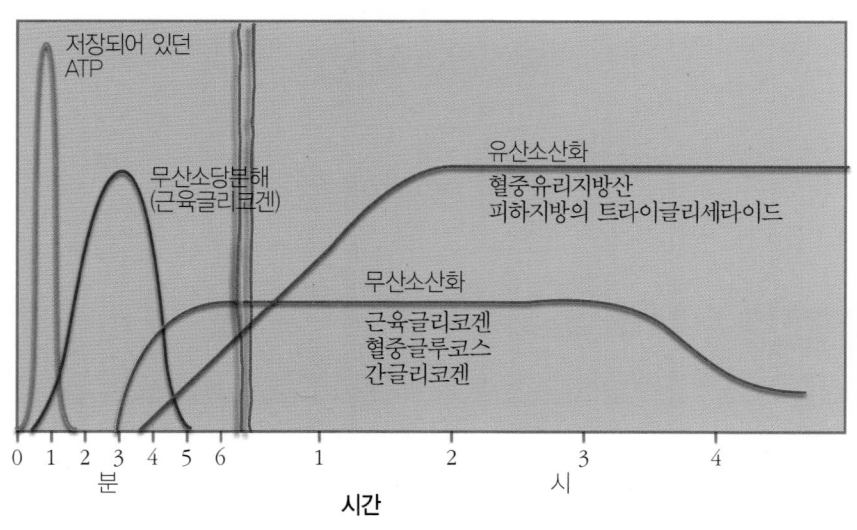

그림 1-5　운동 중의 에너지원

라서 크게 다르다는 것을 알 수 있다. 즉 ① 저장되어 있던 ATP, ② 무산소당분해(근육글리코겐), ③ 무산소산화(근육글리코겐, 혈중글루코스, 간글리코겐), ④ 유산소산화(혈중유리지방산, 피하지방의 트라이글리세라이드)의 순서로 이용한다. 또 지속적인 운동일수록 뒤의 에너지원이 주에너지원이 된다.

4) 운동생리학에 관련된 학문

운동생리학과 깊은 관련이 있는 분야로는 운동수행능력의 향상과 합리적인 트레이닝방법을 연구하는 '트레이닝론'과 '운동처방론', 스포츠활동에 적합한 식사의 질과 양을 연구하는 '스포츠영양학', 인체운동의 역학적 법칙을 연구하는 '인체역학', 운동수행의 의학적 측면을 연구하는 '스포츠의학' 등이 있다.

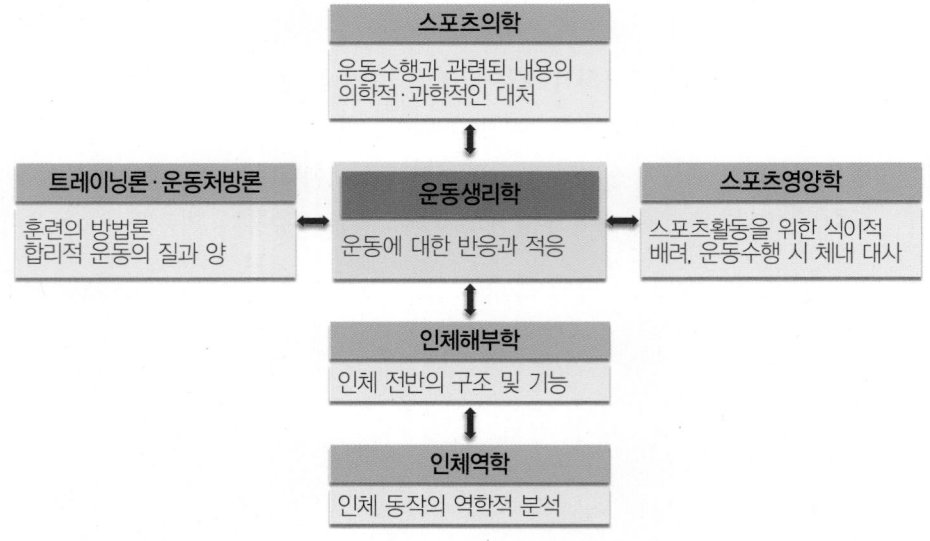

그림 1-6 운동생리학과 관련학문 영역
출처 : 정일규(2015). 휴먼퍼포먼스와 운동생리학. 대경북스.

02

세포와 물질이동

1 세 포

1) 모든 생명활동은 세포가 하는 일

세포는 생물을 구성하는 기본단위이다. 세포는 물질을 주고받고, 받아들인 물질을 분해하여 에너지를 산출하거나 인체에 필요한 물질을 합성한다. 또, 세포분열을 하여 생명을 유지하고 자손을 남긴다.

60조 개나 되는 세포로 구성되어 있는 사람도 원래는 1개의 수정란에서 나온다. 세포분열을 반복하여 수를 늘리고, 그것들이 다양한 기능을 가진 세포로 분화되어 전신의 장기 및

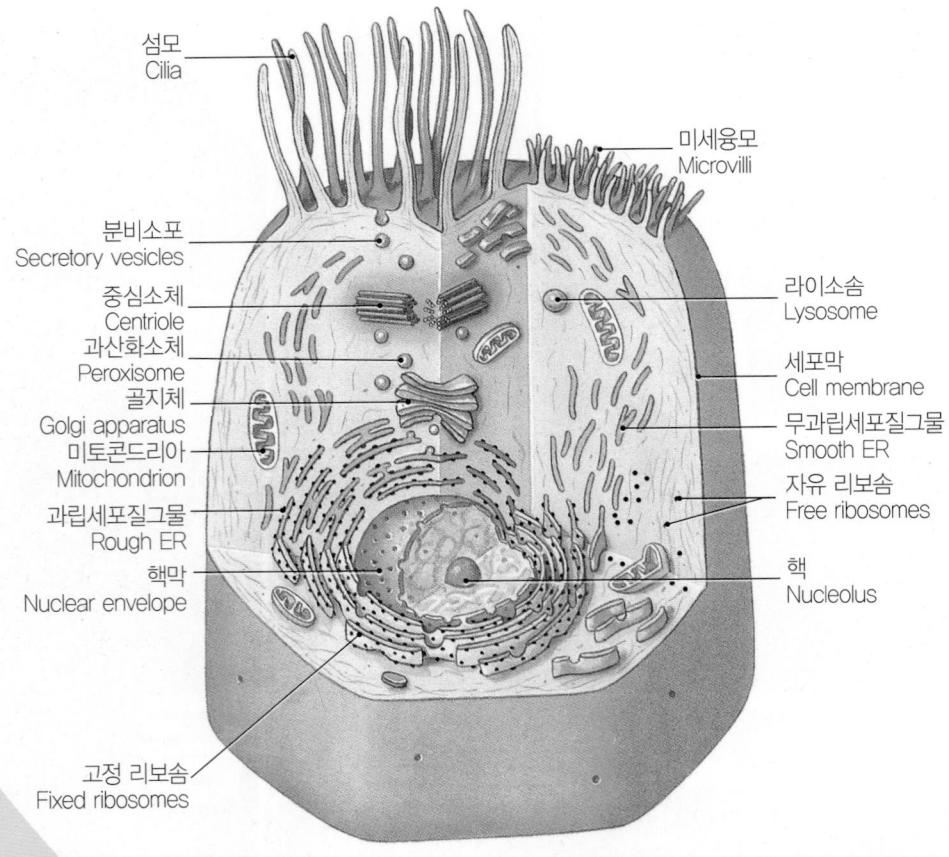

섬모
Cilia

미세융모
Microvilli

분비소포
Secretory vesicles

라이소솜
Lysosome

중심소체
Centriole

과산화소체
Peroxisome

세포막
Cell membrane

골지체
Golgi apparatus

무과립세포질그물
Smooth ER

미토콘드리아
Mitochondrion

자유 리보솜
Free ribosomes

과립세포질그물
Rough ER

핵
Nucleolus

핵막
Nuclear envelope

고정 리보솜
Fixed ribosomes

그림 2-1 세포의 구조와 활동

기관이 만들어진다. 인체에는 200종류나 되는 세포가 있다고 알려져 있으나, 기본적인 구조는 모두 같다. 세포는 핵·리보솜·미토콘드리아 등의 세포 내 소기관들을 포함한 세포질, 그것들을 감싸는 세포막으로 구성되어 있다.

세포의 주요구조와 활동은 다음과 같다.

- 세포의 크기 : 인체세포의 평균적인 크기는 10~30um 정도이다. 대표적인 작은 세포는 림프구로 지름이 $5\mu m$ 정도이고, 가장 큰 세포는 난자로 지름이 $200\mu m$ 정도이다($1\mu m=1/1,000\mu m$).
- 세포막 : 이중인지질로 구성된다. 세포 안과 밖을 나누고 물질을 주고받는다.
- 핵 : 유전정보를 전달하는 DNA가 들어 있다.
- 세포질 : 세포막과 핵을 뺀 부분. 대부분이 물이며, 단백질·포도당·이온 등을 포함한 콜로이드상태의 사이토졸(cytosol, 세포액)·리보솜 등의 세포 내 소기관으로 구성된다. 여기에서 물질대사가 이루어진다.
- 리보솜 : 아미노산을 연결하여 단백질을 합성한다. 세포질그물(소포체)에 붙은 부착리보솜과 세포질 내에 부유하는 유리리보솜이 있다.
- 미토콘드리아 : 에너지의 기초가 되는 ATP를 합성한다.
- 세포질그물(소포체) : 세포 내의 물질수송을 담당한다. 리보솜이 부착된 과립세포질그물과 리보솜이 부착되지 않은 무과립세포질그물이 있다. 과립세포질그물은 단백질합성에 관여하고, 무과립세포질그물은 지질대사와 관계가 있다.
- 중심체 : 2개 있다. 세포분열을 할 때 염색체를 좌우로 끌어당긴다.
- 리소솜 : 내부 효소를 통하여 세포 안의 노폐물을 처리한다.
- 소포 : 세포 내에서 만들어진 물질이 들어 있는 주머니. 안의 물질은 세포막에서 방출된다.
- 골지장치 : 세포 내에서 합성된 물질의 가공 및 수송을 담당한다.
- 세포 내 소기관 : 세포질 안에 떠다니는 다양한 장치를 말한다. 핵, 리보솜, 미토콘드리아, 중심체, 골지체, 소포 등이 있다.

2) 세포막의 물질수송

(1) 수동수송의 단순확산과 촉진확산

세포막을 통과하여 세포의 안과 밖에서 물질을 주고받는 방법은 물질이 자연스럽게 이동하는 수동수송과 에너지를 사용하여 물질을 이동시키는 능동수송으로 나누어진다.

수동수송에는 단순확산과 촉진확산이 있다. 확산이란 물질이 농도가 높은 쪽에서 낮은 쪽으로 이동하는 현상을 말하며, 에너지를 필요로 하지 않는다.

단순확산이란 지질로 이루어진 막을 통과할 수 있는 지용성물질이나 산소와 같이 분자가 작은 가스가 세포막을 그대로 통과하는 것이다. 물이나 이온과 같은 하전입자(charged particle, 대전입자)는 세포막으로 채워진 단백질의 막채널을 통과한다.

촉진확산이란 세포막으로 채워져 있는 단백질로 이루어진 수송체가 분자가 큰 물질 및 지질에 녹지 않아 세포막을 통과하지 못하는 물질이면서 하전되지 않은 입자(포도당 등)를 통과시키는 구조이다. 현상으로 보면 확산이며, 에너지는 필요하지 않다.

(2) 능동수송의 구조

능동수송은 에너지를 사용하여 펌프와 같은 장치를 움직여 물질을 이동시키는 구조이다. 예를 들어 나트륨-칼륨펌프는 나트륨이온(Na^+)을 항상 세포 밖으로 퍼내고, 칼륨이온(K^+)을 세포 내로 끌어들인다. 그러므로 나트륨과 칼륨의 이온농도는 세포 안과 밖에서 크게 다르다.

3) DNA와 단백질합성

DNA(deoxyribonucleic acid)의 염기배열은 인체를 만드는 단백질의 설계도이다. 염기배열이 나타내는 아미노산을 연결하여 단백질이 합성된다. 단백질합성에는 DNA와

◆하전입자
플러스 또는 마이너스의 전기를 가진 분자. 예를 들어 나트륨은 체액 내에서는 하전된 나트륨이온(Na^+)으로 존재한다. 포도당 등은 체액 내에서도 전기를 가지지 않는다(비하전).

◆세포막의 통과
세포막은 2층의 인지질로 이루어져 있으므로 지질은 막을 그대로 통과할 수 있다. 물 등의 지질에 녹지 않는 물질은 통과할 수 없다.
세포막은 막단백질이라고 불리는 장치로 채워져 있다. 막단백질에는 물질을 운반하기 위한 수송체 외에도 외부자극을 캐치하는 수용체 활동을 하는 것이 있다.

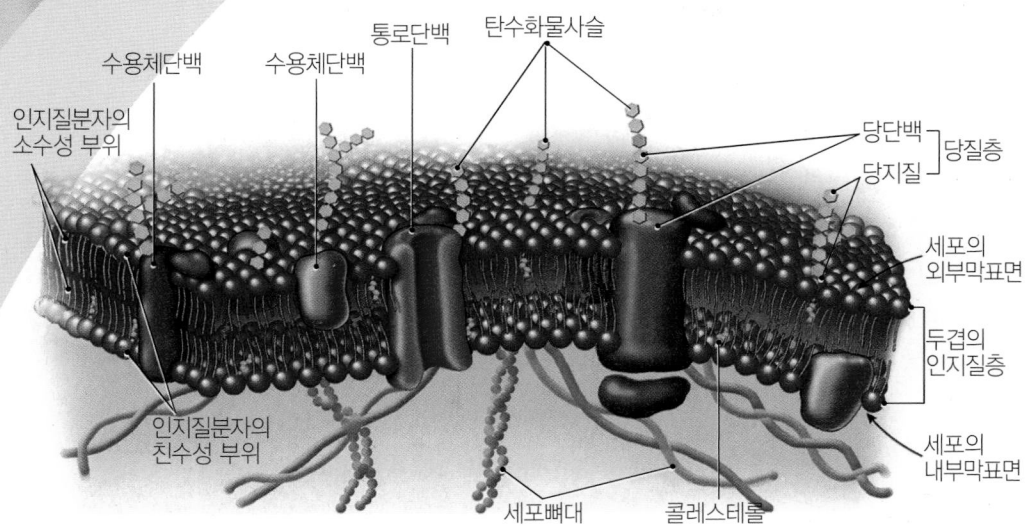

세포막 : 2층의 인지질이 친수성인 머리부위는 세포의 밖과 안을 향하게 만들고, 소수성인 꼬리부위를 맞대게끔 하여 늘어서 있다.

막단백질 : 세포막으로 채워져 있는 단백질. 세포 내외의 물질수송을 담당하는 수송체나 호르몬 등의 수용체, 효소 등의 활동을 하는 것이 있다.

그림 2-2　세포막의 구조와 막단백질

① 단순확산
어떤 물질의 농도가 세포막의 안과 밖에서 다를 때 물질은 농도가 높은 쪽에서 낮은 쪽으로 이동한다. 이 확산현상에 의하여 물질이 세포막을 자연스럽게 통과한다. 스테로이드와 같은 지질, 산소·이산화탄소와 같이 분자가 작은 가스가 이동할 때 발생한다.

② 이온채널
막단백질로 이루어진 채널(경로)을 물, 나트륨 및 칼륨, 칼슘 등의 이온(지질에 녹지 않으므로 세포막을 그대로 통과할 수 없다)이 확산현상을 통하여 통과시키는 구조. 수송방법은 단순확산이다.

③ 촉진확산
막단백질로 이루어진 수용체가 포도당 등 하전되지 않은 분자 및 큰 분자를 통과시킨다. 에너지는 필요하지 않다.

④ 이온펌프
에너지를 사용하여 펌프와 같은 장치를 움직여 물질을 이동시킨다. 이때 에너지로 ATP를 사용한다. 나트륨을 세포 안에서 밖으로 퍼내는 나트륨-칼륨펌프 등이 있다.

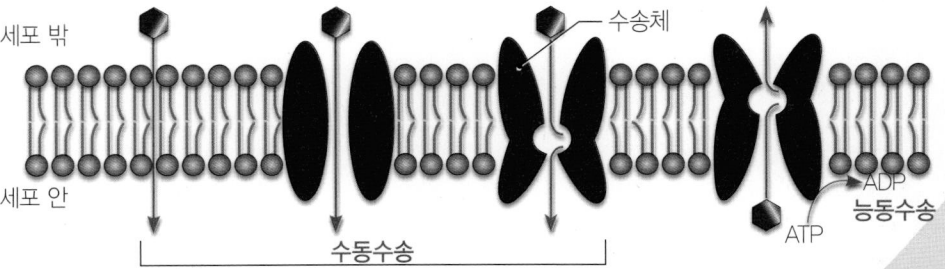

그림 2-3　세포막의 물질수송방법

RNA(ribonucleic acid), 리보솜과 과립세포질그물이 관여한다.

세포 내에서 단백질이 합성되는 과정은 다음과 같다.

- 핵 안에서 DNA 사슬이 풀린다.
- 전령RNA(messenger RNA : mRNA)가 DNA의 염기에 맞추어 늘어서고 이어진다. 이것이 DNA의 네거티브가 되는데, 이 과정을 전사(transcription)라고 한다.
- mRNA가 핵을 나와 과립세포질그물에 부착된 리보솜에 붙는다.
- mRNA의 염기 3개씩(이것을 codon이라고 한다)이 나타내는 아미노산을 전달 RNA(transfer RNA : tRNA)가 운반해 와서 아미노산을 차례로 연결하여 단백질을 만드는데, 이 과정을 유전자부호해독(translation, 번역, 해석)이라고 한다.

DNA는 아데닌(A), 타이민(T), 구아닌(G), 사이토신(C)의 4종류의 염기를 가지고 있다. 아데닌은 타이민과, 구아닌은 사이토신과 짝이 되어 마주 보며 이중나선구조를 만든다. RNA

◆DNA(deoxyribonucleic acid)
데옥시리보스와 인산과 염기로 이루어진 뉴클레오타이드가 이어진 것. 두 줄의 DNA가 마주 보는 이중나선구조를 이룬다. 아데닌(A), 타이민(T), 구아닌(G), 사이토신(C)

◆RNA(ribonucleic acid)
리보스와 인산과 염기로 구성된다. 아데닌(A), 우라실(U), 구아닌(G), 사이토신(C)

◆전사(transcription)
핵 안에서 mRNA가 DNA의 네거티브를 취하는 것.

◆유전자부호해독(translation)
리보솜에서 mRNA가 나타내는 설계도(네거티브)에 따라 tRNA가 아미노산을 연결하고 DNA의 설계도에 따른 단백질을 합성하는 것.

◆DNA의 정보
DNA는 설계도가 그려진 '종이'이고, 유전자는 거기에 그려져 있는 그림 및 문자 등의 정보이다.

◆모습을 바꾸는 염색체
염색체란 세포분열 시에 DNA가 X나 Y자와 비슷한 형태로 모습을 바꾸는 것을 말한다.

에는 타이민이 없는 대신 우라실(U)이 있으며, 우라실은 항상 아데닌과 짝이 된다. mRNA는
DNA 염기의 상대편 염기를 연결해나가는 것으로 전사한다.

4) 세포분열의 구조

세포가 하는 세포분열에는 인체의 세포를 그대로 복제하는 체세포분열과 자손을 남기기
위한 배우자(난자, 정자)를 만드는 감수분열이 있다.

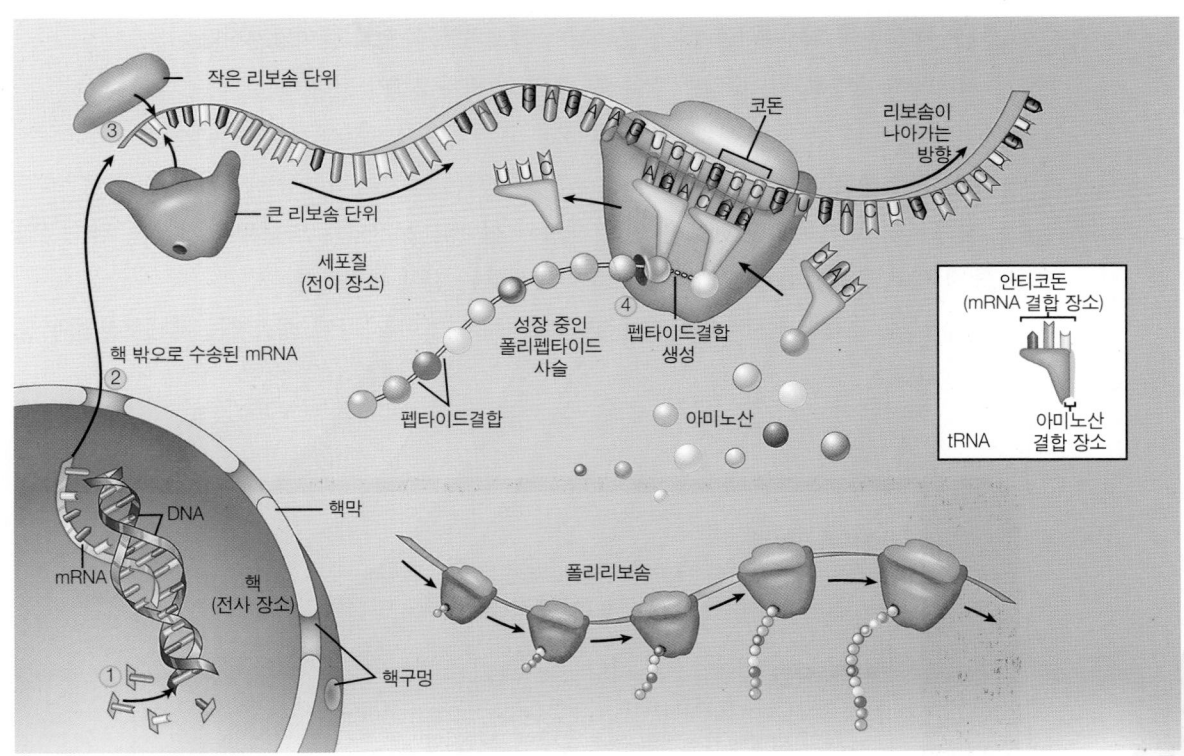

그림 2-4　단백질을 합성하는 구조

① 단백질합성은 전사로부터 시작된다. 전사 과정 중에 세포핵 안에 있는 DNA 분자에 있는 일련의
　유전자 순서에 따라 mRNA 분자가 만들어진다. mRNA 분자가 완성되면 DNA 분자에서 떨어져
　나온다.

② 그다음에는 커다란 핵구멍을 통해 mRNA가 핵을 떠나 세포질로 이동한다.

③ 핵 밖에서 리보솜의 아단위가 mRNA 분자의 머리에 붙는데, 그러면 전이 과정이 시작된다.

④ 전이과정 중에 tRNA분자가 mRNA 코돈에 암호로 기록된 특정 아미노산을 리보솜 안으로 가져온
　다. 아미노산들이 적절한 순서로 배열되면 펩타이드결합을 하여 폴리펩타이드라는 긴 가닥을 만든
　다. 완전한 단백질분자를 만들기 위해 여러 개의 폴리펩타이드가 사슬로 연결되어야 할 때도 있다.

(1) 체세포분열

체세포분열로 만들어지는 새로운 세포는 원래의 세포와 동일한 46가닥의 염색체를 가지며, 유전정보도 동일하다.

- 핵에서 DNA가 복제되어 두 배가 된다. 복제된 DNA는 매듭(centromere, 동원체, 중심절)이라는 점에서 부착된 상태로 있다.
- DNA가 두껍고 염색체의 형태가 된다. 핵막이 사라진다.
- 염색체가 세포의 적도면(equatorial plane)에 늘어선다. 세포의 양쪽으로 나누어진 중심체로부터 방추섬유가 뻗어 나와 염색체의 매듭에 붙는다.
- 방추섬유에 의하여 염색체가 분리되어 세포의 양쪽으로 끌어당겨진다.
- 핵막이 재형성되어 중앙이 잘록해지면서 세포가 2개가 된다.

(2) 감수분열

감수분열로 만들어진 세포는 원래 세포의 절반인 23가닥의 염색체를 가진다. 감수분열 도중에 일부 유전정보가 교체되는 교차가 발생하는 것이 특징이다.

- DNA의 복제에서부터 염색체의 형태가 되어 핵막이 사라질 때까지는 체세포분열과 동일하다.

◆체세포분열
1개의 세포로부터 동일한 내용의 세포를 2개 복제하는 세포분열. 방추섬유에 의하여 염색체가 나누어진다는 점에서 유사분열이라고도 한다.

◆감수분열
난모세포(oocyte)에서 난자를, 정모세포(spermatocyte)에서 정자를 만드는 세포분열. 1개의 세포에서 4개의 배우자가 만들어진다.

◆매듭(centromere, 동원체, 중심절)
염색체의 중앙 부근에 있으며, 세포분열 시에 중심체로부터 뻗어 나온 방추섬유가 붙은 부분을 말한다.

◆감수분열과 유전자정보
감수분열에서는 동일한 번호의 염색체(homologous chromosome, 상동염색체) 사이에서 일부의 유전자가 교체되는 교차가 발생한다. 그러므로 동일한 부모에게서 태어난 형제자매라도 얼굴과 신체가 항상 다르다.

체세포분열

부(父)측 염색체 모(母)측 염색체

염색분체 방추섬유
중심체

중심절

① 핵 안에서 DNA가 분열되어 2배가 된다. 복제된 DNA는 매듭에 부착된 상태이며, 1개의 염색체이다. 이것을 염색분체라고 한다.

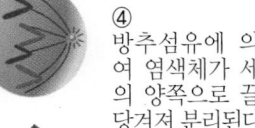

② DNA가 두껍고 짧아져서 염색체의 형태가 된다. 염색체의 수는 46가닥으로 DNA의 양은 2배이다. 핵막이 사라진다.

③ 염색체가 세포의 적도면에 늘어선다. 세포의 양쪽으로 나누어진 중심체로부터 방추섬유가 뻗어나와 염색체의 매듭에 붙는다.

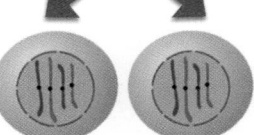

④ 방추섬유에 의하여 염색체가 세포의 양쪽으로 끌어당겨져 분리된다.

⑤ 세포의 양쪽에 모인 염색체 주위에 핵막이 재형성된다. 중앙이 잘록해지며 세포가 두 개가 된다. 만들어진 세포의 DNA와 염색체의 수는 원래 세포와 동일하다.

감수분열

❶-A DNA가 복제되어 2배가 된다. 복제된 DNA는 매듭에 부착된 상태이며 1개의 염색체이다.

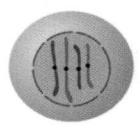

❶-B DNA가 두껍고 짧아져서 염색체의 형태가 된다. 염색체는 46가닥, DNA의 양은 2배. 핵막이 사라진다.

❷ 같은 번호의 염색체(상동염색체)가 달라붙어 서로 사이에 일부 유전자가 교체된다(교차).

교차가 일어남

제1분열

❸ DNA의 양이 2배인 상태로, 상동염색체의 짝이 떼어놓아지듯이 분열된다(제1분열). 만들어진 세포의 염색체수는 원래의 절반인 23가닥이다.

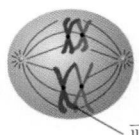

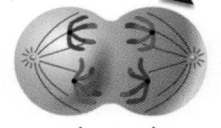

이 세포에서 2개의 배우자가 만들어진다.

제2분열

❹ 매듭에 부착되어 있던 염색체가 세포의 양쪽으로 끌어당겨지듯이 분리되어 각각 배우자가 된다(제2분열). 그 결과 염색체의 수와 DNA의 양이 절반이 된 세포가 4개 만들어진다.

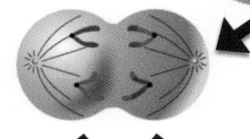

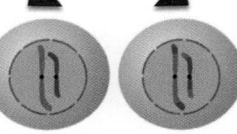

그림 2-5 체세포분열과 감수분열

- 같은 번호의 염색체 사이에서 교차가 발생한다.
- DNA가 2배인 상태에서 염색체의 수가 절반이 되도록 분열한다(제1분열).
- 염색체가 분리되어 세포의 양쪽으로 끌어당겨져 각각이 배우자가 된다(제2분열).

② 물질의 이동

세포막을 통한 물질의 이동방법에는 수동운반(물리적 이동)과 능동운반(생리적 이동)의 2가지가 있다. 수동운반에는 에너지를 공급하지 않더라도 물질이 이동하는 것으로 확산(diffusion), 삼투(osmosis), 여과(filtration) 등이 있다. 능동운반은 에너지와 효소가 공급되어야 물질의 이동이 이루어지는 것으로, 이온펌프와 포음작용(pinocytosis)이 있다.

1) 수동운반

(1) 확산

분자운동론에 의하면 액체 또는 기체 상태의 분자들은 제자리를 이탈해서 이동할 수 있다. 농도가 서로 다른 두 용액 사이에 막이 있고, 용액의 분자들이 그 막을 통과할 수 있다고 하자. 그러면 농도가 높은 용액의 분자들이 농도가 낮은 용액으로 들어가기도 하고, 반대로 농도가 낮은 용액의 분자들이 농도가 높은 용액으로 들어가기도 한다. 그런데 농도가 높은 용액에 들어 있는 분자의 수가 더 많기 때문에 빠져나가는 분자의 수도 많다. 결과적으로 농도가 높은 용액에서 농도가 낮은 용액 쪽으로 분자가 이동하게 된다. 이와 같이 농도의 차이 때문에 분자가 어느 방향으로 이동하게 되는 것을 확산이라고 한다.

확산은 막을 사이에 두고 있는 두 용액의 농도가 같아질 때까지 계속해서 일어난다. 이때 두 용액의 농도 차이가 크면 확산되는 속도가 빠르고, 농도 차이가 작으면 확산되는 속도가 느려진다. 이러한 농도의 차이를 농도경사(density gradient)라고도 한다(그림 2-6).

체내에서 확산이 일어나는 대표적인 예는 허파꽈리와 주위에 있는 모세혈관 사이에서 일어나는 산소와 이산화탄소의 이동이다(그림 2-7). 모세혈관 안은 이산화탄소의 농도가 높고, 허파꽈리 안은 산소의 농도가 높다. 따라서 확산에 의해 이산화탄소는 허파꽈리를 통해서 몸 밖으로 나가고, 산소는 모세혈관 안으로 들어가서 헤모글로빈과 결합하게 된다. 포도당·젖산·전해질 등과 같은 물질은 대부분 확산에 의하여 세포막을 경계로 이동한다.

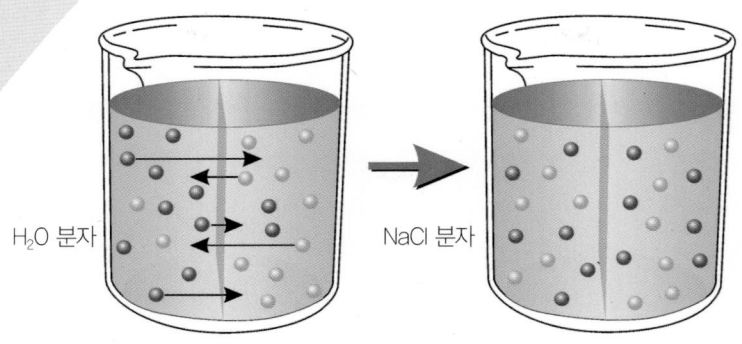

세포막의 구멍이 H_2O와 NaCl 분자를 통과시킬 수 있을 만큼 클 때 H_2O는 주로 왼쪽에서 오른쪽으로. NaCl 분자는 오른쪽에서 왼쪽으로 이동하여 결국 세포막을 경계로 양쪽의 NaCl 농도는 같아진다.
※ 정일규(2015). 휴먼퍼포먼스와 운동생리학, 대경북스.

확산되는 속도에 영향을 미치는 요인으로는 앞에서 설명한 농도경사 이외에 전기적 경사와 막의 선택적 투과성이 있다.

세포는 평상시에 세포막 안쪽이 −, 바깥쪽이 +로 대전되어 있다. 그러므로 세포 밖에 있는 이온이 세포 안으로 확산되어 들어가려고 한다고 할 때 +이온은 세포막 근방에 접근하기 어려운 데 반하여 −이온은 세포막 근방에 접근하기가 용이해서 세포 안으로 들어갈 수 있는 확률이 높아진다. 그래서 우리가 마시는 이온음료는 대부분 체내로 쉽게 흡수될 수 있

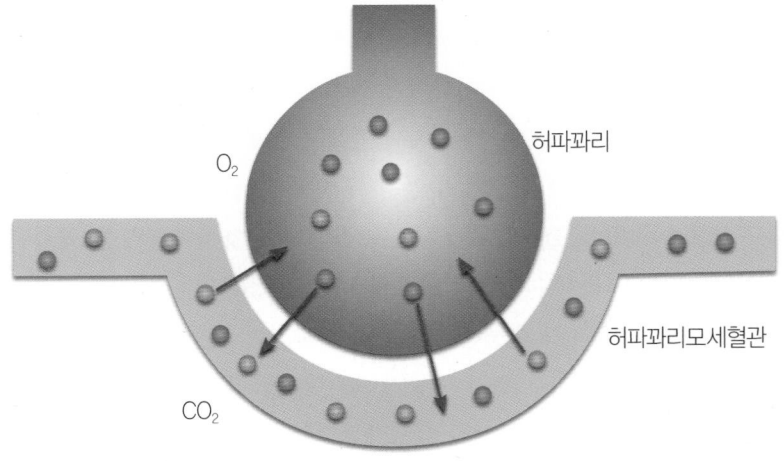

는 −이온 음료수이다.

물질이 세포 안에서 밖으로, 또는 밖에서 안으로 이동하려고 할 때 가로막는 것이 세포막을 이루고 있는 지질층이다. 즉 지질층이 물질이동의 장벽 역할을 한다. 따라서 물에 잘 녹는 물질과 기름에 잘 녹는 물질이 있을 때, 기름에 잘 녹는 물질이 지질층을 통과하기 쉬울 수밖에 없다. 예를 들어 지방산이나 아세트산과 같이 지질에 대한 용해도가 높은 물질일수록 세포막을 쉽게 투과할 수 있다.

(2) 삼 투

확산에 의한 물질의 이동 중에서 물의 이동을 삼투라고 한다. 세포막의 구멍은 약 7Å인데 비하여 물분자의 지름은 3Å에 불과하므로 물분자는 세포막을 쉽게 통과할 수 있다. 그러나 다른 물질의 분자들은 대단히 크기 때문에 세포막을 통과할 수 없다. 즉 삼투는 세포막을 사이에 두고 물만 이동하고 다른 물질은 이동하지 못하는 현상을 말한다.

물에 소금이 녹아 있는 식염수를 생각하여 보자. 분명히 식염수 안에는 소금분자와 물분자가 섞여 있을 것이다. 그리고 식염수의 농도는 녹아 있는 소금의 양을 %로 나타내기 때문에 10%의 식염수에는 20%의 식염수보다 소금분자가 적게 들어 있다.

여기에서 설명하는 삼투는 물분자의 이동을 말하므로, 물분자의 이동에 주목하여 보자. 10%의 식염수에는 20%의 식염수보다 물분자가 더 많이 들어 있으므로 물분자는 10%의 식염수에서 20%의 식염수로 이동하고, 소금분자는 이동하지 못한다. 그러면 20%의 식염수는 농도가 낮아지기도 하지만 액체의 양이 많아지기도 한다.

확산은 두 용액의 농도가 같아질 때까지 계속해서 일어나지만, 삼투는 한쪽 액체의 양이 많아지기 때문에 어느 정도까지 삼투가 일어나다가 멈추게 된다.

그림 2-8에서 가로막이 세포막이고, 액체 B에서 액체 A로 물이 이동하다가 더 이상 삼투가 일어나지 않게 되었다고 하자. 왜 삼투가 멎었는가? 액체 A의 물 높이가 더 높기 때문에 수압이 더 높아서 삼투가 멎었다. 그래서 A, B 두 용액의 높이 차이에 밀도를 곱한 것을 삼투압이라 한다. 삼투압은 물질의 종류와 막의 종류에 따라서 정해진다.

그림에 있는 U자관처럼 물분자가 이동하려는 힘과 삼투압이 평형을 이루고 있는 상태를 삼투평형(osmotic equilibrium)이라고 한다. 체내에 있는 모든 세포속액과 세포바깥액 사이는 항상 삼투평형상태를 유지하고 있다. 만일 세포바깥액의 농도가 세포속액의 농도보다 낮은 저장성용액(hypotonic solution)이면 세포바깥액에서 세포 안으로 물이 이동할 것이다. 이러한 이동상태가 지속되면 세포가 부풀어 오르다가 결국 터져버리는데, 이것을 삼투성용

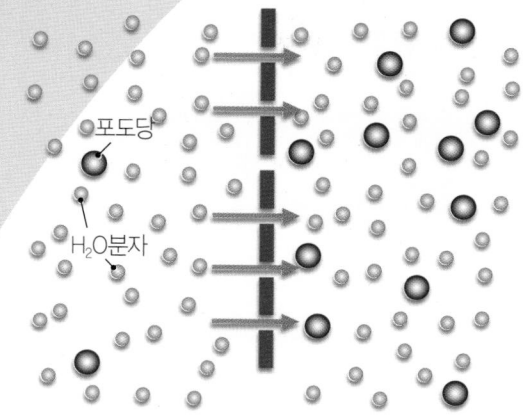

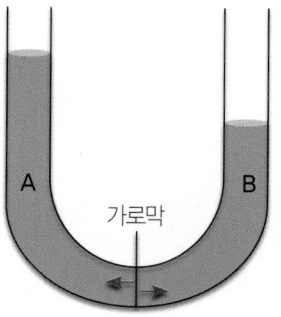

그림 2-8   수동적 물질운반 : 삼투

혈(osmotic hemolysis)이라고 한다. 반대로 고장성용액(hypertonic solution)인 경우에는 세포 밖으로 물이 나와 세포가 쭈그러들게 된다.

우리가 병원에서 링거주사를 맞을 때에는 주사액의 농도가 혈액의 농도와 같아야 한다. 만약 주사액의 농도가 더 높으면 적혈구에서 수분이 빠져나와서 적혈구가 찌그러지고, 주사액의 농도가 더 낮으면 주사액 안에 있던 수분이 적혈구 안으로 들어가 적혈구를 파괴시켜 생명이 위태롭게 된다. 즉 모든 주사액은 혈액과 등장성 용액(0.9% 식염수)이어야 한다.

(3) 여과

여과(filtration)는 막의 내외에 압력차가 있을 때 막에 있는 작은 구멍을 통해서 압력이 높은 곳에서 낮은 쪽으로 물질이 이동하는 현상이다(그림 2-9).

체내에서는 주로 모세혈관의 막에서 여과에 의한 물질의 이동이 일어난다. 동맥쪽의 모세혈관에서는 압력이 낮은 조직쪽으로 여과에 의해서 물질이 이동하고, 정맥쪽의 모세혈관에서는 조직에서 정맥쪽으로 물질이 이동한다.

콩팥의 토리(사구체)에서도 여과에 의한 액체이동이 일어난다.

2) 능동운반

수동운반만으로는 세포가 필요로 하는 물질을 충분하게 공급하기 어렵기 때문에 에너지나 효소를 이용하여 농도가 낮은 곳에서 높은 곳으로 물질을 이동시키기도 한다. 이것을 능

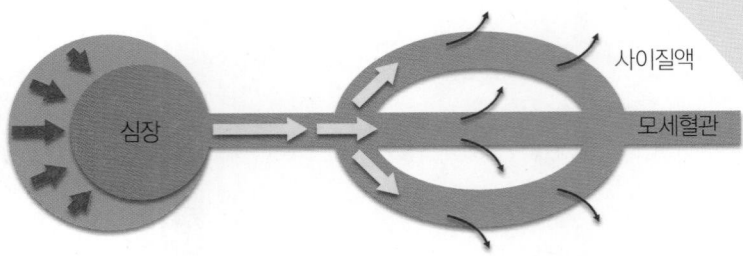

그림 2-9 수동적 물질운반 : 여과

동운반 혹은 에너지-효소계(energy-enzyme system)라고 한다.

능동운반의 대표적인 예로는 나트륨이온과 칼륨이온의 농도를 세포의 안팎이 서로 다르게 유지하기 위해서 에너지를 이용하여 펌프하는 나트륨-칼륨펌프가 있다.

이온펌프(ion pump)는 농도경사를 역행해서 형질막 건너편으로 이온을 수송하는 것을 말하고, 이온채널(ion channel)은 이온을 수동적으로 수송하는 것을 말한다. 기본적으로 이온을 수송하는 수송자는 효소이다. 그런데 효소는 ATP, 태양광, 산화·환원반응 등과 같은 에너지원에 있는 에너지를 전기·화학적 경사로 저장해서 보존에너지(potential energy, 위치에너지)로 변환시킨다.

이온을 수송하는 효소에는 동시수송체(symporters), 역수송체(antiporters), 단일수송체(uniporters) 등 3종류가 있다. 어떤 종류가 되었든 농도경사가 높은 쪽으로 이온을 이동시키려면 에너지를 사용해야 하고, 농도경사가 낮은 쪽으로 이온이 이동하면 시스템에 에너지를 공급한다.

(1) 나트륨-칼륨펌프란

나트륨-칼륨펌프(sodium-potassium pump)는 덴마크의 과학자 Jens Christian Skou가 발견하였는데, 그는 이 발견으로 1997년에 노벨상을 받았다. 그의 발견에 의해서 이온이 세포의 안팎으로 이동하는 것을 이해할 수 있게 되었다. 또한 신경세포와 같이 흥분할 수 있는 세포에서 자극에 반응하여 신경임펄스를 전달하는 것이 바로 나트륨-칼륨펌프이다.

나트륨-칼륨펌프에서 이온을 수송하는 수송체는 Na^+/K^+-ATPase이다. Na^+/K^+-ATPase는 역수송효소이고, 모든 동물세포의 형질막에 있다. Na^+/K^+-ATPase는 나트륨이온을 세포 밖으로, 칼륨이온을 세포 안으로 펌프한다.

막 양쪽의 나트륨이온과 칼륨이온의 농도 차이는 상호의존적인데, 상호의존적이란 두 이

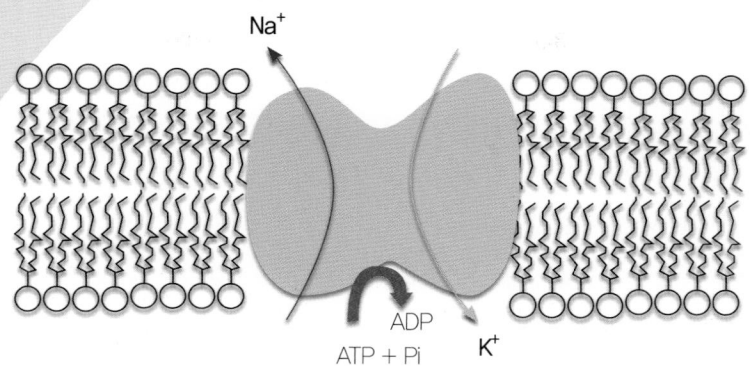

나트륨-칼륨펌프의 이온수송

온을 운반하는 운반자가 한 가지 물질이라는 것을 의미한다. 즉 ATPase가 3개의 나트륨이온을 세포 밖으로 펌프함과 동시에 2개의 칼륨이온을 세포 안으로 펌프한다.

그림 2-11처럼 나트륨-칼륨펌프가 ATP와 결합하는 동안 펌프에는 3개의 세포 내 나트륨이온이 결합된다. ATP가 가수분해되면 3개의 인산분자 중 하나가 유리되어 펌프와 결합하면 펌프가 인산화되고, 나머지 2개의 인산분자는 ADP로 방출된다.

펌프가 인산화되면 펌프에 배좌변화(conformational change ; 형태 또는 구조가 달라지는 것)가 생기면서 나트륨이온이 세포 밖으로 방출된다. 인산화된 펌프는 나트륨이온과의 친밀성이 낮기 때문에 나트륨이온을 방출시킨다.

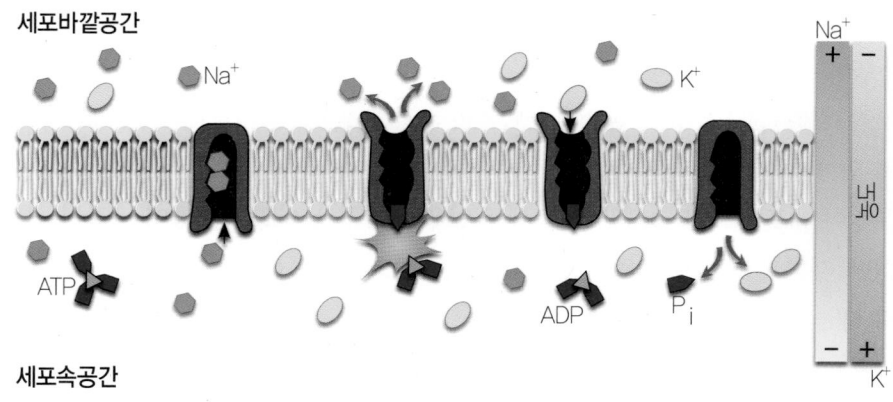

그림 2-11 나트륨-칼륨펌프의 ADP 방출

나트륨이온을 방출한 펌프는 (세포 밖에 있는) 2개의 칼륨이온과 결합한다. 그러면 펌프의 인산화가 깨어지고 이전의 배좌상태로 되돌아간다. 인산화되지 않은 펌프는 나트륨이온과의 친밀성이 크기 때문에 결합되어 있던 2개의 칼륨이온을 방출한다. 결과적으로 3개의 나트륨이온을 세포 밖으로, 2개의 칼륨이온을 세포 안으로 수송한 것이 된다. 펌프가 ATP와 결합하면 이러한 과정이 다시 시작된다.

(2) 나트륨-칼륨펌프의 역할

Na^+/K^+-ATPase가 능동적으로 세포 안의 나트륨이온 농도는 낮게 유지하고 칼륨이온 농도는 높게 유지하고 있기 때문에 안정 시 막전위(resting membranous potential)가 유지된다. 나트륨-칼륨펌프가 3개의 나트륨이온을 세포 밖에 2개의 칼륨이온을 세포 안으로 이동시키기 때문에 1개의 +전하만큼 차이가 생기는 것이 바로 안정 시 막전위이다.

모든 동물 세포에서 Na^+/K^+-ATPase는 세포가 소비하는 전체 에너지의 약 1/5을 소비해서 안정 시 막전위를 유지한다. 신경세포에서는 Na^+/K^+-ATPase가 소비하는 에너지가 세포가 소비하는 총에너지의 약 2/3나 된다. 신경임펄스를 전달하는 것도 나트륨-칼륨펌프이기 때문에 더 많은 에너지를 소비하는 것이다.

세포에서 나트륨을 내보냄으로써 2차적인 능동수송자들에게 에너지를 공급하는 역할도 나트륨-칼륨펌프가 하는 역할이다. 나트륨-칼륨펌프에서 나오는 에너지를 이용해서 글루코스, 아미노산, 그리고 다른 영양물질들이 세포 안으로 들어간다.

나트륨-칼륨펌프의 또 다른 임무는 나트륨이온의 경사를 제공하는 것이다. 예를 들어 창자에서는 흡수세포들이 나트륨이온경사를 이용해서 나트륨이온과 글루코스를 흡수한다면 확산보다 훨씬 더 효율적으로 물질을 이동시킬 수 있을 것이다. 콩팥세관에서도 창자와 비슷한 시스템이 작동된다.

나트륨-칼륨펌프는 세포형질막의 선택적 투과성에도 중요한 역할을 한다. 세포의 삼투성은 세포 안에 들어 있는 여러 가지 이온·단백질·기타 유기물들에 의해서 결정되고, 세포 밖의 삼투성이 세포 안보다 높으면 물이 세포 안으로 들어가 세포가 부풀어 올라서 터져버릴 수도 있다. 세포가 부풀어 오르기 시작하면 즉각적으로 나트륨-칼륨펌프가 작동되어 세포가 터져 죽는 것을 예방하는 역할도 한다.

나트륨-칼륨펌프가 소뇌에 있는 푸르킨예(Purkinje) 신경의 활동을 조절한다는 것도 밝혀졌다. 이것은 나트륨-칼륨펌프가 단순히 이온경사를 유지하는 것이 아니라 대뇌와 소뇌에서 계산을 담당하는 요소일 수도 있다는 뜻이 된다. 실제로 나트륨-칼륨펌프가 돌연변이되면 파킨슨씨병이 급격하게 진행되어서 소뇌의 계산능력에 장애가 생긴다. 쥐의 소뇌에서 나트륨-칼륨펌프의 우아바인결합을 방해하면(an ouabain block) 운동실조증(ataxia)과 근육긴장증(dystonia)을 초래한다. 사람의 두뇌에 있는 말이집으로 덮인 축삭에도 나트륨-칼륨펌프가 있는 이유는 그 펌프가 축삭집(axolemma) 안에 있는 것이 아니라 축삭집 사이에 있는 것은 신경전도와도 관련이 있기 때문이다.

3) 포음작용과 토세포작용

세포 밖에 있는 상당히 큰 분자에는 이루어진 물질을 직접 세포체 안으로 끌어들이는 세포가 있다. 즉 상당한 양의 수용성 단백질 덩어리나 다량의 염류가 세포바깥액에 있으면 그 부위의 세포막이 함몰되면서 세포체로 둘러싸버린 다음 세포체 안에 주머니 모양을 만드는 것을 포음작용(pinocytosis)이라 한다.

이것은 마치 아메바가 거짓발(위족, 僞足)을 내어 세포 밖에 있는 이물질을 포획하여 삼키는 과정과 비슷하다. 예를 들어 단백질이나 호르몬이 모체로부터 태아에 운반되는 것과 소화관, 콩팥세관, 모세혈관 등에서 거대분자물질이 이동하는 것은 모두 포음작용이다.

포음작용과 정반대방향으로 거대분자의 물질이 이동되는 과정을 토세포작용(emiocytosis)이라 한다. 즉 세포 내에 큰 소포(분비과립)가 먼저 생기고, 이것이 점점 세포의 표면쪽으로 밀려간 후 세포막의 일부가 터지면서 그 내용물이 세포 밖으로 유출되는 것이다.

포음작용에서 세포에 섭취된 물질이 수용성 물질이나 영양물질이 아니고 세균이나 죽은 세포 혹은 이물질(foreign body)일 때를 포식작용(phagocytosis)이라고 한다. 포식작용에 의해서 세포 안으로 운반된 소포(소포 안에 외부물질이 들어 있음)에 라이소솜이 결합되어 소포 내의 물질을 분해한다.

③ 항상성 유지

세포는 활동하기에 적합한 환경에 있어야 제기능을 발휘할 수 있는데, 세포의 내부환경(화학적·물리적 상태)은 아주 작은 범위 내에서만 변화가 허용된다. 변화 정도가 한계를 넘어서면 병에 걸리거나 생명이 위태로워질 수도 있기 때문에 인체는 내부환경을 적절히 유지하려고 끊임없이 다양한 생리작용을 일으킨다. 인체가 내부환경을 비교적 안정된 상태로 유

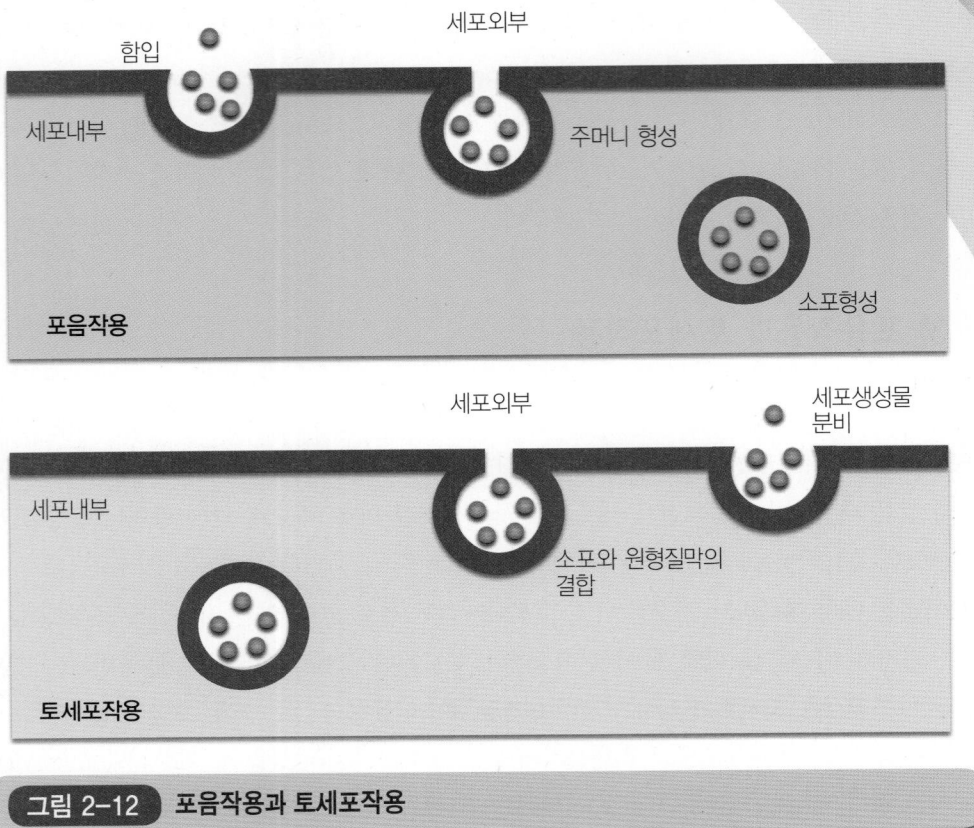

세포외부

함입

세포내부

주머니 형성

소포형성

포음작용

세포외부

세포생성물
분비

세포내부

소포와 원형질막의
결합

토세포작용

그림 2-12   포음작용과 토세포작용

지하고 있는 것을 항상성(homeostasis)이라 한다.

여기에서는 항상성의 조절요인과 기관계통의 작용, 개략적인 메커니즘에 대해서만 설명하기로 한다.

1) 항상성의 조절요인과 기관계통의 작용

항상성의 유지 및 조절에 관여하는 요인에는 영양소, 산소와 이산화탄소의 농도, 부산물의 농도, 산성도(pH), 염분과 전해질의 농도, 온도, 세포 내부의 용적과 압력 등이 있다.

순환계통은 영양소, 산소, 이산화탄소, 부산물, 전해질, 호르몬 등을 신체의 한 부위에서 다른 부위로 수송하고, 소화계통은 음식물을 세포가 흡수할 수 있도록 분자로 만들고 물과 전해질을 외부 환경에서 내부 환경으로 이동시키는 역할을 한다.

　　호흡계통은 산소와 이산화탄소를 교환하여 내부환경의 pH를 적절하게 유지시키며, 비뇨계통은 이산화탄소 이외의 다른 부산물을 제거하여 체액의 양이나 전해질의 함량, 그리고 세포바깥액의 pH를 조절하는 데 결정적인 역할을 한다.

　　뼈대계통은 전해질의 저장 창고이고, 근육계통과 피부계통은 체온조절, 신경계통은 외부 환경의 변화를 감지하여 적절한 반응을 일으키고 조절하는 역할을 한다. 내분비계통은 호르몬과 영양소의 농도, 내부 환경의 용적 및 전해질 구성을 조절한다.

　　이상의 각 기관들은 인체의 항상성을 유지하기 위해서 독립적으로 기능하는 것이 아니라 상호보완적인 협력활동을 수행하고 있다.

2) 항상성 유지의 메커니즘

　　항상성을 유지시키기 위해서 내재성 조절체계(intrinsic controls)와 외재성 조절체계(extrinsic controls)가 작용을 하고 있다.

　　내재성 조절체계는 하나의 기관에 부여된 고유기능이다. 예를 들어 운동을 해서 근육 안에 있는 산소의 농도가 떨어지고 이산화탄소의 농도가 상승하면 내재성 조절체계가 수축운동을 일으킨 근육에 분포된 혈관벽에 작용하여 혈류의 변화를 일으킨다. 혈류가 변해서 활동근육으로 많은 혈액이 공급되면 산소와 이산화탄소의 농도가 적절한 수준으로 조절된다.

　　외재성 조절체계는 기관계통의 활동을 변화시켜 내부 환경의 항상성을 유지하는 체계이다. 외재성 조절은 주로 신경계통과 내분비계통에 의해 이루어지고, 내재성 조절체계와는 달리 여러 기관의 협동에 의해서 이루어진다. 예를 들어 혈압이 낮아지면 신경계통과 순환계통이 동시에 작용해서 혈압을 다시 정상수준으로 되돌린다.

03

에너지대사와 운동

① 에너지대사의 개념

체내에서는 다양한 물질대사가 이루어지지만, 이것들의 총결산으로 체내로 섭취한 영양소인 에너지는 운동 등의 에너지로 이용되거나 열로 방산되고, 나머지는 여분의 에너지로 체내에 저장된다. 여기에서는 신체 전체로 본 에너지의 섭취와 소비의 밸런스를 고찰한다.

1) 에너지대사란

체내로 들어온 물질의 변화를 물질대사라고 한다. 우리는 음식물로 섭취한 영양소를 호흡으로 섭취한 O_2를 통하여 산화시키고, 이때 발생하는 에너지를 이용하여 생명을 유지한다. 영양소로 얻는 에너지의 대부분은 열에너지로 체온을 유지하는 데 사용되고, 일부는 운동 등의 일에너지로 사용된다. 나머지 에너지는 저장에너지로 당질이나 지질의 형태로 체내에 쌓인다. 체내의 다양한 물질대사를 에너지의 신체 출입으로 생각하는 것을 에너지대사라고 한다(그림 3-1).

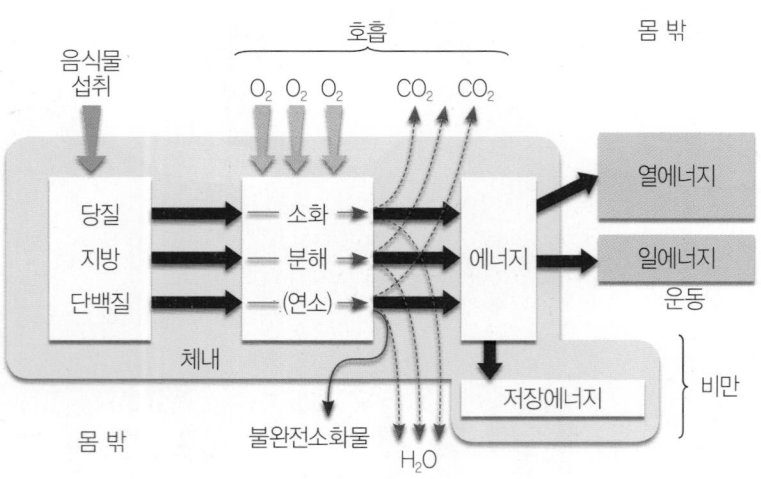

<u>**그림 3-1**</u> **체내에서 영양소의 연소에 따른 에너지발생과 이용**
당질과 지방은 체내에서 완전연소되어 CO_2와 H_2O가 되지만, 단백질은 완전히 연소되지 않고 불완전산화물(요산 등)을 남긴 채 몸 밖으로 배출된다.

2) 음식물의 에너지

우리가 음식으로 섭취하는 주에너지원은 당질, 지질 및 단백질이다. 이들 3대영양소는 체내에서 많은 반응을 거쳐 산화·분해되는데, 그동안 유리하는 에너지의 총량은 반응의 최초물질과 최후생산물로 결정되며, 중간과정과는 관계가 없다. 따라서 각 영양소가 체내에서 유리하는 에너지량은 이것들을 완전히 연소시켜 발생하는 열량을 측정하면 된다. 이 측정에는 봄베열량계(Bomb calorimeter)를 사용한다(그림 3-2). 즉 영양소 또는 식품을 외부로 열이 도망가지 않도록 한 다음 용기 안에서 전열로 완전히 연소시키고, 이때 상승되는 주위의 수온으로 발생열량(물리적 연소치)을 측정한다.

그러나 단백질은 체내에서 완전히 연소되지 않고 요산 등의 불완전산화물이 남는 점을 고려해야 한다. 연소를 통하여 발생하는 영양소의 1g당 열량은 당질이 약 4.1kcal, 지질이 약 9.3kcal, 단백질이 약 4.1kcal이다. 이것을 루브너계수(Rubner's coefficient)라고 한다.

그러나 체내에 섭취된 영양소가 모두 연소되는 것은 아니기 때문에 당질, 지질, 단백질의 1g당 kcal수를 4 : 9 : 4로 하여 섭취한 영양소의 열량을 계산한다(실제로 지질조직은 결합조직을 포함하므로 1g당 7.3kcal로 계산한다). 이를 애트워터계수(Atwater's calorie factors)라고 한다. 음식물의 열량은 음식물 속 3대영양소의 양을 측정한 값에서 애트워터계수를 곱하여 계산한다. 실제로는 음식물마다 소화흡수율이 다르기 때문에 유효한 에너지량이 애트워터계수로 계산한 값과 상당히 어긋날 때가 있다.

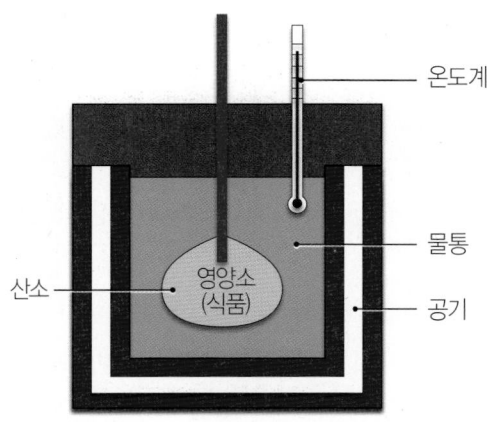

온도계

물통

공기

산소

영양소
(식품)

그림 3-2 봄베열량계에 의한 영양소 및 식품의 발생열량 측정

3) 에너지대사량의 측정방법

인체의 에너지대사량 측정방법에는 몸 밖으로 방산되는 열량을 측정하는 직접법과 체내에서 소비되는 O_2, 배출되는 CO_2 및 소변 중의 질소량에서 체내의 에너지발생량을 계산하는 간접법이 있다.

(1) 직접법

영양소의 연소로 인하여 발생하는 에너지는 인체가 일을 하지 않으면 결국 열이 되어 몸 밖으로 방산된다. 따라서 안정상태의 피검자를 외부로 열이 달아나지 않도록 작은 밀실에 넣고 일정시간에 피검자의 몸에서 발생하는 열을 밀실 내를 순환하는 물의 온도상승으로 측정한다. 이때 피검자가 뱉어낸 날숨이나 피부에서 증발하는 수분은 황산과 소다석회로 흡수시키고, 그 양을 측정하여 이 수치에서 증발에 사용된 열량을 측정한다. 이 장치를 호흡열량계라고 한다.

이러한 방법으로 안정상태의 에너지대사량을 측정한다. 하지만 이 방법은 측정에 긴 시간이 걸리고, 장치가 대형이고 조작도 복잡하므로 다음에 기술한 간접법이 널리 이용되고 있다.

(2) 간접법

음식물 내의 당질과 지질은 체내에서 산화분해되어 CO_2와 H_2O가 되고, 단백질은 산화분해되어 CO_2와 H_2O 외에도 질소(N)를 포함한 불완전산화물을 발생시킨다. 따라서 체내에서 영양소의 산화에 의하여 발생하는 에너지량은 체내로 흡수된 O_2량과 몸 밖으로 배출된 CO_2량 및 소변 중 N량으로 계산할 수 있다. 즉 일정시간 내에 피검자가 소비한 O_2량, 발생한 CO_2량 및 소변 중의 N량으로 체내에서 연소된 영양소의 분량비율을 계산한 수치에서 발생한 열량을 계산하는 것이다. 이 간접법은 피검자의 안정상태뿐만 아니라 운동 시의 대사량 측정에도 적합하다.

O_2 소비와 CO_2의 배출은 호흡계(respirometer)로 측정한다. 호흡계에는 폐쇄식과 개방식이 있다. 폐쇄식은 밀폐된 산소탱크 속 O_2의 감소에서 소비 O_2를, CO_2 흡착물질에 날숨의 CO_2를 흡착시켜 배출 CO_2를 측정한다(그림 3-3A). 개방식은 외부공기를 흡입시켜 날숨을 봉투에 모아 그 안의 O_2, CO_2를 분석한다(그림 3-3B). 이러한 수치에서 대사에너지량을 계산하기 위해서는 다음에 기술한 호흡비의 수치를 이용한다.

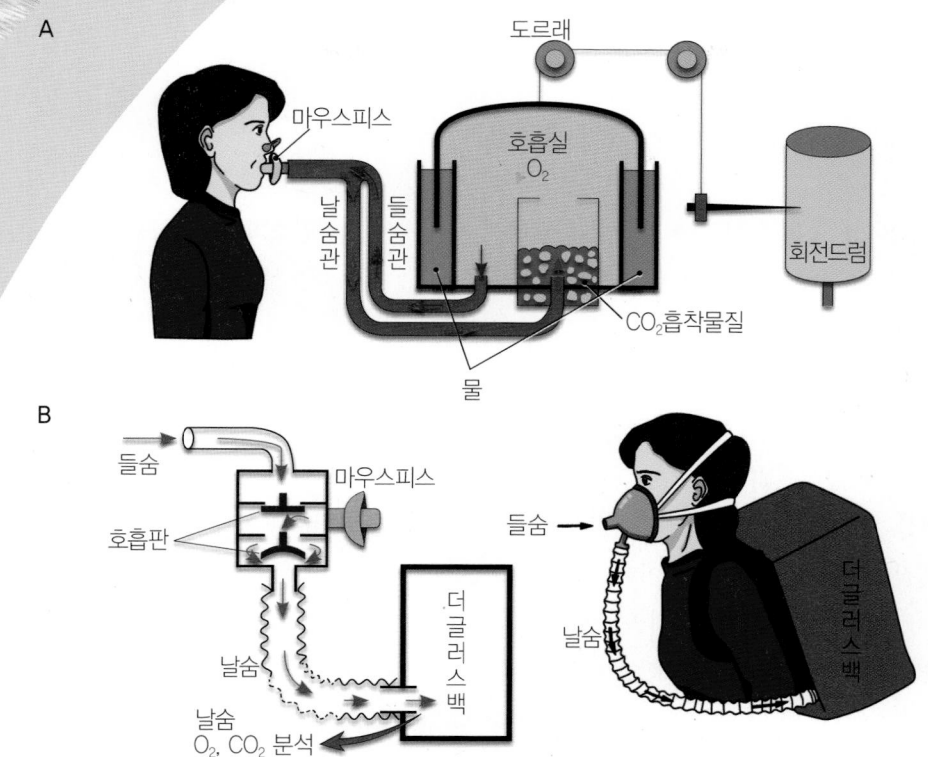

그림 3-3 폐쇄식(A)과 개방식(B) 호흡계에 의한 O_2소비량과 CO_2배출량의 측정

폐쇄식에서 O_2소비량은 호흡실의 부피감소를 회전드럼으로 기록하고, CO_2배출량은 CO_2흡착물질에 CO_2를 흡착시켜 측정한다.

(3) 호흡비(RQ)

배출한 CO_2량과 소비한 O_2량의 비율(CO_2/O_2)을 호흡비(RQ : respiratory quotient)라고 한다. RQ의 수치는 연소한 영양소에 따라 거의 일정하다. 예를 들어 당질을 형성하는 글루코스($C_6H_{12}O_6$)가 완전연소하면

$$C_6H_{12}O_6 + 6O_2 \rightarrow 6CO_2 + 6H_2O$$

가 된다.

아보가드로의 법칙(Avogadro's law)에서 모든 기체는 온도·압력이 일정하면 같은 용적 내에 같은 수의 분자가 존재한다. 따라서 위의 식에서 당질의 RQ는

$$RQ = 6/6 = 1.00$$

이다.

지방의 완전연소는 그 종류에 따라 다르지만, 모두 당질보다도 많은 O_2를 필요로 한다. 지방의 RQ는 평균치로

$$RQ=0.71$$

을 이용하고 있다.

단백질은 그 종류에 따라 원소조성이 달라서 체내에서 완전연소되지 않으므로 RQ 수치는 실험적으로 구할 수 있는데, 이때 평균치로

$$RQ=0.80$$

을 이용한다.

(4) 비단백질호흡비

음식물 속 단백질이 연소되면 그 속의 질소(N : nitrogen)는 모두 소변으로 배설된다. 단백질의 N함량은 약 16%이다. 따라서 소변 속 N량에 단백질 N함량의 역수(N계수, 100/16=6.25)를 곱하면 단백질의 연소량을 알 수 있다.

또한 표 3-1과 같이 각 영양소 1g의 연소에 필요한 O_2량을 구할 수 있다. 이때 단백질 1g의 연소에는 0.95ℓ의 O_2가 필요하고, 그 결과 0.76ℓ의 CO_2를 발생시킨다. 따라서 N 1g을 포함한 단백질 6.25g의 연소에 필요한 O_2는 '0.95×6.25=5.94ℓ'이고, 그 결과 발생하는 CO_2는 '0.76×6.25=4.75ℓ'이다. 음식물의 연소에 의한 전체 CO_2발생량에서 단백질의 연소에 의한 양을 각각 차감하여 당질과 지방만의 RQ를 계산할 수 있다. 이 수치를 비단백질호흡비라고 한다. 계산식은

$$비단백질호흡비 = \frac{(전체CO_2발생량) - (소변중N량 \times 4.75)}{(전체O_2발생량) - (소변중N량 \times 5.94)}$$

표 3-1 3대영양소로부터 얻는 열량과 산소소비량

	당질	지질	단백질
1g을 산화하는 데 필요한 O_2량(l)	0.75	2.03	0.95
1g을 산화하는 데 필요한 CO_2량(l)	0.75	1.43	0.76
호흡비(RQ)	1.00	0.71	0.80
1g을 산화하여 생산되는 열량(kcal)	4.10	9.30	4.10
1ℓ의 O_2를 소비하여 얻어지는 열량(kcal)	5.05	4.69	4.80

가 된다. 비단백질호흡비에서 안분비례를 통하여 연소된 당질과 지방의 양을 구할 수 있다.

이렇게 구한 당질·지질·단백질량에 각각 1g당 kcal 수를 곱하면 전체대사량이 계산된다. 실제로는 단시간의 에너지대사량을 측정할 때에는 단백질연소량을 무시해도 문제가 되지 않는다. 그 이유는 단백질연소에 의한 열량은 당질이나 지질에 비하여 적기 때문이다.

4) 기초대사량

이른 아침 쾌적한 실내에서 잠에서 깨어 공복상태로 안정상태로 누워 있을 때 필요로 하는 에너지대사량을 기초대사량(BM : basal metabolism)이라고 한다. 기초대사량은 호흡열량계 안에 피검자가 안정상태로 누워 있는 자세에서 측정한다. 여기에는 심장박동, 호흡운동, 체온유지, 체내 장기의 에너지대사 등이 포함된다. 1일당 기초대사량은 성인남자는 1,300~1,600kcal이고, 성인여자는 1,100~1,200kcal 정도이다.

단위시간당 기초대사량은 같은 성·연령이라면 체표면적에 비례한다. 그러나 체표면적은 직접 측정하기 어려우므로 신장(H cm)과 체중(W kg)에서 체표면적(A cm²)을 추정하는 다양한 계산식을 이용한다. 연령을 고려한 다음의 식이 많이 알려져 있다(藤本의 식).

0세 체표면적(A) = $W^{0.473} \times H^{0.655} \times 95.68$

1~5세 체표면적(A) = $W^{0.423} \times H^{0.362} \times 381.89$

6세 이상 체표면적(A) = $W^{0.444} \times H^{0.663} \times 88.83$

그러나 최근에는 체표면적대신 체중을 이용하여 계산하여도 별문제가 없다는 것이 밝혀져 측정이 쉬운 체중당기초대사량을 이용하게 되었다. 표 3-2에 연령별·성별 기초대사기준치와 기초대사량을 나타냈다. 기초대사기준치는 남녀 모두 연령과 더불어 저하된다.

기초대사량에 영향을 미치는 인자는 다음과 같다.

- 체성분 : 같은 연령·체중이라도 지방이 많은 사람은 근육질인 사람보다도 BM수치가 낮다. 여성이 남성보다도 BM수치가 낮은 것은 이 때문이다.
- 호르몬 : 갑상샘호르몬(티록신, 트라이아이오딘티로닌), 뇌하수체앞엽호르몬(코티솔 등), 부신속질호르몬(아드레날린, 노아드레날린) 등의 분비가 과잉되면 BM수치가 증대된다. 특히 티록신의 과잉분비는 바세도우병(Basedow's disease)에서 뚜렷하다.
- 체온상승(발열) : 체온의 상승은 체내의 화학변화속도를 증대시키므로 BM수치가 상승한다. 체온이 1℃ 상승하면 BM수치는 약 14% 증대한다.

표 3-2 연령별 · 성별 기초대사기준치와 기초대사량

연령 (세)	남				여			
	기준체위		기초대사 기준치 (kcal/kg/일)	기초 대사량 (kcal/일)	기준체위		기초대사 기준치 (kcal/kg/일)	기초 대사량 (kcal/일)
	신장 (cm)	체중 (kg)			신장 (cm)	체중 (kg)		
1~2	85.0	11.9	61.0	730	84.7	11.0	59.7	660
3~5	103.5	16.7	54.8	920	102.5	16.0	52.2	840
6~7	119.6	23.0	44.3	1,020	118.0	21.6	41.9	910
8~9	130.7	28.0	40.8	1,140	130.0	27.2	38.3	1,040
10~11	141.2	35.5	37.4	1,330	144.0	35.7	34.8	1,240
12~14	160.0	50.0	31.0	1,550	154.8	45.6	29.6	1,350
15~17	170.0	28.3	27.0	1,570	157.2	50.0	25.3	1,270
18~29	171.0	63.5	24.0	1,520	157.7	50.0	23.6	1,180
30~49	170.0	68.0	22.3	1,520	156.8	52.7	21.7	1,140
50~69	164.7	64.0	21.5	1,380	152.0	53.2	20.7	1,100
70 이상	160.0	57.2	21.5	1,230	146.7	49.7	20.7	1,030

• 임신 : 임신 후반 태아의 성장과 더불어 BM수치가 증대한다.

기초대사량의 측정에는 다양한 문제가 있으므로 유럽이나 미국에서는 안정대사량만을 이용하고 있다.

5) 식사유발성 열생산

식사를 한 후에 안정을 취하고 있어도 대사량은 증가한다. 이러한 음식물섭취에 의한 대사량의 증가를 식사유발성 열생산(DIT : diet induced thermogenesis) 또는 특이동적 작용(SDA : specific dynamic action)이라고 한다. 원인은 명확하지 않지만, 체내에 흡수된 영양소가 대사량을 증대시키는 것으로 추측된다.

DIT수치는 영양소에 따라 다른데, 단백질만을 섭취하였을 때는 섭취에너지의 약 30%, 당질만의 경우 약 6%, 지질만의 경우 약 4%이다. 보통 식사는 이것들의 혼합이므로 약 10% 정도이다. DIT에 의하여 발생한 에너지는 열이 되어 체온유지에만 이용된다. 따라서 식후 얼마

동안 몸이 따뜻해지는 효과밖에 없다. 이러한 사실은 예를 들어 신체가 1,000kcal의 에너지를 필요로 하였을 때 음식물로 1,100kcal의 에너지를 섭취할 필요가 있다는 것을 의미한다.

6) 에너지대사율

사람이 아무런 작업도 하지 않고 안정을 취하고 있을 때의 대사량은 일정자세를 유지하기 위한 근육긴장의 에너지소비량과 같기 때문에 기초대사량보다도 크다. 이것을 안정대사량이라고 한다. 안정대사량과 기초대사량의 비율[(안정대사량)÷(기초대사량)]은 성년남자는 1.25, 성인여자는 1.15, 연소자(6~15세)는 1.20이다.

어떠한 운동(작업)을 하고 있을 때의 대사량은 안정대사량보다도 더욱 증가한다. 이러한 운동에 따른 대사량의 증가분을 운동대사량이라고 한다. 운동대사량은 사람의 체격에 따라 다양하다. 그러나 같은 운동이라면 기초대사량에 대한 운동에 필요한 에너지대사량의 비율에는 개인차가 없이 일정하다. 이 비율을 에너지대사율(RMR : relative metabolic rate)이라고 하며, 다음과 같은 식으로 나타낸다.

$$RMR = \frac{(운동전체대사량) - (안정대사량)}{(기초대사량)}$$

여러 가지 운동에 대해 RMR수치가 측정되고 있다. RMR수치의 예를 표 3-3으로 나타냈다. RMR은 운동강도를 가리키는 지표이며, RMR수치에 기초대사량을 곱한 수치가 그 운동에 필요한 대사량이다.

그러나 RMR을 이용한다고 해서 개인차가 전부 없어지는 것은 아니다. 따라서 다음과 같은 사항도 고려해야 한다.

- 운동의 숙련도 : 잘 숙련된 사람이 운동을 할 때는 쓸데없는 근육을 사용하지 않으므로 소비에너지가 적다. 따라서 같은 종류의 운동을 하여도 초심자보다도 RMR수치가 낮다.
- 운동의 종목 : 주요 운동방향이 중력의 방향과는 다른 걷기와 같은 수평운동의 소비에너지는 신장과 체중에 비례하므로(기초대사는 신장과 체중의 함수인 체표면적에 비례한다) RMR수치의 개인차가 적다. 그러나 등산과 같이 수직으로 체중을 들어올리는 운동의 에너지는 체중에만 비례하므로 개인차가 크다.
- 연령에 따른 차이 : 같은 운동이라도 어린이에서 청년으로 이행되는 과정에서 RMR수

치가 비교적 커진다.

어떠한 운동을 하고 있을 때의 단위시간당 전체대사량은 운동대사량[(기초대사량)×RMR]과 안정대사량 [(기초대사량)×(1.25, 1.20 또는 1.15)]의 합이다.

성년남자(40세, 체중 60kg)가 60m/분의 속도로 30분간 산책하였을 때의 전체에너지대사량(T)을 구해보자. 우선 표 3-2에서 해당하는 사람의 기초대사기준치는 22.3kcal/kg/일이므로, 1분간당 기초대사기준치(BM)은

$$22.3÷24÷60≒0.015kcal/kg/분$$

이다. 60m/분의 산책의 RMR수치는 1.8이므로

$$T = BM×(RMR+1.25)×60×30$$
$$= 0.015×(1.8+1.25)×60×30$$
$$= 82.4kcal$$

으로 계산된다.

표 3-3에서 살펴볼 수 있듯이 정신활동을 주로 하는 일반사무작업의 RMR수치는 0.5로, 가벼운 정도의 작업이다. 뇌는 안정상태에서도 상당한 에너지소비가 있으나, 이 수치는 정신활동을 하여도 거의 변화가 없다. 따라서 정신적인 작업의 강도는 RMR수치로 판정해서는 안 되며, 정신적인 피로 및 스트레스로 평가해야 한다.

7) 메츠(METs)

다양한 운동을 할 때 에너지대사량은 안정대사량의 배수, 즉 메츠(METs)로도 나타낼 수 있다. METs와 RMR 사이에는

$$RMR=1.2×(METs-1)$$

이라는 관계가 있으므로 두 가지는 간단하게 환산할 수 있다.

또한 1METs의 운동을 1시간 계속하였을 때의 신체활동량을 1엑서사이즈(Ex : exercise)로 하여 신체운동량의 단위로 이용한다. 표 3-4에 1Ex에 상당하는 활발한 신체활동(3METs 이상)의 예를 나타냈다.

8) 식사섭취기준에 기초한 에너지대사

에너지대사율(RMR)을 이용하여 에너지소비량을 계산하는 방법이 널리 이용되고 있다.

표 3-3 다양한 작업 시의 에너지대사율(RMR)

일상생활활동과 운동종류	에너지대사율 (RMR)	일상생활활동과 운동종류	에너지대사율 (RMR)
아주 가벼운 운동	1.0 미만	보통운동(체육)	5.0
휴식·담화(앉아서)	0.2	자전거타기(보통속도)	2.6
교양(읽기, 강의 수강, 쓰기, 보기)	0.2	걸레질	3.5
담화(선 자세)	0.3	빠른 걸음(출퇴근, 쇼핑)	3.5
식사	0.4	볼링	2.5
신변정리(몸치장, 용변, 세면, 소변)	0.5	캐치볼	3.0
일반사무작업	0.5	맨손체조	3.6
워드프로세서, OA기기 사용	0.6	에어로빅댄스	4.0
		하이킹(야산)	4.5
		탁구	5.0
가벼운 운동	1.0~2.5	강한 운동	6.0 이상
교통수단(전철, 버스, 선 자세)	1.0	계단 오르기	6.5
목욕	1.0	테니스	6.0
천천히 걷기(쇼핑, 산책)	1.5	스키(활강)	6.0
식사(준비, 정리)	1.6	배드민턴	6.0
산책(60m/분)	1.8	조깅(120m/분)	6.0
텃밭 풀뽑기	2.0	등산	6.0
보통 걷기(출퇴근, 쇼핑)	2.1	달리기	7.0
게이트볼	2.0	줄넘기(60~70회/분)	8.0
		조깅(160m/분)	8.5
		근력트레이닝(복근운동, 덤벨운동, 바벨운동)	9.6

표 3-4 1Ex에 상당하는 활발한 신체활동

METs(소요시간)	운동	생활 활동
3METs(20분)	가벼운 근력트레이닝, 배구	보행
4METs(15분)	속보, 골프	자전거타기, 아이와 놀기
6METs(10분)	가벼운 조깅, 에어로빅	계단오르내리기
8METs(7~8분)	러닝, 수영	무거운 짐 옮기기

그런데 식사섭취기준을 결정한 다음 이것에 기초하여 추정에너지필요량을 에너지소비량의 지표로 이용할 수도 있다.

이 추정에너지필요량의 계산에서는 RMR 대신에 활동인자(Af : activity factor)라는 양을 이용한다. Af수치는 RMR수치에 1.2를 더한 값이다(Af=RMR+1.2).

특정운동 시 단위시간당 추정에너지필요량(T′)은 다음 식으로 계산한다.

$$T' = BM \times Af$$
$$= BM \times (RMR + 1.2)$$

이 식은 T=BM×(RMR+A)과 거의 동일하다. 이 식에서 A는 남자 1.25, 여자 1.15이지만, 여기에서는 남녀를 구분하지 않고 둘의 평균치인 [(1.25+1.15)÷2]를 이용한다.

표 3-5는 다양한 신체활동 시의 Af수치의 범위를 나타낸 것이다. 여기에서의 수치는 표 3-3의 수치와 거의 일치한다.

표 3-5 신체활동의 분류

신체활동의 분류 (Af의 범위)	신체활동의 종류
앉은 자세 또는 선 자세의 정적인 활동(1.1~1.9)	눕기, 느긋하게 앉기(책읽기, 쓰기, TV보기 등), 대화(서서), 요리, 식사, 신변정리(몸치장, 세면, 소변), 재봉(바느질, 미싱돌리기), 취미·오락(꽃꽂이, 다도, 마작, 악기연주 등), 자동차 운전, 데스크워크(쓰기, 워드프로세서, OA기기 등의 사용)
천천히 걷기·가사 등 저강도활동(2.0~2.9)	전철·버스 등의 교통수단 안에서 서 있기, 쇼핑 및 산책 등으로 천천히 걷기(45m/분), 세탁(전기세탁기), 청소(전기청소기)
장시간 지속가능한 운동·노동 등 중간강도활동(보통 걷기 포함)(3.0~5.9)	텃밭 작업, 게이트볼, 천천히 걷기(71m/분), 목욕, 자전거타기(보통 속도), 아이 업고 걷기, 캐치볼, 골프, 댄스(가볍게), 하이킹(평지), 계단 오르내리기, 이불 옮기기, 보통 걷기(95m/분), 맨손체조
잦은 휴식이 필요한 운동·노동 등 고강도활동(6.0 이상)	근력트레이닝, 에어로빅댄스(활발한), 노젓기, 조깅(120m/분), 테니스, 배드민턴, 배구, 스키, 농구, 축구, 스케이트, 조깅(160m/분), 수영, 러닝(200m/분)

9) 최대산소섭취량

최대산소섭취량(VO_2max)은 심장과 허파가 산소(O_2)를 근육에 공급하는 최대능력을 가리킨다. 따라서 VO_2max는 운동 시 에너지최대공급능력의 지표이자 전신지구력의 가장 중요한 지표이다. VO_2max는 개인차가 크므로 트레이닝을 시작하기에 앞서 대상자의 VO_2max을 측정해두어야 한다.

(1) 직접법에 의한 측정

트레드밀이나 자전거에르고미터로 피검자에게 달리기를 시킨다(운동부하). 보통 점증부하법에 의하여 2~3분 간격으로 운동강도(벨트컨베이어의 속도와 각도를 변화시킨다)를 증가시키고, 그 기간의 산소섭취량(VO_2)을 폐쇄식 호흡계를 이용하여 들숨과 날숨 속 O_2의 농도차이로 측정한다(그림 3-5). $\dot{V}O_2$가 운동강도를 올려도 더 이상 증가하지 않게 되었을 때 (leveling off라고 한다)의 포화치가 $\dot{V}O_2max$이다.

또한 $\dot{V}O_2max$는 다른 종류의 운동, 예를 들면 수영(수중운동)의 레벨링오프현상으로도 구할 수 있다. 그러나 이러한 경우 $\dot{V}O_2max$ 수치는 달리기에 의한 수치와는 다르다.

A. 자전거에르고미터　　　　　　　　　　　　　　　B. 트레드밀

그림 3-4　$\dot{V}O_2max$의 측정

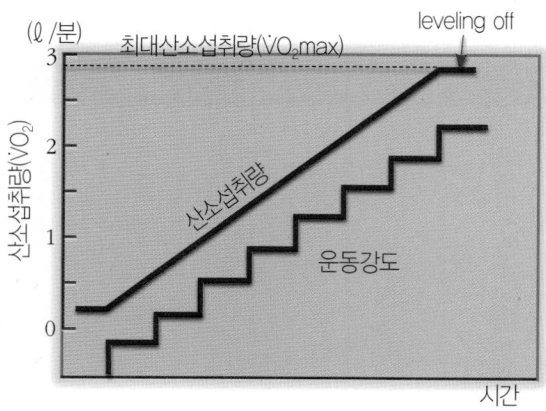

그림 3-5　직접법에 의한 최대산소섭취량($\dot{V}O_2max$)의 측정법

일정시간마다 운동강도를 단계적으로 늘려가면 산소섭취량이 증대하고, 일정 수준에 도달하면 $\dot{V}O_2max$에 도달하여 더 이상 증가하지 않게 된다.

(2) 심박수에 따른 VO_2max 측정

심장에서 박출되는 혈액량은 그 안에 들어있는 헤모글로빈이 옮기는 O_2의 양에 비례한다. 바꿔 말하면 심장으로부터의 혈액박출량에서 O_2섭취량을 환산할 수 있다. 그러나 심박 1회당 박출량은 개인에 따라 다르다. 정확하게는 각 개인마다 1회박출량을 측정해야 하지만, 연령별 박출량의 평균치를 이미 알고 있으므로 심박수(1분간당)에서 VO_2를 추정한다. VO_2의 측정은 간단하지 않기 때문에 심박수의 측정을 이용하여 VO_2측정으로 바꾸는 것이 통상적으로 이루어지고 있다.

다양한 연령에서의 심박수와 VO_2의 관계는 어떠한 연령이라도 심박수와 운동강도(VO_2/VO_2max) 사이에 직선관계가 있다. 연령과 VO_2max에 대응하는 최대심박수(HRmax) 사이에는

$$HRmax = 220 - 연령$$

이라는 관계가 있다. 따라서 심박수도 운동강도의 기준이 된다.

이것을 이용하여 연령이나 체력에 맞추어 피검자에게 세 종류의 다른 운동강도를 부하하는 트레드밀이나 자전거에르고미터가 시판되고 있으며, 여기에는 심박수를 측정하여 VO_2max를 추정하는 프로그램이 들어 있다.

또한 계단오르내리기(계단높이 남성 40cm, 여성 33cm)를 이용하여 세 종류의 빈도(예를 들어 매분 10회, 20회, 30회)로 5분 동안 오르내리기를 실시하고, 종료 직후 피검자의 심

표 3-6 연령별·성별 VO_2max 수치의 평가 　　　　　　　　　　　　(단위 : ml/kg/분)

	연령(세)	낮음	약간 낮음	보통	약간 높음	높음
남	20~29	~35.1	35.2~43.6	43.7~52.1	52.2~60.6	60.7
	30~39	~33.0	33.1~41.5	41.6~50.0	50.1~58.5	58.6
	40~49	~30.9	31.0~39.4	39.5~47.9	48.0~56.3	56.4
	50~59	~28.8	28.9~37.3	37.4~45.7	45.8~54.2	54.3
	60~	~26.7	26.8~35.1	35.2~43.6	43.7~52.1	52.2
여	20~29	~28.8	28.9~35.1	35.2~41.5	41.6~47.9	48.0
	30~39	~24.5	24.6~30.9	31.0~37.3	37.4~43.6	43.7
	40~49	~22.4	22.5~28.8	28.9~35.1	35.2~41.5	41.6
	50~59	~20.3	20.4~26.7	26.8~33.0	33.1~39.4	39.5
	60~	~18.2	18.3~24.5	24.6~30.9	31.0~37.3	37.4

박수와 체중에서 VO_2max를 추정하는 간편법이 있다. 이 방법의 이점은 너무 격렬하지 않은 운동이라도 상당히 정확하게 VO_2max를 구할 수 있다는 것이다. 예를 들어 피검자(35세의 남성, 체중 60kg)의 매분 10회의 발판(40cm) 오르내리기 운동을 통한 1분간당 일률은

$$60(kg)×0.4(m)×10=240kg·m/분$$

이다.

게다가 계단오르내리기 시에 신체의 평행을 유지하기 위한 소비에너지를 고려하여 위의 수치를 1.3배로 한 수치, 즉 312kg·m/분을 1분간당 일의 양으로 본다. 마찬가지로 매분 20회, 매분 30회의 오르내리기 운동의 일률은 624kg·m/분, 936kg·m/분이 된다.

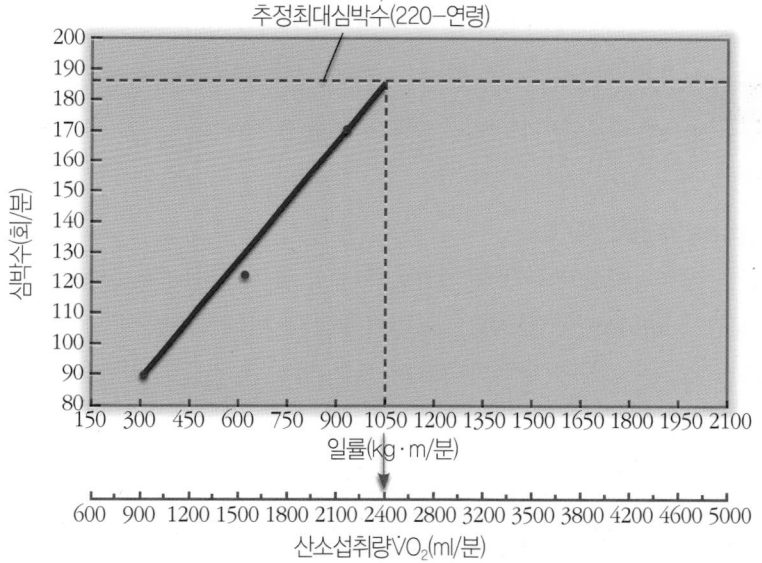

그림 3-6 운동 중의 일률 및 VO_2와 심박수의 관계

(3) 12분간 달리기 테스트에 따른 추정법

일정시간(10분 이상) 이내에 달릴 수 있는 최대거리와 VO_2max 사이에는 거의 직선관계가 있다는 것을 이용하여 VO_2max를 추정할 수 있다. 피검자에게 12분간 전력으로 달리게 하였을 때의 주행거리에서 그림 3-7의 그래프를 이용하여 VO_2max를 구한다.

이 테스트는 사전에 12분간 계속할 수 있을 만한 속도로 피검자가 달리기 시작해야 한다. 또한 심장질환이 있는 사람이나 중·고령자에게 적용하는 것은 위험하다.

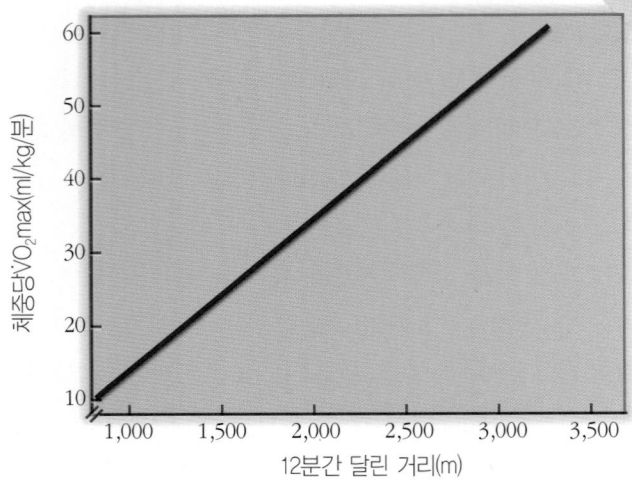

그림 3-7 12분간 달린 거리와 $\dot{V}O_2$max의 관계

(4) $\dot{V}O_2$max의 개인차

$\dot{V}O_2$max의 수치는 연령이나 생활습관에 따라 크게 다르다(그림 3-8). $\dot{V}O_2$max 수치는 만성적인 환자는 20ml/kg/분 정도이거나 그 이하인 데 비하여, 꾸준히 트레이닝을 해 온 운동선수는 80ml/kg/분 이상에 달한다. 대략적으로 말하면 건강한 일반인의 수치(약 35ml/

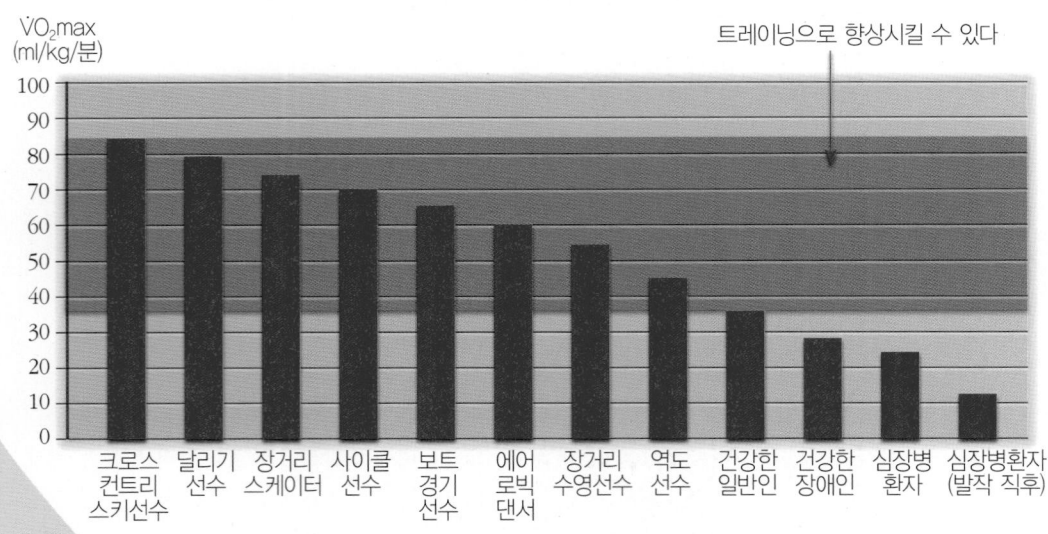

그림 3-8 $\dot{V}O_2$max의 개인별 차이

kg/분)에서 운동선수의 수치(약 55~85ml/kg/분) 사이의 차이 (20~50ml/kg/분)는 트레이닝을 통하여 향상시킬 수 있는 VO₂max 수치의 폭을 나타내고 있다.

이 트레이닝에 의한 VO₂max 수치의 증대는 호흡계통·심장혈관계통 기능의 증대로 인한 것이다. 이에 대해서는 후의 트레이닝효과에서 설명하기로 한다.

10) 무산소문턱값

호흡에 의한 환기량과 산소섭취량 사이에는 직선관계가 있으나, 운동강도가 일정수치를 넘어 증대하면 환기량은 산소섭취량보다도 급격하게 증대하기 때문에 양자의 직선관계가 성립하지 않는다. 이때 혈중젖산농도도 급격하게 증가하기 시작한다(그림 3-9). 이 임계적인 운동강도를 무산소문턱값(AT : anaerobic threshold)라고 한다. 이것은 격렬한 운동에 유산소에너지생산시스템에 의한 에너지공급이 따라갈 수 없게 되어 젖산시스템이 동원되기 때문에 나타나는 현상이다. 또한 이때 환기량이 급격하게 증대되는 이유는 젖산에 의하여 혈액의

표 3-7　신체활동 수준별로 본 활동내용과 활동시간(15~69세)

신체활동 수준과 Af수치		낮음	보통	높음
		1.50(1.40~1.60)	1.75(1.60~1.90)	2.00(1.90~2.20)
일상생활 내용과 Af수치		생활은 대부분 앉아서 하며, 정적 활동이 중심인 경우	앉은 자세 중심의 작업이지만 직장 내에서의 이동 및 서서 하는 작업·접객 등, 또는 출퇴근·쇼핑·가사, 가벼운 스포츠 등 어느 것을 포함한 경우	이동 및 서서 하는 작업종사자. 또는 스포츠 등 여가에서 활발한 운동습관을 가진 경우
각각의 활동 분류 (시간/일)	수면(1.0)	8	7~8	7
	앉거나 서서 하는 정적 활동 (1.5 : 1.1~1.9)	13~14	11~12	10
	천천히 걷기·가사 등 저강도 활동(2.5 : 2.0~2.9)	1~2	3	3~4
	장시간 지속가능한 운동·노동 등 중간강도 활동(보통 보행을 포함)(4.5 : 3.0~5.9)	1	2	3
	잦은 휴식이 필요한 운동·노동 등 고강도 활동 (7.0 : 6.0 이상)	0	0	0~1

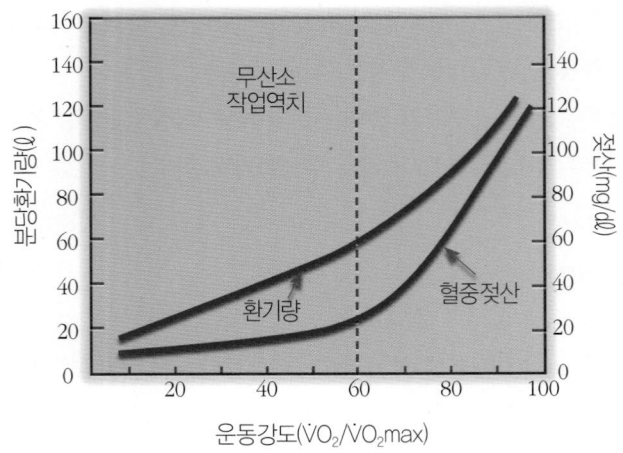

무산소작업역치

그림 3-9 　무산소작업역치

pH가 산성이 되면 호흡중추의 지령으로 호흡운동이 더욱 활발해지기 때문이다.

이 AT에 대응하는 VO_2는 유산소시스템으로 지속할 수 있는 운동강도의 한계를 나타내는데, 이것은 VO_2max의 40~80%이다. AT보다 강한 운동강도는 결국 길게 이어지지 않는다. 일반적으로 트레이닝의 운동강도는 AT 이하의 수치로 해야 한다. VO_2max에 대한 AT의 상대치는 트레이닝을 통하여 증대하며, 트레이닝효과의 판정에는 오히려 VO_2max보다도 우수하다.

AT에 대응하는 VO_2를 정확하게 구하기 위해서는 혈중젖산농도를 측정해야 한다. 그러나 연령에 따라 VO_2max에서 다음과 같이 환산할 수 있다.

- 청소년 : 60~80%VO_2max
- 중년 : 50~70%VO_2max
- 노년 : 40~60%VO_2max

❷ 인체의 에너지대사

1) 에너지원

모든 동물의 세포에서 직접 사용할 수 있는 에너지원은 ATP 한 가지밖에 없다. ATP는 아데노신(adenosine) 분자 1개에 3개(tri)의 인산(phospate)이 결합되어 있는 물질이며, 인산과 인산이 결합되어 있는 결합밴드 안에 에너지가 저장되어 있다.

그림 3-10에서 볼 수 있는 바와 같이 2번째 인산과 3번째 인산의 결합밴드가 깨지면 그 안에 저장되어 있던 결합에너지가 방출된다. 떨어져 나온 인산은 무기인산염(inorganic phosphate)이기 때문에 Pi로 표시하고, 인산이 2개 남아있는 아데노신은 아데노신2인산(ADP : adenosine diphosphate)이라고 한다. 여기에서 ADP와 Pi가 결합되면 아데노신3인산(ATP : adenosine triphosphate)이 합성된다.

ATP는 아데노신 1개에 3개의 인산염이 결합되어 있는데, 인산끼리는 높은 에너지결합 형태로 연결되어 있다. 이 결합이 깨지면서 ATP는 ADP와 무기인산염으로 분해된다. 이때 방출되는 에너지는 생리적 일에 직접적으로 사용된다. ATP가 ADP와 Pi로 분해되는 과정에는 아데노신3인산분해효소(ATPase)가 관여한다.

인체는 음식물로부터 얻은 화학적 에너지를 기계적 에너지, 즉 인체의 동작을 일으키는 힘으로 전환시키고, 또 화학적 에너지로부터 생리적인 일(physiological work)을 수행한다. 생리적인 일은 여러 가지 물질분자들의 화학결합에 의해 저장된 에너지로부터 얻어진다. 어떤 물질의 화학결합이 체내에서 일어나는 화학반응에 의해 깨어지면 그 결합 안에 저장되어 있던 에너지가 방출된다. 방출된 에너지 중 일부는 체온을 상승시키거나 유지하는 열에너지

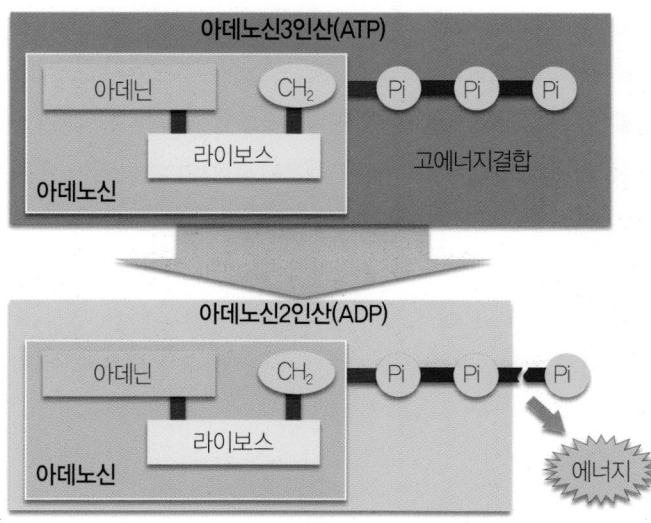

그림 3-10 아데노신3인산의 분해와 에너지의 발생

로 쓰이고, 나머지는 자유에너지(free energy)로서 생리적인 일을 하는 데 이용된다.

2) 아데노신3인산의 합성과정

근육 안에 저장되어 있는 ATP의 양은 아주 적어서 그것만 가지고는 1초 이상 근육을 수축시킬 수 없다. 그럼에도 불구하고 장시간 운동을 지속할 수 있는 이유는 ADP를 이용해서 ATP를 합성하기 때문이다. 인체가 ATP를 합성하는 방법은 산소가 있고 없음에 따라 유산소과정과 무산소과정으로 구분하고, 무산소과정은 사용하는 연료에 따라서 인원질과정과 무산소당분해과정(젖산시스템)으로 구분한다.

(1) 무산소과정
① 인원질과정(ATP-PCr시스템)

근육 안에는 크레아틴인산(PCr : phosphocreatine)이라는 물질도 약간 저장되어 있다. 이것은 크레아틴과 인산이 결합되어 있는 물질이기 때문에 ATP에서 아데노신과 인산의 결합이 깨어질 때 에너지를 방출하듯이 크레아틴과 인산의 결합이 깨지면서 에너지를 방출한다. 이때 방출되는 에너지를 이용해서 ADP에 인산을 하나 더 결합시키면 ATP가 된다.

크레아틴인산이 인을 포함하고 있는 물질이기 때문에 '인원질'이라 하고, 인원질을 이용해서 ATP를 합성하는 과정이라고 해서 '인원질과정'이라 한다. 다른 말로는 ATP-PCr시스템이라 한다. 근육 안에 저장되어 있는 크레아틴인산은 양이 적기 때문에 인원질과정으로 ATP를 합성하는 데에는 한계가 있다(약 7~8초 동안).

② 무산소당분해과정(젖산시스템)

근육 안에는 글리코겐의 형태로 당분이 저장되어 있고, 혈액 안에는 글루코스의 형태로 당분이 녹아 있다. 글루코스와 글리코겐이 몇 개의 과정을 거쳐 피루브산(pyruvate)으로 변

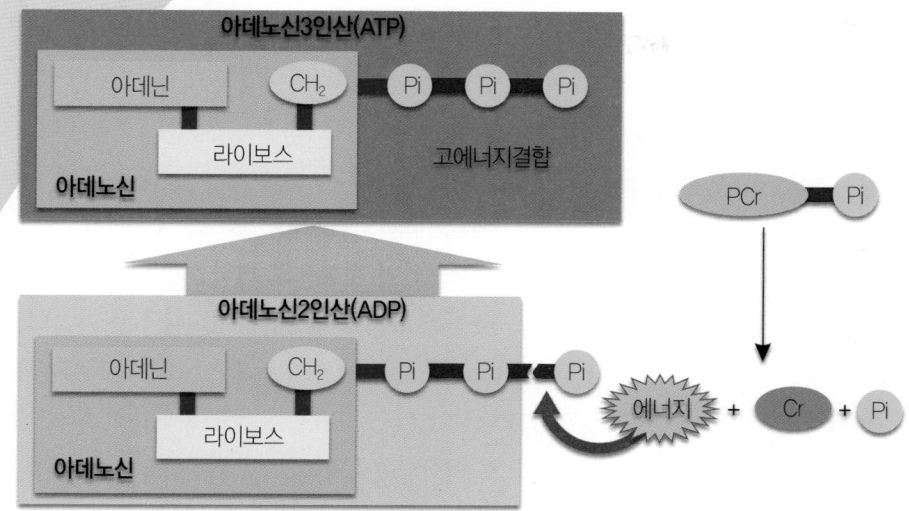

그림 3-11 인원질과정 : 크레아틴인산에 의한 ATP의 재합성

환되면 그때 나오는 에너지를 이용해서 ADP와 Pi를 결합시켜서 ATP를 합성하게 된다.

이 과정은 당분이 분해되는 과정이어서 '당분해과정'이라 한다. 당분해과정이 빨리 진행되지 않아 피루브산의 생성속도가 느려지면 피루브산은 모두 미토콘드리아에 흡수되어 물과 이산화탄소로 분해된다. 그러나 피루브산의 생성속도가 빨라서 미토콘드리아에서 다 처리하지 못하면 처리되지 않고 남은 피루브산은 젖산으로 변환된다. 이 과정에서 결과적으로 젖산이 만들어지기 때문에 '젖산시스템(lactate process)'이라고도 한다. 글루코스가 피루브산으로 변환되는 과정에는 산소가 필요하지 않기 때문에 젖산시스템을 '무산소당분해과정'이라고 한다.

젖산시스템의 에너지공급속도는 세 시스템 중에서 중위권이며, 최대로 운동을 할 때 약 32~33초 동안 에너지를 공급할 수 있다. 생산되는 젖산은 피로를 초래하는 물질이기 때문에 젖산이 근육 안에 쌓이면 피로를 느낌과 동시에 근육수축력이 저하된다. 젖산이 너무 많이 쌓이면 더 이상 근육을 수축시키지 못하는 상태가 되는데, 이것을 피로에 의한 근육의 마비라고 한다.

그림 3-12를 보면 글루코스 1개가 2개의 피루브산으로 분해되는 과정에서 나오는 에너지를 이용해서 2개의 ADP가 2개의 ATP로 바뀌는 것과 2개의 피루브산이 2개의 젖산으로 변환되는 과정에서 2개의 NAD^+가 다시 만들어지는 것을 알 수 있다.

여기에서 NAD⁺(nicotinamide adenine dinucleotide)는 일종의 조효소로, 이것이 없으면 글루코스가 분해되지 않는다. 근육이 계속해서 활동을 하려면 ATP를 계속해서 공급해 주어야 한다. 그런데 그림 3-12와 같이 2ADP → 2ATP로 될 때 2NAD⁺ → 2NADH로 바뀌어버리면 NAD⁺가 고갈되어버릴 것이고, 그러면 글루코스를 분해할 수 없으므로 더 이상 ATP를 공급할 수 없게 될 것이다. 이런 사태를 막으려면 NAD⁺를 재생산해서 공급해야 한다. 이때 즉시 NAD⁺를 재생산하기 위해서 피루브산이 젖산으로 변하는 것이다.

운동을 할 때 근육에서 생성된 젖산은 운동을 그만두거나 운동강도를 낮추어 산소가 작업근육으로 충분히 공급되면 보다 많은 NAD⁺가 젖산에서 수소를 받아들여 NADH형태가 된 후 전자전달계로 보내져 추가적인 ATP합성이 이루어진다. 그리고 젖산에서 만들어진 피루브산도 미토콘드리아로 보내져 최종적으로 이산화탄소와 물로 분해된다.

한편 일부 젖산은 확산되어 근육에서 혈액으로 나온 후 간으로 운반되어 당분해작용의 역방향반응에 의해 간글리코겐으로 전환된다(당신생과정). 간글리코겐은 다시 글루코스로 분해되고(글리코겐분해, glycogenolysis), 이어서 혈액으로 방출되어 근육으로 운반된다. 근육으로 운반된 글루코스는 당분해작용에 의해 분해되거나 근글리코겐으로 재저장된다. 이처럼 근육에서 생성된 젖산이 혈액→간→혈액→근육의 경로를 거쳐 에너지원으로 재사용되는 주기적인 경로를 발견한 사람의 이름을 따서 코리사이클(Cori cycle)이라고 한다. 코리사

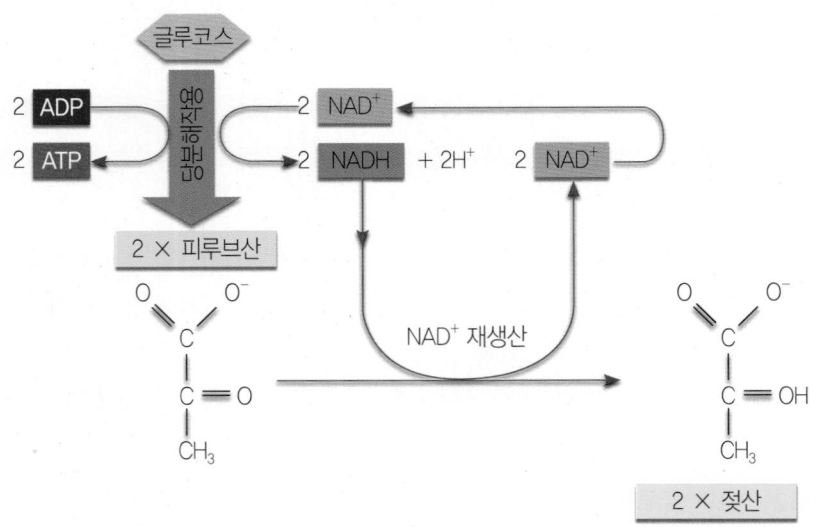

그림 3-12 무산소당분해과정(젖산시스템)

이클은 장시간의 운동 및 회복기에 중요한 역할을 한다.

　　근육활동을 계속하려면 ATP를 계속해서 충전시켜주어야 한다. 또한 산소가 풍부한 상태에서는 크렙스사이클에 의해서 ATP를 얻지만, 힘든 근육활동처럼 산소가 충분하지 못한 상태에서는 무산소대사과정을 통해서 ATP를 얻어야 한다.

　　그때 젖산탈수소효소(lactate dehydrogenase)가 피루브산을 젖산으로 발효시킨다. 젖산으로 발효시키는 과정에서 생기는 가장 중요한 물질은 NAD^+이다. NAD^+의 농도를 어느 정도 이상의 수준으로 유지시켜야 근육에서 당분해작용이 계속해서 일어날 수 있기 때문에 어떤 방법으로든 NAD^+를 재생산해서 보충해주어야 한다. 즉 피루브산을 젖산으로 발효시키는 과정에서 NADH로부터 2개의 전자를 빼앗아 NAD^+를 재생산해서 근육에 공급해주게 되는 것이다.

　　그렇게 되면 근육에 젖산이 쌓여서 곤란하게 되므로 혈액이 젖산을 간으로 보내는 것이 코리사이클의 시작이다. 간에 젖산이 도착하면 간에서 당합성작용(gluconeogenesis)이 일어난다. 간에서 젖산을 피루브산으로 변환시킨 다음 그것을 다시 글루코스로 변환시키는 것을 '당합성작용'이라 하는데, 당합성작용은 당분해작용과 발효과정을 거꾸로 진행시키는 것이다. 당합성작용에 의해서 만들어진 글루코스는 다시 근육으로 보내져서 당분해작용에 들어가거나, 근육이 쉬고 있을 때에는 글리코겐을 재충전할 때 사용된다.

　　코리사이클을 1바퀴 회전하는 동안 당분해과정에서는 2개의 ATP를 얻지만, 당합성과정에서는 6개의 ATP를 소비해야 한다. 결과적으로 4개의 ATP를 손해보는 대신에 젖산에 대한 부담을 근육에서 간으로 옮긴 셈이 된다. 코리사이클의 또 다른 중요한 역할은 근육활동이 중지되어 있을 때 더욱 더 효율적으로 작용해서 크렙스사이클과 전자전달계에 의해서 산소부채를 갚을 수 있도록 해준다.

　　한편 간에서 젖산제거가 촉진되기도 한다. 지구력훈련은 교감신경계통의 흥분을 감소시켜 동일한 운동을 할 때 에피네프린과 노에피네프린의 분비증가가 상대적으로 적게 일어난다. 이들 호르몬은 내장혈관을 수축시켜 내장혈류를 감소시키는 작용을 하기 때문에 이들 호르몬의 분비가 증가하면 내장혈류가 감소하여 간으로 운반되는 젖산의 양이 감소하게 된다. 따라서 동일한 강도로 지구력훈련을 수행하면 에피네프린과 노에피네프린의 분비를 감소시켜 간의 젖산제거율을 증가시킨다.

(2) 유산소과정

당분해과정에서 만들어진 피루브산염이 세포소기관인 미토콘드리아로 들어가서 유산소

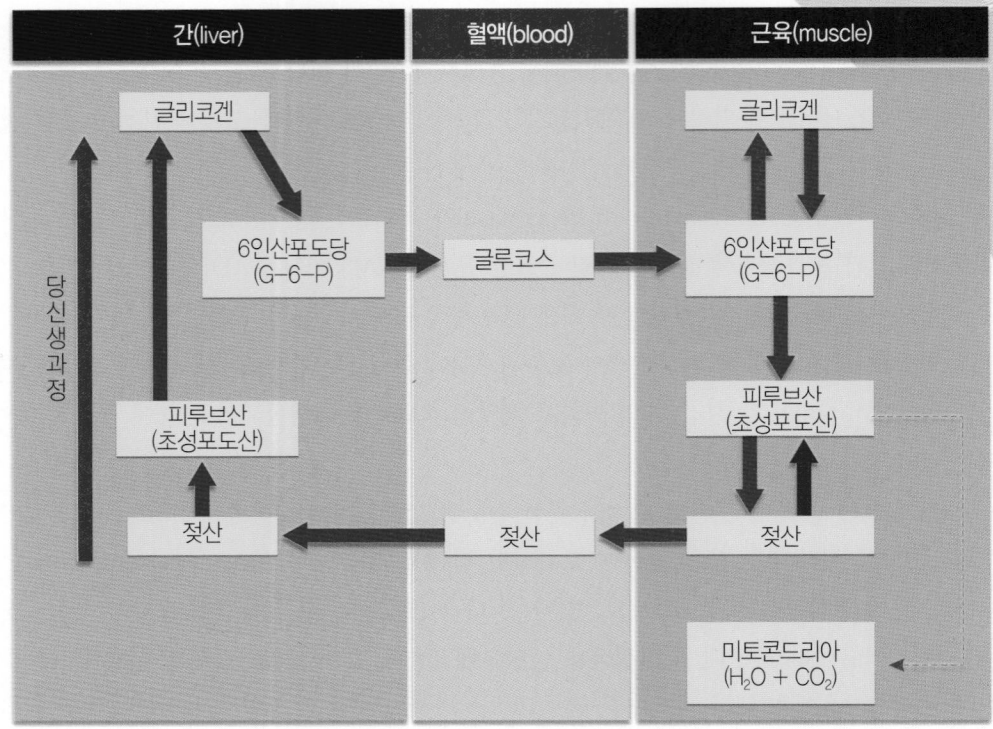

그림 3-13 젖산제거의 주요 경로(녹색선이 코리사이클)
출처 : 정일규(2015). 휴먼퍼포먼스와 운동생리학(전정판). 대경북스.

대사과정(aerobic pathways)에 참여하는 것을 산화적 인산화(oxidative phosphorylation)라고 한다. 이것은 산소를 이용해서 ATP를 합성하는 것을 말한다.

① 유산소당분해과정

유산소에너지생성시스템의 첫단계는 아세틸조효소A(acetylcoen-zyme A)의 공급이다. 에너지가 충분할 때에는 글루코스가 글리코겐 형태로 저장된다. 그런데 글리코겐 형태로 저장할 수 있는 양에는 제한이 있어서 그 양을 초과하면 지방으로 전환되어 저장된다. 일단 저장된 글리코겐은 글루코스로 분해되고, 당분해과정을 거쳐서 피루브산이 된다.

이 과정에서 1mole의 글리코겐은 3mole의 ATP를 만들어낸다. 이때 산소가 있으면 미토콘드리아로 들어가 아세틸조효소A로 전환되어 산화적 인산화과정을 거쳐 많은 수의 ATP를 생산하겠지만, 산소가 부족하다면 피루브산이 젖산으로 전환되어 피로를 유발시킨다.

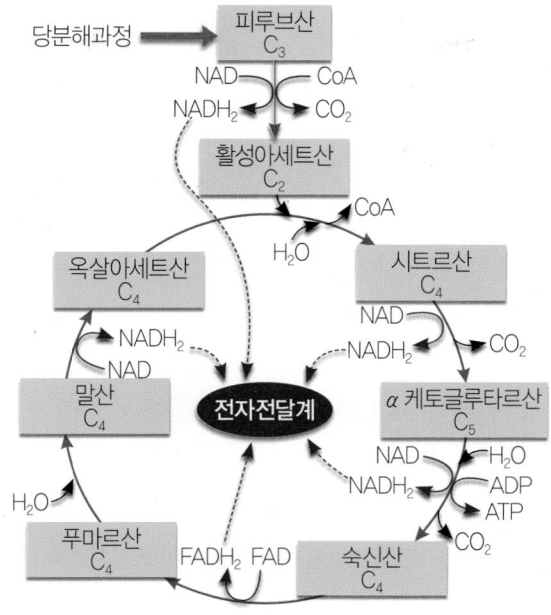

그림 3-14 유산소당분해과정

② 크렙스사이클

아세틸조효소 A가 만들어지면 크렙스사이클(Krebs cycle ; tricarboxylic acid cycle, 구연산사이클, 트라이카본산사이클)로 들어가 많은 ATP를 생성한다. 크렙스사이클에 아세틸조효소A가 1개 공급되면 2mole의 ATP가 생성되는데, 이것은 산소가 있을 때만 가능하다. 여기에서 발생한 NADH 및 FADH가 전자전달연쇄(electron transport chain)과정으로 전달되어 ATP를 생성한다.

한편 포도당은 당분해과정을 통해 피루브산 또는 젖산이 되는데, 두 가지 중 어느 것이 되는지는 운동강도와 산소공급 여하에 따라 결정된다. 젖산과 피루브산은 서로 전환이 가능하기 때문에 전환과정을 통해서 체내에 축적된 젖산의 70%는 피루브산으로 전환된 상태에서 아세틸조효소A로 전환되어 에너지로 사용되고, 20%는 피루브산으로 전환되어 다시 포도당으로 전환되며, 나머지 10%는 아미노산으로 전환된다.

③ 전자전달계

크렙스사이클에서는 많은 양의 수소가 분리된다. 이때 발생한 수소(H^+)는 니코틴아마이드아데닌다이뉴클레오타이드(NAD : nicotinamide adenine dinucleotide)와 플라빈아데닌 다이뉴클레오타이드(FAD : flavin adenine dinucleotide)라는 조효소와 결합한다. 이것들은 수소원자를 전자전달연쇄로 이동시켜 O_2와 결합하여 H_2O를 만들기 때문에 산성화가 방지 되고, 수소에서 분리된 전자는 ATP 생성에 기여한다. 이러한 과정에는 산소가 반드시 필요하 기 때문에 산화적 인산화라고 한다.

NADH는 ATP를 3개 만들어내는 반면 $FADH_2$는 2개만 만든다. 이때 중요한 것은 수소의 상태이다. 실제로 ATP를 만들 때 필요한 것은 에너지를 가지고 있는 수소로서, 전자전달연 쇄에 참가하는 수소의 상태가 중요하다. NADH가 전달해주는 수소는 높은 에너지를 가지고 있지만, $FADH_2$가 전달해주는 수소의 에너지는 낮다. 따라서 수소가 가지고 있는 에너지를 ATP로 전환시키게 된다.

한편 유리지방산(FFA : free fatty acid) 1mole은 129ATP를 생성하는데, 이때 다량의 탄 소($C_{16}H_{32}O_2$)가 많은 양의 아세틸조효소A를 생성하여 크렙스사이클과 전자전달연쇄로 보내 많은 양의 ATP를 생성한다.

③ 트레이닝의 대사적 적용

건강증진에는 운동이 반드시 필요하다. 규칙적으로 적당한 운동을 계속하여야 근육이나 호흡계통·순환계통의 기능을 증진시킬 수 있는데, 이러한 운동을 트레이닝이라고 한다. 여기 에서는 트레이닝방법과 그 효과 및 트레이닝에 대한 신체기능의 적응과정을 설명한다.

1) 트레이닝의 종류와 방법

트레이닝을 할 때에 근육의 활동에 필요한 O_2가 혈액으로 충분히 공급되는 경우와 그렇 지 않은 경우가 있다. 전자를 유산소(호기적)운동, 후자를 무산소(혐기적)운동이라고 한다.

또한 트레이닝에는 단시간의 격렬한 운동과 휴식을 교대로 하는 인터벌트레이닝(interval training)과 중간강도의 운동을 계속하는 지속트레이닝(continuous training)이 있다.

여기에서는 이러한 트레이닝을 실시할 때의 주의사항을 설명한다.

(1) 무산소트레이닝

짧고 격렬한 운동을 할 때 에너지는 근육섬유 내의 ATP에 의하여 공급되는데, 운동의 지속시간이 이보다 길어지면 먼저 크레아틴인산시스템이 동원되고, 이어서 젖산시스템이 에너지를 공급한다(그림 3-15).

이러한 에너지공급시스템은 모두 혈액의 O_2를 필요로 하지 않는 무산소(에너지생산)시스템이다. 무산소시스템에 따라 이루어지는 운동을 무산소운동, 이에 의한 트레이닝을 무산소트레이닝이라고 한다.

지속시간 5초 이하의 격렬한 운동에는 역기들기·점프·골프의 스윙·테니스의 서브 등이, 5초 이상 40초 이하의 격렬한 운동에는 100m 달리기·축구경기·200m 달리기·100m 수영경기 등이 있다.

무산소트레이닝은 정신적으로도 육체적으로도 고통이 동반될 뿐만 아니라 젖산의 축적으로 인하여 근육이 피로하게 된다. 이를 방지하기 위하여 적당한 회복기간을 부여할 필요가 있다. 무산소트레이닝은 역도선수·단거리달리기선수·단거리수영선수 등이 운동기능을 향상시킬 때 필요하지만, 일반인의 심장허파기능을 포함한 체력증진에는 적당하지 않다.

한편 무거운 물건을 들어올리거나 벽을 강한 힘으로 밀어내기와 같은 '배에 힘을 주는' 단시간의 운동(Valsalva 동작이라고 한다)을 할 때에는 기도(숨길)가 닫힘과 동시에 배부위

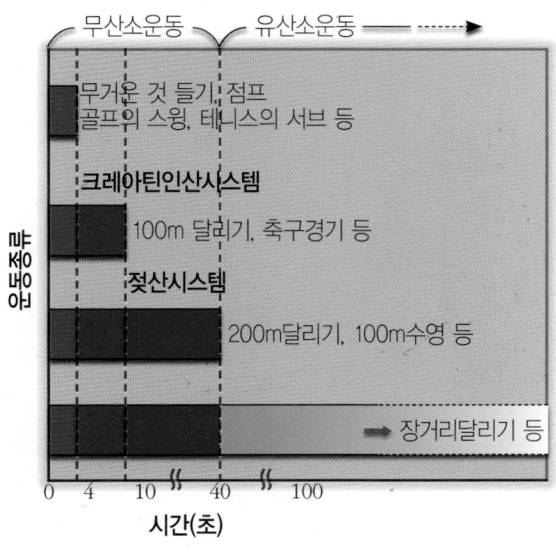

그림 3-15 운동의 종류에 따른 지속시간과 에너지생산시스템

근육이 수축되어 가로막이 위쪽으로 밀려올라가 가슴속공간이 현저하게 감소한다. 이 때문에 가슴속공간 속의 압력이 증대되고 대동맥이 압박되어 혈압이 급격히 상승한다.

한편 가슴속공간 속의 대정맥은 혈관벽이 얇고 가슴속공간 속압력에 의하여 압축되므로 심장으로 돌아오는 정맥혈액량이 감소한다. 그러므로 심장이 박출하는 혈액량도 감소하여 혈압이 저하하게 된다. 이때 뇌에 공급되는 혈액량이 감소하므로 '현기증'을 일으킬 수 있다. 이 혈압의 저하는 자율신경의 반사에 의해 심박수를 증대시키고 혈관을 수축시키므로 혈압은 다시 현저히 상승한다. 따라서 심장혈관계통질환이 있는 사람은 역도와 같이 '힘을 주는' 운동을 해서는 안 된다.

(2) 유산소트레이닝

그다지 격렬하지 않은 운동을 계속할 때에는 에너지소비에 필요한 O_2가 충분히 근육에 공급된다. 이러한 운동을 유산소(호기적)운동이라 하고, 유산소운동에 의한 트레이닝을 유산소트레이닝이라고 한다. 이때 에너지공급은 오로지 유산소에너지생산시스템에 의하여 이루어진다(그림 3-15).

전신지구력(체력)의 증대와 건강증진이라는 목적을 달성하기 위해서는 근육의 지속적인 작업능력을 높임과 동시에 호흡계통과 순환계통의 기능을 증대시키는 유산소트레이닝이 효과가 있다. 그림 3-16과 같이 유산소트레이닝은 운동 시에 활동하는 근육에 일상생활의 활동강도 이상의 과부하를 줄 뿐만 아니라 근육에 O_2를 충분히 공급하기 위하여 심장의 활동

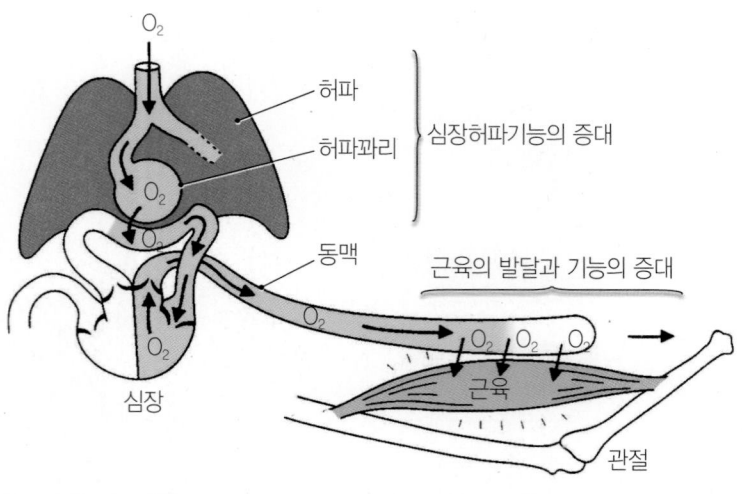

그림 3-16 유산소트레이닝에 의한 근육 및 심장허파기능의 증대

에도 과부하를 주어 1회박출량을 증대시킨다. 게다가 허파를 통하여 외부의 O_2를 받아들이는 호흡근육의 기능도 증대시킨다.

유산소트레이닝에는 인터벌트레이닝과 지속트레이닝이 있다.

① 인터벌트레이닝

단시간의 운동과 단시간의 휴식을 교대로 반복하는 트레이닝방법을 인터벌트레이닝(interval training)이라고 한다. 이 방법은 운동시간과 휴식기간을 적당히 설정하여 트레이닝하는 것으로, 어느 정도 휴식없이 트레이닝을 실시할 때에는 유산소시스템에 의한 에너지공급이 따라가지 못한다. 이 때문에 젖산이 축적되어 피로를 일으키는 운동을 똑같이 운동시간을 늘리더라도 피로하지 않게 실시할 수 있게 된다. 예를 들어 시속 24km 달리기를 1분 동안 계속하면 피로해지지만, 15초 달리고 30초 휴식하면 몇 분 동안도 계속 달릴 수 있다.

인터벌트레이닝은 운동선수의 트레이닝에는 뚜렷한 효과가 있다. 그러나 운동강도, 운동기간, 휴식기간, 1회트레이닝 중의 운동과 휴식횟수 등 결정해야할 항목이 많기 때문에 일반인에게 적합한 트레이닝이라고는 할 수 없다.

② 지속트레이닝

중간강도 또는 그 이상의 강도(50~80VO$_2$max)로 장시간 지속하여 실시하는 트레이닝을 지속트레이닝(continuous training)이라고 한다. 일반인의 전신지구력 증대에 적합한 것은 지속유산소트레이닝이다.

지속트레이닝을 실시할 때에는 운동의 종류, 지속시간, 트레이닝빈도 등이 중요하다.

(3) 트레이닝의 지속시간과 빈도

트레드밀을 이용하여 피검자가 체력의 한계까지 일정속도로 달릴 수 있는 시간을 측정하는 방법을 올아웃달리기(all-out running)라고 한다. 피검자는 트레드밀의 움직임에 따라갈 수 없게 된 시점에서 손으로 신호를 보내 달리기를 중지한다.

트레드밀에서의 주행속도가 증가할수록 당연히 올아웃달리기의 지속시간은 짧아진다(그림 3-17). 중간강도의 주행속도(200m/분 이하)에서 피검자가 10분 이상 주행을 계속하면 허파의 매분환기량, 심박수, 산소섭취속도 등은 주행시작 후 상승하여 3~5분 안에 최대치에 도달한다. 그 결과는 근육에 O_2를 공급하는 호흡·순환계통의 활동이 주행시작 후 3~5분 안에 최대가 되는 것을 나타낸다.

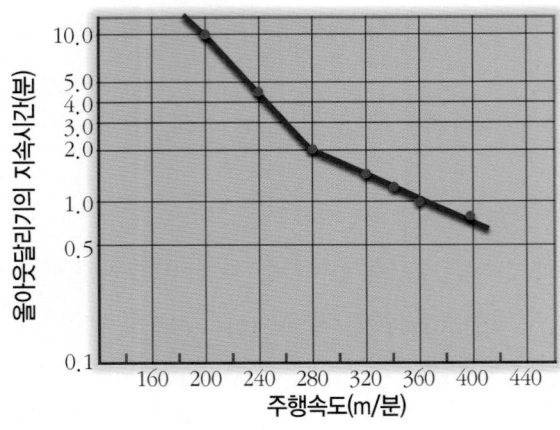

그림 3-17 올아웃달리기의 주행속도와 지속시간의 관계

① 산소섭취량과 소비량의 비율

올아웃달리기의 주행속도가 일정수치를 넘어 증대하면 O_2의 공급속도가 그 운동의 수요에 따라가지 못하게 된다. 이렇게 큰 운동강도의 운동 중 O_2공급부족의 정도는 O_2섭취량과 O_2수요량의 비율(O_2섭취량/O_2수요량)로 나타낸다.

올아웃달리기의 지속시간이 짧을(즉 주행속도가 큰) 때에는 산소섭취량이 50% 이하가 되어 O_2공급이 부족해진다. 이 O_2부족분의 에너지소비는 무산소시스템(크레아틴인산시스템 및 젖산시스템)에 의하여 조달되지만, 젖산축적으로 인하여 보다 빠르게 피로가 발생하여 탈진(all-out)상태가 된다.

올아웃달리기의 주행속도가 200m/분 이하이고 주행시간이 10분을 넘는 낮은 강도의 운동에서는 산소섭취량(oxygen intake)과 수요량(oxygen requirement)의 비율이 100%에 도달하고, O_2공급에 의한 유산소시스템이 운동에너지 수요를 채우게 된다. 이 상태가 바로 유산소시스템 하의 유산소운동이다.

이상의 결과에서 호흡계통·순환계통의 기능을 증대시키는 지속적인 트레이닝은 10분 이상 계속할 수 있을 정도의 운동강도여야만 한다는 것을 알 수 있다.

② 트레이닝빈도

트레이닝을 주 1회, 2회, 3회, 4회 실시한 다음 5~10주 후의 효과를 비교해보니 전신지구력($\dot{V}O_2max$)을 증대·유지하는 트레이닝에 필요한 빈도는 주 3회이다. 따라서 트레이닝빈도는 주 3회부터 시작하고, 이에 익숙해지면 조금 증가시켜도 좋으나, 피로를 다음날로 가져가지 않을 정도에서 그쳐야 한다.

2) 트레이닝의 원칙

운동을 하면 자주 사용되는 근육은 발달하고, 사용하지 않는 근육은 위축된다. 이렇게 신체의 기관은 주어진 환경조건에 적응하여 그 기능을 증진시키려는 능력이 있다. 따라서 신체의 적당한 운동, 즉 트레이닝은 신체의 다양한 기관의 기능을 증대시키고, 체력향상과 건강증진으로 이어지는데, 이것을 트레이닝효과라고 한다.

트레이닝을 할 때에는 몇 가지 지켜야할 원칙이 있다. 이 원칙을 지키는 한 트레이닝으로 인한 신체 여러 기관의 적응효과는 남녀나 연령을 불문하고 똑같이 발생한다.

(1) 과부하의 원칙

트레이닝으로 신체기능을 향상시키기 위해서는 운동강도가 일상생활활동 수준을 뛰어넘어야 한다. 어떠한 운동을 실시할 때의 총소비에너지(운동량)는 '운동량=(운동강도)×(지속시간)'으로 나타낸다. 즉 어떠한 운동을 계속할 때 단위시간당 에너지소비량이 운동강도이다. 다양한 운동의 운동강도는 에너지대사율(RMR : relative metabolic rate)로 나타낸다.

과부하의 원리에 따라 트레이닝프로그램을 작성하려면 우선 대상자의 일상생활의 강도를 알 필요가 있다. 이것은 1일의 생활에서 다양한 운동(및 작업)을 할 때 RMR수치와 지속시간으로 구하거나, 포터블(portable)심박수기록장치를 착용하여 구할 수 있다.

전업주부의 1일 움직임에서 심박수가 100박/분을 넘는 시간은 지극히 적다. 사무실에서 작업하는 사람도 마찬가지다. 이러한 사람들의 일상생활활동의 평균심박수는 최대산소섭취량(VO$_2$max)의 40% 이하이다. 따라서 과부하의 원칙에 따라 이러한 사람이 운동강도가 50~60%VO$_2$max인 운동을 하면 과부하가 되어 트레이닝효과를 기대할 수 있다.

표 3-8에는 일반적인 생활을 하는 사람의 연령별 VO$_2$max 수치에 대하여 건강만들기를 위한 최대산소섭취량의 기준치와 범위를 나타냈다.

(2) 특이성의 원칙

트레이닝으로 향상시킬 수 있는 신체기관의 기능은 트레이닝의 종류에 따라 다르다. 예를 들어 팔근육에서 발생하는 힘을 향상시키려고 한다면 역도 등으로 팔근육이 큰 무게를

표 3-8 건강만들기를 위한 운동기준

A. 건강만들기를 위한 최대산소섭취량의 기준치(ml/kg/분)

연령	20대	30대	40대	50대	60대
남	40	38	37	34	33
여	33	32	31	29	28

B. 건강만들기를 위한 최대산소섭취량의 범위(ml/kg/분)

연령	20대	30대	40대	50대	60대
남	33~47	31~45	30~45	26~45	25~41
여	27~38	27~6	26~33	26~32	26~30

움직이는 트레이닝(저항트레이닝)을 실시하는 것이 효과적이다. 또한 지속적인 유산소트레이닝(수영, 사이클링, 러닝 등)은 운동에 관여하는 근육을 발달시킬 뿐만 아니라, 심장허파기능도 향상시킨다. 이러한 효과는 VO_2max의 증가로 나타난다.

① VO_2max의 특이성

유산소트레이닝에 따른 VO_2max의 증가는 그 트레이닝과 같은 운동을 한 다음 VO_2max를 측정하면 뚜렷하게 나타나지만, 다른 종류의 운동을 한 다음 VO_2max를 측정하면 그 증가정도가 미미하였다. 표 3-9는 15명의 피검자에게 10주 동안 수영에 의한 유산소트레이닝(지속시간 1시간, 1주간 3회)을 실시하게 한 전후에 두 가지의 다른 방법(트레드밀달리기와 수영운동)을 이용하여 VO_2max을 측정한 결과이다. 수영으로 측정한 피검자의 VO_2max 수치는 트레이닝으로 인하여 현저히 증대하지만, 트레드밀로 측정한 VO_2max 수치는 거의 변화가 없다.

그 결과는 유산소트레이닝으로 인한 심장허파기능의 향상은 특정 트레이닝에 사용하는 근육의 운동과 밀접한 관계가 있다는 것을 시사한다. 즉 수영의 지구력을 증대시키기 위하

표 3-9 10주 간의 수영트레이닝 전후에 두 가지 다른 운동(트레드밀달리기와 수영)으로 측정한 VO_2max

	수영에 의한 측정	트레드밀달리기에 의한 측정
	트레이닝 전 → 트레이닝 후	트레이닝 전 → 트레이닝 후
VO_2max (ml/kg/분)	46.6→51.8 (11%의 증가)	54.9→55.7 (1.5%의 증가)

여 트레드밀로 트레이닝을 실시하면 큰 효과가 없다. 그 이유는 근육의 적응현상이 실제로 트레이닝에서 사용하는 근육에만 발생하기 때문이다.

② 국소변화의 특이성

트레이닝에서 사용하는 근육에 발생하는 적응현상으로 인해 특정근육의 발생장력의 증가나 근육의 O_2이용능력이 증가한다. 그 결과 특정근육에 분포된 모세혈관의 발달, 유산소시스템에 의한 근육 내의 ATP 생산에 관여하는 산소량의 증대, 미토콘드리아 용적의 증가 등이 발생한다. 또한 근육섬유 내의 ATP, 크레아틴인산, 글리코겐의 양도 증가한다.

(3) 개인차의 원칙

신체지구력의 지표인 VO_2max에는 현저한 개인차가 있다. 따라서 트레이닝을 효과적으로 실시하려면 트레이닝프로그램을 작성하기 전에 대상자의 일상생활강도를 알 필요가 있다.

(4) 가역성의 원칙

일반적으로 트레이닝을 시작하고 나서 그 효과가 분명히 나타나기까지는 1~2개월이 필요하다. 트레이닝을 계속하면 VO_2max나 근육계통·호흡계통·순환계통의 기능이 증대하지만, 트레이닝을 중지하면 트레이닝으로 향상된 신체의 기능은 재빠르게 저하된다. 이 과정은 트레이닝을 중지하면서 트레이닝에 의한 적응현상이 반대방향으로 진행하는 것을 의미한다.

따라서 트레이닝으로 인한 신체지구력의 증가와 건강증진을 위해서는 매일 빠지지 않고 트레이닝을 계속하여야 한다. 문자 그대로 '계속은 힘이 된다'는 것이다.

3) 트레이닝의 효과

트레이닝을 하면 근육은 발달되고 전신지구력은 향상된다. 이 지구력의 증가는 근육에 O_2를 공급하는 호흡계통·순환계통 기능의 향상에 따른 것이다.

여기에서는 이러한 트레이닝의 효과를 자세히 설명한다.

(1) 근육섬유

① 근육필라멘트수의 증가

트레이닝으로 근육섬유의 수는 변화하지 않지만, 개별 근육섬유의 지름은 증가한다. 이것은 근육섬유 속에 있는 액틴이나 마이오신과 같은 단백질의 합성이 활발해져서 근육필라멘트의 개수가 증가하기 때문이다. 근육필라멘트의 개수가 늘어난다는 것은 근육섬유에서 발생하는 힘(근력)의 증대를 의미한다. 또, 근육섬유의 단위단면적당 발생하는 힘에 남녀차이는 없다.

한편 트레이닝의 종류에 따라 근육의 기능은 그 운동에 적합하도록 변화한다. 이러한 구조는 유전자와 관련이 있다.

② 근육섬유의 세포질조성의 변화

운동강도가 높은 운동을 계속하면 근육의 소비에너지에 대한 O_2공급이 부족하므로 젖산시스템에 의한 에너지공급이 동원된다. 이러한 무산소트레이닝에 적응하여 근육섬유 내에서 젖산시스템이 관여하는 화학물질의 양이 어느 정도 증가한다.

또한 장시간달리기와 같이 유산소시스템이 활동하는 유산소트레이닝에서는 유산소에너지가 생산될 때 활동하는 미토콘드리아 양의 현저한 증가(체적으로 250% 이상)와 함께 ATP 생산에 관여하는 산소활성도 현저히 증대한다. 이러한 변화가 전신지구력의 향상을 가져온다.

(2) 심장

운동선수는 큰 심장을 가졌기에 스포츠심장(athletic heart)이라고 한다. 이것은 트레이닝으로 적응되어 심장근육이 발달하였기 때문이다. 트레이닝을 하면 산소섭취량(VO_2)이 같을 때 심박수는 저하된다. 이것은 심장의 1회박출량 증가에 따른 것이다. 즉 트레이닝으로 같은 산소섭취량에서의 심장박동빈도는 감소하고, 운동에 대한 심장의 에너지소비효율은 향상된다.

(3) 허파

허파꽈리에 들어 있는 O_2는 호흡에 의해 적혈구에 포함된 헤모글로빈과 결합하여 온몸으로 보내진다. 허파꽈리 속의 공기에서 혈액 내의 헤모글로빈으로 O_2를 전송하는 원동력은 허파꽈리와 혈액 사이의 O_2분압차이이다. 1분 동안 허파꽈리에서 혈액 내의 헤모글로빈에 전송되는 O_2의 분압차이 1mmHg당의 양을 허파확산용량이라고 한다.

허파확산용량은 유산소트레이닝으로 증가한다. 이것은 주로 허파모세혈관의 양이 증가하여 허파꽈리와 접한 모세혈관의 표면적이 증대하기 때문이다.

(4) 말초혈관계통

혈액 속의 O_2는 근육 내에 분포된 모세혈관에서 각각의 근육섬유로 공급된다. 모세혈관을 둘러싼 혈관의 민무늬근육은 근육이 수축할 때 이완하며, 그 결과 모세혈관의 지름이 증가하고 근육으로의 혈류량이 현저히 증가하게 된다.

피검자가 위를 보고 누워 일정한 빈도로 팔꿈관절 굽혔다펴기를 반복하여 추를 올렸다내리는 근지구력트레이닝(그림 3-18)을 통하여 추를 연속하여 올렸다내리는 회전력이 증가함과 동시에 트레이닝 중에 아래팔로 가는 혈류량이 증가한다. 트레이닝을 중지하면 작업횟수와 혈류량은 트레이닝 전의 수치로 돌아간다(가역성의 원칙). 한편 아래팔의 안정혈류량은 트레이닝으로 인한 변화가 거의 없다.

(5) 심박수로 살펴본 트레이닝효과

심박수로 보면 유산소운동을 효과적으로 실시하기 위하여 필요한 트레이닝 중의 문턱값심박수(HRthreshold)와 안정심박수(HRrest)의 차이는 그 사람의 최대심박수(HRmax)와 HRrest 차이의 60% 이상이어야만 한다.

$$HRthreshold=HRrest+0.6(HRmax-HRrest)$$

심박수가 거의 HRthreshold인 운동강도의 중간강도인데, 이때 정상적인 사람은 기분 좋게 운동을 계속할 수 있다. 일반적으로 운동강도가 이것보다 높으면 그만큼 트레이닝효과가 커지지만, 운동강도가 너무 높아지면 트레이닝이 역효과를 가져온다는 사실에 유의하여야 한다.

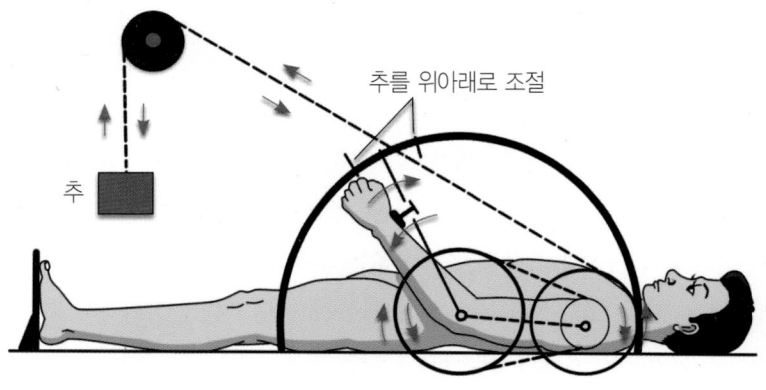

추를 위아래로 조절

추

그림 3-18 누워서 추를 이용한 근지구력 트레이닝

(6) 비만의 해소

비만은 생활습관병의 원인이 된다. 에너지섭취와 소비 측면에서 유산소트레이닝을 통한 비만의 해소를 생각해보자. 예를 들어 1일 간격(연간 150회)으로 300kcal의 트레이닝을 계속하는 경우를 생각하자. 운동의 에너지원 중에서 지질이 차지하는 비율은 최대 50%이다. 지질은 1g당 7.3kcal의 에너지를 발생시키므로 트레이닝개시 후 1년 동안의 체지방감소량은 '300(kcal)×1/2×150÷7.3(kcal)≒3kg'이다.

① 비만의 해소

운동 시의 에너지원은 당질과 지질로, 유산소트레이닝의 운동강도가 0.5VO₂max의 50% 이하이면 당질과 지질은 에너지원에서 각각 약 50%씩을 차지하게 된다. 따라서 운동강도가 중간정도이고 지속시간이 긴 달리기는 체지방을 감소시키고 비만을 해소하는 데 적합하다. 게다가 트레이닝으로 VO₂max가 증대하므로, 에너지소비량이 많은 운동을 계속할 수 있다.

완만한 달리기의 에너지소비량은 체중 1kg당 1km 달릴 때 약 1kcal이다. 따라서 체중이 60kg인 사람이 5km를 달리면 에너지소비량은 300kcal이 된다. 비만인 사람은 지방세포로 지질을 체내에 축적시킨다. 지방세포는 한 번 증가하면 지질이 감소하여도 그 숫자는 변하지 않고 부피가 감소할 뿐이다. 지방세포수는 신체발육기의 지질섭취량으로 정해지므로, 비만을 방지하려면 청소년기에 지방의 지나친 섭취에 주의하여야 한다.

② 동맥경화의 예방

혈액 속의 지질 중에서 콜레스테롤과 중성지방이 많은 상태를 고지질혈증이라고 한다. 비만상태에서는 지질이 체지방으로 저장됨과 동시에 그 혈중농도도 높아지므로 고지질혈증의 전 단계이다. 지질은 단백질과 결합하여 지질단백질형태로 혈액 안에서 운반되어 대사되고, 일부는 신체의 여러 가지 기관에 저장되고, 일부는 에너지원이 된다.

지질단백질은 대사과정에서 저비중지질단백질(LDL : low density lipoprotein)과 고비중지질단백질(HDL : high density lipoprotein)로 변화한다. 동맥혈관 내에 콜레스테롤이 침착되어 혈관벽을 경화시켜 혈관의 속공간을 좁히는 것을 동맥경화라고 한다.

LDL과 HDL은 모두 콜레스테롤을 많이 함유하고 있지만, LDL만이 혈관벽에 침착된다. HDL은 혈중에 있는 다른 콜레스테롤과 결합되어 간으로 운반된 후 쓸개즙으로 배출되므로 콜레스테롤의 청소물질이라고 불린다. 따라서 HDL/LDL의 비율이 높으면 동맥경화가 되기 어렵다.

일상생활에서 활동적인 사람은 HDL/LDL 비율이 일반적으로 높고, 비활동적인 사람은 낮다. 저강도의 유산소트레이닝($50\%VO_2max$의 러닝 등)을 장기간 지속하면 HDL/LDL 비율이 상승한다. 고강도무산소트레이닝으로는 효과가 없다. 즉 저강도의 유산소트레이닝은 혈액 중 지질의 조성을 조절하여 동맥경화를 예방한다. 이 작용은 트레이닝을 중지하면 소실되므로 트레이닝을 계속할 필요가 있다. 또한 단거리달리기나 역도 등의 VO_2max가 100%에 가까운 고강도운동에서는 운동에너지원이 100% 당질이므로 혈액 내의 지질대사를 자극하지 않고 HDL을 상승시키지도 않는다.

04

신경계통과 운동

① 신경계통의 구조와 기능

    사람은 더욱 잘 살아가기 위하여 '움직인다'고 해도 과언이 아니다. 그러나 한마디로 '움직인다'고 해도 보통 아무렇지 않게 하는 '양치질'부터 일류 운동선수가 실시하는 '기술'까지 다양한 운동 및 동작이 있다. 그렇다면 이 광범위에 걸친 운동 및 동작이 어떻게 생겨나는 것일까?

    운동 및 동작을 만들어내고 조절하는 신체부위는 '신경계통'이다. 지금까지 다양한 연구에서 신경계통은 마음이나 기억 등에도 연관되어 있다는 사실이 밝혀져 있으나, 여기에서는 신체의 운동 및 동작에 관련된 내용을 설명한다.

1) 신경계통의 분류

    신경계통은 크게 중추신경계통(CNS : central nervous system)과 말초신경계통(PNS : peripheral nervou system)으로 나누어진다. 외부로부터의 정보는 말초신경의 감각신경(구심성신경)에 의하여 중추부로 입력되고, 거기에서 처리된 정보가 말초신경의 운동신경(원심

그림 4-1   **신경계통의 분류**
신경계통은 중추신경계통(뇌와 척수)과 말초신경계통(몸신경과 자율신경)으로 분류된다.

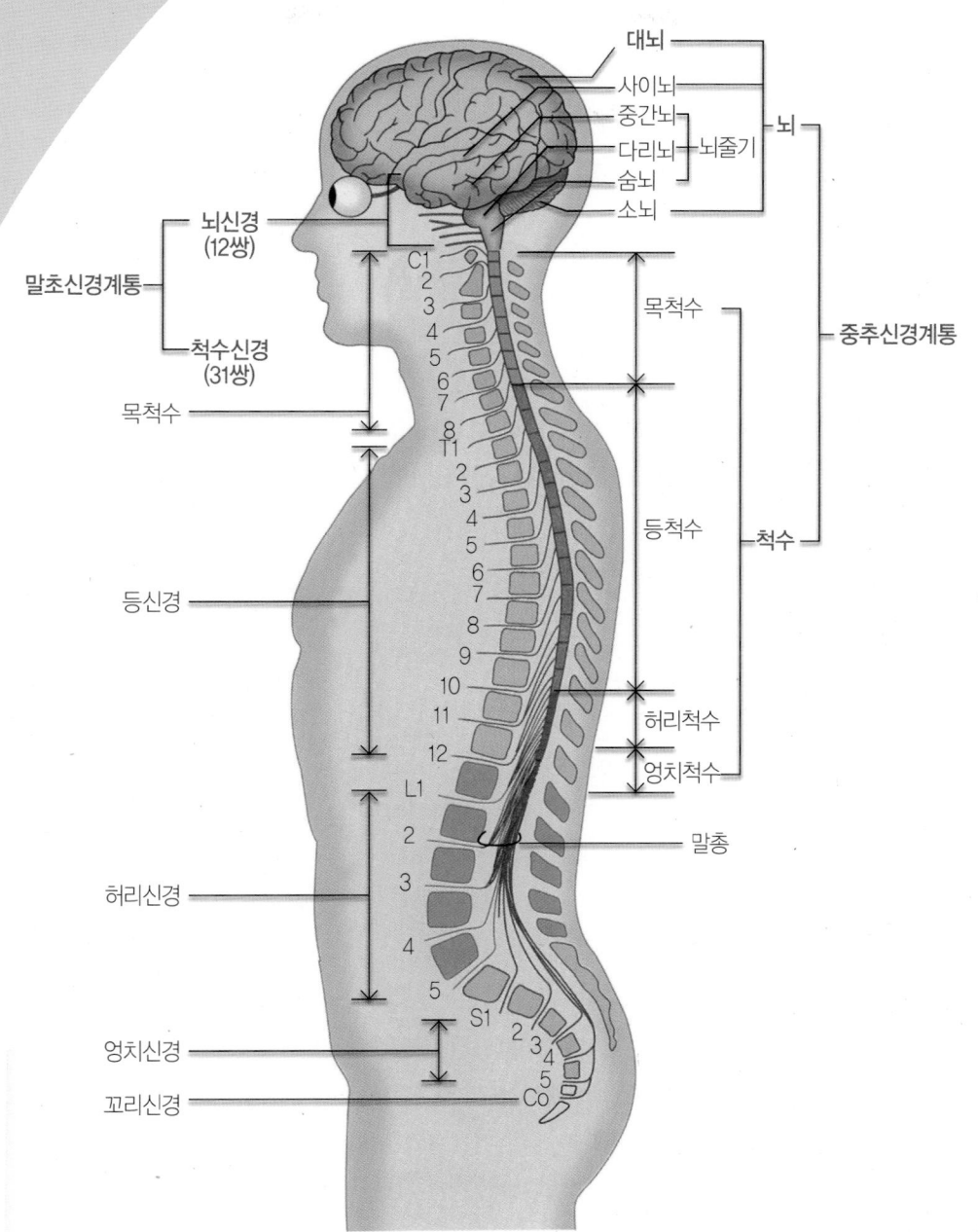

대뇌
사이뇌
중간뇌
다리뇌 ⎱ 뇌줄기
숨뇌
소뇌

뇌

뇌신경
(12쌍)

척수신경
(31쌍)

말초신경계통

목척수

등신경

허리신경

엉치신경

꼬리신경

C1
2
3
4
5
6
7
8
1
2
3
4
5
6
7
8
9
10
11
12
L1
2
3
4
5
S1 2
3
4
5
CO

목척수

등척수

허리척수
엉치척수

말총

척수

중추신경계통

그림 4-2 **신경계통의 구조**

※말총 : 척수가 첫째허리뼈 주변까지만 뻗어 있어서 허리신경과 엉치신경은 척주관 안에서 아래쪽으로 주행한다. 그 모습이 말꼬리처럼 보이기 때문에 말총(cauda equina, 마미)이라 한다.

성신경)에 의하여 신체 각 부위(근육이나 분비샘)로 전달된다(그림 4-1).

중추신경계통이란 뇌와 척수를 말한다. 뇌는 끝뇌(telencephalon, 끝뇌 ; 대뇌겉질·대뇌바닥핵), 사이뇌(interbrain, 간뇌 ; 시상·시상하부), 뇌줄기(brain stem, 뇌간 ; 중간뇌·다리뇌·숨뇌), 소뇌로 분류되며, 척수(spinal cord)는 목척수(cervical cord), 등척수(thoracic cord), 허리척수(lumbar cord), 엉치척수(sacral cord)의 각 척수분절(myelomere, 수절)로 분류된다.

말초신경계통은 중추신경계통과 신체 각 부위를 연결하는 전도경로의 총칭이며, 뇌신경과 척수신경이 있다. 기능면에서 분류하면 몸신경과 자율신경으로 나눌 수 있다. 몸신경은 의식적으로, 자율신경은 무의식적으로 정보처리와 신경조절을 한다. 몸신경은 중추에서 말초로 전달하는 원심성신경과 그 반대인 구심성신경으로 분류되는데, 자율신경계통은 모두 원심성신경이며, 하나의 기관에 교감신경과 부교감신경이라는 두 종류의 신경섬유를 보낸다.

2) 중추신경계통의 구조와 기능

(1) 끝뇌

끝뇌(telencephalon, 종뇌)란 대뇌겉질과 대뇌바닥핵을 가리킨다. 대뇌겉질은 사람을 포함한 영장류에서 가장 발달되어 있다.

대뇌겉질은 대뇌세로틈새(cerebral longitudinal fissure, 대뇌종렬)에 의하여 왼대뇌반구(left cerebral hemisphere)와 오른대뇌반구(right cerebral hemisphere)로 나누어지며, 뇌들보(corpus callosum, 뇌량)라고 불리는 섬유다발로 연결되어 있다. 대뇌겉질의 표면에는 많은 (뇌)고랑이 존재하며, 뇌고랑과 뇌고랑 사이에는 이랑(convolution, 뇌회)이라고 불리는 불룩한 부분이 있다.

그림 4-3은 대뇌겉질 왼쪽바깥표면이다. 거의 중앙에 있는 중심고랑(fissure of Rolando)과 앞쪽 조금밑에서 수평방향으로 주행하는 가쪽고랑(fissure of Sylvius)이 가장 눈에 띄는 고랑(틈새)이다. 이러한 고랑을 경계로 하여 가쪽고랑 위에 있는 중심고랑의 앞쪽 및 뒤쪽을 각각 이마엽, 마루엽이라고 부르며, 가쪽고랑보다 아래를 관자엽이라고 부른다. 또 대뇌겉질의 뒤쪽은 뒤통수엽이라고 부른다. 대뇌겉질을 더욱 자세히 구분하여 번호(1~52 : 실제로는 결번도 있어 48영역)를 매긴 브로드만(Brodmann, K.)의 뇌지도가 있다(그림 4-3 오른쪽). 이 뇌지도는 뇌기능과도 잘 대응한다.

이마엽에는 운동에 관련된 중요한 영역이 여럿이 있다. 이마엽의 가장 뒤, 즉 중심고랑의

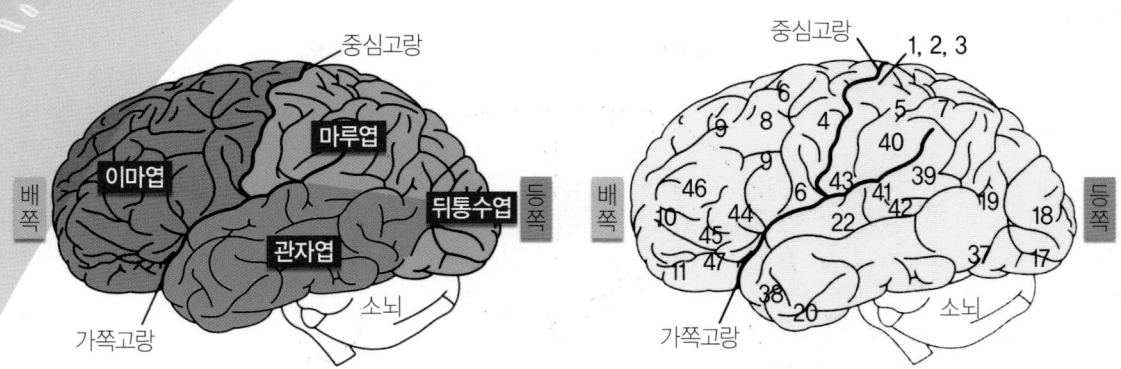

그림 4-3 대뇌겉질의 4개 영역(왼쪽)과 브로드만(Brodmann, K.)의 뇌지도(오른쪽)

사람의 대뇌반구를 왼쪽바깥에서 본 그림이다. 중심고랑과 가쪽고랑을 기준으로 이마엽·마루엽·관자엽·뒤통수엽으로 나누어진다(왼쪽 그림). 대뇌겉질을 자세히 구분하여 번호를 매긴 것이 브로드만의 뇌지도이다(오른쪽 그림). 이 지도는 뇌기능과도 잘 대응한다.

앞에는 위아래로 뻗어있는 중심앞이랑(precentral gyrus, 중심전회)이 있는데, 이것을 일차운동영역(브로드만의 4영역)이라고 한다. 일차운동영역의 각 영역과 근육수축 부위가 서로 잘 대응하고 있다. 각 신체부위의 크기에 비하여 손가락근육을 제어하는 영역이 큰 것은 흥미로운데, 이 때문에 손가락의 섬세한 움직임이 가능한 것으로 추측된다.

대뇌겉질의 운동에 관여하는 영역 중 일차운동영역의 안쪽 앞에서 대뇌반구(cerebral hemisphere)끼리 마주보고 있는 부분에 보완운동영역이 있다. 보완운동영역에도 몸감각이 나타나지만, 일차운동영역만큼 명확하지 않다. 보완운동영역의 아래쪽에는 운동앞영역이 있다(어느 쪽이든 브로드만의 6영역에 해당된다). 보완운동영역 및 운동앞영역은 일차운동영역에 정보를 보낸다. 또한 안쪽면의 보완운동영역 및 일차운동영역의 아래쪽에는 띠고랑(cingulate sulcus, 대상구)이 있어 띠겉질운동영역이 파묻혀 있는 것처럼 보인다. 이 영역은 정동에 관여하는 대뇌둘레계통(cerebral limbic system, 대뇌변연계)으로부터 많은 투사(projection)를 받고 있다.

대뇌바닥핵은 꼬리핵(caudate nucleus, 미상핵)·창백핵(globus pallidus, 담창구)·시상밑핵(hypothalamic nucleus, 시상하핵)·조가비핵(putamen, 피각)·흑색질(substantia nigra, 흑질)의 총칭이다(그림 4-4). 조가비핵과 창백핵은 합쳐서 렌즈핵이라 하고, 꼬리핵과 조가비핵은 줄무늬체(corpus striatum, 선조체)라고 한다.

줄무늬체는 각 운동영역으로부터 투사를 받아 시상을 통하여 다시 각 운동영역으로 투사함으로써 대뇌겉질의 활동을 제어한다(대뇌겉질-바닥핵고리). 또한 대뇌바닥핵은 뇌줄기

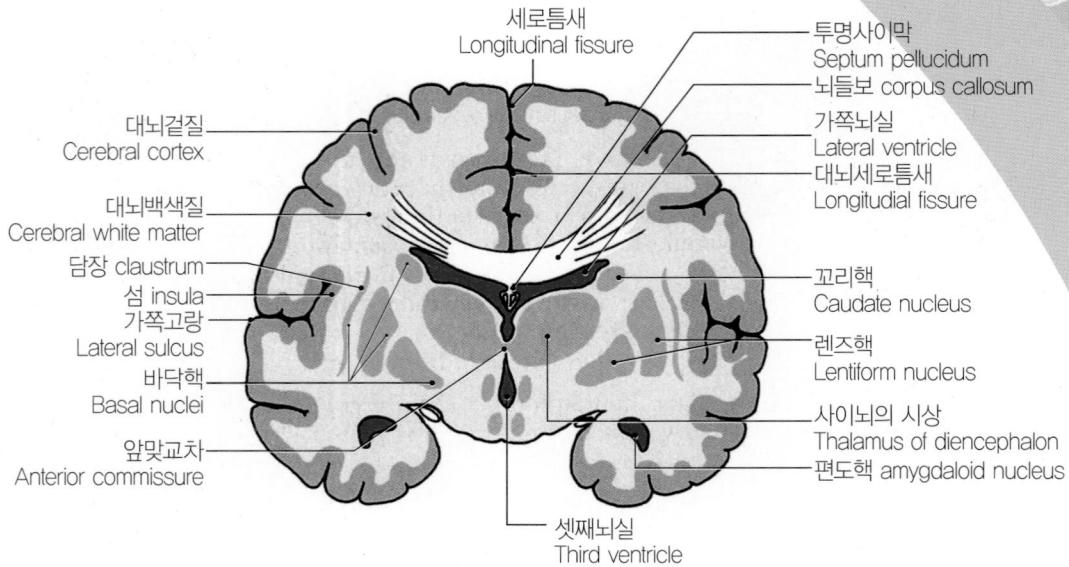

세로틈새
Longitudinal fissure

투명사이막
Septum pellucidum

뇌들보 corpus callosum

가쪽뇌실
Lateral ventricle

대뇌세로틈새
Longitudial fissure

대뇌겉질
Cerebral cortex

대뇌백색질
Cerebral white matter

담장 claustrum

섬 insula

가쪽고랑
Lateral sulcus

바닥핵
Basal nuclei

앞맞교차
Anterior commissure

꼬리핵
Caudate nucleus

렌즈핵
Lentiform nucleus

사이뇌의 시상
Thalamus of diencephalon

편도핵 amygdaloid nucleus

셋째뇌실
Third ventricle

> **그림 4-4** **대뇌핵(이마단면)**
> 대뇌바닥핵은 꼬리핵·창백핵·시상밑핵·조가비핵·흑색질의 총칭이다. 창백핵은 조가비핵의 안쪽에 있다.

의 활동도 제어한다(바닥핵-뇌줄기계).

(2) 사이뇌

사이뇌(interbrain, 간뇌)는 시상과 시상하부를 가리킨다(그림 4-5). 사이뇌는 대뇌반구로 덮여 있기 때문에 외부에서는 거의 보이지 않는다(그림 4-3). 시상에는 많은 신경핵이 있어서 온몸에서 보내오는 감각정보가 모인다. 그 정보는 특정 대뇌겉질영역으로 보내진다. 시상하부는 자율신경계통 및 내분비계통의 최고중추이다.

(3) 뇌줄기

뇌줄기(brain stem, 뇌간)란 중간뇌·다리뇌·숨뇌를 가리킨다(그림 4-5). 중간뇌는 사이뇌와 다리뇌 사이에 위치하여 그것의 배부위에 대뇌다리가 있다. 다리뇌의 배부위는 튀어나와 있지만, 이 부분에는 좌우 소뇌반구를 연결하는 신경섬유가 지나간다. 숨뇌는 뇌줄기의 맨아랫부분에 위치하며, 아래쪽은 척수에 연결된다. 뇌신경의 대부분[후각신경(제 I 뇌신경)과 시각신경(제Ⅱ뇌신경) 이외]이 뇌줄기에서 나온다.

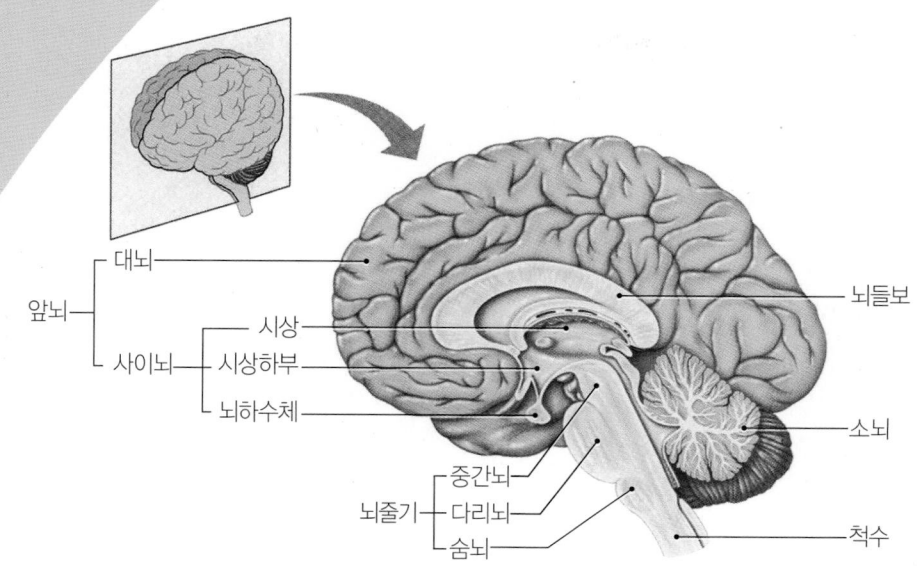

대뇌
앞뇌
사이뇌
시상
시상하부
뇌하수체
중간뇌
뇌줄기 다리뇌
숨뇌
뇌들보
소뇌
척수

그림 4-5 사이뇌 · 뇌줄기 · 소뇌의 정중앙 단면
사이뇌란 시상과 시상하부를 가리킨다. 뇌줄기란 중간뇌 · 다리뇌 · 숨뇌를 가리킨다. 소뇌는 뇌줄기의 뒤쪽에 위치한다.

(4) 소뇌

소뇌(cerebellum)는 뇌줄기의 뒤쪽으로 돌출되어 있으며, 대뇌반구의 뒤아래쪽에 절반이 가려져 보인다(그림 4-3, 4-4). 소뇌는 소뇌겉질과 소뇌핵으로 구성된다. 소뇌겉질은 3층구조의 뇌조직으로, 표면층부터 분자층, 푸르킨예세포층, 과립세포층으로 구성되어 있다. 푸르킨예세포층을 형성하는 푸르킨예세포는 소뇌겉질에서는 유일한 출력세포로, 성숙한 뇌에서는 하나의 푸르킨예세포에 대하여 대략 10~15만 개의 평행섬유(parallel fiber)와 1개뿐인 오름섬유(climbing fiber ; 가지돌기에 다수의 시냅스를 형성하고 있다)가 흥분성시냅스 결합을 하고 있다. 이 오름섬유계의 입력과정은 운동학습에 대한 세포단계의 기초과정이라고 볼 수 있는 장기억압(LTD : long-term depression)의 발현에 반드시 필요하다.

소뇌겉질은 정중앙의 벌레에서 중간부분, 가쪽반구부분으로 세로로 나누어진 구조로 기능이 분화되어 각각의 소뇌핵에 연결되어 있다. 벌레와 중간부분은 척수와의 입출력관계가 강하고, 뇌줄기에서의 내림길(descending track, 하행로)을 통하여 척수-소뇌고리를 형성하고 있다. 또한 가쪽반구부는 일차운동영역·운동앞영역 등의 대뇌겉질과 시상 및 다리뇌핵을 통하여 대뇌-소뇌고리를 형성하고 있다.

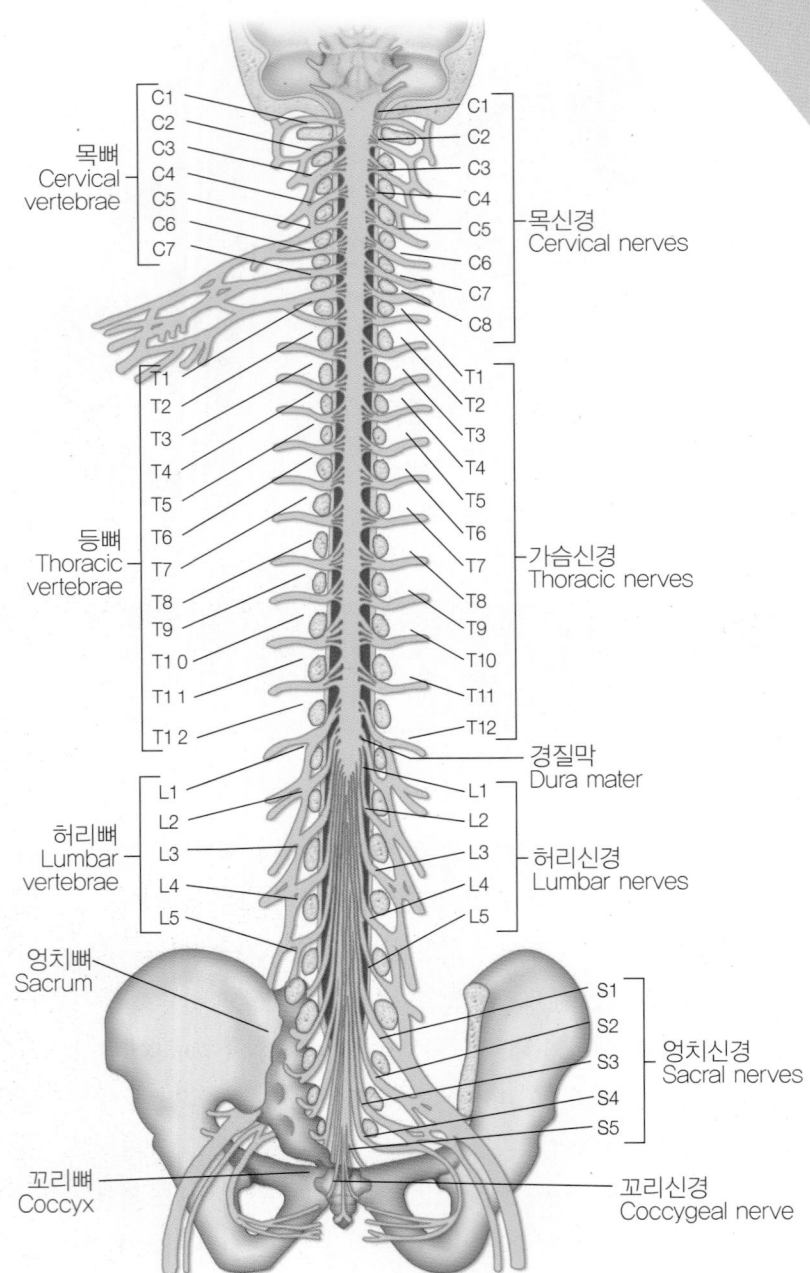

목뼈
Cervical vertebrae
C1
C2
C3
C4
C5
C6
C7

C1
C2
C3
C4
C5
C6
C7
C8

목신경
Cervical nerves

등뼈
Thoracic vertebrae
T1
T2
T3
T4
T5
T6
T7
T8
T9
T10
T11
T12

T1
T2
T3
T4
T5
T6
T7
T8
T9
T10
T11
T12

가슴신경
Thoracic nerves

경질막
Dura mater

허리뼈
Lumbar vertebrae
L1
L2
L3
L4
L5

L1
L2
L3
L4
L5

허리신경
Lumbar nerves

엉치뼈
Sacrum

S1
S2
S3
S4
S5

엉치신경
Sacral nerves

꼬리뼈
Coccyx

꼬리신경
Coccygeal nerve

그림 4-6   척수와 척수신경

(5) 척수

척수(spinal cord)는 척주관 속에 들어 있다. 척수는 목척수, 등척수, 허리척수, 엉치척수, 꼬리척수의 각 척수분절로 분류된다(그림 4-6). 척수의 가쪽은 신경섬유로 되어 있으며, 백색질이라고 한다. 배쪽을 앞섬유단, 가쪽을 가쪽섬유단, 등쪽을 뒤섬유단이라고 부른다.

한편 척수의 안쪽은 신경세포체로 되어 있으며 회색질이라고 한다. 배쪽을 앞뿔, 가쪽을 가쪽뿔, 등쪽을 뒤뿔이라고 부른다. 앞뿔에 있는 신경세포로부터 앞뿌리를 통하여 원심성(운동성)신경이 척수에서 나오고, 말초에서의 감각정보는 뒤뿌리를 통하여 구심성(감각성)신경이 뒤뿔로 들어간다.

척수에는 원통형이 아닌 두 개의 불룩한 팽대부가 있다. 넷째목척수(C4)부터 첫째등척수(T1)에 해당되는 팽대부가 목팽대, 열두째등척수(T12)부터 둘째엉치척수(S2)에 해당되는 팽대부가 허리팽대이다. 이러한 팽대부는 팔다리의 운동지배와 지각지배에 많은 뉴런이 필요하기 때문에 발생하였다고 볼 수 있다. 뱀처럼 팔다리가 없는 동물의 척수는 우엉과 같은 형태이며, 팽대부는 확인되지 않는다.

척수의 백색질을 통과하는 신경섬유는 중추쪽에서 말초쪽으로 정보를 전달하는 내림길과 말초쪽에서 중추쪽으로 정보를 전달하는 오름길의 2개의 전도로로 나누어진다. 이러한 전도로에는 출발부위에서 도착부위의 순서로 이름이 붙여져 있다(예 : 척수소뇌로=척수

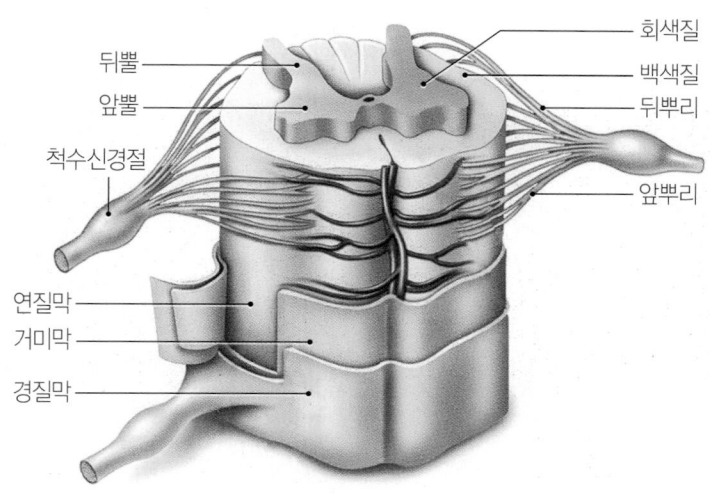

그림 4-7 척수의 구조

척수의 안쪽은 신경세포체로 이루어져 있으며, 회색질이라고 한다. 한편 가쪽은 신경섬유로 이루어져 있으며, 백색질이라고 한다.

에서 소뇌로 향하는 오름길). 척수보다 상위의 신경기전에서 척수로 정보를 보내는 내림길은 크게 두 가지로 분류되는데, 신경섬유가 척수백색질 속에서 통과하는 부위에 따라 배쪽안쪽계와 등쪽가쪽계로 불린다.

배쪽안쪽계에는 배쪽(앞)겉질척수로, 그물척수로, 안뜰척수로 등이 포함되며, 신경섬유는

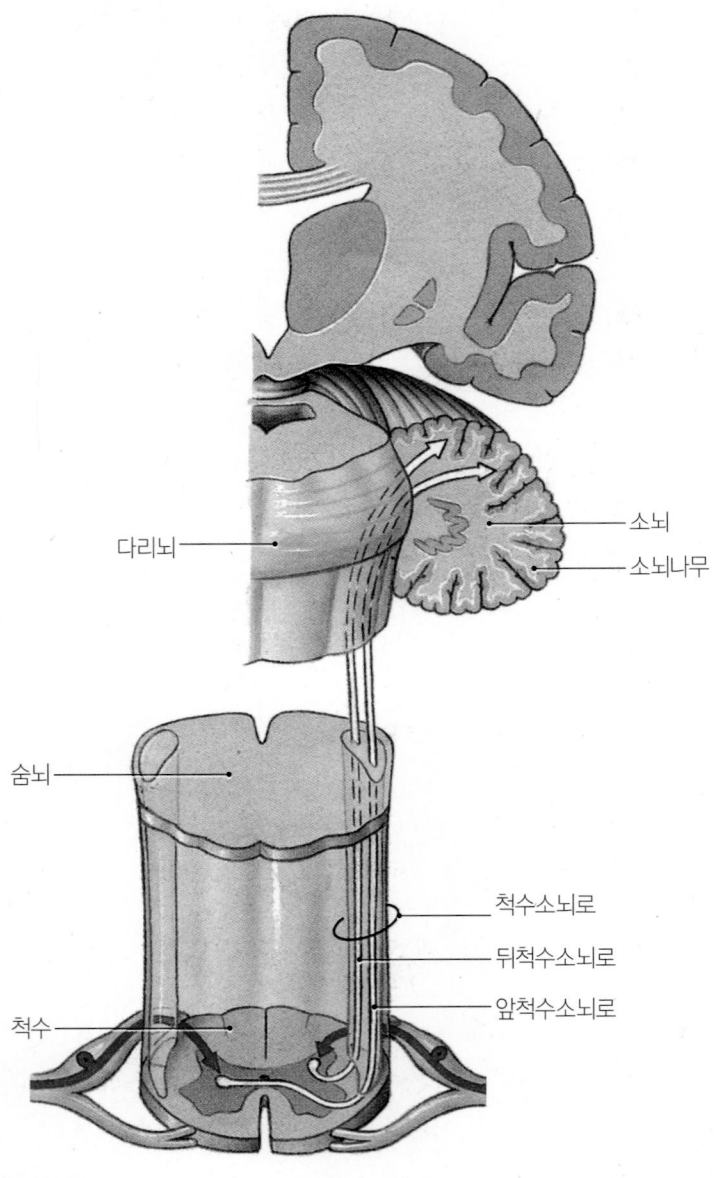

다리뇌

소뇌
소뇌나무

숨뇌

척수소뇌로
뒤척수소뇌로
앞척수소뇌로

척수

그림 4-8 척수소뇌로

앞섬유단을 내려간다. 배쪽안쪽계는 주로 양쪽 팔다리의 몸쪽근육과 몸통근육을 제어하며, 맘대로운동을 할 때 자세조절에 관여한다. 한편 등쪽가쪽계에는 가쪽겉질척수로, 적색척수로 등이 포함되며, 신경섬유는 가쪽섬유단을 내려간다. 등쪽가쪽계는 주로 반대쪽 팔다리의 먼쪽굽힘근군을 제어한다.

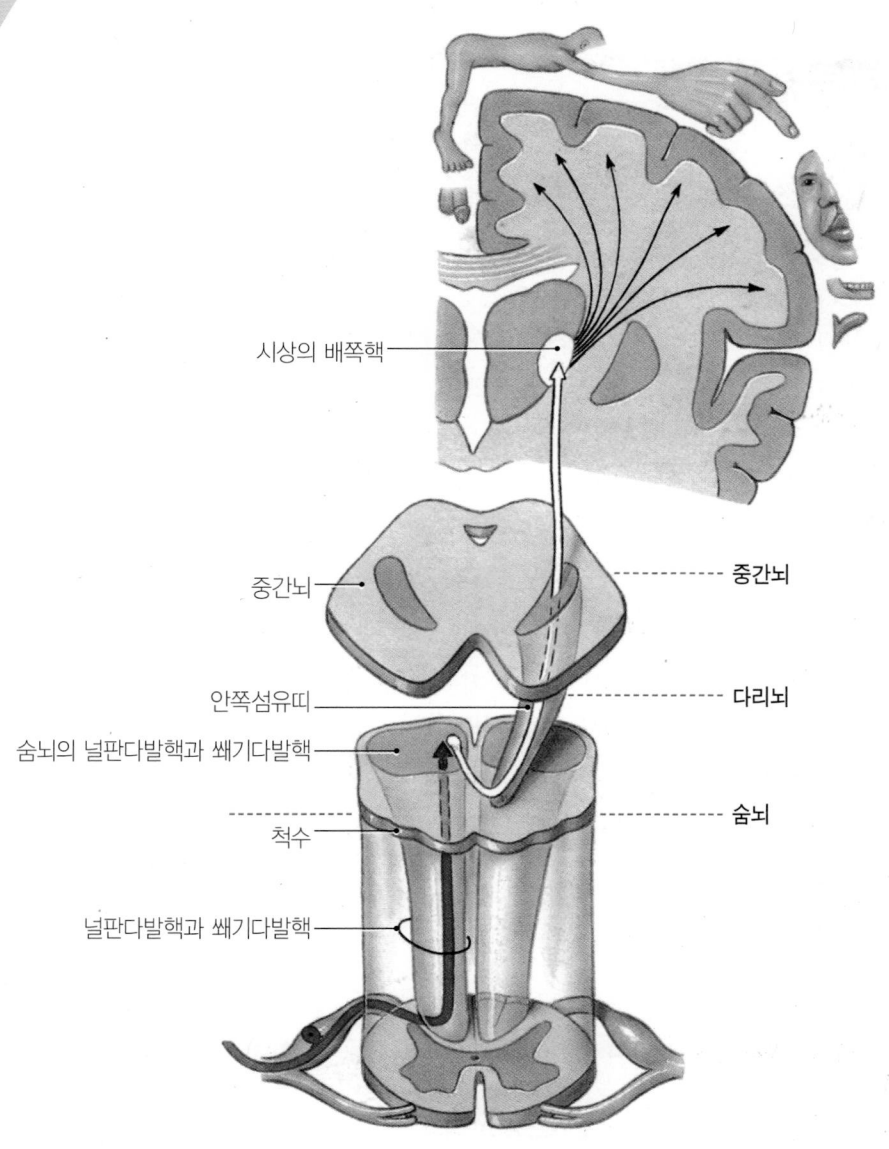

시상의 배쪽핵

중간뇌 ┄┄ 중간뇌

안쪽섬유띠 ┄┄ 다리뇌

숨뇌의 널판다발핵과 쐐기다발핵

척수 ┄┄ 숨뇌

널판다발핵과 쐐기다발핵

그림 4-9 뒤섬유단-안쪽섬유띠경로

2) 말초신경계통의 구조와 기능

(1) 뇌신경

뇌신경은 뇌에 출입하는 12쌍의 말초신경을 말한다. 뇌신경은 12쌍이 있다. 얼굴의 감각, 후각·시각정보, 혈압 등 내장의 정보를 뇌로 전달하는 감각신경, 얼굴과 목의 뼈대근육을 움직이는 운동신경과 더불어 내장기능을 조정하는 자율신경이 포함되어 있다.

12쌍의 뇌신경은 다음과 같은 기능을 한다.

- Ⅰ 후각신경 : 후각을 전달하는 감각신경
- Ⅱ 시각신경 : 시각을 전달하는 감각신경
- Ⅲ 눈돌림신경 : 안구를 움직이는 운동신경과 동공의 움직임에 관여하는 자율신경
- Ⅳ 도르래신경 : 안구를 움직이는 운동신경
- Ⅴ 삼차신경 : 얼굴의 감각을 전달하는 감각신경과 씹기근육을 움직이는 운동신경
- Ⅵ 갓돌림신경 : 안구를 움직이는 운동신경
- Ⅶ 얼굴신경 : 미각을 전달하는 감각신경과 표정근육을 움직이는 운동신경, 눈물샘 및 침샘의 기능을 조정하는 자율신경
- Ⅷ 속귀신경 : 청각과 평형감각을 전달하는 감각신경
- Ⅸ 혀인두신경 : 미각 및 입속공간의 감각을 전달하는 감각신경과 인후의 움직임에 관여하는 운동신경, 귀밑샘의 기능조절 및 혈압의 조절에 관여하는 자율신경
- Ⅹ 미주신경 : 목·가슴·배부위 내장의 기능을 조정하는 자율신경. 귀 주변의 감각을 전달하는 감각신경도 섞여 있다. 다른 뇌신경의 분포가 목까지인 데 비하여 가슴과 배까지 분포되어 있다. 기능은 자율신경이 중심으로, 다른 뇌신경과는 성격이 다르다.
- Ⅺ 더부신경 : 인후나 목의 뼈대근육을 움직이는 운동신경
- Ⅻ 혀밑신경 : 혀를 움직이는 운동신경

◆뇌신경의 번호

뇌신경은 출입하는 뇌의 위치 위에서부터 순서대로 번호가 매겨져 있다. 번호는 로마 숫자로 표기하는 경우가 많다. 감각신경의 섬유 또는 운동신경의 섬유만인 뇌신경도 있으나, 두 가지 섬유가 섞여 있거나 자율신경의 섬유가 섞여 있는 신경도 있다.

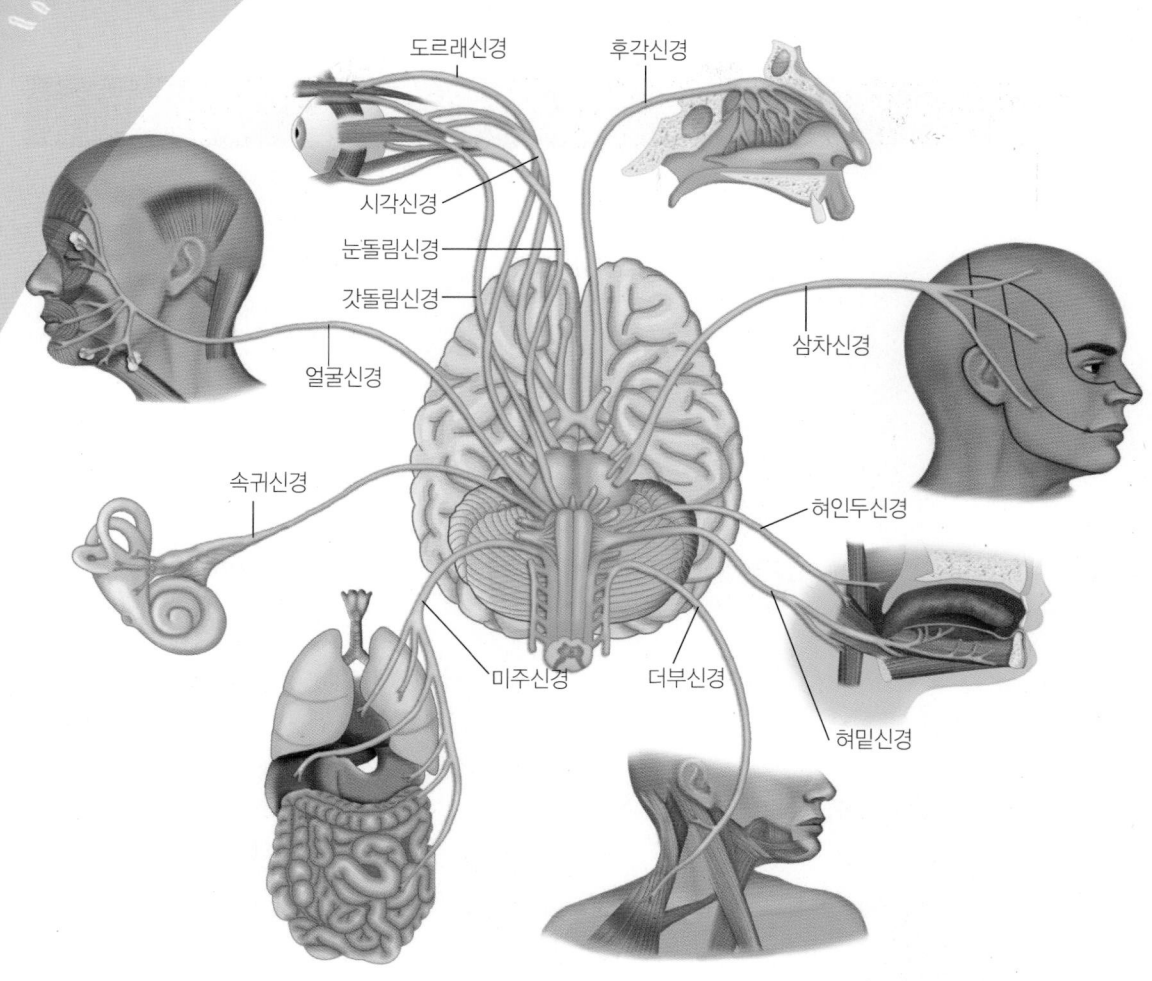

도르래신경
후각신경
시각신경
눈돌림신경
갓돌림신경
삼차신경
얼굴신경
속귀신경
허인두신경
미주신경
더부신경
혀밑신경

그림 4-10 뇌신경

뇌신경의 대부분은 뇌줄기에서 나온다. 일반적으로는 위의 12쌍을 뇌신경이라고 부른다.

(2) 척수신경과 피부분절

① 척수신경은 31쌍이 있다

척수신경이란 척수에 출입하는 31쌍의 말초신경을 말한다. 첫째목뼈 위에서 나오는 것이 첫째목신경이며, 그다음은 상하의 척추 위에서부터 1쌍씩 나와 있는데, 목신경이 8쌍, 가슴신경이 12쌍, 허리신경이 5쌍, 엉치신경이 5쌍, 꼬리신경이 1쌍이 있다.

척수신경은 감각신경과 운동신경의 섬유가 섞여 있거나 자율신경의 섬유를 포함한 것도

표 4-1   뇌신경과 기능

	신경	부위	운동신경	감각신경	부교감신경	기능
I	후각신경	대뇌		V		후각을 전달한다
II	시각신경	대뇌		V		시각을 전달한다
III	눈돌림신경	중간뇌	V			안구를 움직인다
					V	동공의 개폐와 수정체의 두께 조절
IV	도르래신경	중간뇌	V			안구를 움직인다
V	삼차신경	중간뇌	V			씹기근육을 움직인다
				V		얼굴의 감각을 전달한다
VI	갓돌림신경	다리뇌	V			안구를 움직인다
VII	얼굴신경	다리뇌	V			표정근육을 움직인다
				V		혀 앞쪽 2/3의 미각을 전달한다
					V	눈물샘이나 침샘의 기능을 조절한다
VIII	속귀신경	다리뇌		V		시각과 평형감각을 전달한다
IX	혀인두신경	숨뇌	V			인두 및 입천장을 움직인다(삼키기 등)
				V		감각 혀의 뒤쪽 3분의 1의 미각 및 입의 감각을 전달한다
					V	귀밑샘의 분비와 혈압 조절에 관여한다
X	미주신경	숨뇌	V			인두, 후두, 식도 윗부분의 움직임에 관여
				V		목의 미각, 후두, 기관, 소화관 등의 감각을 전달한다
					V	목, 가슴, 배부위의 내장기능을 조절한다.
XI	더부신경	숨뇌	V			뒤통수 및 목의 뼈대근육을 움직인다
XII	혀밑신경	숨뇌	V			혀를 움직인다

있다. 가슴신경 이외의 척수신경은 위아래의 섬유가 교차하면서 갈라져 신경얼기라는 구조를 만든다. 신경얼기에는 목신경얼기, 팔신경얼기, 허리신경얼기, 엉치신경얼기 등이 있다.

② 척수신경이 지배하는 영역

척수의 앞뿔(anterior horn)에서 나오는 앞뿌리(anterior root)와 뒤뿔(posterior horn)에서 나오는 뒤뿌리(posterior root)는 척추의 밖에서 합류한 후 바로 앞가지와 뒤가지로 나누

◆**신경얼기**
위아래 척수신경의 섬유가 섞여 그물코와 같은 구조를 이룬 것. 목신경얼기, 팔신경얼기, 허리신경얼기, 엉치신경얼기, 음부신경얼기 등이 있다.

◆**피부분절**
척수신경의 감각신경이 피부를 지배하는 영역을 말한다. 신체의 가로방향에 띠 모양으로 나누어져 있다.

◆**앞뿌리·뒤뿌리**
척수에 출입하는 척수신경이 지나는 부분에서 척수의 앞쪽에서 나오는 것을 앞뿌리, 뒤쪽에서 나오는 것을 뒤뿌리라고 한다. 앞뿌리에는 운동신경과 자율신경이 지나가고, 뒤뿌리에는 감각신경이 지나간다.

◆**앞가지·뒤가지**
척수신경의 앞뿌리와 뒤뿌리가 합류한 후 앞뒤로 나누어지는 줄기. 각각 운동신경과 감각신경(또는 자율신경)의 섬유가 섞여 있다.

◆**신경의 명칭**
척수신경은 척수를 나온 후 뻗어나가면서 말초에 도달한다. 각각의 부위의 신경에는 뻗어 있는 장소나 분포된 장소 등에 연관된 명칭이 붙어 있다.

어진다. 여기에서 갈라진 가지는 전신으로 뻗어나간다. 앞가지는 두껍고 몸통의 체벽 내면 및 팔다리에 분포되어 있고, 뒤가지는 가늘고 등부위의 뼈대근육 및 피부에 분포되어 있다.

척수신경에서 운동신경·감각신경은 전신을 지배하고, 목신경은 머리목부위 및 팔을 지배하며, 허리신경·엉치신경은 아랫배 및 다리를 지배한다. 감각신경에 의한 피부의 지배영역은 그림과 같이 띠모양으로 구분할 수 있는데, 이것을 피부분절(dermatome)이라고 한다(그림 4-11). 운동신경의 지배영역은 뼈대근육마다 나누어져 있으며, 신경장애의 상태로 어느 척수신경에 이상이 있는가를 추정할 수 있다.

(3) 반사에 대한 신경계통의 기능

운동 및 동작에는 의식을 하고 실시하는 맘대로운동(수의운동)과 무의식으로 이루어지는 반사가 있다. 여기에서는 반사에 대한 신경계통의 기능에 대하여 설명한다.

외부의 다양한 자극에 대한 반응의 대부분은 태어나면서 획득하는 신경회로에 의하여 고정적으로 발생한다. 이러한 반응을 반사라고 부른다. 또한 반사에 대한 경로(감각수용기→

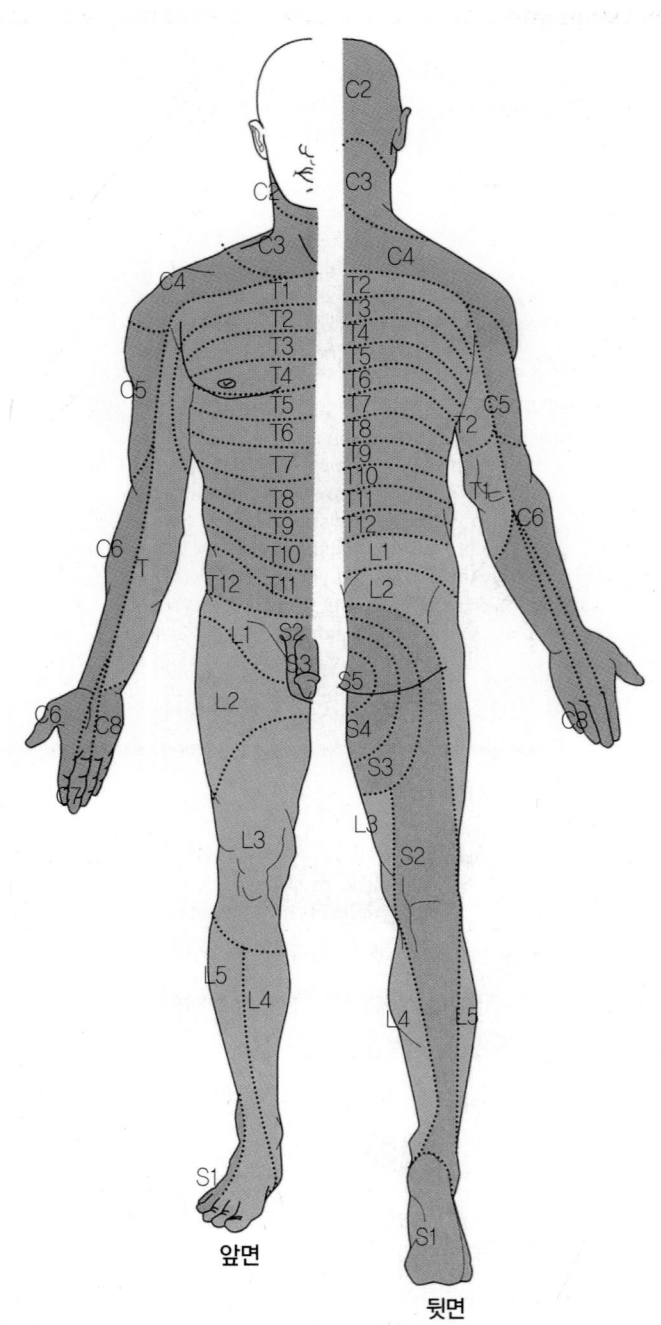

C2
C3
C4
T2
T3
T4
T5
T6
T7
T8
T10
T11
T12
L1
L2
S5
S4
S3
L3
S2
C5
T2
T1
C6
C8
L4
L5
S1

C2
C2
C3
C3
C4
T1
T2
T3
T4
T5
T6
T7
T8
T9
T10
T11
T12
L1
L2
S2
S3
L2
L3
C5
C6
C8
L3
L5
L4
S1

앞면

뒷면

그림 4-11 피부분절

척수신경의 감각신경이 피부감각을 지배하는 영역은 띠형태로 구분할 수 있는데, 그것을 그림으로 표시한 것을 피부분절(dermatome)이라고 한다.

중추신경→효과기)를 반사활(reflex arc)이라고 부른다. 가장 단순한 뻗침반사부터 뇌줄기를 통해서 발생하는 긴장목반사 등 매우 많은 반사가 운동 및 동작의 제어에 기여하고 있다.

여기에서는 운동 및 동작의 제어에 중요하며 대표적인 반사를 소개한다.

① 뻗침반사

뻗침반사(stretch reflex, 신장반사)란 근육이 신장되면 무의식중에 수축하려고 하는 반사이다. 근육의 힘살에는 근육의 신장을 감지하는 근육방추가 있고, 근육과 힘줄의 이음부에는 근육의 장력을 감지하는 골지힘줄기관(힘줄방추)이 있다.

근육이 늘어나면 근육방추가 흥분하여 그 신호가 구심성신경(Ⅰa신경섬유)으로 들어가 뒤뿌리에서 척수로 들어간다. 그 후 α운동뉴런, 원심성신경으로 전달되면 그 신호가 근육에 도달하여 수축이 발생한다.

이러한 뻗침반사는 스트레치 때에도 발생할 가능성이 있으며, 부상의 원인이 되기도 한다. 예를 들어 앉은 자세에서 파트너를 뒤에서 무리하게 밀면 파트너의 넙다리두갈래근에서는 뻗침반사가 일어나 근육이 수축하려고 한다. 그러나 그 이상으로 밀어버리면 근육은 강제적으로 신장되어 상해를 입는다.

한편 운동수행능력을 효과적으로 향상시키기 위하여 뻗침반사를 응용하려는 신장-단축 사이클(stretch-shortening cycle)이라는 방법도 있다.

② 굽힘반사

걷다가 압정을 밟아 강렬한 통증을 느끼면 압정에 찔린 다리를 무의식중에 들어올린다. 이렇게 침해자극에 의하여 피부나 깊은부위의 감각수용기가 흥분함으로써 굽힘근의 수축 및 폄근의 이완이 발생하는 반사를 굽힘반사(flexion reflex, 굴곡반사)라고 한다. 이 반사는 위험으로부터 몸을 지키기 위한 방위반사로 볼 수 있다. 이때 압정에 찔리지 않은 다리는 펴지는데, 이러한 반사를 교차성 폄반사라고 한다.

③ 긴장목반사

긴장목반사(tonic-neck reflex)는 목근육의 근육방추에서 유래한 감각정보에 의하여 팔다리의 근육긴장이 변화하는 자세반사이다. 구체적으로는 머리가 왼쪽을 향하면 왼쪽 팔다리가 펴지고, 오른쪽 팔다리는 굽혀진다.

야구의 외야수가 날아오는 공을 점프하여 잡는 경우를 예로 들어 보자. 글러브를 낀 왼손은 공에 대한 가쪽겉질척수로 등의 등쪽가쪽계에 의하여 목표도달 운동이 이루어진다. 이때에는 그물척수로 등의 배쪽안쪽계가 자세를 제어한다. 이러한 동작을 관찰해보면 머리는 글러브쪽의 왼방향을 보고 공에 관한 정보를 얻는다. 머리의 방향에 따라 긴장목반사가 발생하여 왼쪽다리는 펴지고, 반대쪽 팔다리는 굽혀진다. 또한 머리가 젖혀지면 팔은 펴지고 다리는 굽혀진다. 반대로 머리가 숙여지면 팔은 굽혀지고 다리는 펴진다.

3) 자율신경계통의 구조와 기능

(1) 자율신경계통의 개요
① 교감신경과 부교감신경의 이중지배

자율신경에서 말하는 자율이란 자신의 의사와 관계없이 활동한다는 의미이다. 자율신경계통은 내장·혈관·분비샘의 기능을 컨트롤하는 활동을 하는 말초신경이다.

자율신경계통에는 교감신경과 부교감신경이 있다. 교감신경은 신체를 흥분상태 내지 임전태세로 만드는 데 비하여, 부교감신경은 신체를 안정 내지 릴랙스상태로 만든다. 많은 장기 및 기관에 이 두 신경이 분포되어 있으며, 그 기능을 상황에 따라 조절한다. 이렇게 상반되는 기능의 신경에 조절되는 것을 이중지배라고 한다.

교감신경과 부교감신경의 주요 활동은 표 4-2와 같다. 예를 들어 강적과 대치한 상태에서 싸울지 도망갈지와 같은 상황에 놓였을 때에는 교감신경이 활동한다. 이때 감각을 예민하게 만들고 혈류를 촉진하여 뼈대근육에 산소와 에너지를 보내 준다. 이것은 식사 및 배설하는 것이 아니므로 이러한 기능은 억제된다.

적이 물러가고 위기에서 벗어나면 부교감신경이 활동하여 혈압이 내려가고 소화·배설·생식기관능이 촉진된다.

② 자율신경계통의 중추

자율신경계통의 최고위중추는 시상하부이다. 시상하부는 내분비계통의 중추이기도 하다. 시상하부에는 뉴런의 덩어리인 시상핵이 많이 있는데, 이것들이 자율신경계통 중추로서 활동한다고 추측된다. 자율신경계통의 중추에는 체온조절·혈압조절·체내수분량조절 등의 중추가 있다.

표 4-2 교감신경과 부교감신경의 활동

	교감신경의 작용	부교감신경의 작용
동공	확대	축소
수정체	얇아진다	두꺼워진다
침샘	점액분비 증가	장액분비 증가
발한(땀)	증가	(지배하지 않음)
털세움근	수축(소름이 돋는다)	(지배하지 않음)
기관지	확장	수축
심박수	증가	감소
뼈대근육의 혈관	확장	(지배하지 않음)
머리와 생식기관의 혈관	수축	확장
상기 이외의 혈관	수축	(지배하지 않음)
소화관의 운동	저하	항진
소화액의 분비	감소	증가
간에서의 포도당 방출	증가	(지배하지 않음)
인슐린분비	저하	항진
방광벽	이완	수축
방광조임근	수축	이완
지방조직	지방분해 항진	(지배하지 않음)

(2) 교감신경

① 교감신경의 기능

교감신경은 자신에게 위협이 되는 것에 직면하였을 때 신체를 임전태세로 만든다. 이것은 초식동물이 천적인 육식동물과 만났을 때 나타난다. 도망가든지 싸우든지 의식을 집중하고 동공을 열고 시각을 예민하게 만들어 뼈대근육을 최대한으로 사용할 준비를 한다. 기관지를 확장시켜 호흡을 빨리 함으로써 산소를 많이 섭취하고, 심박수를 높여 혈류를 왕성하게 만들고, 뼈대근육의 혈관을 확장시킨다. 또한 간에서 뼈대근육의 에너지원이 되는 포도당을 대량으로 방출한다.

그러는 한편, 긴급사태일 때에는 먹거나 배설하는 경우가 아니므로 소화관의 운동 및 소화액의 분비는 억제되고, 방광벽은 이완된다.

② 교감신경의 주행과 신경전달물질

교감신경의 뉴런은 첫째등뼈에서 위쪽 허리뼈까지의 옆쪽에서 시작된다. 척수의 앞뿌리에서 나오면 척추의 양쪽을 세로로 주행하는 교감신경줄기에 들어가 일부는 이곳에서, 다른 것은 여기를 통과하여 배부위의 신경절에서 뉴런을 바꿔 탄다. 이 뉴런을 바꿔 탈 때까지의 섬유를 신경절이전섬유라고 한다. 뉴런을 바꿔 탄 후의 신경절이후섬유는 길게 뻗어나가 표적의 장기 및 기관에 분포한다.

교감신경의 신경절이전섬유끝에서 다음 뉴런과의 시냅스로 방출되는 신경전달물질은 아세틸콜린이고, 신경절이후섬유의 끝과 표적장기 등과의 시냅스에 방출되는 신경전달물질은 노아드레날린이다.

◆**이중지배**
하나의 장기 및 기관이 상반되는 기능을 가진 교감신경과 부교감신경의 두 신경에 의하여 컨트롤되는 것을 말한다.

◆**교감신경**
신체를 흥분상태 내지 임전태세로 만든다. 혈압을 높이고 혈당치를 상승시키며 뼈대근육의 혈류를 증가시킨다. 소화기능 및 배설기능은 억제된다.

◆**부교감신경**
신체를 릴랙스한 상태로 만든다. 소화기능·배설기능·생식기관을 촉진시킨다. 심박수 및 혈압을 떨어뜨린다.

◆**분비샘**
소화액·땀 등을 분비하는 외분비샘과 호르몬을 분비하는 내분비샘. 외분비샘에는 분비물을 이끄는 도관이 있다. 내분비샘에는 도관이 없으며, 분비물은 혈관으로 들어간다.

◆**시상하부의 역할**
시상하부는 중추신경계통의 각 부위와 정보를 주고받아 환경의 변화에 대응하여 자율적으로 내장 등의 기능을 조절한다. 항상성의 중추이다.

◆**즐겁게 할 수 있는 운동은 자율신경의 균형을 조정한다**
격렬한 운동을 실시하면 교감신경이 강하게 활동하며, 부교감신경의 활동은 약해진다. 그러나 워킹 및 가벼운 조깅, 사이클링 등 즐겁게 실시할 수 있는 적당한 유산소운동에서는 교감신경과 함께 부교감신경도 자극되어 자율신경계통의 균형이 잡혀지게 된다. 스트레스 등에 의하여 교감신경이 흥분한 상태가 계속되어 심신에 이상이 발생할 때에는 유산소운동을 실시하면 효과적이다.

(3) 부교감신경

① 부교감신경의 활동

부교감신경은 신체를 릴랙스상태로 만든다. 그러나 자신에게 위협이 되는 상황이나 심신에 부담이 되는 환경조건이 없고, 차분하게 식사를 하거나 배설하는 것이 가능한 상태일 때 부교감신경이 우위로 활동한다.

부교감신경은 소화관의 운동 및 소화액의 분비를 촉진하고, 간에서 포도당으로부터 글리코겐을 합성하는 활동을 항진시킨다. 방광벽의 민무늬근육을 수축시켜 배설을 촉진시키고, 생식기관의 혈류를 증가시킨다. 심박수가 감소하고 기관지벽의 민무늬근육이 수축하여 동공도 축소한다.

② 부교감신경의 주행과 신경전달물질

부교감신경의 뉴런은 뇌줄기와 엉치뼈에서 나온다. 뇌줄기에서 나오는 것은 모두 뇌신경에 섞여 주행한다. 엉치뼈에서 나오는 것은 골반내장신경이 되어 골반 내의 장기에 분포된다. 부교감신경은 표적이 되는 장기 등의 가까이에 있는 신경절에서 뉴런을 바꿔 타기 때문에 신경절이전섬유가 길고 신경절이후섬유가 짧은 것이 특징이다.

◆교감신경줄기
척추의 양쪽에 세로로 늘어선 염주모양의 구조. 교감신경의 신경절이전섬유는 척수에서 나와 이곳으로 들어간다.

◆노아드레날린
호르몬으로, 부신겉질에서도 분비된다. 각성, 분노, 불안, 의욕, 기억 등에 관여한다. 부족하면 무기력, 의욕저하, 우울경향 등이 발생한다.

◆신경절이전섬유·신경절이후섬유
자율신경은 중추에서 나오는 도중에 뉴런을 바꿔 탄 후 표적이 되는 장기 등에 분포된다. 뉴런을 바꿔 타기 전의 섬유를 신경절이전섬유, 바꿔 탄 후의 섬유를 신경절이후섬유라고 한다.

◆교감신경의 특징
교감신경은 신경절이전섬유가 짧고 신경절이후섬유가 긴 것이 특징이다. 스트레스에 노출되면 교감신경이 우위가 된다. 스트레스의 원인이 해결되지 않으면 교감신경 우위의 상태가 계속되고, 신체적인 부담이 커지며, 결국에는 피폐해진다.

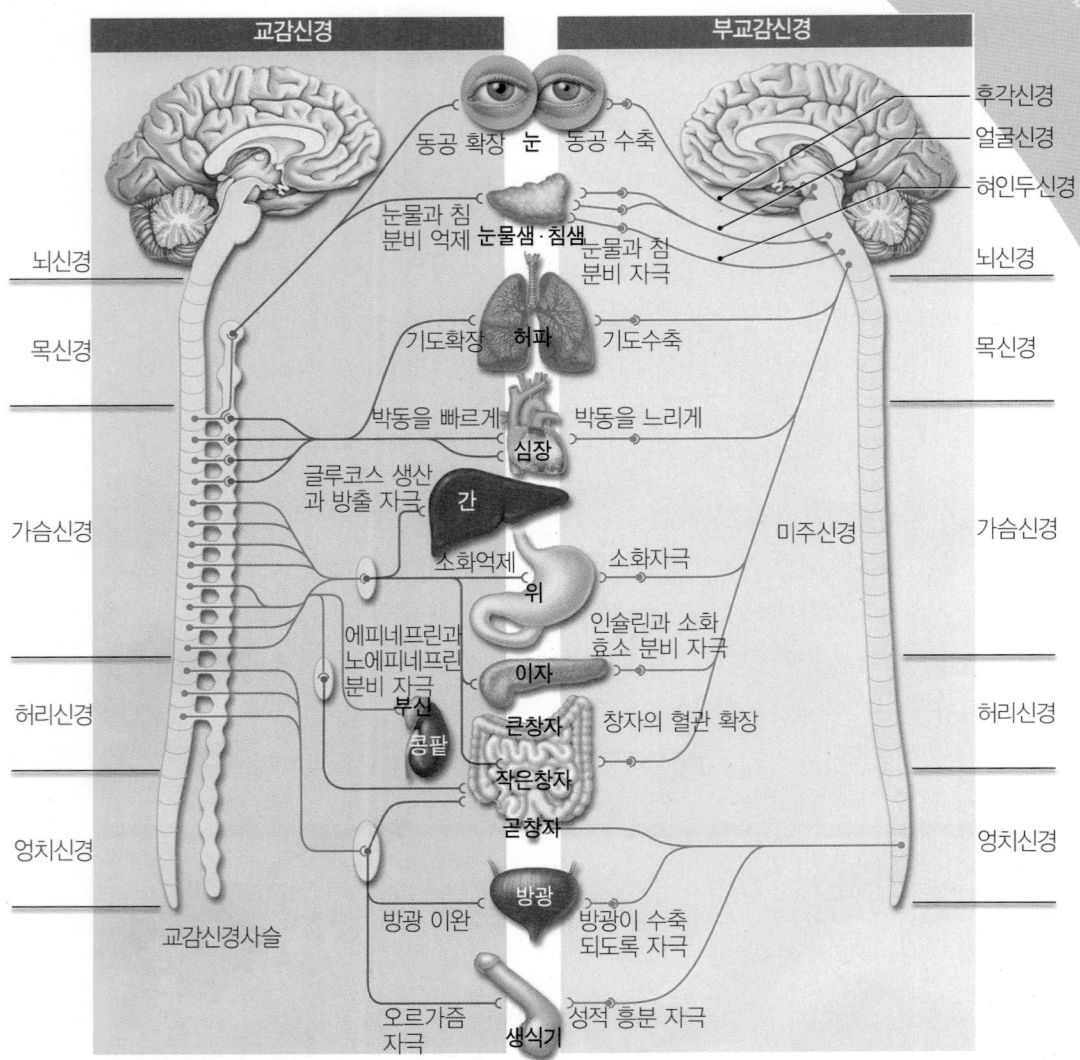

교감신경	부교감신경

후각신경
얼굴신경
혀인두신경

동공 확장 **눈** 동공 수축

눈물과 침 분비 억제 **눈물샘·침샘** 눈물과 침 분비 자극

뇌신경 / 뇌신경

기도확장 **허파** 기도수축

목신경 / 목신경

박동을 빠르게 **심장** 박동을 느리게

글루코스 생산과 방출 자극 **간**

가슴신경 / 가슴신경

소화억제 **위** 소화자극

에피네프린과 노에피네프린 분비 자극 **부신** 인슐린과 소화효소 분비 자극

이자

콩팥 **큰창자** 창자의 혈관 확장

허리신경 / 허리신경

작은창자

곧창자

미주신경

엉치신경 / 엉치신경

방광 이완 **방광** 방광이 수축되도록 자극

교감신경사슬

오르가즘 자극 **생식기** 성적 흥분 자극

그림 4-12 교감신경계통과 부교감신경계통

부교감신경의 시냅스에서 방출되는 신경전달물질은 신경절이전섬유, 신경절이후섬유 모두 아세틸콜린이다.

③ 부교감신경의 중심을 담당하는 미주신경

제X뇌신경인 미주신경은 부교감신경의 기능의 중심을 담당하는 신경으로, 목·가슴·배

◆미주신경
 제X뇌신경. 기관·기관지, 식도, 위, 간, 쓸개, 이자, 작은창자, 큰창자의 가로잘록창자까지를 지배한다.

◆골반내장신경
 둘째~넷째엉치뼈에서 나온 부교감신경을 말한다. 골반 내에 분포하는 다른 신경과 섞여 골반신경얼기를 만들고, 내림잘록창자, 곧창자, 방광 등에 줄기가 뻗어 있다.

◆뇌줄기
 중간뇌, 다리뇌, 숨뇌로 이루어져 있다. 부교감신경은 이러한 부위에 있는 신경핵에서 나온다.

◆척수의 손상
 목뼈가 손상되면 그곳부터 아래의 감각과 뼈대근육의 운동 대부분을 잃는데, 가슴·배부위의 장기에는 숨뇌에서 나오는 미주신경이 분포되어 있어 기능이 유지되는 경우가 많다.

부위 대부분의 장기 및 기관을 지배하고 있다. 뇌줄기에서 나와 배까지 섬유가 뻗어나가는 반면, 일부는 가슴에서 반전되어 목으로 돌아오는(되돌이후두신경) 것과 같이 주행도 특징적이다.

❷ 뉴런과 신경의 흥분

1) 신경임펄스의 전달

 신경계통에서 다양한 정보를 주고받는 것은 뉴런(신경세포)이다. 뉴런은 세포체와 그곳에서 가지 모양으로 뻗은 가지돌기, 축삭으로 구성되어 있다. 세포체에서 길게 뻗어 있는 돌기가 축삭이며, 이것이 신경섬유이다.

 축삭에는 지질(슈반세포)로 된 말이집이 붙어있는 경우가 있다. 말이집이 감겨 있는 신경을 말이집신경, 말이집이 감겨 있지 않은 신경을 민말이집신경이라고 한다. 뉴런이 흥분하면 세포에 활동전위가 발생하고, 그것이 임펄스 또는 흥분으로서 신경섬유로 전달된다.

 임펄스는 다음과 같이 전달된다.

- 뉴런이 흥분하지 않을 때 세포 안은 전기적으로 음성이다.
- 뉴런이 흥분하면 세포 밖에서 Na^+가 흘러들어와 세포 안이 전기적으로 양성이 된다 (활동전위의 발생).
- 양성으로 바뀐 부위의 옆이 차례로 동일한 현상이 일어나고, 활동전위가 신경섬유로 전달된다.
- 임펄스가 끝에 도달하면 다음 뉴런에 자극이 전달된다.

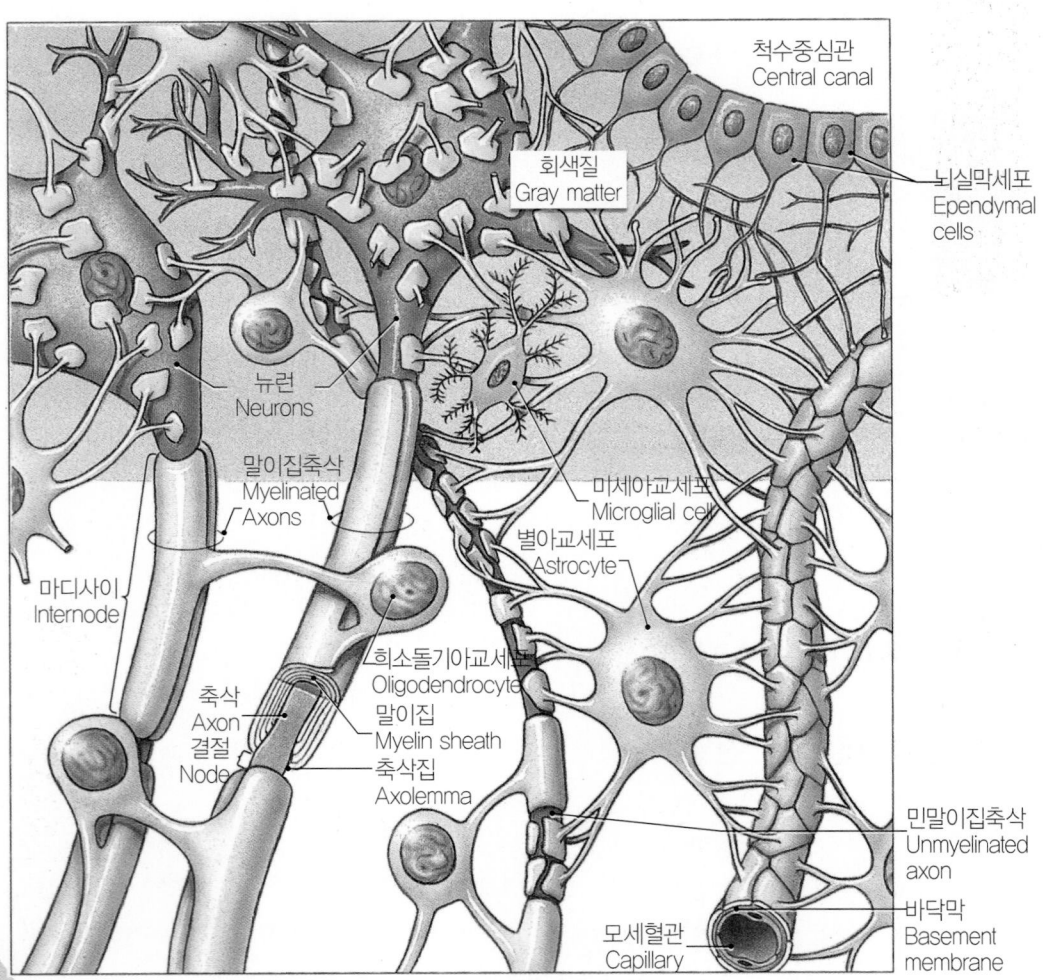

그림 4-13 **신경아교세포**

별아교세포·희소돌기아교세포·미세아교세포는 뉴런을 지탱하거나 영양을 공급하는 세포로, 아교세포(신경아교세포)라고 한다.

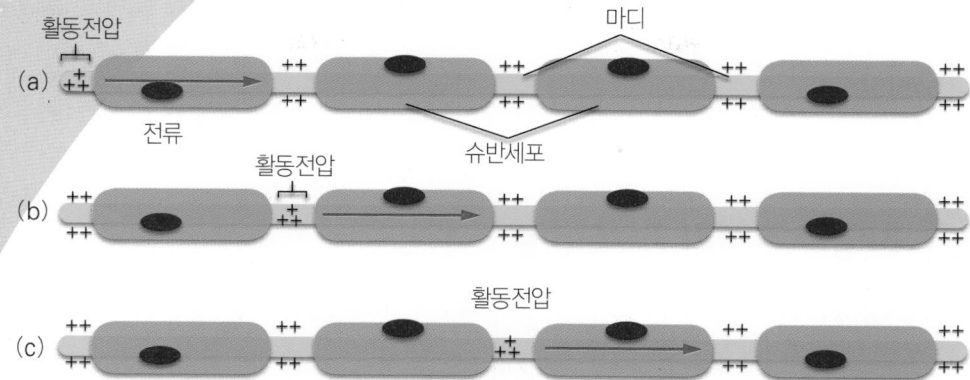

그림 4-14 랑비에마디와 도약전도
말이집신경섬유에서는 신경자극이 마디에서 마디로 도약하는 것처럼 보인다.

◆**말이집, 랑비에결절**
　말이집은 슈반세포가 축삭 주변을 감으며 생긴 지질성 껍질로, 말이집과 말이집 사이의 틈새를 랑비에결절이라고 한다.

◆**아교세포**
　중추신경계통에는 별아교세포, 희소돌기아교세포, 미세아교세포, 뇌실막세포와 같은 종류의 아교세포가 있다. 축삭에 말이집을 만드는 슈반세포도 아교세포의 일종이다.

◆**축삭**
　세포체에서 가장 길게 뻗어있는 돌기로, 이것이 신경섬유이다. 긴 것은 수십 cm에 달한다.

◆**신경임펄스**
　뉴런의 흥분으로 발생하며, 신경섬유를 통하여 전달되어 나가는 활동전위이다.

◆**뉴런의 종류**
　뉴런에는 세포체에서 뻗어 나온 돌기가 하나뿐인 홑극뉴런, 2개인 두극뉴런, 3개 이상인 뭇극뉴런 등이 있다.

2) 뉴런을 지탱하는 아교세포

뇌 및 척수에는 뉴런 사이를 채워 세포를 지탱하거나 영양을 공급하는 세포가 있는데,

이것을 아교세포(glia cell, 신경아교세포)라고 한다. 중추신경 안에는 신경세포의 5~10배에 달하는 아교세포가 있다.

❸ 시냅스에서의 정보전달

뉴런의 끝은 다음 뉴런이나 근육섬유 등의 세포에 연결되어 자극을 전달한다. 이 연결부분을 시냅스라 하고, 자극을 전달하는 쪽의 뉴런끝을 시냅스종말이라 하며, 자극을 받는 쪽을 시냅스이후세포라고 한다.

시냅스종말과 시냅스이후세포는 밀착되어 있지 않고 아주 약간의 틈새가 벌어져 있는데, 이것을 시냅스틈새라고 한다. 이 틈새가 있기 때문에 시냅스종말까지 전달된 임펄스가 전기신호인 채로 시냅스이후세포에 전해질 수 없다. 임펄스는 신경전달물질이라고 불리는 화학물질을 방출시키며, 이것이 시냅스이후세포를 흥분시켜 자극이 전달된다.

시냅스에서 신경전달물질에 의하여 자극이 전달되는 구조는 다음과 같다.

- 축삭에 임펄스가 전달되어 시냅스종말까지 도달하면 시냅스종말의 전위의존성 Ca^{2+}채널이 열리고, 시냅스종말에 Ca^{2+}가 흘러들어간다.

◆신경전달물질
시냅스종말에서 방출되는 화학물질. 아세틸콜린, β엔도르핀, 도파민, 노아드레날린, 세로토닌 등이 있다.

◆흥분성 전달
신경전달물질이 작용하면 시냅스이후세포에 활동전위를 발생시키는 전달.

◆억제성 전달
신경전달물질이 작용하면 시냅스이후세포의 세포막 내를 전기적이고 음성으로 만들어 흥분이 일어나기 어렵게 하는 전달.

◆신경전달물질의 종류
신경전달물질에는 60종류 이상이 있고, 신경의 종류에 따라 방출되는 물질이 다르다. 예를 들어 운동신경끝에서는 아세틸콜린이, 교감신경끝에서는 노아드레날린이 방출된다.

- 시냅스종말 안의 시냅스소포에서 신경전달물질이 방출된다.
- 시냅스이후세포의 세포막에 있는 신경전달물질수용체에 신경전달물질이 작용하면 시냅스이후세포가 흥분하여 활동전위가 발생한다(흥분성 전달). 또는 시냅스이후세포의 활동전위를 발생되기 어렵게 한다(억제성 전달).

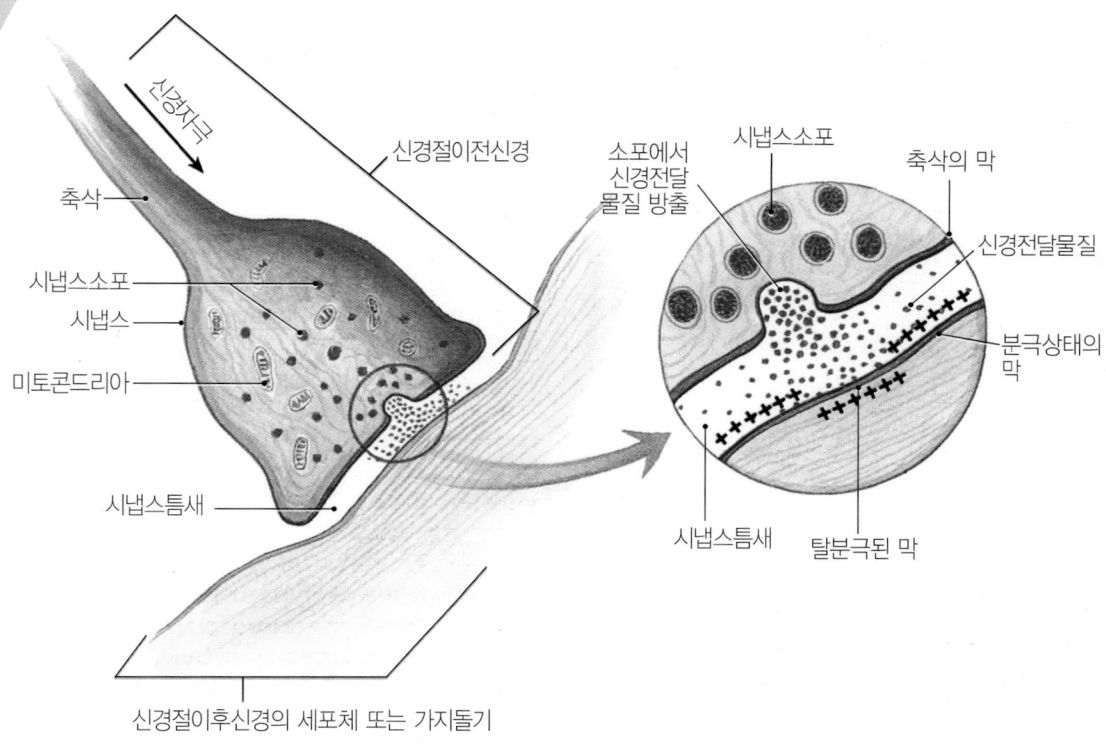

신경자극

축삭

신경절이전신경

시냅스소포
시냅스
미토콘드리아

시냅스틈새

신경절이후신경의 세포체 또는 가지돌기

소포에서 신경전달물질 방출
시냅스소포
축삭의 막
신경전달물질
분극상태의 막
시냅스틈새
탈분극된 막

그림 4-15 **시냅스에서의 자극전달**

◆**반복연습에 의한 운동의 숙달과 시냅스형성**
　운동의 동작은 뼈대근육뿐만 아니라 운동명령을 전달하는 신경계통이나 어떠한 운동이 실시되었는가를 감지하는 감각기관 등을 총동원하여 이루어진다. 처음에는 잘 못하는 운동도 반복연습하면 점차 숙련되는 것은 그 운동에 관여하는 뇌와 감각기관, 뼈대근육끼리 연결하는 뉴런이 운동수행을 향상시키는 데 필요한 다른 뉴런과 새로운 시냅스를 형성하여 신경의 네트워크를 발달시켜나가기 때문이다.

- 시냅스틈새에 방출된 신경전달물질은 효소에 의하여 불활성화되지만, 시냅스종말로 흡수되어 재이용된다.

대뇌겉질의 기능

대뇌의 단면에 보이는 색이 진한 부분을 회색질이라고 하는데, 여기에 뉴런의 세포체가 모여 있다. 대뇌 표면의 회색질은 대뇌겉질이라고 한다. 또한 대뇌 단면의 하얀 부분에는 신경섬유가 모여 있는데, 이것이 백색질이다.

언어 등 고도기능을 담당하는 대뇌겉질은 장소에 따라 담당하는 역할이 다르다. 대뇌겉질의 주요기능과 그 기능을 담당하는 부위는 다음과 같다.

- 일차운동영역은 운동명령을 내리는 부위로, 중심고랑 앞쪽 일대(중심앞이랑)에 있다. 담당하는 신체부위도 각각 나누어져 있다.
- 일차몸감각영역은 피부·관절 등의 감각을 처리하는 부위로, 중심고랑의 뒤쪽 일대(중심뒤이랑)에 있다.
- 언어영역은 말을 하는 것을 담당하는 운동성 언어영역(브로카영역)이 가쪽고랑 위에,

◆운동성 언어영역(Broca's area)
말을 하는 운동을 담당한다. 이곳의 장애에 따른 운동성 실어증의 경우 이야기를 듣거나 문장을 읽어서 이해하는 것은 가능하나, 말을 하기는 어려워진다.

◆감각성 언어영역(Wernicke's area)
말을 시각 및 청각으로 캐치하여 이해하는 것을 담당한다. 이곳의 장애에 따른 감각성 실어증은 쓰여 있는 문장을 읽거나 이야기하는 말을 듣고 이해하지 못하게 된다.

◆일차OO영역
운동영역·몸감각영역 등의 '일차'란, 그것들의 정보가 우선출입하는 장소라는 의미이다. 이러한 영역 이외에 그 정보를 통합하거나 조정하는 '연합영역' 및 '이차OO영역'이 있다.

◆언어영역의 위치
언어영역은 90%이상의 사람이 왼대뇌반구에 있다. 언어영역이 오른대뇌겉질에 있는 사람은 왼손잡이인 경우가 많다.

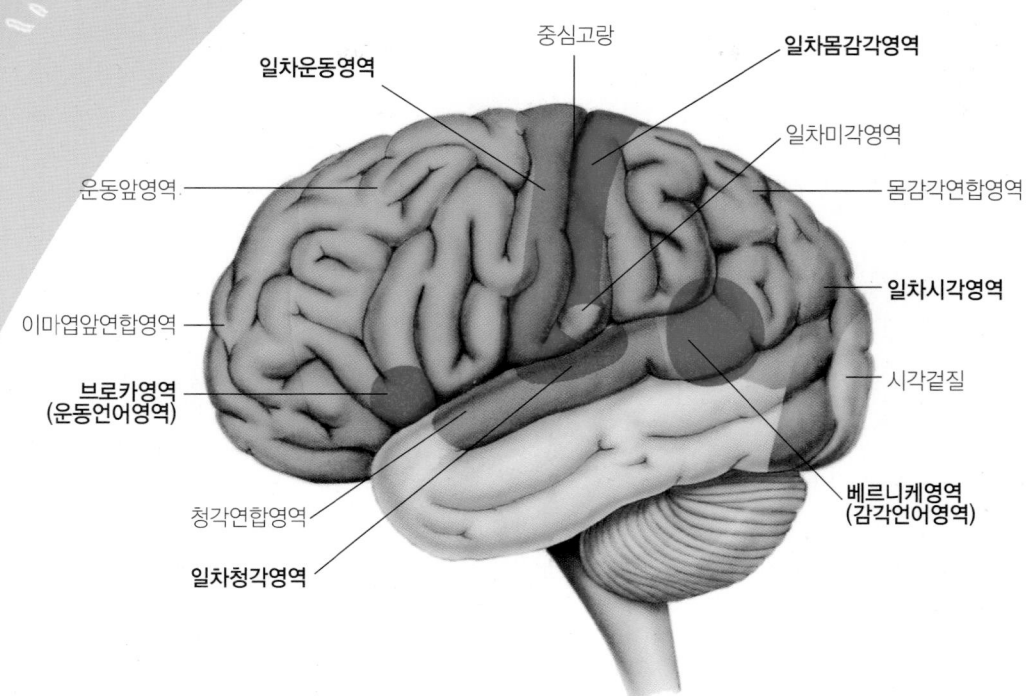

중심고랑

일차운동영역

일차몸감각영역

일차미각영역

운동앞영역

몸감각연합영역

이마엽앞연합영역

일차시각영역

브로카영역
(운동언어영역)

시각겉질

청각연합영역

베르니케영역
(감각언어영역)

일차청각영역

그림 4-16 **대뇌겉질의 기능영역**

- 일차운동영역 : 운동의 명령을 내리는 부위. 대뇌반구의 안쪽은 다리, 마루부위는 몸통, 관자부위는 얼굴 등과 같이 담당하는 신체부위도 나누어져 있다.
- 일차몸감각영역 : 피부 및 관절 등의 감각을 처리하는 부위. 담당하는 신체부위도 나누어져 있다.
- 운동언어영역(브로카영역) : 말을 하는 것을 담당한다.
- 감각언어영역(베르니케영역) : 읽기 · 듣기기능을 담당한다.
- 일차청각영역 : 청각정보를 처리한다.
- 일차시각영역 : 시각정보를 처리한다.

읽기 · 듣기와 같은 기능을 담당하는 감각성 언어영역(베르니케영역)이 가쪽고랑 뒤쪽에 있다.

- 일차청각영역은 청각정보를 처리하는 부위로, 관자엽 가쪽고랑 아래에 있다.
- 일차시각영역은 시각정보를 처리하는 부위로, 뒤통수엽에 있다.

⑤ 대뇌둘레계통과 대뇌바닥핵의 기능

1) 본능적인 행동을 담당하는 대뇌둘레계통

대뇌둘레계통은 좌우의 대뇌반구를 연결하는 뇌들보를 둘러싼 영역을 중심으로 한 부분을 말하며, 뒤고랑·띠이랑·해마·편도체·유두체 등을 포함한다.

대뇌둘레계통은 진화과정에서 오래 전부터 갖추어져 있었다고 하는 옛겉질로 되어 있으며, 후각 및 쾌·불쾌, 공포, 분노 등의 정동, 식욕 및 성욕과 같은 본능적인 행동 등 동물과도 공통된 활동을 담당한다. 해마는 기억의 형성에 관여하는 것으로 추측하고 있으나 자세한 것은 아직 해명되지 않았다. 대뇌둘레계통은 자율신경계통의 중추가 되는 시상하부 및 생명기능의 중추인 뇌줄기와도 밀접한 관계가 있다.

◆대뇌바닥핵
대뇌둘레계통을 구성하는 해마의 위쪽, 사이뇌의 양쪽 밖에 위치한다. 조가비핵과 창백핵을 합하여 렌즈핵이라고도 한다.

◆뇌들보
좌우의 대뇌반구를 중앙에서 연결하는 부분. 신경섬유다발이다.

◆불수의운동
의사와 관계없이 몸이 움직이는 것. 천천히 몸이 비틀어지는 것 같은 움직임을 하는 아테토시스나, 손을 굽혔다펴거나 혀를 내밀고 넣는 것과 같은 빠른 운동이 일어나는 무도운동 등이 있다.

◆해마의 명명
해마라는 명칭은 그리스신화의 해신 포세이돈이 타는 해마와 앞다리모양이 닮아있다는 점에서 붙여졌다고 알려져 있다.

◆대뇌바닥핵의 장애
대뇌바닥핵은 운동기능을 억제하는 신호를 보낸다. 그러므로 이 부분에 장애가 발생하면 운동의 억제가 되지 않고, 불수의운동이 발생하게 된다.

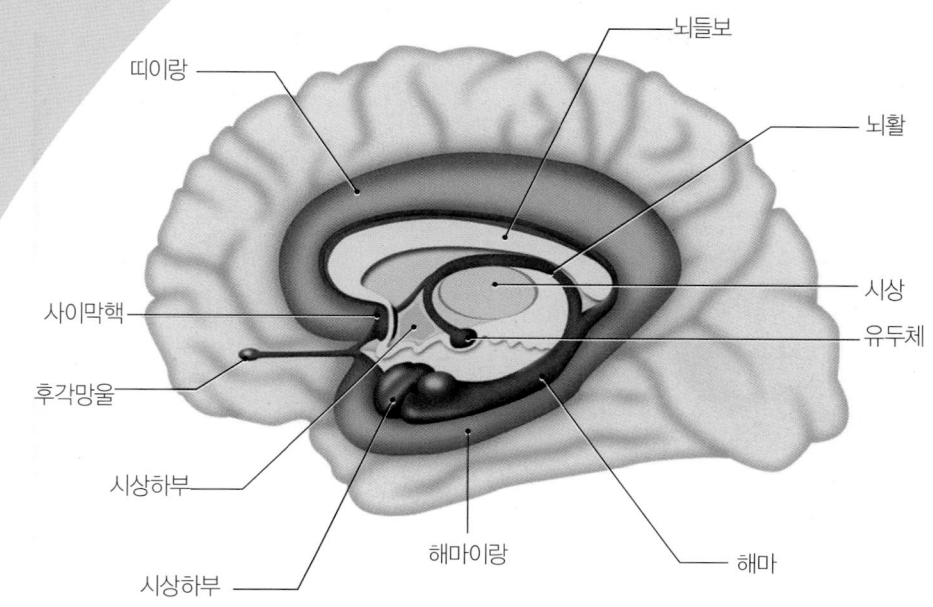

띠이랑	뇌들보
사이막핵	뇌활
후각망울	시상
시상하부	유두체
시상하부	해마이랑
	해마

그림 4-17　대뇌둘레계통의 구조

뇌들보를 둘러싼 부분에 위치하는 대뇌둘레계통은 정동 및 본능적인 행동을 담당하며, 기억과도 관계가 깊다.

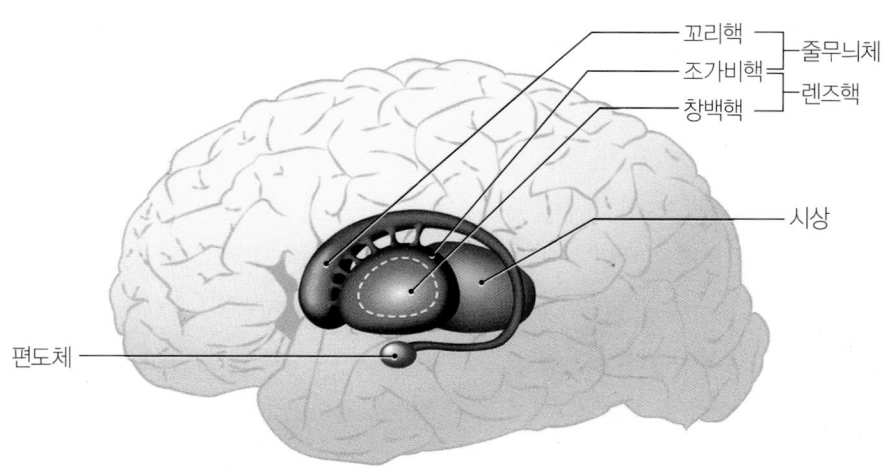

꼬리핵 ─ 줄무늬체
조가비핵 ─ 렌즈핵
창백핵
시상
편도체

그림 4-18　대뇌바닥핵의 구조

대뇌바닥핵은 사이뇌의 바깥쪽에 위치하는 신경핵의 집합으로, 운동의 조절에 관여한다.

2) 운동의 조정에 관여하는 대뇌바닥핵

대뇌바닥핵이란 대뇌의 바닥에 있는 신경핵(뉴런의 세포체덩어리)이라는 의미이다. 대뇌바닥핵은 꼬리핵·조가비핵·창백핵으로 구성되어 있다. 꼬리핵과 조가비핵은 함께 줄무늬체라고도 불린다.

대뇌바닥핵은 대뇌겉질이 발달하지 않은 새 이하의 동물에게서는 운동의 최고위중추로 활동한다. 그러나 사람은 대뇌겉질이 발달되어 있으므로 대뇌바닥핵이 하위의 중추로 활동한다. 중추의 흑색질 및 사이뇌의 시상, 그리고 대뇌겉질과 정보를 주고받으면서 상황에 맞는 행동, 인지기능, 정동 등에 관여하고 있다고 추측된다. 대뇌바닥핵에 장애가 발생하면 의지와 반대로 몸이 움직이는 불수의운동이 발생한다.

❻ 신경계통에 의한 운동의 조절

중추신경계통에서 만들어진 운동명령이 근육에게 도달되려면 위운동신경통로(upper motor neuronal tract)를 지난 다음 아래운동신경통로(lower motor neuronal tract)와 시냅스해야 한다. 위운동신경을 일차신경세포라고도 하는데, 그것들은 중추신경계통 밖으로 나갈 수 없다. 피라미드길(pyramidal tract)이 가장 중요한 위운동신경통로이고, 피라미드바깥길(extrapyramidal tract)도 위운동신경통로이기는 하지만 여러 번 시냅스한다는 점이 피라미드길과 다르다.

위운동신경은 중추신경계통(neuraxis, 신경축) 안에 있어야 하기 때문에 아래운동신경과 시냅스해야 운동명령을 근육까지 전달할 수 있다. 아래운동신경은 이차신경세포라고도 하고, 세포체는 뇌줄기 안에 있지만 축삭은 중추신경계통을 떠나서 근육과 시냅스한다.

모든 척수신경에는 위운동신경과 아래운동신경이 섞여 있지만 뇌신경은 그렇지 않다. 1번 뇌신경(후각신경), 2번뇌신경(시각신경), 8번뇌신경(청각신경)에는 감각신경만 있고 운동신경이 없기 때문에 아래운동신경으로 분류할 수 없다.

1) 피라미드길에 의한 운동의 조절

대뇌겉질에서 만들어진 맘대로운동의 운동명령이 아래운동신경에 전달되려면 어떤 통로를 따라서 신경임펄스가 이동되어야 한다. 그때 뇌줄기를 지나서 뇌신경이나 척수신경에 있는 아래운동신경에 전달될 수도 있고, 뇌줄기를 지나지 않고 다른 통로를 따라서 전달될 수도 있다. 뇌줄기를 지나가는 통로를 피라미드길, 뇌줄기를 지나지 않는 통로를 피라미드바깥길이라고 한다.

중간뇌·다리뇌·숨뇌로 구성되어 있는 뇌줄기를 서양 사람들이 처음에는 식물의 구근(bulbar) 같이 생긴 것으로 보았기 때문에 'bulbar tract'이라고 했고, 나중에 피라미드같이 생겼다고 보았기 때문에 'pyramidal tract'이라고 하였으며, 일본 사람들은 저울의 추(錐)같이 생긴 것으로 보았기 때문에 추체로라고 하였다.

피라미드길에 속하는 모든 신경섬유들은 맘대로운동명령을 뇌줄기와 척수에 있는 아래운동신경에 전달하는 위운동신경이다. 피라미드길에 속하는 신경세포의 약 80%는 세포체가 이마엽의 중심앞이랑(precentral gyrus)에 있고, 중심앞이랑은 운동영역이기 때문에 맘대로운동명령을 전달한다고 하는 것이다. 중심앞이랑에 있는 대형세포체의 축삭들이 피라미드길의 80%를 형성하고, 나머지 20%는 마루엽의 중심뒤이랑(postcentral gyrus)에서 시작된다. 어쨌든 이마엽과 마루엽의 대뇌겉질에서 별(corona radiata) 모양으로 위운동신경이 발생된 다음 그것들이 모여서 피라미드길을 형성한다.

피라미드길에 속하는 신경섬유들은 뇌줄기나 척수에 있는 목적지(연결해야 하는 아래운동신경)에 도착할 때까지 다른 신경섬유와 시냅스하지 않는다. 이와 같이 대뇌겉질과 아래운동신경이 단 한 번에 연결되기 때문에 운동명령을 대단히 신속하게 전달할 수 있다.

대뇌겉질에서 뇌줄기에 있는 뇌신경까지 연결되는 피라미드길을 겉질연수로(corticobulbar tract), 대뇌겉질에서 척수신경까지 연결되는 피라미드길을 겉질척수로(corticospinal tract)라 한다.

겉질척수로에 속하는 위운동신경의 약 85~90%는 숨뇌의 아랫부분에서 서로 반대방향으로 교차하고, 나머지 10~15%는 그냥 같은 방향으로 내려간다. 반대방향으로 교차하는 신경섬유들을 가쪽겉질척수로 또는 가쪽피라미드길이라 하고, 교차하지 않고 그냥 내려가는 신경섬유들을 직선피라미드길이라고 한다. 모든 척수신경은 겉질~척수로를 통해서 운동명령을 받기 때문에 가쪽피라미드길 앞부분에 상처를 입으면 반대쪽 신경에 의해서 지배되는 근육이 마비된다.

거의 모든 뇌신경들이 좌우 피라미드길 모두에 분포되어 있다. 이 말은 좌우 한 쌍의 뇌신경은 좌반구에 있는 운동영역에서 발원된 운동신경과 우반구에 있는 운동영역에서 발원된 운동신경의 지배를 동시에 받는다는 뜻이다. 이와 같이 중복지배를 받도록 되어 있는 것

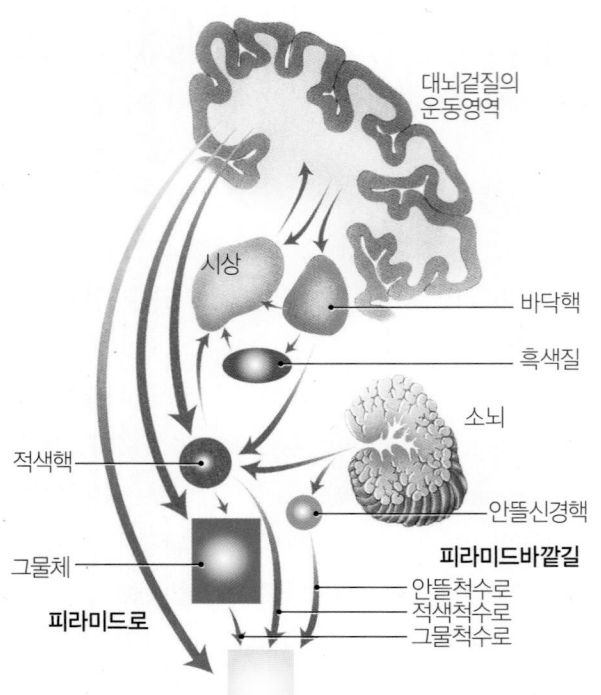

대뇌겉질의
운동영역

시상

바닥핵

흑색질

소뇌

적색핵

안뜰신경핵

그물체

피라미드바깥길

안뜰척수로
적색척수로
그물척수로

피라미드로

그림 4-19 맘대로운동의 하행전도로

은 일종의 안전장치이다. 피라미드길의 어느 한쪽에 상처를 입더라도 신체의 양쪽은 모두 대뇌겉질로부터 (약하게라도) 명령을 받을 수 있으므로 완전히 마비되지는 않는다.

예를 들어 겉질연수로에 있는 신경섬유들은 말하기와 삼키기에 중요한 역할을 하는 운동명령들을 운반한다. 그러므로 좌우 피라미드길 중의 하나가 손상을 입더라도 말하고 삼키는 동작에는 별 이상이 없게 된다. 그러나 예외적으로 중복지배를 받지 않는 뇌신경은 혀와 아래 얼굴을 지배하는 제7뇌신경의 일부이다. 그 부분은 반대방향의 피라미드길에서만 정보를 받으므로 왼쪽피라미드길에 이상이 있으면 오른쪽얼굴과 혀에 문제가 생긴다.

겉질척수로 또는 겉질연수로에 속하는 신경섬유들이 아래운동신경과 시냅스하기 위해서 아래로 내려가다가 축삭의 일부를 다리뇌핵으로도 보낸다. 그러면 그 신경섬유들이 겉질다리뇌로를 형성하고, 그 통로를 따라서 정보가 소뇌로도 전달된다(겉질-다리뇌-소뇌).

겉질다리뇌로의 신경섬유들이 다리뇌의 핵에서 끝나고 더 이상 연결되어 있지는 않지만 아래운동신경들이 중간소뇌뿔(middle cerebellar peduncle, 중소뇌각)을 통해서 그러한 정보들을 소뇌에 전달하는 것이다. 전달되는 정보는 겉질에서 어떤 형태의 운동임펄스가 어떤 세기로 만들어졌는가 하는 것이다.

2) 피라미드바깥길에 의한 운동의 조절

피라미드바깥길(extrapyramidal tract)은 뇌줄기를 지나지 않는 운동섬유이지만, 신체운동을 조절하는 데에 상당한 영향을 미치는 운동섬유들로 구성된다. 피라미드바깥길은 통로도 복잡하고 피드백루프도 복잡해서 간단히 설명하기는 어렵다.

피라미드길은 겉질에서 만든 맘대로운동 명령을 단 한 번에 직접 아래운동신경에 전달하지만, 피라미드바깥길은 여러 가지 부품들에서 만들어진 운동명령을 간접적으로 여러 번 시냅스해서 전달한다. 피라미드바깥길에 속하는 부품에는 대뇌겉질, 시상, 바닥핵(basal ganglia), 적색핵(red nucleus), 중간뇌의 흑색질(substantia nigra), 그물체(reticular formation), 소뇌(cerebellum), 안뜰핵(vestibular nuclei) 등이 있다.

피라미드바깥길에는 ① 운동영역-시상-적색핵-소뇌, ② 운동영역-그물체(다리뇌)-소뇌, ③ 운동영역-바닥핵-시상-소뇌, ④ 적색핵-아래운동신경 등이 있다.

피라미드길은 정교하고 치밀한 운동을 맘대로 하는 운동기관이지만, 그 피라미드길계의 운동에 따른 근육의 긴장과 이완 등을 반사적으로 또는 무의식적으로 조절하는 것은 피라미드바깥길계이다. 따라서 피라미드길계가 발달되어 있는 포유류 이외의 척추동물에서는 피라미드바깥길계가 운동명령을 전달하는 아주 중요한 통로이다. 그리고 피라미드바깥길은 자율신경계통과 함께 자세유지를 위한 근육의 긴장을 조절하는 역할도 한다.

피라미드바깥길이 맘대로운동을 조절하기 위해서 하는 가장 중요한 역할은 맘대로근이 자율적으로 실행에 옮길 수 있도록 임펄스를 투영하는 것이다. 임펄스를 투영한다는 말은 직접 운동명령을 내리는 것이 아니라 피라미드길을 통해서 내려오는 운동명령을 수정·보완하고, 뼈대근육끼리 서로 협응해서 동작이 원만하게 이루어지도록 간접적으로 영향을 미친다는 뜻이다.

피라미드바깥길계 운동은 정상적인 상태에서는 피라미드길계의 운동과 협동적으로 작용하기 때문에 표면상으로 나타나지 않는다. 그러나 피라미드바깥길계에 장애가 생기면 무도병(舞蹈病)이나 파킨슨병과 같은 이상한 증상이 나타난다. 파킨슨병환자들이 가면을 쓴 사람처럼 얼굴표정이 전혀 없는 것으로 보아서 얼굴표정과 말하기 같은 기능을 자동적으로 조절하는 것도 피라미드바깥길계의 역할 중 하나로 보인다.

3) 반사에 의한 운동의 조절

반사는 자율반사(autonomic reflex)와 몸반사(somatic reflex)로 나눈다. 자율반사는 창자에서 일어나는 꿈틀운동처럼 무의식적으로 내장기관과 샘의 활동을 조절하는 것이고, 몸반사는 어떤 자극에 대한 반응으로 뼈대근육이 무의식적으로 수축하는 것이다.

감각기관들이 구심성 신경을 통해서 중추신경계통으로 신호를 보내면, 중추신경이 그 신호들을 처리한 다음 반응을 결정하고, 해당하는 근육에 신호(운동명령)를 보내면, 근육이 명령을 수행함으로써 반응을 일으킨다. 그러나 빨리 반응해야 할 필요가 있을 경우에는 척수가 뼈대근육에 신호(명령)를 보냄과 동시에 뇌에게도 신호를 보내서 처리하도록 한다. 이와 같이 신호를 둘로 쪼개면 뇌로 보내서 처리한 다음에 반응을 일으키는 것보다 빨리 반응할 수 있는 몸반사가 일어난다.

인체가 내외부에서 자극을 받아들이는 장치를 감각수용기라 하는데, 감각수용기에는 시각·청각·미각·후각 등과 같이 특수한 기관에서만 감지할 수 있는 감각과 온도·압력·통각·촉각 등과 같이 온몸에서 감지할 수 있는 감각이 있다. 날아오는 공을 보고 공을 받는 자세나 위치를 수정할 때 일일이 생각해서 하는 것이 아니라 자동적(반사적)으로 조절한다. 이것이 반사에 의한 맘대로운동의 조절이다. 시각이나 청각에 의해서 맘대로운동을 조절하는 것은 누구나 쉽게 알 수 있는 것이고, 근육방추·골지힘줄기관·관절수용기 등과 같은 고유수용기에 의해서도 반사적으로 맘대로운동을 조절하고 있다.

① 상호억제(reciprocal inhibition)

팔을 굽히려고 하면 주동근인 위팔두갈래근은 수축하고, 대항근인 위팔세갈래근은 이완되는 것을 상호억제라고 한다. 그와 같이 주동근이 활동할 때 대항근을 억제시키는 것을 의식적으로 하는 것이 아니라 반사적으로 이루어지기 때문에 상호억제도 반사에 의한 맘대로운동의 조절이다.

② 뻗침반사(stretch reflex)

근육방추(muscle spindle)는 근육의 복부에 있는 감각수용기로 주로 근육의 길이 변화를 감지해서 중추신경계통으로 보내고, 그 신호들을 뇌가 처리하여 신체의 부품들의 위치를

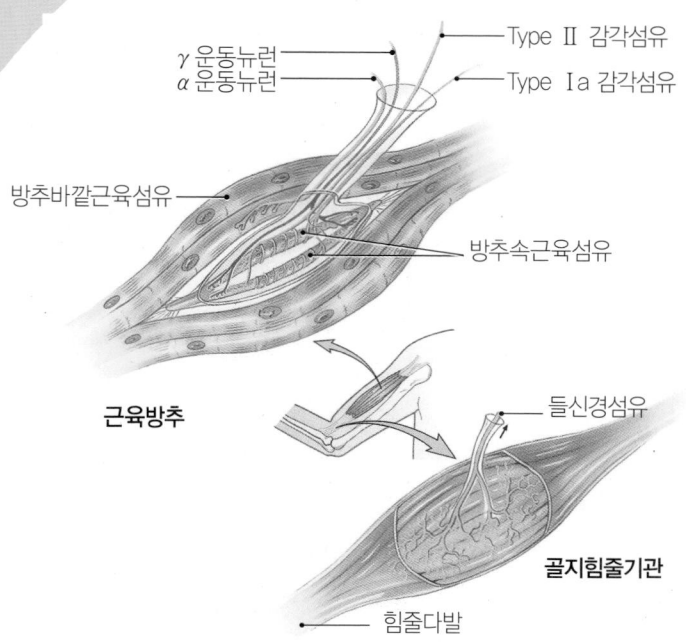

근육방추

Type Ⅱ 감각섬유
Type Ⅰa 감각섬유
γ 운동뉴런
α 운동뉴런
방추바깥근육섬유
방추속근육섬유

들신경섬유
골지힘줄기관
힘줄다발

그림 4-20　근육방추와 골지힘줄기관

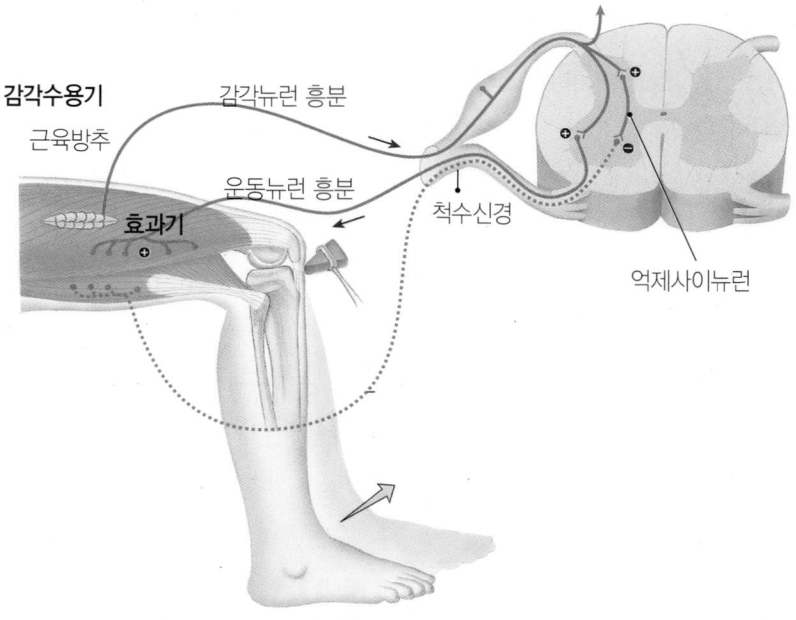

감각수용기
근육방추
감각뉴런 흥분
운동뉴런 흥분
척수신경
억제사이뉴런
효과기

그림 4-21　무릎힘줄반사

알아낸다. 근육방추가 뻗침반사(stretch reflex)를 일으켜서 근육의 수축을 조절하는 역할도
한다. 근육이 신전되면 근육방추 안에 있는 감각섬유가 근육의 길이와 속도변화를 감지해서
척수를 거쳐 뇌로 보낸다. 그런데 그 구심성 신경이 척수에서 많은 알파운동신경과 단일시냅
스를 하고 있기 때문에 알파운동신경에게도 신호가 보내진다. 그러면 알파운동신경이 반사
적으로 흥분해서 근육섬유들을 수축시킨다. 그러면 마치 근육이 펴지는 것을 막으려고 반사
적으로 수축한 셈이 되기 때문에 뻗침반사라고 한다.

③ 골지힘줄반사(Golgi tendon reflex)

골지힘줄기관(Golgi tendon organ)은 근육의 장력변화를 감지하는 신경기관으로, 뼈대
근육의 근육섬유가 힘줄로 들어가는 부착점과 시작점에 있다. 참고로 골지체는 세포의 소기
관이고 골지기관은 고유수용기이므로 전혀 다른 것이다. 근육이 수축하면 근육의 장력이 증
가된다. 근육의 장력이 어느 정도 이상으로 증가하면 척수에서 해당 근육으로 오는 알파운
동신경은 억제되고, 대항근의 알파운동신경은 활성화된다. 골지힘줄반사는 보호용 피드백
작용을 한다. 즉 힘줄의 장력이 너무 커져서 힘줄이 찢어져버리는 것을 예방하기 위해서 주
동근을 이완시켜버리고 대항근을 수축시키는 것이다. 그러므로 뻗침반사와 정반대의 작용을
하는 것이 골지힘줄반사이다.

④ 무릎반사(patellar reflex)

무릎뼈 바로 밑에 있는 무릎뼈 인대를 반사망치로 가볍게 두드리면 넙다리네갈래근 안에
있는 근육방추가 늘어난다. 그러면 척수로 가는 신호가 만들어져서 이동하다가 L4에서 척수
와 시냅스한다. 바로 그 자리에서 넙다리네갈래근을 수축시키는 원심성 임펄스가 반사적으로
만들어져서 넙다리네갈래근으로 보내진다. 그러면 넙다리네갈래근이 수축함과 동시에 대항근
인 햄스트링을 이완시킨다. 그러면 발로 차는 것 같은 동작이 일어나는데, 그것을 무릎반사라
고 한다. 무릎반사는 자세와 균형을 유지하는 것을 돕는 고유수용기 반사인데, 이 고유수용기
반사가 있기 때문에 별로 신경을 쓰거나 노력을 하지 않아도 균형을 유지할 수 있는 것이다.

7 트레이닝에 의한 신경계통의 변화

최대근력을 개선시키는 기전에는 더 많은 운동단위를 동원시키는 것과 각각의 운동단위

가 더 많은 힘을 발휘하는 것이 있다. 전자는 근력개선에서 신경계통의 역할을, 후자는 근육 자체의 역할을 나타내는 것이다. 근력을 개선시키기 위해 저항트레이닝을 수행할 때 훈련 초기에는 근육비대현상이 나타나지 않고 대체로 4주 이후에 나타난다. 저항트레이닝 초기 1~3주에 근육의 비대없이 근력이 개선되는 현상은 주로 신경요인의 변화에 의해 이루어진다. 특히 장딴지근과 같은 근육은 훈련에 의해 근육단면적은 거의 증가하지 않지만 근력은 크게 증가한다. 이는 훈련에 의한 근력증가의 상당 부분이 신경계통 적응에 의한 것임을 보여준다.

근력이 증가하는 데 신경계통이 중요한 역할을 한다는 것을 보여주는 예는 다음과 같다.

▪ 양쪽 팔다리 중 한쪽만 훈련시켰을 때 다른 쪽에도 훈련의 효과가 나타난다. 예를 들어 훈련을 통해 오른쪽무릎의 굽힘근력이 20% 증가하면 훈련받지 않은 왼쪽무릎의 폄근력도 동시에 10% 정도 증가한다. 이렇게 나타나는 이유는 척수뉴런의 경로를 통해 오른쪽다리의 훈련효과가 왼쪽으로 일부 전이되었기 때문이다.

▪ 근력을 발휘하면서 기합을 넣거나 근력검사를 하기 수 초 전 총소리를 듣거나 하면 근력이 증가하는 현상이 나타난다. 또한 근력이 증가했다는 최면적 예시에 의해 근력이 증가되는 현상을 볼 수 있다. 이는 근력의 조절에 중추신경계통이 관여한다는 것을 보여주는 것이다.

▪ 인간이 최대로 발휘할 수 있는 자의적 수축력은 근육에 전기자극을 가했을 때의 수축력보다 약하다. 즉 인간은 자의적으로는 모든 운동단위를 흥분시키도록 뇌로부터 척수의 운동뉴런으로 자극을 보낼 수 없는데, 그 이유는 억제성 자극이 함께 작용하기 때문이다. 따라서 인간은 훈련에 의해 뇌로부터의 흥분성 자극을 증가시키고 억제성 자극을 감소시킴으로써 근력을 증가시키는 방법을 학습할 수 있다고 하겠다.

▪ 근력훈련 후 최대수축운동 중 근육의 전기활동(근전도)이 증가한다. 이는 훈련 후 더 많은 운동단위가 동원되고 자극의 빈도가 높아졌음을 의미한다.

▪ 동물 실험 결과 지구력훈련을 받은 동물이 훈련을 받지 않은 동물보다 신경근육연접부가 크다고 보고되고 있다. 또한 훈련받은 쪽이 축삭종말도 길고 시냅스부위도 커서 신경전달물질을 운반하는 데 보다 효과적이라고 알려져 있다. 또한 관절고정으로 근육운동이 제한되면 신경근육연접부의 피로가 쉽게 발생하는 것으로 알려져 있다. 신경근육연접부의 피로는 신경종말로부터 화학전달물질인 아세틸콜린의 방출이 감소하기 때문으로 생각된다. 따라서 지구력훈련은 신경근육연접부에 대한 적응을 유발함으로써 반복적인 근육수축에 따른 근육피로현상을 지연시킬 것이다.

05

뼈대·관절 및
근육계통과 운동

1 뼈대계통

1) 뼈의 기능

인체에 있는 약 206개의 뼈는 인체의 뼈조직이다. 뼈가 없으면 사람은 그 형상을 유지할 수 없을 뿐만 아니라 서거나 걷기와 같은 운동을 하는 것도 불가능하다. 게다가 뼈는 뼈대를 형성할 뿐만 아니라 조혈 및 칼슘저장에도 관여한다.

사람의 뼈는 뼈대를 형성하고, 운동의 지지점이 된다. 인체에서 뼈 이외의 조직은 부드럽기 때문에 뼈가 없으면 사람은 형태를 유지할 수 없다. 또한 여러 개의 뼈가 관절을 만들어 주므로 움직임이 가능해진다.

한편 뼈는 내장을 지키기도 한다. 머리뼈는 뇌를, 갈비뼈·복장뼈·등뼈로 구성된 가슴우

◆**조혈줄기세포**
적혈구·백혈구·혈소판의 기본이 되는 세포. 모든 혈구는 조혈줄기세포가 분화되어 만들어진다.

◆**가슴우리**
갈비뼈·복장뼈·등뼈로 구성된 바구니모양의 구조를 말한다. 허파 및 심장, 대혈관 등을 지키는 것 외에 호흡운동에 관여한다.

◆**뼈속질**
넙다리뼈와 같은 긴뼈의 뼈몸통 및 엉덩뼈, 복장뼈 등의 안에 있다. 뼈속질의 조혈줄기세포가 분화하여 적혈구, 백혈구, 혈소판이 만들어진다.

◆**뼈아교질에 있는 터널**
뼈아교질에는 하버스관, 폴크만관이라고 불리는 터널이 있는데, 그 안을 혈관이 지나고 있다. 뼈속질에서 만들어진 혈구는 이 혈관을 통하여 전신으로 보내진다.

◆**하버스관(Harversian canal)**
치밀질에 세로로 뻗어 있는 터널로 혈관이 지나간다. 폴크만관과 이어져 있다. 이 주위에 중심원 형태로 뼈층판이 만들어진다.

◆**폴크만관(Volkmann's canal**
치밀질을 가로로 관통하여 뻗어 있는 터널로 혈관이 지나간다. 하버스관과 이어져 있다.

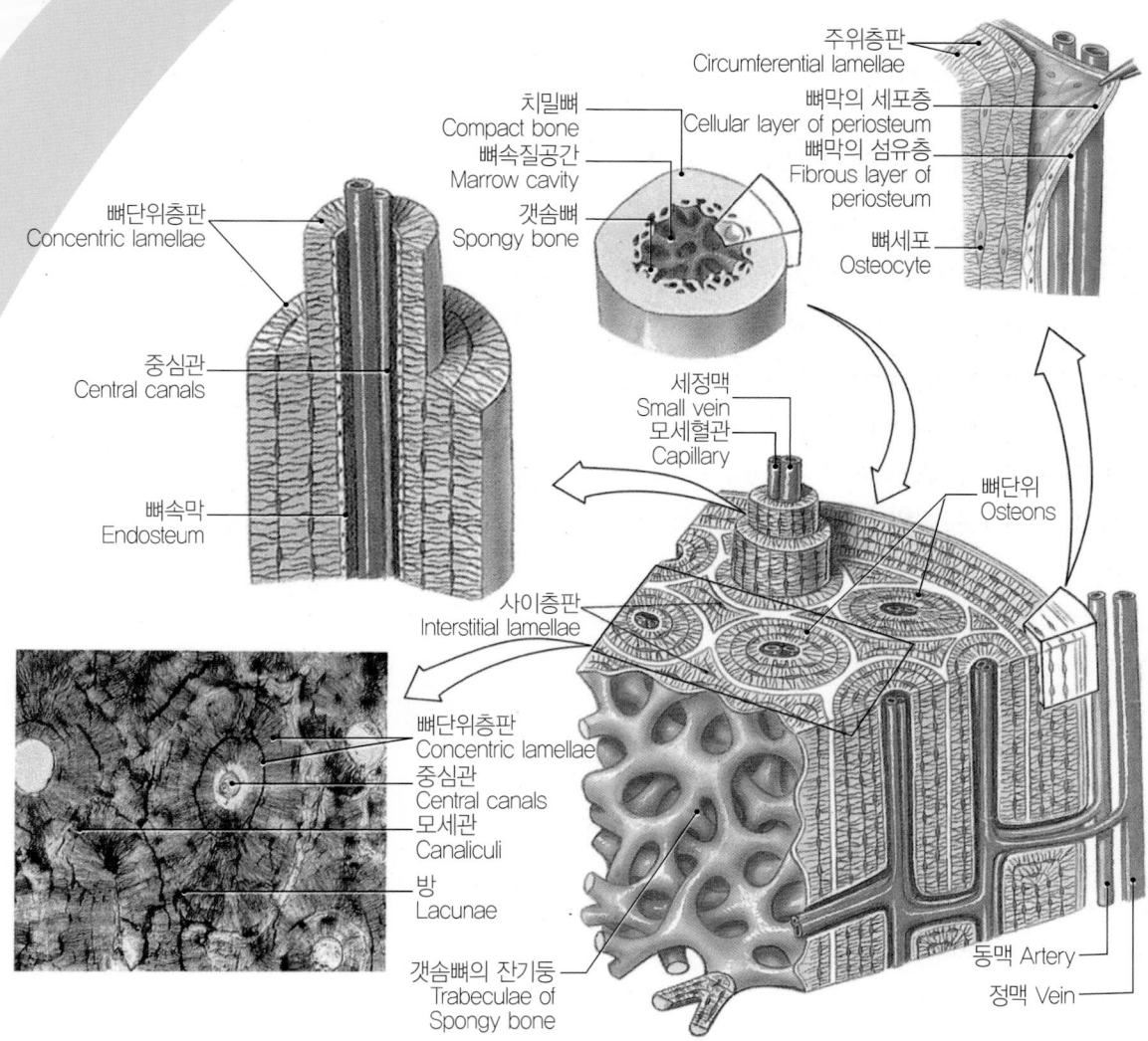

주위층판
Circumferential lamellae

뼈막의 세포층
Cellular layer of periosteum

치밀뼈
Compact bone

뼈막의 섬유층
Fibrous layer of
periosteum

뼈속질공간
Marrow cavity

갯솜뼈
Spongy bone

뼈세포
Osteocyte

뼈단위층판
Concentric lamellae

중심관
Central canals

뼈속막
Endosteum

세정맥
Small vein

모세혈관
Capillary

뼈단위
Osteons

사이층판
Interstitial lamellae

뼈단위층판
Concentric lamellae

중심관
Central canals

모세관
Canaliculi

방
Lacunae

갯솜뼈의 잔기둥
Trabeculae of
Spongy bone

동맥 Artery

정맥 Vein

그림 5-1 뼈의 구조와 활동

① 뼈대 형성 : 신체의 지주가 된다. 다양한 형태의 뼈가 관절을 만듦으로써 운동이 가능해진다. 긴뼈의 중간부분은 강도를 높이면서 경량화되었기 때문에 속이 비어 있다. 또한 뼈끝의 해면질 내부에는 강도가 필요한 방향을 향하여 가느다란 뼈아교질이 뻗어 있는데, 이것을 뼈광물(bone mineral content)이라고 한다.

② 내장 보호 : 머리뼈는 뇌를, 가슴우리는 허파·심장·대혈관 등을 지킨다. 골반은 방광·여성의 자궁 등을 보호한다.

③ 뼈속질에서의 조혈 : 뼈속질의 조혈줄기세포가 분화하여 적혈구·백혈구·혈소판이 만들어진다.

④ 칼슘 저장 : 혈중칼슘농도가 저하할 때에는 뼈를 녹여 칼슘을 빼낸다.

리는 허파 및 심장을, 골반은 여성의 자궁 등을 보호한다.

한편 뼈 속에 있는 뼈속질(골수)에서는 조혈줄기세포로부터 적혈구·백혈구·혈소판이 만들어진다. 뼈속질에서 만들어진 혈구는 뼈아교질(ossein, 골질)을 가로지르는 혈관에 들어가 뼈 밖으로 보내진다.

뼈는 인산칼슘과 콜라겐으로 만들어져 있다. 인체에 있는 약 1kg의 칼슘 중 99%는 뼈에 있다. 칼슘은 지혈이나 신경의 흥분전달 등과 같은 다양한 기능에 중요한 미네랄로, 혈액 중의 칼슘농도가 낮아지면 뼈에서 빠져나와 혈액 중으로 보내진다.

2) 뼈의 성장과 대사

(1) 뼈의 성장은 뼈끝선에서 이루어진다

성장기의 뼈성장은 뼈끝 가까이에 있는 뼈끝연골에서 발생한다. 뼈끝연골에서 연골이 차례로 형성되면서 뼈몸통쪽에서 뼈되기(골화)가 진행되어 뼈가 성장한다. 이렇게 연골부분이 골화되어 뼈가 만들어지는 것을 연골속뼈되기(연골내골화)라고 한다. 뼈끝연골 부분은 X선으로 촬영하면 투과되어 선이 보이기 때문에 뼈끝선이라고 불린다. 뼈굵기의 성장에는 뼈막

◆뼈흡수
뼈파괴세포가 뼈를 녹이는 것. 뼈파괴세포는 혈중칼슘농도의 조정에도 관여한다.

◆뼈형성
뼈모세포가 새로운 뼈를 만드는 것.

◆연골속뼈되기
연골이 골화함으로써 뼈가 형성되는 구조. 태아기에는 대부분의 뼈가 연골속뼈되기로 형성된다.

◆뼈엉성증(골다공증)
고령이 되면 뼈흡수와 뼈형성의 균형이 무너져 뼈흡수쪽이 항진되므로 뼈가 점점 물러진다. 일정 이상으로 뼈광물이 감소한 것을 뼈엉성증(골다공증)이라고 한다. 뼈엉성증은 고령 여성에게 많다.

◆뼈끝연골과 성장호르몬
뼈끝연골은 성인이 되어 성장호르몬의 분비가 저하되면 소실되고, 성장이 멈춘다.

이 관여한다.

뼈가 성장하는 구조는 다음과 같다.

- 뼈끝 가까이에 있는 뼈끝연골의 연골세포가 증식한다.
- 뼈몸통쪽에서는 연골세포가 죽고, 뼈모세포가 뼈를 만들어나간다. 뼈끝선이 뼈끝방향으로 이동하여 뼈가 늘어난다.
- 뼈의 굵기는 뼈막에서 이루어진다.

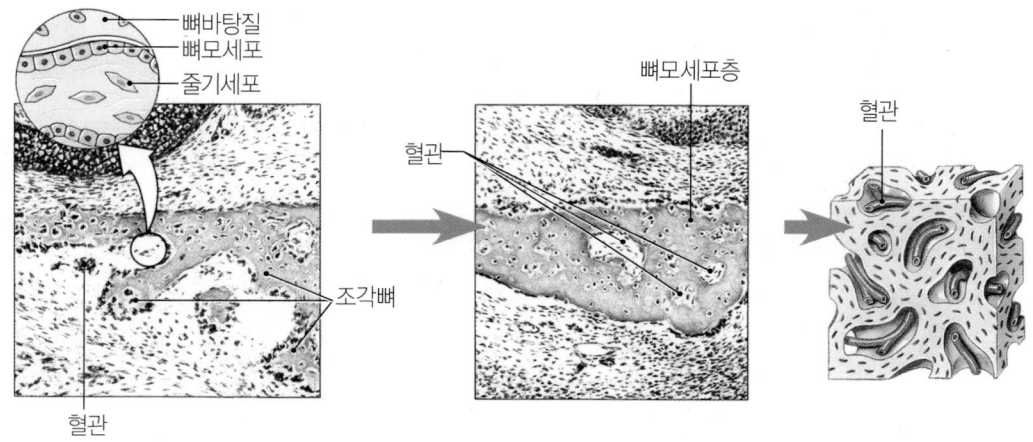

A. 막속뼈되기

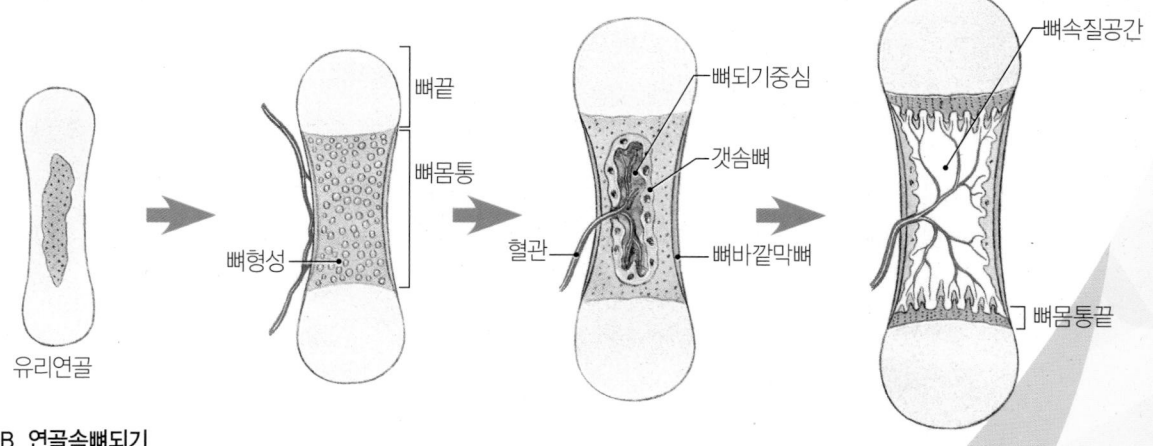

B. 연골속뼈되기

그림 5-2   뼈의 발생형태

(2) 뼈의 성장과 신진대사

성인이 되어 성장이 멈추어도 뼈는 항상 신진대사를 반복한다. 뼈파괴세포가 뼈를 녹이고(뼈흡수), 그 부분에 뼈모세포가 새로운 뼈를 만드는(뼈형성) 것으로 인하여 조금씩 새로운 뼈로 바뀌게 된다. 뼈는 뼈파괴세포와 뼈모세포에 의하여 신진대사가 이루어진다.

뼈흡수와 뼈형성의 구조는 다음과 같다.

- 뼈파괴세포 : 뼈파괴세포는 뼈를 녹이고(뼈흡수), 혈중칼슘농도의 조정에도 관여한다.
- 뼈모세포 : 녹은 부분에 뼈모세포가 달라붙어 칼슘을 침착시키면서 스스로도 뼈세포가 되어 뼈구조의 일부가 되고, 새로운 뼈를 형성한다.
- 뼈는 뼈파괴세포에 의한 뼈흡수와 뼈모세포에 의한 뼈형성으로 인하여 조금씩 교체된다.

3) 지면반력과 뼈의 대사

사람은 중력에 저항하여 운동을 하므로 땅에 닿을 때 지면으로부터 반력을 받는다. 이 반력은 중력가속도를 동반하므로 낙하하는 높이 또는 낙하하는 물체의 무게에 따라 다르다.

보통 점프동작이나 러닝동작 등에서 발이 땅에 닿을 때 사람의 뼈대는 근육의 신장성수축이나 힘줄과 같은 탄력조직을 통하여 충격을 흡수한다. 이때 뼈는 휨으로써 충격으로부터 구조물을 지키려고 하는데, 많은 충격을 받으면 금속피로와 같은 상태를 일으킬 가능성이 있다. 그래서 뼈는 끊임없이 세포분열을 반복하면서 강도를 확보하는 구조를 가지고 있다.

뼈는 뼈파괴세포(osteoclast)라고 불리는 뼈세포를 파괴하는 역할을 하는 세포가 뼈흡수라는 오래된 뼈를 깎는 움직임을 하고 나면, 뼈모세포라고 불리는 새로운 뼈를 만드는 세포가 뼈가 깎인 부분에 단백질을 침착시켜 뼈의 강도를 증가시킨다. 그 후 이 단백질에 수산화인회석(HPA : hydroxyapatite)이라고 불리는 인산칼슘이 결합되어 뼈의 석회화를 촉진시킨다. 이렇게 비뚤어진 뼈를 재생시키고 강화하는 과정을 뼈형성이라고 한다.

뼈대사를 활발하게 하기 위해서는 뼈의 긴축방향으로 강한 부하를 주는 것이 필요하다. 예를 들어 점프나 높은 부하의 웨이트트레이닝 등 지면반력으로부터 큰 힘을 발휘하는 동작을 실시하는 것이 필요하다. 한편 건강에 좋다고 하는 수영은 뼈대사에는 나쁜 영향을 준다고도 알려져 있다. 물속에서는 부하가 가중되지 않아 뼈에 대한 스트레스가 부족하기 때문에 수영선수는 일반사람보다 뼈밀도가 조금 낮은 것으로 알려져 있다.

② 관절계통

1) 관절의 기본구조

뼈가 마주 보고 관절을 형성할 때 뼈끝이 볼록한 쪽을 관절머리, 그것을 받는 오목한 쪽을 관절오목이라고 한다. 관절의 움직임은 관절머리와 관절오목의 형태에 따라 정해진다. 또한 관절에는 관절을 보호하거나 그 움직임을 도와주기 위한 구조가 마련되어 있다.

어떠한 관절도 기본적인 구조는 거의 동일하며, 다음의 4가지로 되어 있다.

- 관절머리와 관절오목의 표면은 관절연골로 덮여 있다.
- 관절 전체는 관절주머니로 싸여 있고, 관절주머니 안쪽의 윤활막에서 분비되는 윤활액은 관절의 움직임을 도와준다.

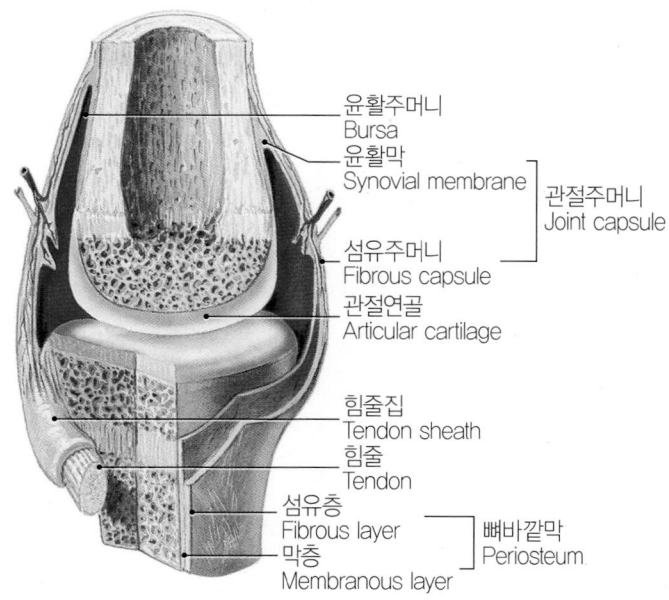

윤활주머니
Bursa
윤활막
Synovial membrane
섬유주머니
Fibrous capsule
관절주머니
Joint capsule
관절연골
Articular cartilage
힘줄집
Tendon sheath
힘줄
Tendon
섬유층
Fibrous layer
막층
Membranous layer
뼈바깥막
Periosteum

그림 5-3 **관절의 기본구조(예 : 무릎관절)**

① 관절연골 : 관절머리와 관절오목의 접촉면을 덮는다.
② 관절주머니 : 관절 전체를 감싼다. 안쪽에는 윤활막이 있어 관절의 움직임을 도와주는 윤활액을 분비한다.
③ 인대 : 관절에는 이를 보강하는 인대가 붙어 있다. 관절 밖에 붙은 것이 많으나, 관절 안에 붙은 것도 있다(무릎앞·뒤십자인대 등).

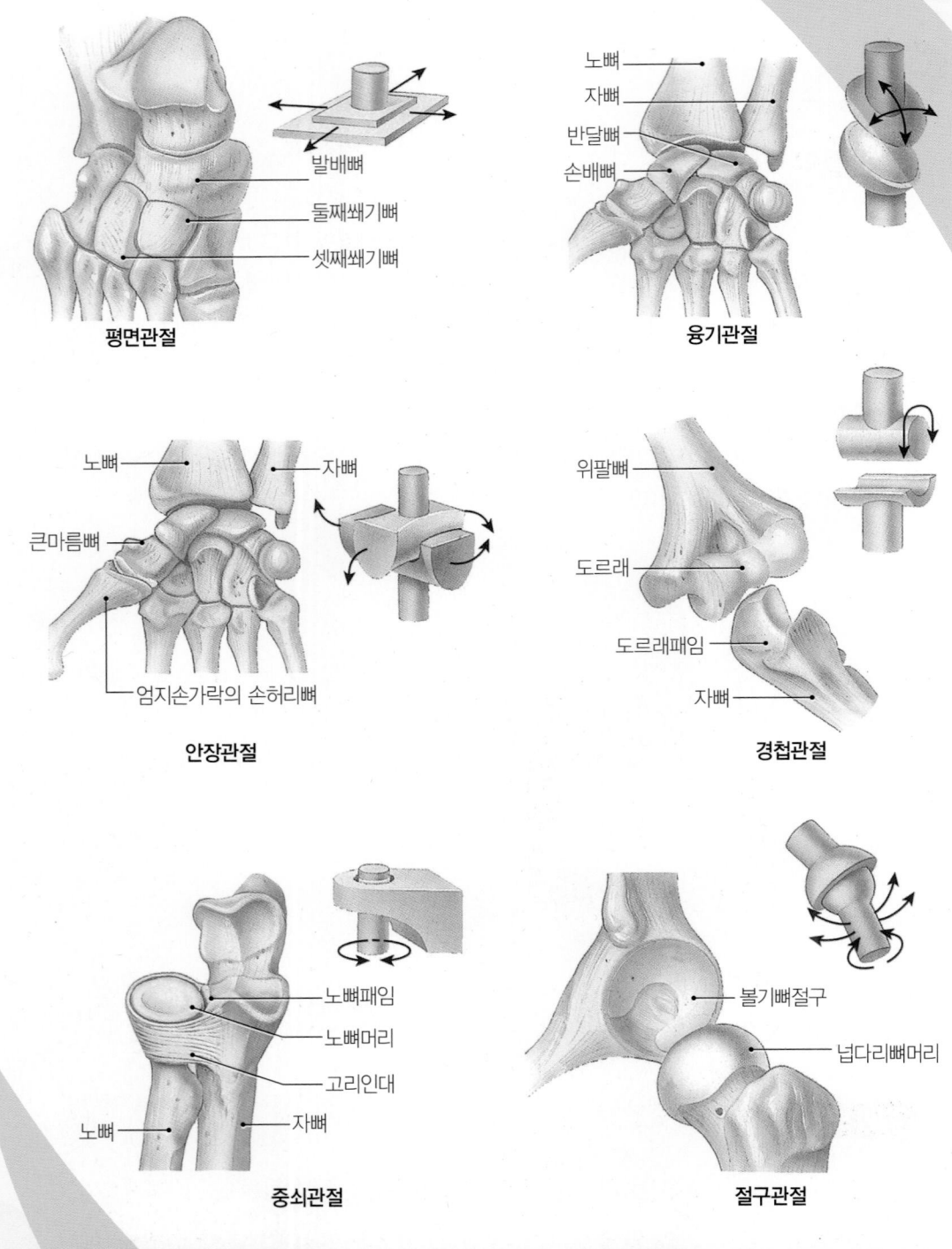

평면관절

융기관절

안장관절

경첩관절

중쇠관절

절구관절

발배뼈
둘째쐐기뼈
셋째쐐기뼈

노뼈
자뼈
반달뼈
손배뼈

노뼈
자뼈
큰마름뼈
엄지손가락의 손허리뼈

위팔뼈
도르래
도르래패임
자뼈

노뼈패임
노뼈머리
고리인대
노뼈
자뼈

볼기뼈절구
넙다리뼈머리

그림 5-4 관절의 종류

- 관절을 보강하는 인대가 붙어 있다.
- 관절 속에 연골의 쿠션재가 붙어 있는 것도 있다.

2) 관절의 종류

관절에는 거의 움직이지 않는 못움직관절과 잘 움직이는 움직관절이 있다. 일반적으로 관절이라고 하면 움직관절을 가리킨다.

관절은 모양에 따라 다음과 같이 6가지 종류로 분류할 수 있다.

- 절구관절 : 관절머리가 구 형태이며, 관절오목은 동그란 그릇 모양의 관절. 세로·가로·대각선 방향의 운동과 회전도 가능. 예 : 어깨관절, 엉덩관절
- 타원관절 : 관절머리가 타원형이고 관절오목은 타원형의 그릇 모양의 관절. 세로와 가로 방향으로만 움직일 수 있다. 예 : 손목의 손목관절
- 안장관절 : 말의 안장에 사람이 걸쳐 앉는 것과 같은 형상의 관절. 세로 방향과 가로 방향으로는 움직이나 대각선으로의 움직임이나 회전운동은 불가능하다. 예 : 엄지손가락이 붙은 부분에 있는 손목손허리관절
- 중쇠관절 : 한쪽 뼈를 축으로 하여 다른 한쪽 뼈가 그 주위를 도는 것과 같이 움직이는 관절. 예 : 아래팔의 몸쪽노자관절, 첫째·둘째목뼈의 관절
- 경첩관절 : 문의 경첩과 같은 움직임을 보이는 관절. 굽히고 펴는 것만 가능. 예 : 팔꿈치의 위팔자관절
- 평면관절 : 면과 면이 접해 있어 거의 움직이지 않으나 어긋나는 정도의 움직임만 가능한 관절. 예 : 발목발허리관절

❸ 근육계통

1) 근육계통의 개요

근육은 그 모양에 따라 가로무늬근(뼈대근육, 심장근육)과 민무늬근육으로 분류하기도 하고, 기능적으로 사람의 의사에 의해 근육운동을 유발시킬 수 있느냐 없느냐에 따라 맘대로근과 제대로근으로 구별하기도 한다. 뼈대근육은 맘대로근(수의근)에 속하고, 심장근육과

민무늬근육은 제대로근(불수의근)에 속한다.

뼈대근육은 구조상으로는 가로무늬근이고, 기능상으로는 맘대로근에 속한다. 뼈대근육은 운동, 자세 유지, 열 생산 등의 기능을 수행한다. 뼈대근육은 무수한 근육섬유가 모여서 형성되며 뼈막에 직접 부착되는 것, 힘줄(tendon)에 부착되는 것, 일단 힘줄에 연결된 후 다른 근육과 연결되는 것 등이 있다. 뼈대근육의 구조적 단위인 근육섬유는 원통형이고 양끝은 점차 가늘어진다. 근육섬유의 길이는 0.1~수십 cm, 지름은 10~100μm이다. 근육원섬유는 평행으로 주행하는 400~2,500개의 미세섬유(filament)로 구성되어 있다.

근육의 종류는 다음과 같다.

- 뼈대근육 : 뼈에 붙어서 뼈대를 움직이는 근육으로, 가로무늬근이라고도 하며 맘대로근이다.
- 민무늬근육 : 제대로근이고, 혈관이나 창자와 같이 관모양으로 생긴 기관의 벽을 이루는 내장근육이다.
- 심장근육 : 심장에 있는 근육으로, 제대로근이다.

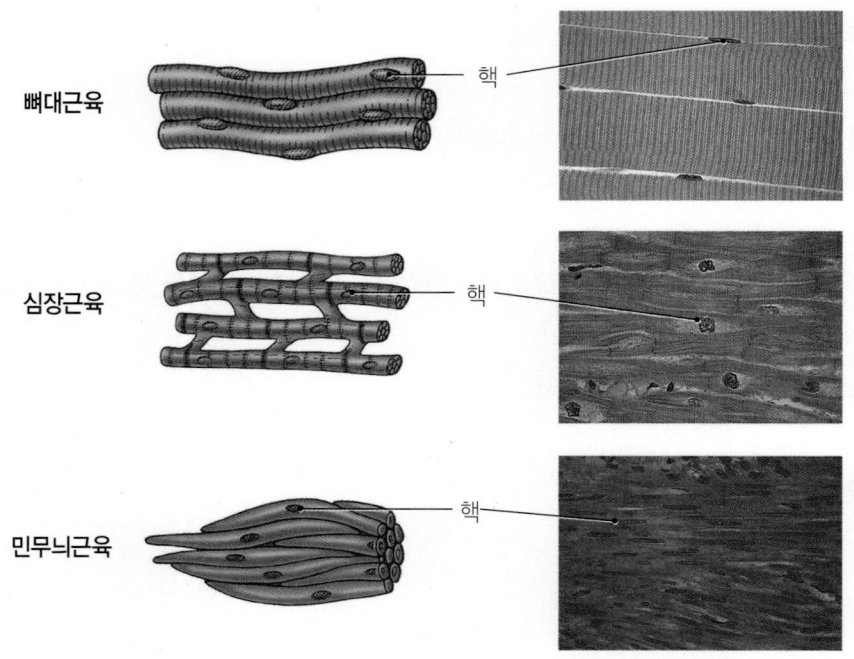

그림 5-5 **근육의 종류**

근육섬유는 1개의 세포에 핵이 여러 개 있는 것이 일반적인 세포와 다른 점이다.

한편 근육은 다음과 같은 특성이 있다.
- 흥분성 : 자극(신경충격)에 반응한다.
- 수축성 : 길이를 짧게 할 수 있다.
- 신전성 : 잡아당기면 늘어난다.
- 탄성 : 수축하거나 늘어난 다음에 원래 모양과 원래길이로 되돌아가려고 한다.

2) 뼈대근육

(1) 뼈대근육의 구조

뼈대근육(골격근)은 힘줄을 통해서 뼈에 붙어 있고, 원통형으로 길게 생긴 근육섬유(근육세포, muscle fiber 또는 muscle cell)들이 나란히 배열되어 있다. 뼈대근육의 크기, 모양, 근육섬유의 배열은 매우 다양해서 가운데귀에 있는 등자뼈는 아주 가는 끈처럼 생겼고, 허벅지에 있는 넙다리근은 아주 굵다.

뼈대근육은 수백 또는 수천 개의 근육섬유들이 다발을 이루는 결합조직으로 싸여있다. 근육을 둘러싸고 있는 결합조직을 근육바깥막(epimysium)이라고 한다. 근육바깥막 밖에 있는 결합조직은 근막(fascia)이라 하고, 근막이 근육을 둘러싸서 다른 근육과 구별되게 한다. 근육바깥막의 일부가 안쪽으로 뻗어 들어가서 근육을 몇 개의 조각으로 갈라놓는다. 그 조각 안에는 한 다발의 근육섬유가 들어 있는데, 그 다발을 근육섬유다발이라 한다. 근육섬유다발을 둘러싸고 있는 결합조직의 층이 근육다발막이다. 근육섬유다발 안에 들어 있는 개개의 근육세포를 근육섬유라 하고, 근육섬유를 둘러싸고 있는 결합조직을 근육속막이라고 한다.

1개의 근육섬유를 둘러싸고 있는 근육속막은 근육세포의 세포막이기 때문에 근육섬유막(sarcolemma) 또는 근육세포막이라고도 하는데, 이것은 신경세포처럼 막전위를 유지한다. 그래서 임펄스가 근육세포를 따라서(신경세포를 따라서 신경임펄스가 이동하듯이) 이동할 수 있다. 그렇지만 근육세포를 따라서 이동하는 임펄스는 근육을 수축시키는 것이 목적이므로 일반적인 신경세포에서 임펄스가 이동하는 것과는 구별해야 한다.

1개의 근육섬유(근육세포)는 수십 또는 수백 개의 근육원섬유(myofibril)로 구성되어 있다. 근육원섬유는 긴 단백질분자인데, 그 단백질분자를 근육필라멘트(myofilament)라고 한다. 근육필라멘트에는 굵은 것과 가는 것의 2종류가 있다. 굵은 것을 마이오신필라멘트(myosin filament), 가는 것을 액틴필라멘트(actin filament)라고 한다.

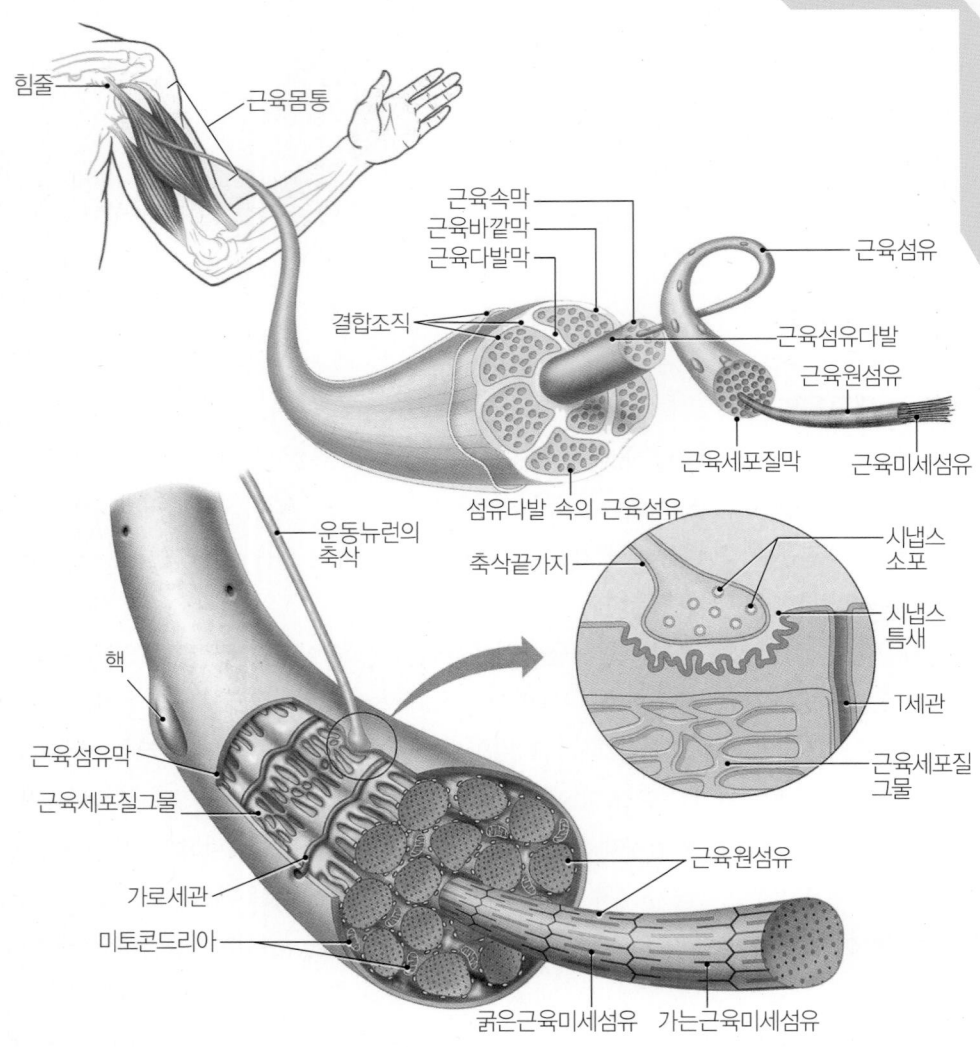

힘줄

근육몸통

근육속막
근육바깥막
근육다발막

결합조직

근육섬유

근육섬유다발

근육원섬유

근육세포질막

근육미세섬유

섬유다발 속의 근육섬유

운동뉴런의
축삭

축삭끝가지

시냅스
소포

시냅스
틈새

T세관

근육세포질
그물

핵

근육섬유막

근육세포질그물

가로세관

미토콘드리아

근육원섬유

굵은근육미세섬유 가는근육미세섬유

그림 5-6 뼈대근육의 구조

뼈대근육 안에는 운동신경과 혈관이 많이 들어 있다. 일반적으로 뼈대근육의 근육바깥
막을 통과해서 들어가는 신경 1개에는 동맥 1개와 정맥 1개 이상이 동행해서 들어간다. 신
경과 혈관의 가지들이 근육세포와 신경세포의 결합조직 요소들을 따라서 나란히 들어간다.

근육세포질(sarcoplasm)은 근육세포에 맞도록 특수화된 세포질이고, 골지체를 따라가면
서 세포소기관과 기타 부속물들이 들어 있다. 근육세포의 세포질 안에는 근육원섬유(myo-

fibril), 근육세포질그물(sarcoplasmic reticulum ; 일반세포의 세포질그물이 변형된 것), 마이오글로빈(myoglobin), 미토콘드리아 등이 아주 많이 들어 있다.

① 근육원섬유의 구조

근육원섬유는 긴 근육필라멘트(myofilament)들이 질서정연하게 정렬되어 있으며, 기본적인 수축단위를 이룬다. 뼈대근육과 심장근육을 광학 현미경으로 보면 근육섬유의 길이를 따라가면서 밝은 줄과 어두운 줄이 교대로 보인다.

가는필라멘트로 구성되어 있는 밝은 띠를 I띠(I-band), 굵은필라멘트로 구성되어 있는 어두운 띠를 A띠(A-band)라 하고, 수축하는 단위 사이의 경계선을 Z선(Z-line, 또는 Z-disk, Z-band)이라고 한다. Z선과 Z선 사이의 길이가 짧아지면 근육이 수축하게 된다. Z선과 Z선 사이를 근육원섬유마디(sarcomere)라고 한다.

② 근육세포질그물의 구조

근육세포질그물(sarcoplasmic reticulum, 근형질세망)은 독특한 모양을 하고 있다. 근육세포질그물은 호스처럼 작은 구멍이 뚫려 있는 관이 그물처럼 연결된 것인데, 그 관을 가로세관 또는 T세관(T-tubule)이라고 한다. T세관은 근육세포 안으로 들어가서 근육원섬유까지 이어져 있다. T세관은 근육세포 안의 어떤 지점으로 구멍이 열려 있는 것이 아니라 계속해서 지나가기만 한다. 이 때문에 T세관은 근육원섬유에 영양물질을 공급하거나 배설물을 운반하는 통로가 아니라 임펄스가 근육세포막에서 근육세포 안으로 전도되어 근육원섬유까지 도달할 수 있도록 하는 임펄스의 통로역할을 한다.

T세관의 마디가 되는 지점은 양쪽 근육세포질그물이 부풀어 올라서 능선과 같은 구조를 이루고 있는데, 그것을 종말능선 또는 종말수조(terminal cistern)라고 한다. 종말능선 이외의 곳에서는 T세관이 2개 또는 3개가 서로 만나기도 하는데, 그것을 2연구조(twin, diad) 또는 3연구조(triad)라고 한다.

③ 근육세포질그물의 기능

근육세포질그물은 다른 세포들의 세포질그물과 비슷한 작은 구멍이 있는 호스처럼 생겼다. 그러나 근육세포질그물의 주 기능은 칼슘이온을 저장하는 것이다. 뼈대근육의 근육세포 안에는 근육세포질그물이 대단히 많이 들어 있고, 그림 5-8에서 볼 수 있듯이 근육세포질그물이 근육원섬유들을 둘러싸는 네트워크를 이루고 있기 때문에 칼슘이온(근육이 수축하려

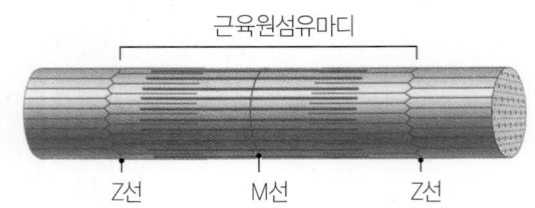

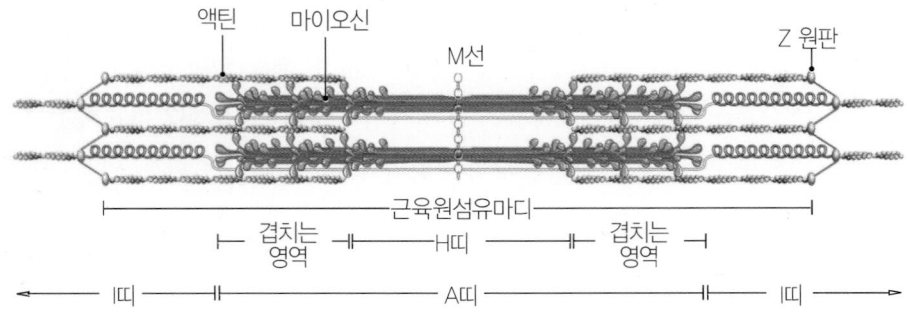

그림 5-7 근육원섬유의 구조

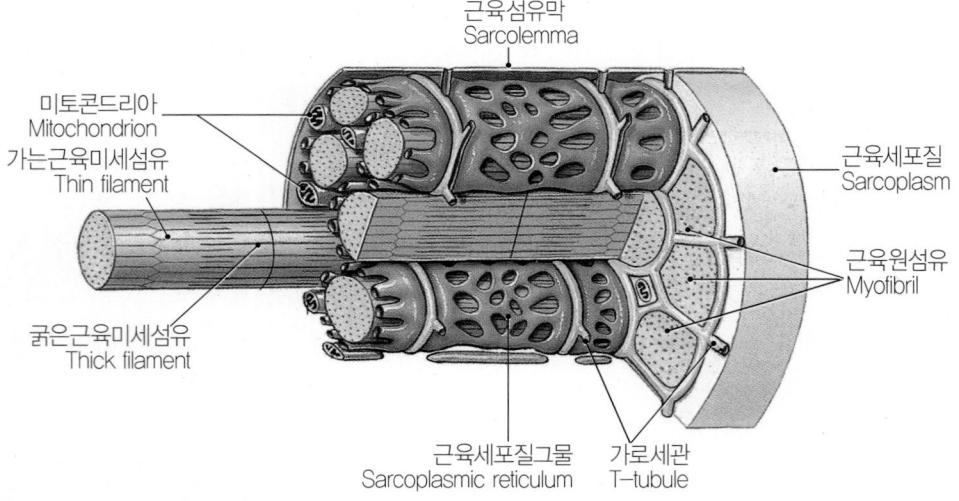

그림 5-8 뼈대근육의 근육세포질그물

면 칼슘이온이 필요하다)을 저장하기도 하고 공급하기도 하는 역할도 한다.

근육세포질그물의 막은 칼슘을 조절하기 쉽도록 만들어져 있다. 근육세포질그물의 막에는 칼슘을 능동적으로 운반하는 펌프가 있어서 근육세포의 세포질(근육세포질, sarcoplasm) 안에 있는 칼슘을 계속해서 근육세포질그물 안으로 퍼 들인다. 그 결과 이완된 상태에 있는 근육세포의 근육세포질그물 안은 칼슘농도가 상당히 높고 근육세포질 안의 칼슘농도는 상당히 낮다. 근육원섬유는 근육세포질 안에 있기 때문에 당연히 칼슘이온 농도가 아주 낮다.

근육세포질그물의 막에는 칼슘펌프 이외에도 칼슘 출입구가 별도로 있는데, 이 때문에 근육이 이완되어 있을 때에는 출입구가 막혀 있어서 칼슘이 막을 통과하지 못하게 된다. 그러므로 칼슘이 근육세포질그물 안에 머물러 있을 수밖에 없다. 그러나 임펄스가 도달하면 칼슘 출입구가 열리고, 칼슘이 근육세포질그물에서 근육세포질(근육필라멘트가 들어 있는 곳) 안으로 급속하게 확산되어 나간다. 이 과정이 근육수축의 열쇠가 되는 단계이다.

④ 근육원섬유마디의 구조

근육필라멘트는 대단히 규칙적이고 정확한 패턴을 이루도록 배치되어 있다. 즉 하나의 굵은필라멘트를 6개의 가는필라멘트가 에워싸고 있는 것처럼 배열되어 있다(옆에서 보면 굵은필라멘트의 위와 아래에는 반드시 가는필라멘트가 있다).

하나의 근육필라멘트는 근육원섬유마디(sarcomere)라고 하는 하위단위들로 구성되어 있고, 근육원섬유마디의 끝과 끝은 계속해서 연결되어 있다. 그림 5-7은 근육원섬유마디 1개를 그린 것이다.

근육원섬유마디의 양쪽 끝에서부터 가는필라멘트가 뻗어나와 있고, 굵은필라멘트는 근육원섬유마디의 중간에 있으면서 양쪽 끝까지 미치지는 못한다. 이와 같이 필라멘트가 배열되어 있기 때문에 현미경으로 보면 근육원섬유마디의 양끝 부분이 밝게(I띠), 가운데 부분이 어둡게(A띠) 보인다. I띠의 중간에 있는 검은 선을 Z선이라 하고, Z선은 인접한 2개의 근육원섬유마디에 있는 가는필라멘트가 서로 약간 겹치기 때문에 약간 어둡게 보인다. 그러므로 근육원섬유마디는 Z선에서 다음 Z선까지라고 정의할 수 있다.

⑤ 가는필라멘트의 구조

가는필라멘트를 구성하고 있는 3종류의 단백질은 액틴, 트로포닌, 트로포마이오신이다.

액틴분자는 구(球)형이고, 긴 체인을 이루고 있다. 가는필라멘트 1개에는 액틴 체인이 2

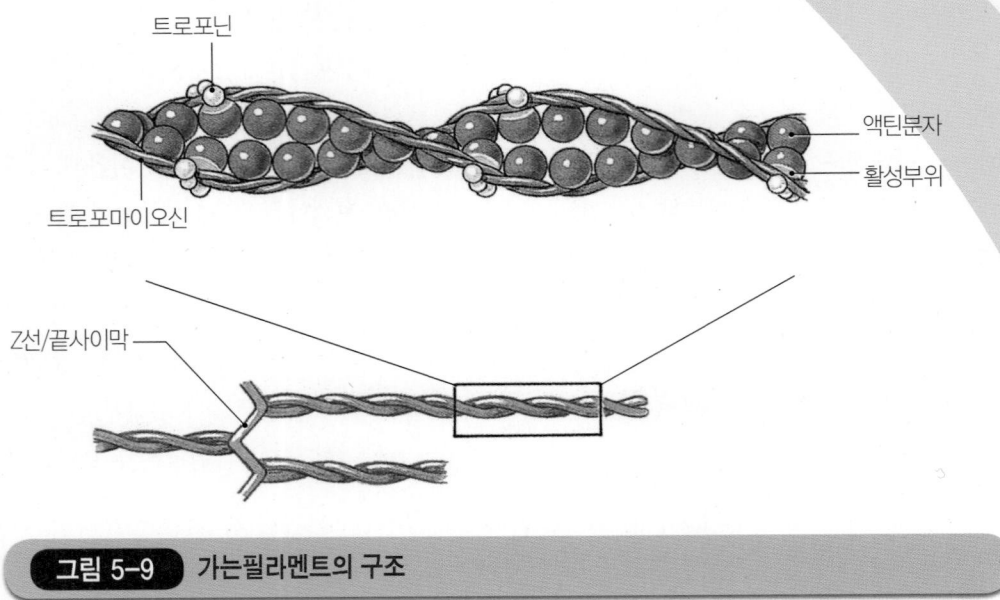

트로포닌

액틴분자

활성부위

트로포마이오신

Z선/끝사이막

그림 5-9 가는필라멘트의 구조

개씩 있고, 2개의 체인은 서로를 휘감고 있다. 트로포마이오신분자는 체인을 이루지 않고 1개씩 따로따로 떨어져 있고, 액틴체인을 감싸고 있는 길고 가는 분자이다. 트로포마이오신분자의 끝에는 반드시 트로포닌분자가 붙어 있다. 이 3가지 단백질분자가 근육이 수축할 때 결정적인 임무를 수행한다.

⑥ 굵은필라멘트의 구조

근육필라멘트 중에서 굵은필라멘트는 마이오신이라고 하는 단백질로 구성되어 있고, 하나하나의 마이오신분자에는 꼬리가 있다. 그 꼬리가 마치 굵은필라멘트 기둥에서 머리가 밖으로 돌출되어 있는 것처럼 보이기 때문에 마이오신머리(myosin head)라 하고, 마이오신머리에 가는필라멘트가 다가와서 결합된 것을 연결다리(cross-bridge)라고 부른다.

마이오신머리는 몇 가지 중요한 특성을 갖고 있다.

• ATP분자가 안으로 들어가면 꼭 맞게 생긴 ATP와 결합되는 장소가 있다. ATP에서 에너지를 얻는다.

• 액틴분자가 안으로 들어가면 꼭 맞게 생긴 액틴과 결합되는 장소가 있다. 액틴은 가는필라멘트의 일부이며, 자세한 내용은 곧 설명한다.

• 마이오신머리가 마이오신기둥에서 나온 위치에 돌쩌귀(hinge, 경첩)가 있다. 돌쩌귀(경

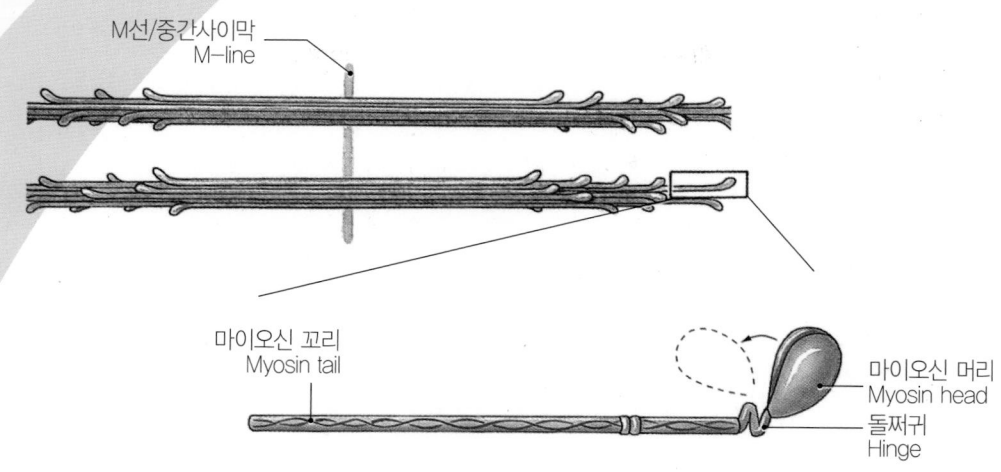

M선/중간사이막
M-line

마이오신 꼬리
Myosin tail

마이오신 머리
Myosin head

돌쩌귀
Hinge

그림 5-10 굵은필라멘트의 구조

첨)가 있어서 출입문을 여닫을 때 출입문이 회전하듯이 마이오신머리가 한 점을 축으로 해서 회전할 수 있다는 뜻이다. 그림에는 돌쩌귀가 표시되어 있지 않다. 마이오신머리가 앞/뒤로 회전하는 것이 바로 근육수축의 원인이다.

- 근육이 이완되어 있을 때에는 마이오신머리가 트로포마이오신과 붙어 있다. 마이오신머리와 트로포마이오신은 결합되어 있는 것이 아니라 마이오신머리와 액틴 사이에 트로포마이오신이 끼어서 서로 결합하지 못하도록 방해하고 있는 것이다. 그러므로 마이오신머리가 트로포마이오신과 붙어 있는 동안에는 이완된 상태가 계속된다.

- 트로포닌분자에는 칼슘이온과 결합할 수 있는 장소가 있다. 그 장소를 칼슘이온이 가득 메우면 트로포닌분자의 모양과 위치가 변한다(이것을 '配座변화(conformational change)'라고 한다. 여기에서 배좌란 분자 속에 있는 모든 원자의 여러 공간 배치를 말한다). 트로포닌분자의 위치와 모양이 변하면 트로포닌분자의 끝에 붙어 있는 트로포마이오신분자를 잡아당긴다. 트로포마이오신의 위치가 변하면 지금까지 붙어 있던 마이오신머리와 떨어지고, 옆에 있던 액틴분자와 마이오신머리가 결합하게 된다. 이것이 연결다리이다.

- 액틴과 마이오신머리가 결합하면 해당 부위에 있던 ATP가 ADP로 가수분해되면서 에너지를 방출하고, 그 에너지를 이용해서 마이오신머리가 회전한다.

(2) 뼈대근육의 수축

뼈대근육(골격근)은 맘대로근이므로 뼈대근육이 수축하기 위해서는 반드시 신경임펄스가 뼈대근육에 전달되어야 한다.

① 뼈대근육의 활동전위 발생과 수축의 시작

운동신경의 끝과 근육섬유가 만나는 곳이 신경근육이음부인데, 신경근육이음부는 신경과 신경을 연결해주는 신경시냅스(synapse)와 아주 비슷한 역할을 한다. 신경종말에 임펄스가 도착하면 소포에서 화학적 전달물질(소포 하나당 아세틸콜린분자 5,000~10,000개)이 분비되어서 근육과 신경의 틈새(cleft)로 확산되어 나간다.

전달물질이 근육속막에 있는 수용체가 있는 자리를 가득 채우면 근육속막의 나트륨 투과성이 증가되어서 근육속막 안으로 나트륨이 확산되어 들어간다. 그러면 분극되어 있던 것이 탈분극된다.

탈분극의 정도가 심해져서 문턱값전위(threshold potential, 역치전위, 역치전압)에 도달하면 근육섬유에 활동전위가 발생된다. 이 말은 신경임펄스가 근육섬유에 도착한다고 해서 반드시 근육섬유가 수축하는 것이 아니라, 어떤 근육섬유는 수축하고 어떤 근육섬유는 수축하지 않을 수도 있다는 뜻을 내포하고 있다.

그 활동전위는 근육속막(sarcolemma)을 따라서 아래로 전달되고, 동시에 T세관을 통해서 근육세포 안으로 들어가서 근육원섬유까지 전달된다. 그러면 디하이드로펩티다제(DHP : dihydropeptidase)라고 하는 수용체단백질(receptor protein)이 탈분극되었다는 것을 감지한 다음 DHP의 형태가 변화하면서 리아노딘수용체(RyR : ryanodine receptor)를 활성화시킨다. 리아노딘수용체가 활성화되면 근육세포질그물(SR : sarcoplasmic reticulum)에서 칼슘이온이 분비되고, 분비된 칼슘이온과 트로포닌이 결합하면 근육수축과정이 시작된다.

② 근육수축의 전파

근육세포질그물을 따라서 근육의 활동전위가 전파되면 근육세포질그물에 있는 칼슘의 출입구가 열리면 칼슘이 근육세포질(근육원섬유가 있는 곳) 안으로 확산되어 들어간다. 칼슘이 옆에 있는 트로포닌분자의 칼슘 결합장소를 가득 메우면 거기에 붙어 있던 트로포마이오신분자를 다시 당긴다. 그러면 결합되어 있던 마이오신머리와 트로포마이오신이 서로 떨어지고, 마이오신머리와 액틴분자의 결합이 생긴다. 즉 연결다리가 만들어진다.

근육의 활동전위가 근육세포질그물을 따라서 다음 장소로 이동하면 그다음에 있는 칼

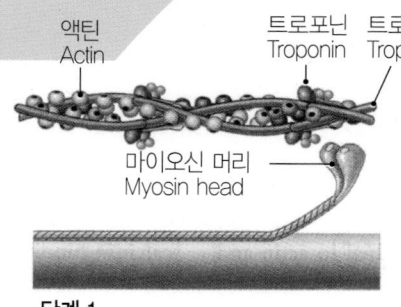

단계 1 휴식상태에서 가는 필라멘트의 결합부위는 트로포닌에 의해 막혀 있고, 연결다리 작용은 일어나지 않는다.

액틴 Actin / 트로포닌 Troponin / 트로포마이오신 Tropomyosin / 마이오신 머리 Myosin head

단계 1

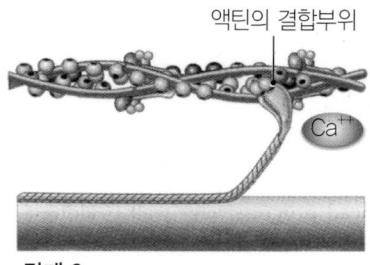

단계 2 자극이 전해짐에 따라서 Ca++이 트로포닌과 결합하여 트로포마이오신을 당기면 결합부위가 열리고, 연결다리 작용이 일어난다.

액틴의 결합부위

단계 2

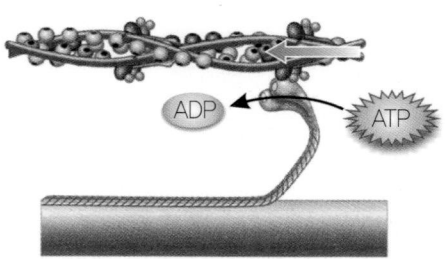

단계 3 마이오신머리가 결합부위와 결합하면 마이오신머리는 회전운동을 하여 가는 필라멘트를 근육원섬유마디의 중앙부로 끌어당긴다. 이때 반드시 ATP의 분해에 의한 에너지를 사용한다.

단계 3

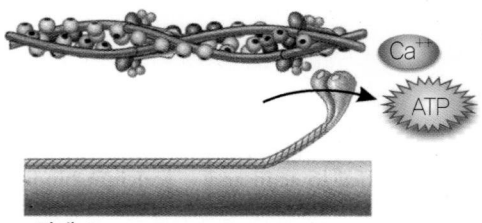

단계 4 마이오신 머리는 회전운동을 한 후에 결합부위에서 분리되고 다음의 결합부위와 결합할 준비를 한다. 마이오신 머리가 결합부위와 분리되기 위해서는 반드시 ATP 분해에 의한 에너지를 필요로 한다.

단계 4

그림 5-11 근육필라멘트활주설에 따른 근육수축과정의 요약

슘출입구가 열리고, 칼슘이 다시 그다음 근육세포질 안으로 확산되어 들어간다. 칼슘이 트로포닌(앞에서 칼슘과 결합했던 트로포닌 다음에 있는 트로포닌분자)과 결합하면 마이오신머리와 트로포마이오신이 서로 떨어지고, 마이오신머리와 액틴분자가 결합하게 된다. 즉 새로운 연결다리가 만들어진다. 이와 같이 근육섬유를 따라가면서 연결다리가 차례차례 만들어지면서 근육수축이 전파된다.

마이오신머리와 액틴 사이에 연결다리가 만들어지면 그 장소에 있던 ATP가 분해되면서 ADP+Pi와 에너지가 방출된다. 그러면 그 에너지를 이용해서 마이오신머리가 회전한다. 마이오신머리가 회전하는 동안 마이오신머리와 액틴이 단단하게 결합되어 있기 때문에 액틴필라멘트 전체가 당겨진다. 그러나 마이오신머리 1개의 회전에 의해서 액틴필라멘트 전체를 당기지는 못한다는 것이 분명하다. 즉 여러 개의 마이오신머리가 동시에 또는 거의 동시에 액틴필라멘트를 잡아당김으로서 액틴필라멘트 전체를 잡아당긴다.

③ 연결다리의 순환

마이오신머리의 회전이 끝나면 마이오신머리와 액틴이 결합하였던 장소(연결다리가 만들어졌던 장소) 안으로 ATP분자가 꼭 맞게 들어간다. 그러면 마이오신머리와 액틴 사이의 결합, 즉 연결다리가 깨진다. 그러면 마이오신머리가 본래 있던 자리로 되돌아간다. 마이오신머리가 제자리로 돌아갈 때에는 액틴과 결합되어 있지 않기 때문에 액틴필라멘트는 당겨진 위치에 그대로 있고 마이오신머리만 되돌아간다.

되돌아간 마이오신머리가 다시 액틴과 결합하면 액틴필라멘트를 다시 당긴다. 즉 마이오신머리와 액틴이 결합했다 떨어지기를 반복하면서 액틴필라멘트를 한 방향으로 계속해서 잡아당겨서 근육원섬유마디의 길이를 짧게 만드는 것을 연결다리의 순환(cross bridge cycle)이라고 한다.

④ 근육수축의 중단

칼슘이 있어서 트로포닌과 결합이 이루어지고 있는 한 연결다리의 순환은 계속된다. 즉 굵은필라멘트와 가는필라멘트가 서로 점점 더 겹쳐지도록 활주(sliding)하게 된다. 그러면 당연히 근육섬유의 길이가 짧아지고, 근육에는 장력이 발생된다.

그러나 신경임펄스가 중단되면 뼈대근육이 이완된다. 신경임펄스가 없다는 것은 근육세포질그물에 칼슘 투과성이 없어진다는 것을 의미한다. 다시 말하면 칼슘 출입문이 닫힌다는 것이다. 그러면 더 이상 칼슘이 근육세포질그물 밖으로 확산되지 못하고, 근육세포질그물에 있는 칼슘펌프가 다시 칼슘을 근육세포질그물 안으로 품어 올리기 시작한다.

그러면 트로포닌분자와 결합되어 있던 칼슘이온이 자리를 이탈하고, 칼슘이온과 결합이 깨진 트로포닌분자는 원래의 모양과 위치로 되돌아간다. 그러면 트로포닌분자에 붙어 있던 트로포마이오신분자의 위치도 제자리로 돌아가게 되고, 그러면 마이오신머리와 트로포마이오신이 다시 붙게 된다. 즉 마이오신머리와 액틴과의 결합(연결다리)이 깨져서 근육수축을 멈추게 되는데, 이것을 근육의 이완이라고 한다. 그러므로 대부분의 경우에 칼슘이 근육의 수축과 이완을 결정짓는 물질이다.

근육을 장시간 동안 사용하면 근육 내에 저장되어 있던 ATP가 고갈된다. 그러면 마이오신머리가 액틴과 결합되어 있어도 회전할 수 있는 능력이 없어진다. 즉 근육 내에 ATP가 고갈된 정도를 근육의 피로 정도라 하고, 근육이 피로하면 칼슘이 있고 신경임펄스가 계속해서 전달되어도 근육수축이 불가능하게 된다.

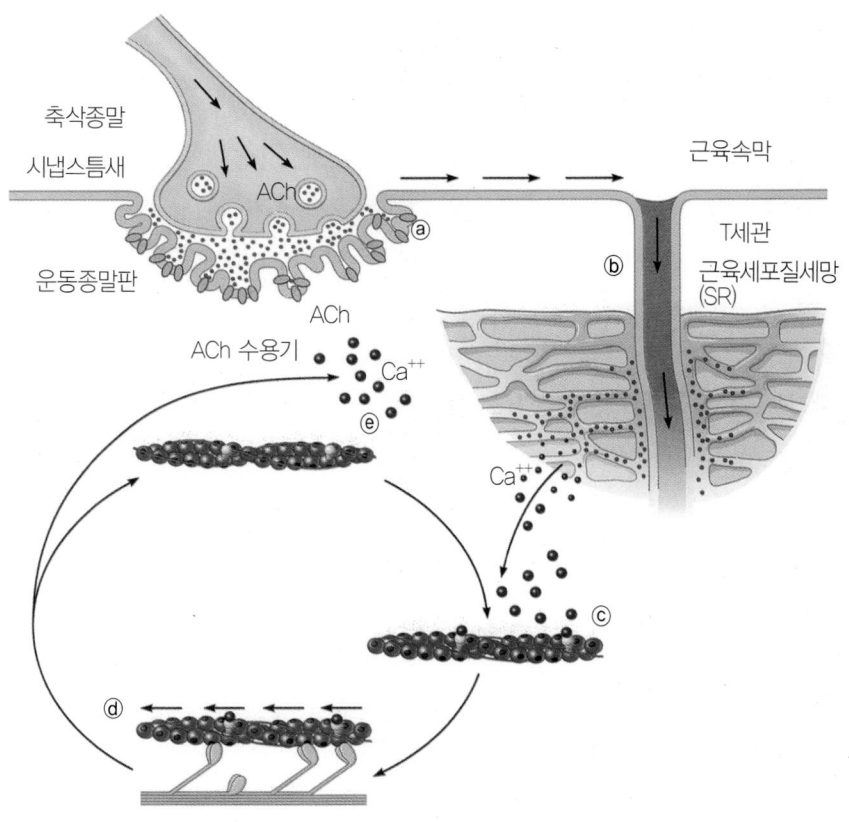

그림 5-12 근수축과 이완과정에서 Ca^{++}의 역할

정일규(2015). 휴먼퍼포머스와 운동생리학. 대경북스.

죽은 시체가 **빳빳하게** 경직되어 있는 것은 근육에 ATP가 공급되지 않기 때문에 액틴과 결합되어 있던 마이오신머리가 회전하지 못할 뿐만 아니라 서로 떨어지지도 않기 때문이다.

⑤ 뼈대근육의 연축

근육에 단일자극이 주어질 때 근육이 한 번 수축하는 현상이 연축(twitch)이다. 연축이 일어나기 위해서는 일정 수준 이상의 자극이 근육에 전달되어야 하는데, 이를 자극문턱값(threshold stimulus)이라 한다.

하나의 근육섬유에 문턱값 이상의 자극이 전해질 때 근육섬유는 최대로 수축한다. 즉 역치 이상의 자극이 주어진다고 해서 개개의 근육섬유가 더 수축하지는 않는다. 마치 총의 방아쇠를 일정한 힘 이상으로 당기면 격발되어 총알이 발사되는데, 그 이상의 힘으로 방아쇠를 당기더라도 총알이 더 빨리 발사되지 않는 것과 마찬가지이다. 이러한 현상을 실무율(all-or-none response)이라고 한다.

한편 연축은 잠복기, 수축기, 이완기로 이루어진다.

- 잠복기(latent period) : 근육의 길이에는 변화가 없다. 임펄스가 근육속막을 따라서 이동하여 T세관을 통해 밑으로 내려가서 근육세포질그물에 도달하면 근육세포질그물에서 칼슘이 분비되는데, 이때 분비된 칼슘이 트로포닌과 결합할 때까지 걸리는 시간이다. 다시 말하면 신경임펄스가 근육에 도착하더라도 근육이 즉시 수축할 수는 없다는 뜻이다.
- 수축기(contraction period) : 장력이 증가한다(연결다리가 계속해서 회전하고 있다).
- 이완기(relaxation period) : 장력이 감소하고, 근육이 이완된다. 근육이 원래 있던 자리에 원래길이로 되돌아가는 시간이다. 일반적으로 수축기보다 이완기가 길다.

⑥ 뼈대근육의 수축

인체가 어떤 운동을 하려면 반드시 뼈대근육이 수축하여야 한다. 인체가 하는 거의 모든 운동에서 뼈대근육의 근육섬유들은 완전강축(complete tetanus twitch)을 하지만, 다양한 형태의 근력을 발휘하면서 근육이 수축하는 것을 근육수축(muscle contraction)이라고 한다. (우리말의 쓰임새가 서로 혼동되어서 연축, 강축, 수축 등을 정확하게 구별하지 않고 사용하기 때문에 어려움이 많지만 별 수 없다).

뼈대근육의 수축은 분류방법에 따라 다르지만 일반적으로 등척성 수축, 등장성 수축, 등속성 수축으로 구별한다.

■ 등척성 수축

등척성 수축(isometric contraction, 정적수축)은 근육의 길이가 변하지 않는(관절각도가 변하지 않는) 상태에서 장력(muscle tension)이 발생하는 수축형태를 말한다. 예를 들어 양손으로 벽을 밀고 있을 때, 양손으로 무거운 상자를 들고 있을 때, 철봉에 매달린 상태를 유지하고 있을 때, 역기를 들고 서 있을 때 등이 등척성 수축이다.

등척성 수축으로 트레이닝을 하면 시간 소요가 적고, 특별한 장비를 필요로 하지 않고, 어느 장소에서나 할 수 있으며, 근육의 통증을 거의 유발시키지 않는다는 장점이 있다. 그러나 운동의 전 범위를 통해서 근력을 개선시킬 수 없고, 근력을 측정할 수 있는 장비가 없으므로 근력개선 효과를 확인하기 어렵고, 등척성 훈련 시 운동근육으로 가는 혈류가 차단되기 때문에 수축기 및 이완기 혈압이 급격히 상승된다는 단점이 있다.

■ 등장성 수축

등장성 수축(isotonic contraction)이란 근육에 가해지는 부하(저항)가 일정한 상태에서 근육의 길이가 변하는, 즉 관절의 각도가 변화하면서 수축하는 운동을 말한다.

등장성은 '동일한 장력'이라는 뜻이지만 근육이 발휘하는 장력이 일정하다는 의미는 아니다. 예를 들어 일정한 무게의 덤벨을 들어올리더라도 170°의 각도에서 115°의 각도일 때보다 위팔두갈래근이 더 큰 장력을 발휘해야 한다. 다시 말해서 관절의 각도에 따라 발휘되는 장력은 다르다는 것이다.

등장성 훈련은 전 운동범위에 걸쳐 근력을 강화시키고, 근육뿐만 아니라 신경계통의 적응도 유도하며, 중량의 증가를 통해서 근력 개선 정도를 쉽게 확인할 수 있으며, 여러 종류의 운동에 적용할 수 있다는 장점이 있다.

그러나 등장성 훈련은 비교적 비용이 많이 들고, 중량을 잘못 선택하면 근육통증이나 상

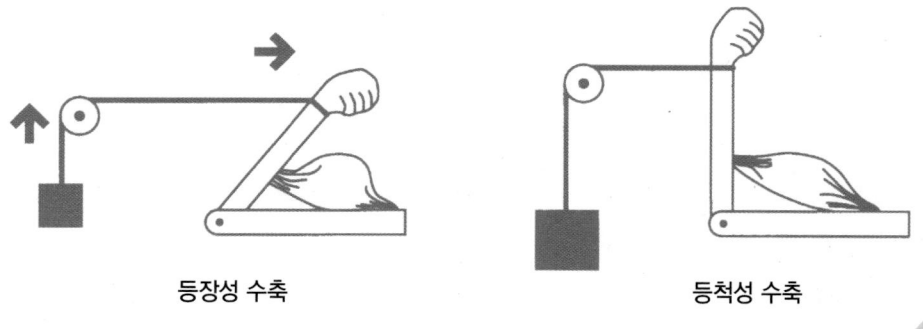

등장성 수축   등척성 수축

그림 5-13 등장성 수축과 등척성 수축

해의 위험이 높으며, 비교적 시간이 많이 들고, 계속적으로 무게를 변화시켜야 하는 등의 단점이 있다.

- 등속성 수축

등속성 수축(isokinetic constraction)은 관절의 각도가 일정한 속도로 변하는 근육수축이다. 예를 들면 팔을 굽히고 펴는 운동을 할 때 1초에 60°씩 변하도록 하는 것이다.

등장성 수축에서는 관절각도에 따라 발휘되는 장력이 변하기 때문에 움직임의 속도를 일정하게 조절하기 어렵지만, 등속성 수축 시에는 특별히 고안된 장비(nautilus, minigym, cybex 등)를 이용하여 움직임의 속도를 일정하게 유지할 수 있다. 따라서 선수가 아무리 빠른 속도로 움직이려고 노력하더라도 움직임의 속도는 변하지 않고 근육이 발휘하는 장력만 늘어날 뿐이다. 그러므로 운동의 전 범위에 걸쳐서 자신의 최대장력으로 훈련할 수 있다.

등속성 훈련은 관절의 전 가동범위에서 근육에 최대의 저항을 부과하고, 시간이 비교적 적게 들고, 여러 스피드에서 근력을 개선시킬 수 있으며, 근육의 상해나 통증의 위험이 적어서 재활훈련으로도 가장 적합하고, 동기유발에 효과적이며, 트레이닝 효과를 평가할 수 있다는 장점이 있다. 그러나 등속성 훈련장비는 모두 값이 비싸서 일반인이 사용하기 어렵다는 단점이 있다.

⑦ 뼈대근육의 수축력

뼈대근육의 중요한 특징은 다양한 형태의 수축력을 발휘할 수 있다는 것이다. 예를 들어 위팔두갈래근은 주위 환경에 따라서 여러 형태의 수축력을 발휘하면서 수축할 수 있다. 이것을 '등급반응(graded response)' 또는 '단계적 반응'이라고 한다. 뼈대근육이 등급반응을 할 수 있는 것은 운동단위 가중과 파동가중을 하기 때문이다.

- 운동단위 가중(motor unit summation)

뼈대근육의 수축력은 자극을 받은 운동단위의 숫자에 따라서 달라진다. 1개의 운동신경과 그 운동신경에 의해서 지배되는 운동섬유 전체를 합한 것을 운동단위라고 한다. 뼈대근육들은 수많은 운동단위들로 구성되어 있기 때문에 더 많은 운동단위를 자극하면 더 큰 수축력을 발휘할 수 있다. 즉 동원된 운동단위 하나하나에서 발휘되는 수축력을 모두 합한 것이 근육의 수축력이 된다.

- 파동 가중(wave summation)

뼈대근육을 자극하는 신경임펄스의 주파수(1초당 횟수)가 증가하면 수축력이 증가된다. 자극의 주파수가 증가하면(한 자극이 의해서 수축되었던 근육섬유가 완전히 이완되기 전에

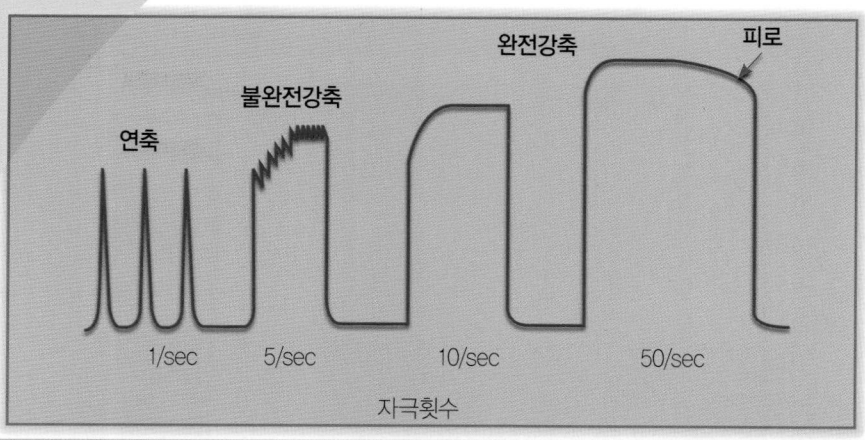

연축   불완전강축   완전강축   피로

1/sec   5/sec   10/sec   50/sec

자극횟수

그림 5-14 파동가중에 따른 연축과 강축의 형태

다음 자극이 근육섬유에 도착하면) 수축력이 아직 남아 있는 상태에서 다시 수축하기 때문에 수축력이 서로 합해진다. 거기에 더해서 자극이 빨라지면 근육세포질 안에 있던 칼슘이 미처 근육세포질그물 안으로 다 돌아가기 전에 다음 자극에 의해서 칼슘출입문이 다시 열린다. 그러므로 자극이 빠르게 계속되면 근육세포질 안의 칼슘농도가 점차 증가된다. 칼슘농도가 높아지면 능동적인 연결다리의 수가 많아지기 때문에 근육의 수축력이 증가된다. 만약 자극하는 횟수가 대단히 빨라서 근육이 이완될 수 있는 시간이 거의 또는 전혀 없으면 근육이 부드럽고 지속적인 형태로 수축하게 되는데, 그것을 강축(tetanus)이라고 한다.

　연축의 이완기에 다음 번 연축의 수축기가 가중되어서 톱니모양의 강축곡선을 보이는 것을 불완전강축(incomplete tetanus), 개개의 연축반응들이 거의 완전하게 융합되어 매끈한 곡선을 보이는 경우를 완전강축(complete tetanus)이라고 한다.

　• 근육원섬유마디의 길이(length of sarcomere)

　뼈대근육의 수축력은 근육원섬유마디의 길이에 따라서도 변한다. 그림 5-15에서 볼 수 있듯이 근육원섬유마디의 길이가 2.2μm일 때에 최고의 장력을 나타내고, 이것보다 길거나 짧으면 장력이 감소한다. 근육원섬유마디의 길이가 2.2μm보다 늘어나는 경우에는 굵은필라멘트와 가는필라멘트가 겹치는 부위가 줄어들기 때문에 연결다리의 수가 작아지고, 그러면 수축력이 작아지는 것으로 보인다.

　근육원섬유마디의 길이가 2.2μm보다 짧아지면 장력이 감소하는 원인에 대해서는 아직 확실히 모르고, 다음 2가지 가능성이 제시되고 있을 뿐이다.

　• 마이오신의 H띠에는 액틴과 결합하는 부위가 없는데, 근육원섬유마디의 길이가 감소

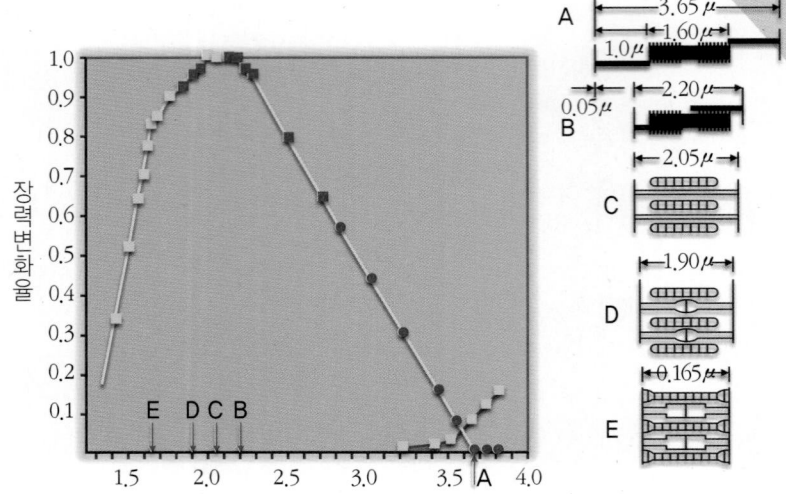

그림 5-15 근육원섬유마디의 길이에 따른 장력의 변화

함에 따라 액틴이 H띠까지 침입하므로 액틴과 마이오신의 결합수가 감소하고, H띠에서 액틴과 액틴이 서로 맞부딪칠 수도 있다(그림 5-15의 D).

• 굵은필라멘트가 Z선에 닿아서(그림 5-15의 E) 근육이 수축할 때 저항력이 생기므로 결과적으로 수축력이 감소하고, 근육원섬유마디의 길이가 너무 짧으면 근육세포질그물에서 칼슘이온이 충분히 유리되지 못한다. 그러나 확실한 것은 아직 밝혀지지 않고 있다.

(3) 뼈대근육섬유의 종류

뼈대근육을 이루고 있는 근육섬유는 근육섬유에 신경임펄스가 도착한 다음 얼마나 빠른 시간 내에 근육섬유가 수축하느냐에 따라서 지근섬유(slow twitch)와 속근섬유(fast twitch)로 나누었다.

그러나 후에 근육의 에너지원에 대한 연구가 진행되면서 산소가 풍부한 가운데 크렙스 사이클에 의해서 당을 분해하여 에너지를 얻기 좋아하는 산소성 근육섬유(oxidative fiber)와 글리코겐을 젖산회로에 의해서 분해하여 에너지를 얻기 좋아하는 글리코겐성 근육섬유(glycolytic fiber)가 있다는 것을 알게 되었다.

다행히도 속근섬유의 대부분이 글리코겐성 근육섬유이고, 지근섬유의 대부분이 산소성 근육섬유이기 때문에 굳이 구별할 필요가 없었다. 그러나 속근섬유 중에서 산소성인 근육

표 5-1	근육섬유의 유형과 특성	

특성	적색근육섬유	백색근육섬유
수축속도	느림	빠름
피로에 대한 내성	강함(자세유지 등 지속적 수축에 적합)	약함(빠르고 섬세한 운동에 적합)
모세혈관밀도	많음	적음
미토콘드리아	많음	적음
마이오글로빈	많음	적음
인원질(크레아틴) 글리코겐	적음	많음
ATP분해효소(마이오신ATPase)	적음	많음
근육세포질그물(Ca^{++} 저장)	빈약	발달됨
분포된 운동신경 굵기	가늘다	굵다
신경지배비(신경섬유 하나가 지배하는 근육섬유의 수)	크다	적다

섬유도 있다는 것이 알려지면서 별 수 없이 지근섬유(SO섬유 : slow twitch oxidative fiber, Type Ⅰ), 중간근섬유(FOG섬유 : fast twitch oxidative glycolytic fiber, TypeⅡa), 속근섬유 (FG섬유 : fast twitch glycolytic fiber, TypeⅡb)의 3종류로 나누게 되었다.

지근섬유는 마이오글로빈(세포 내로 유입된 산소와 결합하여 산소를 임시 저장하는 역할)을 많이 포함하고 있어서 붉은 색을 띠고 있기 때문에 적색근(red muscle)이라고 하고, 속근섬유는 백색근(white muscle)이라고도 하며, 지근섬유를 서근섬유라고도 한다.

속근섬유는 지근섬유에 비해 수축속도가 빠른 대신 쉽게 피로해지고, 인체에 있는 여러 가지의 근육들의 지근섬유와 속근섬유의 구성비는 근육마다 다르다. 예를 들어 서 있는 자세를 유지하는 정강근은 거의 100%가 지근섬유인 반면, 눈을 깜박거리는 운동을 담당하는 근육은 거의 대부분이 속근섬유이다.

속근섬유와 지근섬유의 수축속도가 다른 이유는 마이오신 ATPase의 활성도에서 차이가 있기 때문이다. 즉 지근섬유에는 'slow myosin'이 있고, 속근섬유에는 'fast myosin'이 있다. 그밖에 지근섬유는 속근섬유에 비해 근육세포질그물이 잘 발달되어 있지 않고, 트로포닌의 칼슘친화력이 더 낮다. 그러므로 근육세포질그물으로부터 칼슘이 분비되더라도 지근섬유의 트로포닌이 칼슘과 늦게 결합된다.

지근섬유는 모세혈관그물이 발달되어 있고, 미토콘드리아의 수가 많기 때문에 장시간 동안 에너지를 생성하는 능력이 우월하다. 즉 유산소에너지대사능력이 높고 피로에 대한 내성이 높다. 그러므로 장시간 운동에 보다 적합하다. 그러나 지근섬유는 탄수화물의 저장형태인 글리코겐량이 적고, 그 탄수화물을 젖산으로 분해하여 에너지를 얻는 능력이 적기 때문에 강한 근육수축 활동이나 신속한 에너지 공급이 어렵다.

속근섬유는 미토콘드리아수가 적고 모세혈관그물이 발달되지 않은 대신 인원질량이 많고 마이오신 ATPase 활성도도 높아서 무산소대사능력이 높다. 즉 에너지의 생성속도는 빠른 반면 젖산 생성으로 인해 피로하기 쉽다.

1개의 운동신경섬유는 5~2,000개의 근육섬유를 지배하고, 같은 운동신경이 지배하는 근육섬유의 종류는 모두 같다. 즉 지근운동단위와 속근운동단위가 있다. 지근운동단위의 신경섬유는 축삭의 지름과 척수 내 세포체의 크기가 속근운동단위의 신경섬유에 비해 훨씬 작기 때문에 신경자극의 전달속도 역시 느리다.

지근운동단위의 신경섬유(neuron)는 속근운동단위보다 흥분문턱값(역치)이 낮기 때문에 거의 모든 활동에 먼저 동원되고, 속근운동단위들은 운동의 강도가 크거나 지근운동단위가 피로해진 경우에야 비로소 활성화된다. 순발력 운동을 하더라도 지근운동단위가 먼저 동원되기 때문에 속근운동단위만 훈련시키는 것은 불가능하다.

(4) 뼈대근육의 형태

인체에 있는 뼈대근육의 모양은 아주 다양하다. 그러나 모든 근육은 수행해야 할 역할을 가장 효과적으로 수행할 수 있는 형태를 하고 있다. 다양한 근육의 형태를 가장 기본이 되는 방추근육을 예로 들어 설명하면 근육의 비대한 중간부분인 근육힘살, 윗부분인 근육갈래, 아래부분인 근육꼬리로 이루어져 있다.

근육갈래와 뼈가 결합하는 부위를 시작점이라 하는데, 이것은 근육이 수축할 때 고정점이 되어 거의 움직이지 않는다. 한편 근육꼬리는 부착점이라 하는데, 이것은 근육이 수축할 때 위치가 변하므로 운동점이라고도 한다.

위팔두갈래근·위팔세갈래근·넙다리네갈래근·넙다리두갈래근·종아리세갈래근 등은 근육갈래의 수와 시작점의 위치에 따라서 이름을 붙인 것이고, 방추근육·세모근육·깃근육·반깃근육·뭇깃근육·원형근 등은 근육의 모양에 따라서 이름을 붙인 근육이다.

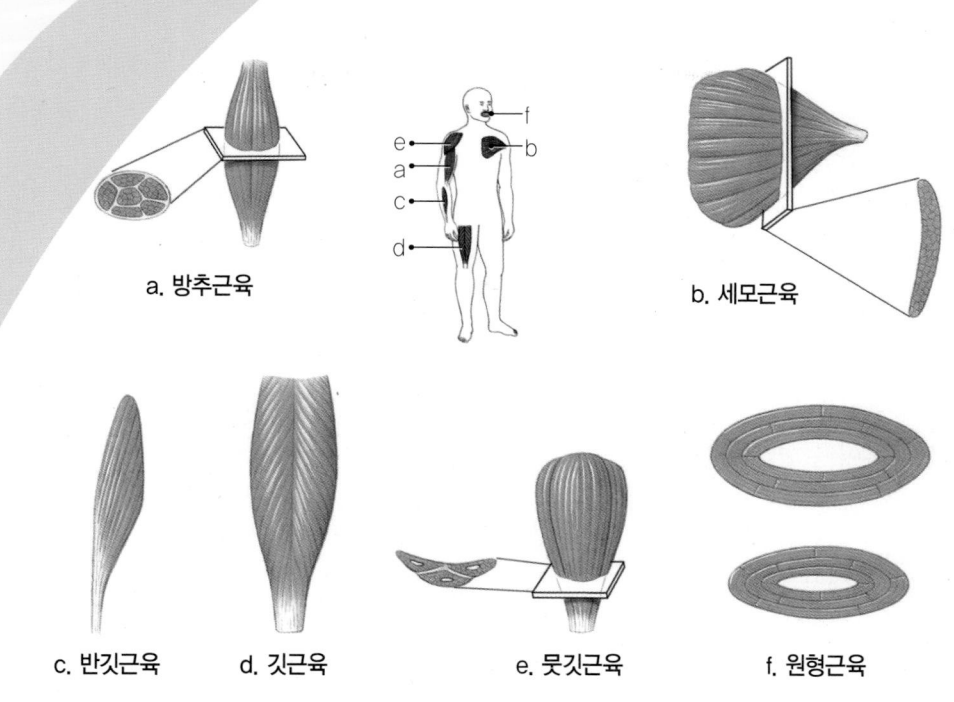

a. 방추근육　　b. 세모근육

c. 반깃근육　　d. 깃근육　　e. 뭇깃근육　　f. 원형근육

그림 5-16 뼈대근육의 형태에 따른 분류

3) 민무늬근육

(1) 민무늬근육의 기능과 특징

① 민무늬근육의 기능

민무늬근육(평활근)은 제대로근이다. 민무늬근육은 단일민무늬근육(single-unit smooth muscle)과 복합민무늬근육(multiunit smooth muscle)의 2종류로 나눈다.

단일민무늬근육은 내장민무늬근육(visceral smooth muscle)이라고도 하고, 구멍이 있는 기관(작은 혈관, 소화관, 배뇨관, 생식관)의 벽에 붙어 있다. 임펄스가 세포와 세포 사이의 틈(간극)을 쉽게 넘나들 수 있기 때문에 여러 개의 근육섬유가 동시에 수축한다. 어떤 경우에는 스스로 흥분할 수도 있다(비정상적인 활동전위를 스스로 만들어서 수축한다).

복합민무늬근육은 신경자극에 의해서 활성화되는 운동단위로 구성되어 있다. 큰 혈관의 벽, 눈(수정체의 모양을 조절하고 동공의 크기를 조절해서 광선의 입사량을 조절하는 근육), 털뿌리의 바탕질(닭살근) 등에 존재한다.

한편 민무늬근육은 혈관민무늬근육(대동맥, 동맥, 세동맥, 정맥과 같은 혈관의 중간층), 자궁민무늬근육(림프관, 방광, 자궁 등), 남녀의 생식관, 소화관, 호흡관, 피부에 있는 털세움근, 섬모근, 눈의 홍채 등에 붙어 있다.

서로 다른 기관에 있더라도 민무늬근육의 구조와 기능은 거의 같다. 그러나 어떤 기관의 민무늬근육이냐에 따라서 특수효과(specific effect) 또는 최종기능(end-function)이 서로 다르다. 예를 들어 동맥혈관에 있는 민무늬근육은 관의 지름을 조절해서 혈압이 생기도록 하고, 기관지나 조임근(sphincter, 괄약근)에 있는 민무늬근육은 천천히 수축해서 장시간 동안 수축력을 유지하는 긴장수축을 한다. 동맥에 있는 민무늬근육을 활성화시키면 지름을 1/3로까지 줄여서 혈압을 크게 올릴 수 있지만, 대동맥에 있는 민무늬근육은 활성화시켜도 관의 지름은 별로 변하지 않는 대신에 혈관벽의 점탄성(viscoelasticity ; 점성과 탄성이 공존하는 성질)이 증가한다.

소화관에 있는 민무늬근육은 리드미컬하게 꿈틀운동을 하고, 위상수축(phasic contraction)을 해서 음식물을 리듬에 맞추어서 밑으로 내보낸다. 콩팥의 토리에 있는 민무늬근육은 수축하는 기능이 없고 삼투압의 변화에 따라서 레닌이라는 단백질 분해효소를 분비하고, 토리의 여과속도를 조절하는 ATP도 분비한다.

② 민무늬근육의 특징
민무늬근육은 다음과 같은 특징을 가지고 있다.

- 제대로근 : 자율신경(내장 원심성 신경섬유)의 지배를 받는다.
- 가운데에 구멍이 있는 튜브같은 기관의 벽에서 주로 발견된다.
- 방추형세포들이 종이장 또는 다발같이 정렬되어 있다.
- 민무늬근육세포에는 T세관이 없고 근육세포질그물도 거의 없다.
- 민무늬근육세포에는 근육원섬유마디는 없지만 굵은필라멘트와 가는필라멘트는 있다. 가는필라멘트에 트로포닌이 없다.
- 트로포닌이 없기 때문에 칼슘이 트로포닌과 결합하는 대신에 칼모듈린(calmodulin)이라고 하는 단백질과 결합한다. 칼슘-칼모듈린복합체(calcium-calmodulin complex)가 마이오신을 활성화시켜서 액틴과 결합함으로써 연결다리를 만들고, 이어서 마이오신머리가 회전하기 시작한다.

(2) 민무늬근육의 구조

대부분의 민무늬근육은 단일민무늬근육에 속한다. 즉 근육 전체가 한꺼번에 수축하고 한꺼번에 이완된다. 그러나 기관지, 대형 탄성동맥, 눈의 홍채에 있는 민무늬근육 등은 복합 민무늬근육이다.

민무늬근육의 근육섬유는 가운데가 굵고 양쪽 끝이 가는 방추형이고, 뼈대근육처럼 수축과 이완을 할 수 있다. 그러나 민무늬근육조직이 뼈대근육조직보다 탄성이 더 좋아서 길이-탄력곡선의 범위가 더 크다. 이와 같이 민무늬근육조직이 더 잘 늘어날 수 있고, 더 넓은 범위에서 탄성을 유지할 수 있다는 성질이 방광이나 창자같은 기관에서는 아주 중요하다. 이완된 상태일 때 민무늬근육의 근육섬유는 방추형이고, 길이는 20-500μm 정도이다.

마이오신과 액틴이 민무늬근육세포의 근육세포질 상당 부분을 차지하고 있어서 수축능력이 있고, 탄성체의 체인구조를 하고 있어서 민무늬근육조직 전체가 수축할 수도 있다.

한편 민무늬근육에 있는 마이오신은 대부분이 마이오신 II(지근섬유의 마이오신)이다. 마이오신 II에는 2개의 무거운 체인이 있어서 하나는 머리, 다른 하나는 꼬리의 역할을 주로 한다. 머리 역할을 하는 무거운 체인의 끝에는 N말단(N-terminal)이 있고, 꼬리 역할을 하는 무거운 체인의 끝에는 C말단(C-terminal)이 코일 모양으로 감겨 있다. 머리 역할을 한다는 것은 액틴과 결합했을 때 회전해서 장력이 생기게 한다는 뜻이고, 꼬리 역할을 한다는 것은 고정점 역할을 한다는 뜻이다.

마치 2마리의 뱀이 서로 몸통을 감고 머리만 양쪽으로 내놓고 있는 형태로 2개의 무거운 체인이 서로 감겨 있다. 마이오신II에는 머리와 꼬리 부분에 각각 2개씩의 가벼운 사슬도 있다. 4개의 가벼운 사슬 중에서 2개는 수축에 직접 관여하고 2개는 어떤 역할을 하는지 잘 모르고 있다.

민무늬근육의 가는필라멘트는 주로 알파액틴(α-actin)과 감마액틴(γ-actin)으로 구성되어 있고, 베타액틴(β-actin)도 상당량 있지만 수축에는 관여하지 않는다. 액틴과 마이오신의 비율은 뼈대근육이 약 6:1, 심장근육이 약 4:1인 데 비하여 민무늬근육은 약 2:1에서 10:1 사이이다.

(3) 민무늬근육의 수축

민무늬근육에는 트로포닌이 없는 대신에 칼모듈린(calmodulin), 칼데스몬(caldesmon), 칼포닌(calponin) 등이 들어 있다. 민무늬근육의 가는필라멘트에는 트로포마이오신이 있지만, 뼈대근육에서처럼 액틴과 마이오신이 결합하지 못하도록 방해하는 역할을 하지는 않는

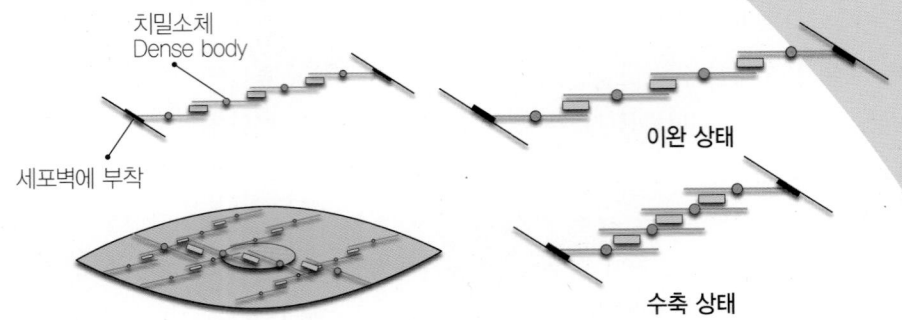

치밀소체
Dense body

세포벽에 부착

이완 상태

수축 상태

그림 5-17 민무늬근육의 필라멘트

연두색 벽돌같이 보이는 것이 마이오신필라멘트, 치밀소체 안에 들어있는 것이 액틴필라멘트, 치밀소체에서 양쪽으로 길게 뻗어 있는 것이 중간필라멘트이다.

다. 정확하게 어떤 역할을 하는지 밝혀지지 않았다. 칼포닌분자의 수와 액틴분자의 수가 같기 때문에 칼포닌은 지지단백질(load-bearing protein)로 보고 있다. 칼데스몬은 단백질분자들을 서로 붙들어 매서 장력을 유지하는 역할을 한다.

민무늬근육세포에서는 마이오신과 액틴이 수축요소이고, 한 세포를 지나서 다른 세포까지 연속적인 체인을 이루고 있는 경우도 많다. 수축요소 중에서 액틴은 치밀소체(dense body)에 풍부하고, 중간필라멘트가 액틴에 붙어 있다. 중간필라멘트는 치밀소체를 통해서 다른 중간필라멘트와 연결되고, 맨 마지막에는 부착띠(adherens junction)에 붙는데, 그 부착띠가 바로 근육속막(sarcolemma)이다. 부착띠는 민무늬근육세포를 둘러싸고 있는 치밀판(dense plaque) 주위에 흩어져 있고, 치밀판의 크기는 소포주머니의 수에 따라서 변한다. 액틴과 마이오신이 수축하면 수축력이 중간필라멘트를 통해서 근육섬유막에 전달된다.

수축하는 동안 발휘되는 수축력에 따라서 수축요소들의 위치가 다시 정렬되고, 민무늬근육이 수축하고 있을 때와 이완되어 있을 때 마이오신필라멘트의 수가 다르다. 그 이유는 액틴과 마이오신의 비율이 변하고, 마이오신필라멘트의 길이와 수가 변하기 때문이다. 민무늬근육이 수축하는 것을 보면 코르크마개를 뽑는 기구처럼 나선형으로 회전하면서 세포의 축을 따라서 액틴과 마이오신은 다시 정렬하게 된다.

민무늬근육을 가지고 있는 조직은 자주 늘어나야 하기 때문에 탄성이 아주 중요하다. 그래서 민무늬근육세포들이 콜라겐, 엘라스틴, 당단백질, 프로테오글라이칸 등과 같은 물질들이 섞여 있는 혼합물질을 분비하는 것으로 보인다. 그리고 민무늬근육세포 안에 콜라겐이나 엘라스틴을 감지할 수 있는 수용기가 있어야 그러한 물질들과 상호작용을 할 수 있을 것

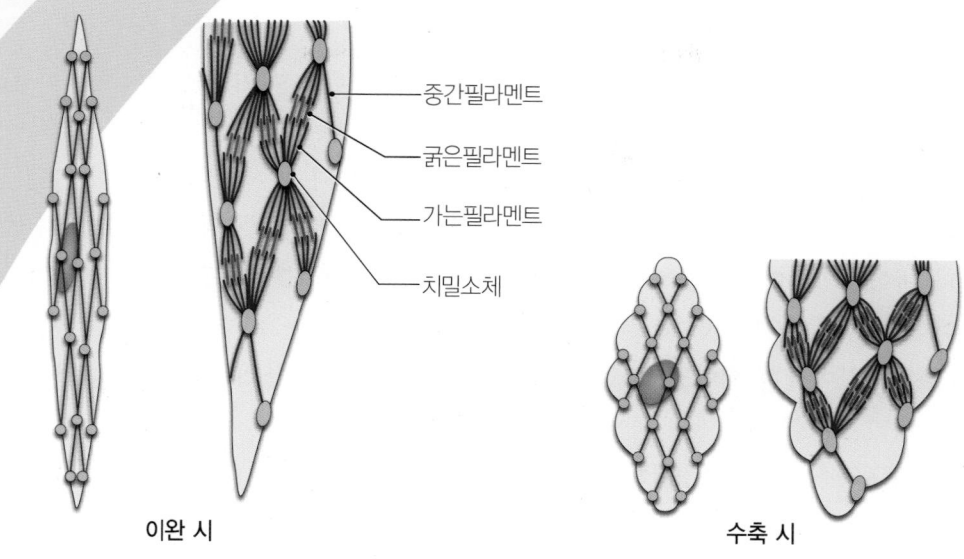

중간필라멘트
굵은필라멘트
가는필라멘트
치밀소체

이완 시   수축 시

그림 5-18 이완 시와 수축 시 민무늬근육세포의 필라멘트 배열도
민무늬근육세포의 근육세포질 전체에 치밀소체와 중간필라멘트가 퍼져 있기 때문에 근육섬유가 수축할 수 있다.

으로 보인다. 그러므로 민무늬근육이 있는 조직, 예를 들어 동맥은 점탄성이 있고, 윈드케셀 (Windkessel)처럼 작용하고(심실에서 혈액이 간헐적으로 나오지만 동맥의 탄성 때문에 연속 적인 혈압을 유지하는 것), 심실수축이 전파되고, 박동흐름(pulsatile flow, 박동혈류)을 평활 화시킨다.

(4) 민무늬근육 수축의 특성

① 임펄스의 전파

민무늬근육으로 만들어진 기관에 힘이 작용하더라도 기관의 크기를 유지하기 위해서 세 포들은 서로 부착띠(adherens junction)에 묶여 있다. 그러므로 1개의 세포가 수축하면 옆 에 있는 세포도 어느 정도는 저절로 수축되고, 틈새이음(gap junction)이 이웃하는 세포 사 이를 화학적·전기적으로 연결해주고 있다. 즉 화학물질(예 ; 칼슘)과 활동전위가 민무늬근육 세포들 사이를 퍼져나갈 수 있도록 해주는 것이 틈새이음이다. 단일민무늬근육에는 틈새이 음이 특히 많다.

② 연결다리의 순환

민무늬근육의 마이오신필라멘트와 액틴필라멘트가 서로 위로 미끄러짐으로써 수축이 일어난다. 수축에 필요한 에너지는 ATP를 가수분해하여 얻는다. 마이오신이 ATPase 역할을 해서 ATP의 분자 형태를 바꾸면 움직임(근육수축)이 일어난다. 마이오신에서 튀어나온 공 모양의 머리가 액틴과 결합하여 연결다리를 만들면 두 필라멘트가 서로의 위로 미끄러져 들어간다. 마이오신의 머리가 한쪽으로 기울어지면서 액틴필라멘트를 약 10~12nm 가량 잡아당긴다. 그다음에는 액틴필라멘트를 놓고 각도를 다시 원래의 각도로 변화시킨 다음 액틴의 다른 부위에 붙어서 또 잡아당긴다. 이와 같은 과정을 연결다리순환(crossbridge cycling)이라고 한다.

민무늬근육에는 칼슘과 결합하는 트로포닌이라고 하는 단백질이 없다는 것이 심장근육이나 뼈대근육과 다르다. 칼슘에 의해서 조절되는 마이오신의 인산화(phosphorylation of myosin)에 의해서 수축이 시작된다. 연결다리의 순환에 의해서 마이오신과 액틴의 복합체가 수축하고, 그러면 장력구조 체인의 전체 장력이 증가함으로써 결국에는 민무늬근육 전체가 수축하게 된다.

③ 마이오신머리의 활성화

마이오신머리가 활성화되어 연결다리를 형성하지 않는 한 연결다리의 순환이 일어날 수는 없다. 가벼운 사슬이 인산화되면 마이오신머리가 활성화되어 연결다리가 만들어지기 시작한다. 가벼운 사슬을 인산화시키는 효소를 MLCK(myosin light-chain kinase)' 또는 'MLC20 kinase'라고 한다. MLCK는 근육수축을 자극하는 작용만 하고, 자극이 되면 세포사이질의 칼슘이온의 농도가 증가하여 칼모듈린과 칼슘이 결합해서 칼슘-칼모듈린 복합체가 생기는데, 그것이 연쇄반응을 일으켜서 근육수축이 일어난다.

④ 위상수축과 긴장수축

민무늬근육은 빠르게 수축하였다가 이완되는 위상수축(phasic contraction)을 할 수도 있고, 천천히 지속적으로 수축하는 긴장수축(tonic contraction)을 할 수도 있다. 긴장수축을 하는 민무늬근육의 마이오신은 무거운 체인이고, 위상수축을 하는 민무늬근육의 마이오신은 가벼운 사슬로 구성되어 있다.

생식기관, 소화기관, 호흡기관, 배뇨기관, 피부, 눈, 그리고 맥관구조에는 모두 긴장수축을 하는 민무늬근육이 있다. 그 민무늬근육은 적은 에너지를 사용하면서도 장시간 수축력을 유지할 수 있다.

MLC20에 의해서 마이오신의 가벼운 사슬이 인산화될 때에는 에너지를 많이 소모하지만, 몇 분 이내에 칼슘의 양이 현저하게 줄면서 인산화되는 속도도 현저하게 느려진다. 그러면 에너지 소비량도 현저하게 줄면서 근육이 이완될 수도 있고, 수축력을 그대로 유지할 수도 있다.

민무늬근육이 지속적으로 수축력을 유지할 수 있는 것을 지속적인 수축이라 하고, 일부의 마이오신이 걸쇠연결다리(latch-bridge, 연결다리에 자물쇠를 채운 것처럼 연결다리가 잘 풀리지 않는다는 뜻)를 형성하기 때문에 수축력을 지속할 수 있다. 걸쇠연결다리는 연결다리순환 속도를 현저하게 느리게 만들어서 적은 비용으로도 힘을 계속해서 유지할 수 있도록 해주는데, 이것이 바로 민무늬근육의 긴장수축이다.

⑤ 민무늬근육의 이완

MLCK에 의해서 마이오신의 가벼운 사슬이 인산화되는 것과 정반대작용을 하는 것이 마이오신의 가벼운 사슬 포스파타제(phosphatase, 인산분해효소)이다. 즉 포스파타제는 마이오신의 가벼운 사슬을 탈인산화(dephosphorylate)시켜서 근육이 수축하지 못하게 한다. 일반적으로 민무늬근육은 세포-신호통로(cell-signaling pathway)에 의해서 마이오신포스파타제의 활동이 증가되면 세포사이질의 칼슘이온이 감소되고, 민무늬근육이 과분극되어 이완된다.

(5) 민무늬근육의 흥분과 수축의 연결

민무늬근육이 외부 자극에 의해서 흥분되어 수축하는 것을 흥분과 수축의 연결이라고 한다. 민무늬근육은 이온채널에 의해서 비정상적으로 수축할 수도 있고, 사이질세포(interstitial cell) 또는 페이스메이커세포(pacemakers cell)가 어떤 리듬으로 수축(리듬성 수축, rhythmic contraction)할 수도 있다. 민무늬근육의 수축은 물론이고 이완도 생리화학물질에 의해서 유발될 수 있다.

4) 심장근육

(1) 심장근육의 기능

심장근육은 줄무늬가 있는 제대로근으로, 심장의 벽에 있다. 그 조직을 'myocardium', 근육세포를 'cardiomyocyte'라고 하며, 1개의 세포에 핵이 1개씩 있다. 심장근육은 민무늬근육과 뼈대근육의 성질을 모두 갖고 있다. 즉 심장근육은 흥분성, 율동성, 전도성, 수축성 등을 가지고 있다.

심장근육의 세포들은 인체의 다른 조직과는 달리 혈액과 전기를 공급하는 기관이 따로 있어서 산소와 영양물질을 배달해주고 이산화탄소와 같은 폐기물을 치워준다. 이와 같은 기능을 수행하는 것이 심장동맥(coronary arteries)이다.

(2) 심장근육의 구조

심장근육의 수축요소인 필라멘트를 구성하는 단백질에는 뼈대근육과 똑같이 액틴, 마이오신, 트로포닌, 트로포마이오신 등이 들어 있다.

심장근육에는 두꺼운 단백질 필라멘트와 가는 단백질 필라멘트가 서로 교대되어 만들어진 줄무늬가 있다. 심장근육에서 중요한 구조단백질은 뼈대근육과 마찬가지로 마이오신과 액틴이다. 액틴은 가는필라멘트로 줄무늬에서 I띠를 이루고, 마이오신은 굵은필라멘트이고 상대적으로 어두운 A띠를 이룬다. 그러나 심장근육의 세포는 가지가 나누어지는 데 반해서, 뼈대근육은 세포가 선형으로 길게 늘어 서 있다.

뼈대근육과 심장근육이 다른 또 하나는 심장근육에 있는 T세관이 더 크고, 더 폭이 넓고, Z판를 따라서 뻗어 있다. 심장근육이 뼈대근육에 비해서 T세관의 수가 적고, T세관과 근육세포질그물 사이에서 뼈대근육은 3연구조를 이루지만, 심장근육은 2연구조를 이루고 있다. 최근에 T세관의 활동전위를 기록하는 데 성공함으로써 T세관이 흥분-수축연계에서 결정적인 역할을 한다는 것이 밝혀졌다.

(3) 심장근육의 특징

심장근육은 수많은 근육세포(근육섬유)가 독립되어 있으면서도 세포와 세포 사이가 사이원반이라는 특수한 구조로 연결되어 있다. 이 때문에 한 세포가 흥분하면 그 흥분이 곧 이웃의 세포로 파급되어 기능적으로 1개의 세포가 흥분하는 것과 같은 결과가 된다. 이것을 기능적 융합체라고 한다.

사이원반은 접착시키는 복합물(체)로 심장근육세포를 전기화학적 융합체로 연결해주는 역할을 하고, 근육이 수축할 때 힘을 전달하는 역할도 한다. 사이원반이 전기화학적으로 융합체가 되기 때문에 활동전위가 빠르게 퍼져나가서 심장근육의 세포들이 동시에 수축한다.

사이원반에 있는 3가지 다른 형태의 세포-세포결합(cell-cell junction)은 ① 액틴필라멘트를 고정시키는 부착판(adherens junction, fascia adherens), ② 중간필라멘트를 고정시키

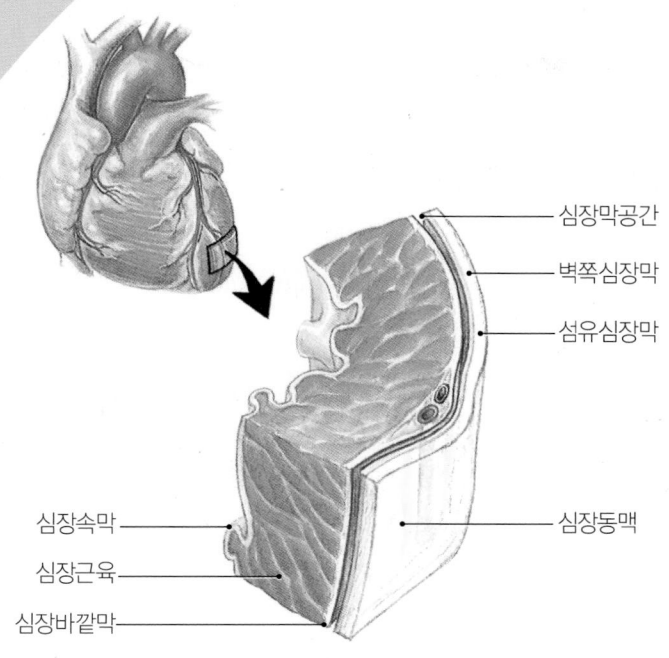

심장막공간

벽쪽심장막

섬유심장막

심장속막

심장근육

심장바깥막

심장동맥

그림 5-19 심장벽의 구조

두꺼운 심장근육층은 심장속막과 심장막 사이에 있다.

는 부착반점(desmosome, macula adherens), ③ 틈새이음(gap junction)이다.

틈새이음은 전기화학적 결합과 대사적 결합을 책임진다. 틈새이음이 세포와 세포 사이에 이온 통로를 만들어 활동전위가 심장근육세포들 사이로 퍼져나가게 해주고, 심장근육이 탈분극되게 한다.

광학현미경으로 보면 사이원반이 가늘고 어두운 선으로 보이고, 심장근육의 세포와 세포 사이를 나누는 것으로 보인다. 그리고 사이원반이 근육섬유의 진행방향에 대해 수직으로 달리는 것처럼 보인다. 그러나 전자현미경으로 보면 사이원반이 달리는 길이 더욱 더 복잡해서 가로세로로 모두 뻗어 있다.

(4) 심장근육의 수축

① 동굴심방결절

심장근육이 수축하려면 심장근육세포에 일정한 주기로 임펄스가 전해져야 하는데, 그 신호를 만들어내는 조직을 페이스메이커(pace maker)라고 한다. 심장의 오른심방 안에 있는 동굴심방결절(sinoatrial node)에서 정상적인 심장의 리듬을 만들어낸다.

동굴심방결절은 오른심방의 벽, 위대정맥의 입구 근처에 있는 한 그룹의 세포들이다. 그 세포들은 특수화된 심장근육세포(cardiomyocyte)이고, 수축할 수 있는 필라멘트가 조금 있지만 강력하게 수축하지는 않는다. 그리고 심장근육세포와 비슷하게 생겼지만 더 가늘고 길고, 더 꾸불꾸불하게 생겼으며, 염색이 잘 안 된다.

동굴심방결절에는 부교감신경섬유(미주신경, vagus nerve)와 교감신경섬유(T1-4, 척수신경)가 많이 들어 있다. 해부학적으로 그렇게 생겼기 때문에 자율신경의 영향을 양쪽 방향에서 모두 받는다. 미주신경(부교감신경)의 자극을 받으면 심박수가 감소하지만, 심장근육의 수축력을 변화시키지는 않는다. 그러나 교감신경의 자극을 받으면 심박수와 수축력이 모두 증가한다. 동굴심방결절은 심장의 오른쪽심장동맥으로부터 약 60~70%, 왼쪽심장동맥으로부터 약 20~30%의 혈액을 공급받는다.

② 심장근육 수축신호의 전달

동굴심방결절에서 생긴 신호(임펄스)가 심방을 수축하게 만든 다음 심방-심실결절(AV node)로 이동한다. 심방-심실결절에서 잠시 지체한 뒤에 히스다발(bundle of His)을 통해서 푸르킨예섬유(Purkinje fibers)로 퍼져나간 다음 심장의 맨 위에 있는 심장속막을 거쳐서 최종적으로 심실바깥막에 도달한다.

③ 심장근육 수축의 특성

심장근육세포는 뉴런과 마찬가지로 휴식 시에는 음의 막전위를 가지고 있다가 문턱값(역치) 이상의 자극(임펄스)이 오면 전압작동이온통로(voltage-gated ion channel ; 전압에 의해서 열리기도 하고 닫히기도 하는 이온통로)가 열려 양이온이 세포 안으로 몰려 들어간다. 그러면 분극상태가 깨져서 탈분극이 되고, 탈분극이 되면 뼈대근육과 마찬가지로 전압작동이온통로가 열려서 T세관에 있던 칼슘이온이 방출된다. 그러면 근육세포질그물에 저장되어 있던 칼슘이 방출되고, 방출된 칼슘이 트로포닌과 결합하면 연결다리가 생기면서 근육수축이 시작된다. 신경임펄스가 끊기면 칼슘이 유리되고, 유리된 칼슘이온이 세포막 밖으로 쏟아져 나오면 재분극되어서 휴식 상태로 돌아간다.

심장근육의 근육섬유와 근육섬유 사이에는 틈새이음이 있어서 흥분이 인접 세포로 직접 파급되기 때문에 심장에 있는 근육세포들이 동시에 수축할 수 있는데, 이것을 심장 전체가 하나의 기능적인 융합체를 형성한다고 한다. 뼈대근육에서 세포들이 융합되어서 (진짜)융합

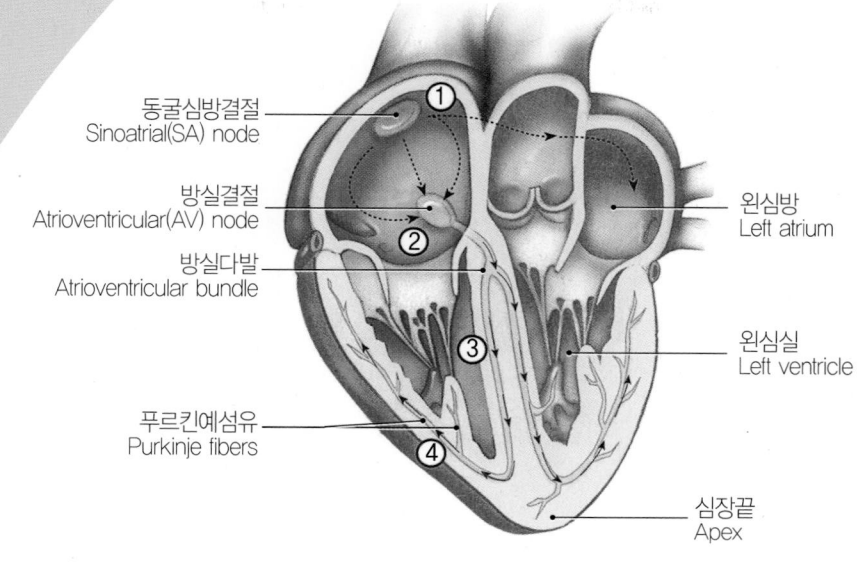

동굴심방결절 Sinoatrial(SA) node
방실결절 Atrioventricular(AV) node
방실다발 Atrioventricular bundle
푸르킨예섬유 Purkinje fibers
왼심방 Left atrium
왼심실 Left ventricle
심장끝 Apex
① ② ③ ④

그림 5-20　심장의 자극전도계

체를 형성하는 것과 혼동해서는 안 된다. 기능적인 융합체에서는 임펄스가 모든 방향으로 자유롭게 전파될 수 있기 때문에 하나의 수축단위처럼 기능할 수 있다는 것이고, 뼈대근육의 융합체는 세포들을 서로 구분할 수 없는 것이다. 심장근육이 기능적인 융합체를 형성하기 때문에 심장의 근육조직이 매우 빠르게 동시에 탈분극할 수 있는 것이다.

　심장에 있는 모든 근육세포들이 심장근육의 수축을 유발할 수 있는 임펄스 또는 활동전위를 만들 수 있는 능력이 있지만 정상적일 때는 동굴심방결절에서 임펄스를 유발시킨다. 그 원인은 다른 부위보다 약간 빨리 동굴심방결절에서 임펄스를 만들기 때문이다. 모든 근육세포들이 그러하듯이 심장근육세포들이 수축한 다음에는 그다음 수축을 유발시킬 수 없는 불응기(refractory period)가 반드시 있다. 왜냐하면 다른 부위에서 만드는 활동전위가 바로 동굴심방결절에서 만든 활동전위의 불응기와 겹치기 때문이다.

　뼈대근육은 근육세포질그물에 저장되어 있는 칼슘에 의해서만 근육수축이 유발되지만, 심장근육이 수축하기 위해서는 세포 밖에 있는 칼슘이온도 필요하다. 나트륨이온이 근육섬유막 안으로 들어가면 근육세포 안에 활동전위가 생겨서 수축하기 시작하는 것은 뼈대근육과 같다. 그러나 L형 칼슘채널을 통해서 세포 밖의 칼슘이온이 세포 안쪽으로 흘러들어오면 심장근육세포들의 탈분극을 지연시켜서 심실의 수축을 더 오랫동안 유지시킨다. 칼슘에 의존하는 이유는 근육수축을 하기 위한 흥분-수축연계(activation-contraction coupling)가 정상적으로 이루어지려면 근육세포질그물에서 칼슘으로 유발되는 칼슘방출이 있어야 하기 때문이다.

④ 프랭크-스탈링의 법칙

19세기 말 Frank, O.가 개구리의 심장을 따로 떼어내서 심실이 수축하기 직전에 심실을 잡아당겨서 늘렸더니 심실의 수축력이 증가한다는 것을 발견하였다. 20세기 초 Starling은 그의 동료들과 개의 심장을 가지고 이 발견을 연구한 다음 "다른 모든 요인들이 일정하다고 할 때 심실을 채우는 혈액의 부피가(확장기 말의 심실 부피가) 증가하면 1회박출량(stroke volume)이 증가한다."고 프랭크의 발견을 확장하였다.

쉽게 말해서 정맥을 거쳐서 심장으로 되돌아오는 혈액의 양이 증가하면 심장이 수축하면서 내보내는 혈액의 양도 증가한다는 것이다. 이렇게 되면 특별하게 어떤 시스템이 있어서 심장에서 내보내는 혈액의 양을 조절하는 것이 아니라 적게 들어오면 적게 내보내고, 많이 들어오면 많이 내보낸다고 아주 간단하게 말할 수 있기 때문에 중요한 발견이다.

왜 혈액이 많이 들어오면 많이 내보내는지 그 메커니즘을 설명하면 다음과 같다.

"'돌아오는 혈액의 양이 증가하면' → '심실의 벽이 늘어나게 되고' → '심장근육에 자극을

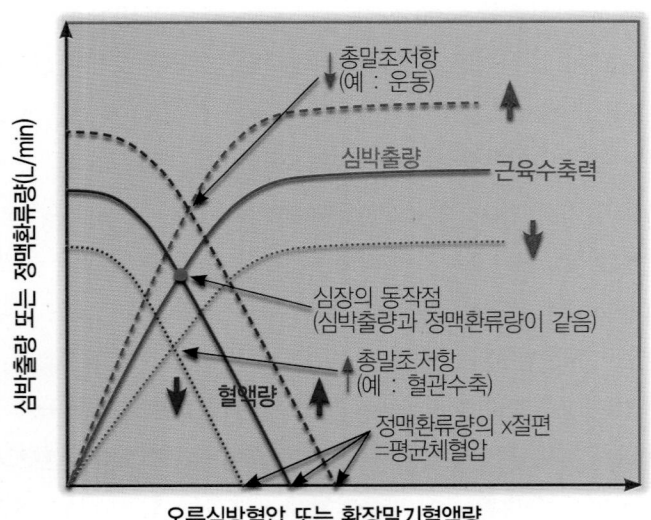

그림 5-21 프랭크-스탈링의 법칙

주어서' → '심장근육이 더 강하게 수축하고' → '1회박출량(stroke volume)이 증가한다.'"와 같이 된다. 그런데 이것을 설명하는 사람에 따라서 "정맥환류량이 증가하면 심박출량이 증가한다."고 표현하는 사람도 있고, "사전부하량이 증가하면 사후부하량도 증가한다."고 표현하는 사람도 있다. 사전부하량이라는 말은 심장으로 혈액이 많이 돌아오면 심장이 수축하기 전에 늘어나야 하기 때문에 부담을 많이 갖게 된다는 의미이고, 사후부하량이라는 말은 심장이 수축하면서 내보내야 하는 혈액의 양이 많기 때문에 수축력을 그만큼 많이 내야 한다는 뜻이다.

위의 설명에서 저자는 "심실의 벽이 늘어나면 심장근육에 자극을 주어서 더 강하게 수축한다."라고 표현했지만 학자들은 구체적으로 "'심장근육의 근육섬유길이가 늘어나면' → '트로포닌 C의 칼슘에 대한 감도가 증가되고' → '액틴과 마이오신 사이에 더 많은 연결다리가 생긴다' → '수축력이 증가한다.'"와 같이 설명하기도 하고, "1개의 근육섬유가 발휘하는 힘은 근육섬유막의 길이에 비례하고, 심실 확장기말의 부피가 크면 근육섬유막의 길이가 길어져야 하기 때문에 자연히 근육수축력이 커진다."고 설명하기도 한다.

위의 설명을 잘 들어보면 심장에 있는 근육은 스스로 수축력을 증가시키거나 감소시킬 수 있는 능력이 있다는 것이다. 이 능력을 '근육의 수축력 지배능력(inotropic state)'이라 하고, "심장근육의 수축력 지배능력은 사전부하와 사후부하에 의해서 결정된다."라고 표현한다.

뼈대근육의 수축능력에 변화가 생기는 원인을 '액틴필라멘트와 마이오신필라멘트가 겹치는 정도에 차이가 있기 때문'이다. 그런데 심장근육은 '수축력 지배능력' 때문에 근육의 수축력이 변한다고 하였으므로 어느 것이 옳은지 따져 보아야 할 것이다. 그러나 아직까지는 두 가지 모두 옳다는 것밖에 모른다.

④ 뼈대·관절 및 근육계통의 운동효과

일상생활이나 스포츠활동에서 사람은 많은 스트레스를 의식적 또는 무의식적으로 받고 있다. 그러나 인체에는 이러한 스트레스에 대한 적응능력이 있고, 사람은 회복가능한 스트레스를 받은 후에 적당한 휴식과 영양을 취하면 스트레스를 받기 전 상태보다도 강해진다고 알려져 있다. 이것을 초회복이라 하는데, 특히 스포츠활동 현장에서는 호흡순환계통 및 뼈대근육계통에 운동 스트레스를 주어 경기력향상을 목적으로 매일 트레이닝을 실시하고 있다. 운동 스트레스로부터의 초회복은 트레이닝효과라고도 불린다.

여기에서는 호흡순환계통 및 근육·신경계통에 대한 트레이닝효과를 기술한다.

1) 지구력트레이닝에 대한 적응

유산소운동능력을 높이기 위한 트레이닝은 지구력트레이닝이라고 하는데, 이것은 일정시간에 실시가능한 운동량 또는 일정량의 운동을 완수하는 시간으로 평가할 수 있다.

지구력트레이닝 실시 후 나타나는 뼈대근육의 변화로는 Type I 섬유의 산화능력향상을 들 수 있다. 그 원인은 운동을 하면 뼈대근육의 미토콘드리아 수 및 크기가 증가하기 때문이다. 이것은 미토콘드리아의 산소섭취능력이 증가하여 발생하는 현상으로, 결과적으로 산화계의 효소활성이 크게 증가하게 된다. 또, 뼈대근육에서 근육섬유를 둘러싼 모세혈관이 산화효소활성에 맞추어 증가하는 일도 보고되고 있다.

한편 미토콘드리아에 산소를 공급하는 능력을 촉진시키기 위하여 마이오글로빈량이 증가할 수 있다는 점 등을 트레이닝효과로 들 수도 있다. 지구력트레이닝이 근육섬유에 미치는 영향은 근육섬유의 유형은 변화시키지 않으나 모든 근육섬유의 산화효소활성 능력을 높이는 것을 알 수 있다.

지구력트레이닝에 의하여 고도로 트레이닝된 운동선수는 그렇지 않은 사람보다 동일근육 내의 Type I 섬유비율이 높다고 알려져 있다. 또한 고도로 트레이닝된 근육은 수축할 때보다 많은 지방을 동원하여 ATP를 생산할 수 있다. 이것은 트레이닝에 의하여 많은 유리지방

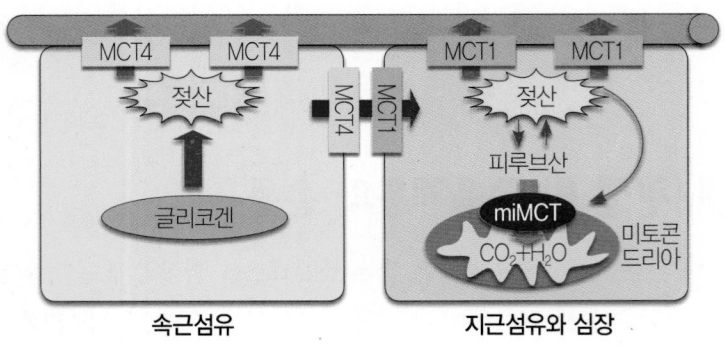

그림 5-22 젖산의 재이용

고강도운동으로 발생한 젖산은 그 후의 유산소운동의 에너지원으로 이용된다.
· MCT1 : 혈중에서 근육으로 젖산을 운반하는 단백질운송체
· MCT4 : 근육에서 혈중으로 젖산을 운반하는 단백질운송체

산을 이용할 수 있게 되기 때문인데, 이때 근육 내의 혈류량이 상승하여 지방을 동원하기 위한 산화효소활성이 높아진다.

게다가 무산소운동에 의하여 발생한 젖산을 산소와 결부시켜 피루빈산으로 되돌려줌으로써 유산소에너지로 이용하는 능력도 높여준다(그림 5-22). 이 능력은 지극히 높은 강도의 유산소운동을 계속할 수 있게 만든다.

2) 근력 및 파워트레이닝에 대한 적응

근력트레이닝을 하면 근육에 스트레스를 가중시켜 적응을 일으키고 발휘근력을 개선시킨다.

최대근력은 근육의 가로단면적(근육섬유의 주행방향에 대해 수직방향의 단면적)에 비례하므로 근력트레이닝에 의하여 근육은 비대해지고 근육의 가로단면적은 증가하는 것을 알수 있다. 실제로는 처음 근력트레이닝을 실시하면 근육은 비대해지지 않고 발휘근력이 증가된다. 이것은 근력을 발휘할 때에 동원되는 운동단위가 증가한다는 중추신경계통의 활동에 기인한다.

그 후 근력트레이닝을 계속해나가면 근비대현상이 발생한다. 근비대의 메커니즘은 근육을 구성하는 근육섬유의 비대에 의한다. 게다가 근육섬유의 비대는 근육세포(근육원섬유)의 변화에 기인한다. 근육원섬유는 처음에 굵기가 증가하는 형태로 변화하다가, 일정굵기에 도달하면 세포를 분열시키고 근육원섬유의 수를 증가시켜 근육섬유 및 근육의 굵기를 증가시킨다.

한편 트레이닝이 파워에 미치는 효과는 다음과 같다. 파워란 힘과 속도의 곱에 의하여 결정되므로 파워트레이닝에서는 증가된 부하를 최대속도로 이동시키는 것과 같은 근수축에 의해 발휘근력 및 수축속도에 적응하게 되며, 나아가 발휘하는 파워가 개선된다. 파워의 개선을 위해서는 최대근력 및 수축속도 둘 중 하나 또는 양쪽 모두를 개선할 필요가 있다. 일반적으로 최대근력이 높은 사람이 근육파워가 높은 경우가 많으므로 최대근력을 높이는 것은 근육파워를 높이기 위한 전제조건이 된다.

다른 쪽의 요인인 속도의 개선을 살펴보면, 근육의 최대수축속도는 근육섬유유형 등의 화학적 반응의 빠르기에 따른 경우가 많다. 따라서 TypeII섬유를 선택적으로 동원하면 수축속도가 증가한다. 실제는 발육발달단계의 근육과 달리 성인의 근육은 수축속도를 큰 폭으로 개선하는 데 한계가 있으므로 파워를 개선하기 위해서는 수축속도를 유지하고 최대근력을 개선시키는 방법이 효과가 있다고 추측된다.

구체적인 트레이닝방법으로는 최대근력을 높임과 동시에 최대근력의 30~60% 정도에 해당되는 부하에서 최고속도의 수축을 반복하면 효과적이다.

3) SAQ트레이닝

SAQ란 speed, agility, quickness의 앞글자를 합친 조어로, 민첩성·조정력 등 신경-근육계통의 협조능력을 높이기 위한 트레이닝이다.

speed는 일정구간을 재빠르게 이동하는 능력, 즉 스프린트능력을 나타내는 지표이다. agility는 정지한 상태에서 움직이기 시작하는 속도이므로 움직이기 시작하는 것 및 움직임의 변화속도로 인식할 수 있다. quickness는 동작의 전환에 전후좌우라는 방향을 더한 능력이다. quickness에는 agility능력과 더불어 다양한 공간으로 이동하는 유연성이 요구된다.

이 speed, agility, quickness를 높이기 위해서는 신경의 반응시간과 발휘되는 능력을 함께 개선시켜야 한다. 구체적으로는 민첩성을 높이는 것과 유연성을 높이는 것으로 동작의 가동성을 향상시킬 수 있다. 또한 최대근력 및 최대 speed의 출력을 개선하여 발휘파워를 향상시키는 것도 중요하다.

5 성장과 노화

사람은 누구나 일정연령까지 연령과 더불어 체력 및 기능이 상승하는데, 이 현상을 '성장'이라고 한다. 한편 일정연령을 지나면 연령과 동반하여 체력 및 기능이 저하하는데, 이 현상을 '노화'라고 한다. 여기에서는 동일인물에게 발생하는 '성장'과 '노화'라는 두 가지 현상을 뼈대근육에 초점을 맞추어 살펴보기로 한다.

1) 발육발달과 연령에 따른 뼈대근육의 변화

신생아의 뼈대근육량은 대략 체중의 20~30%라고 알려져 있다. 발육발달의 과정에서 사람의 뼈대근육은 증가하여 성인이 될 때까지 3배에 달한다고 알려져 있다. 근육량은 여자는 11~12세 정도에, 남자는 12~15세에 급증한다. 일반적으로 남자는 20세에 걸쳐 직선적으로 뼈대근육량이 증가하는 데에 비하여 여자는 14세 이후에는 증가가 정체한다.

연령에 따른 뼈대근육의 변화는 활동량이나 일상생활에서 운동양식의 변화와 관련되어 있다. 청년기에는 일상생활에도 TypeⅡ섬유를 동원하는 것과 같은 빠른 운동형태가 많이 포함되므로, 운동선수는 물론 일반적으로도 TypeⅡ섬유의 발달이 나타난다. 그러나 중장년이 되면 특별하게 트레이닝을 하지 않는 이상 TypeⅡ섬유를 동원하는 것과 같은 순발적인 운동이 거의 사라진다. 따라서 전체 활동량의 저하에서 연령에 따른 뼈대근육량이 저하하는 것은 물론이고, 선택적인 TypeⅡ섬유의 위축은 TypeⅠ섬유에 비하여 커진다.

또한 20세의 뼈대근육량을 100으로 하고, 70세 때의 위팔 및 넙다리의 뼈대근육군과 근량을 수치로 나타내면 각각 위팔굽힘근군이 90, 위팔폄근군이 75, 넙다리굽힘근군이 80, 넙다리폄근군이 60 정도가 된다는 데이터가 있다. 이것은 일상생활에서의 사용빈도 및 일상생활에 따라 걸리는 부하의 크기와 관련이 있다. 즉 항중력근인 다리의 근육군은 팔의 근육군보다 근육에 걸리는 부하가 크다. 따라서 활동량이나 운동강도가 저하하는 고령자는 뼈대근육량이 큰 폭으로 감소한다. 또한 굽힘근군은 폄근군과 비교하여 일상에서의 사용빈도가 높으므로 사용빈도가 낮은 폄근군의 저하율은 보다 의식적으로 근육군을 사용하지 않은 경우에 커지고, 고령자에게서의 저하율 촉진을 반영한다.

이상에서 고령자의 뼈대근육량 저하는 활동량 및 운동강도의 저하에 의한 것이므로 최근에는 고령자의 웨이트트레이닝 추진이 적극적으로 이루어지고 있다. 그 결과 고령자라도 근력트레이닝을 실시하면 뼈대근육량은 분명히 증가한다.

2) 발육발달과 연령에 따른 뼈의 변화

사람의 뼈량(bone of mineral content)은 주로 신장의 변화 때문에 변화한다. 사람의 성장과정에서 가장 신장이 커지는 시기를 최대성장속도(PHV : peak height velocity)라고 부르는데, 이 PHV가 발현하는 연령은 남자는 12세 정도, 여자는 10~11세 정도로 알려져 있으며, 성차가 있다.

발육발달과정에서 뼈의 변화는 여자가 11~13세 정도, 남자가 12~15세 정도에 급증한다. 이렇게 성별에서 나타나는 2세 차이는 PHV의 차이와 같다. 뼈는 연령에 따라 뼈바탕질(bone matrix, 골기질)로부터의 칼슘유출이 원인이 되어 그 밀도가 감소한다. 이것은 연령에 따른 뼈파괴세포의 활동에 의한 뼈흡수 정도는 변하지 않지만, 뼈모세포의 활동으로 인한 뼈형성이 둔해진 결과 뼈염량이 저하되었기 때문이다.

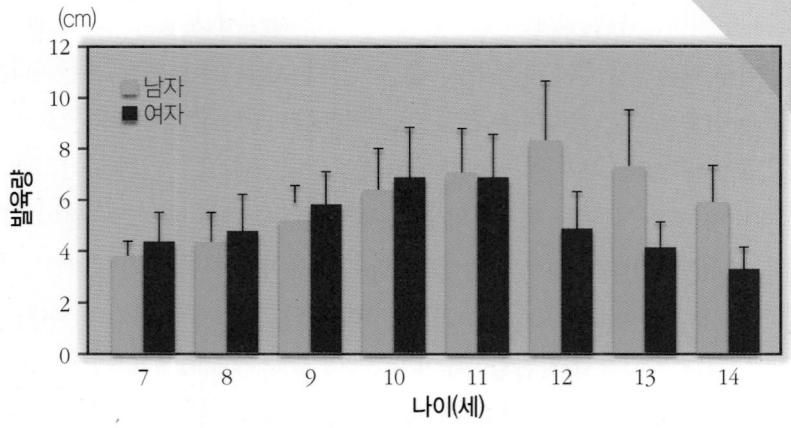

그림 5-23　신장발육의 성차

신장의 연간발육량에는 성차가 있다. 남자에 비하여 여자쪽이 최대성장속도(PHV : peak height velocity)의 발현이 빠르다.

❻ 뼈대근육의 재생과 속근섬유의 생성

오늘날 과학의 진보로 손상된 근육의 재생뿐만 아니라 발육발달 및 연령에도 효과가 있는 근육생성메커니즘 및 운동선수의 운동수행능력을 유전자단계에서 접근하는 연구 등이 활발하게 이루어지고 있다.

여기서는 뼈대근육의 재생에 중요한 영향을 미치는 마이오신아이소폼(myosin isoform)과 속근섬유를 생성하는 가능성을 분명하게 밝히는 유전자 액티닌(actinin)-3에 대하여 소개한다.

1) 마이오신아이소폼

근육섬유의 수축속도에 따른 유형은 지근섬유(TypeⅠ)와 속근섬유(TypeⅡa 및 TypeⅡb)가 있다. 이러한 섬유를 수소이온지수 pH(산성화 또는 알칼리성화의 지표)에 대한 마이오신의 감수성(효소활성)면에서 생화학적으로 분류하면 TypeⅠ은 알칼리성에 대한 활성을 잃고, TypeⅡ는 산성에 대한 활성을 잃는 것이 밝혀졌다. 또한 산성에 대한 활성정도에 따라 세 가지 종류로 분류되는 것을 알 수 있다.

그 세 가지는 산성이 완전하게 활성을 잃은 것을 TypeⅡa, 약간의 활성이 남은 것을 Type
Ⅱb, 산성 및 알칼리성이라는 두 조건하에서도 활성을 잃지 않는 TypeⅡc로 분류하였다. 또
한 TypeⅡb 중 알칼리성에 대한 활성의 차이에서 알칼리성에 대한 약한 활성을 가진 종래의
TypeⅡb에 추가로 강한 활성을 가진 것을 새로이 TypeⅡd라고 분류하였다.

한편 아이소폼(isoform)은 구조는 비슷하지만 다른 아미노산을 가진 단백질을 말한다.
사람의 마이오신아이소폼(myosinisoform)에는 빠른 근수축을 재촉하는 것과 늦은 근수축
을 재촉하는 것이 있다.

최근 뼈대근육의 발생단계에 관한 연구에서 근육섬유의 기본이 되는 근육모세포(myo-
blast) 및 복수의 근육모세포가 달라붙어 생기는 근육대롱세포(myotube)로의 분화 · 생성에
관하여 지근섬유를 증가시킬 때에는 myogenin이라는 단백질, 속근육섬유를 증가시키기 위
해서는 myoD(myogenic differentiation)이라는 단백질이 관여하는 것이 밝혀졌다. 이러한
내용은 근육손상 후의 재생마커만이 아닌 이후 속근 및 지근을 만드는 메커니즘을 보다 분
명하게 밝힐 것으로 추측된다.

2) 액티닌-3

최근 올림픽에서 금메달을 획득한 선수를 중심으로 그 유전자를 해명하려는 연구가 활
발하게 이루어지고 있다. 그 결과 최신 스포츠과학에서는 특히 스피드나 파워를 요구하는
스포츠에서 활약하는 운동선수에게 공통적으로 나타나는 유전자가 있다는 것이 밝혀졌다.
이것은 '운동선수유전자'나 '금메달유전자'라는 호칭이 붙여져 주목받고 있다.

여기에서는 운동선수유전자인 액티닌(actinin)-3유전자를 알아본다. 이 유전자를 가진
것만으로 높은 운동수행능력이 발휘되는 것은 아니며, 높은 운동수행능력은 매일 트레이닝
의 축적에 의한 것이다.

유전자는 일반적으로 아데닌(adenine), 구아닌(guanine), 사이토신(cytosine), 타이민
(thymine)이라는 4개의 염기가 연속해서 형성되어 있으며, 이 배열의 순서가 유전자코드(암
호)가 되어 다양한 단백질을 형성하고 있다. 운동선수유전자라고 불리는 유전자는 ACTN-
3(액티닌-3)을 말하는데, 이것은 α-액티닌3이라는 근육섬유의 Z막을 형성하는 단백질유전
자를 코드하고 있다.

α-액티닌에는 α-액티닌2와 α-액티닌3 두 가지가 있으며, 이 유전자는 각각 ACTN-2와
ACTN-3이라고 불린다. 일반적으로 ACTN-2는 속근섬유와 지근섬유 모두에서 발현하지만,

ACTN-3의 발현은 속근섬유에서만 나타나는 것으로 밝혀져 ACTN-3의 유무를 조사함으로써 운동선수의 전문종목(스피드계 또는 지구계)을 확인하는 것이 가능해졌다.

사람은 어머니와 아버지에게 받은 유전자를 각각 1쌍 가지고 있다. 이때 양쪽부모에게 받은 유전자가 같은 경우를 동종접합(homojunction), 다른 경우를 이종접합(heterojunction)이라고 한다. ACTN-3의 유전에 관한 연구에서는 α-액티닌3의 유전자배열에 관하여 정상적인 것은 R유전자, 변이를 가진 것은 X유전자라고 부른다. 즉 R유전자는 정상적인 α-액티닌3을 형성할 수 있지만 X에서는 그것이 불가능하다.

따라서 상기의 유전자조합을 생각하면 두 개의 호모접합형 RR 및 XX와 하나의 헤테로접합형 RX의 3개의 조합이 된다. 이 3개 중에서 XX형에는 α-액티닌3을 정상적으로 구성하는 요소가 포함되어 있지 않다. 일반적으로 RR, XX, RX의 유전자형을 가진 사람의 비율은 3:2:5, 올림픽 수준의 스프린터에게는 5:0:5, 마찬가지로 지구력선수에게는 3:3:4라는 비율이 되어 있다. 이렇게 현재의 최신과학에서는 사람의 침을 채취하는 것으로 간단하게 운동선수의 가능성을 확인할 수 있게 되었다.

06

내분비계통과 운동

❶ 내분비계통의 구조

1) 호르몬이란

(1) 호르몬의 어원

호르몬(hormone)은 내분비샘에서 만들어지며(그림 6-1), 혈중으로 방출되어 작용하는 액체(성)정보전달물질이다. 호르몬이라는 말은 1900년대 초반 영국의 Bayliss와 Starling이

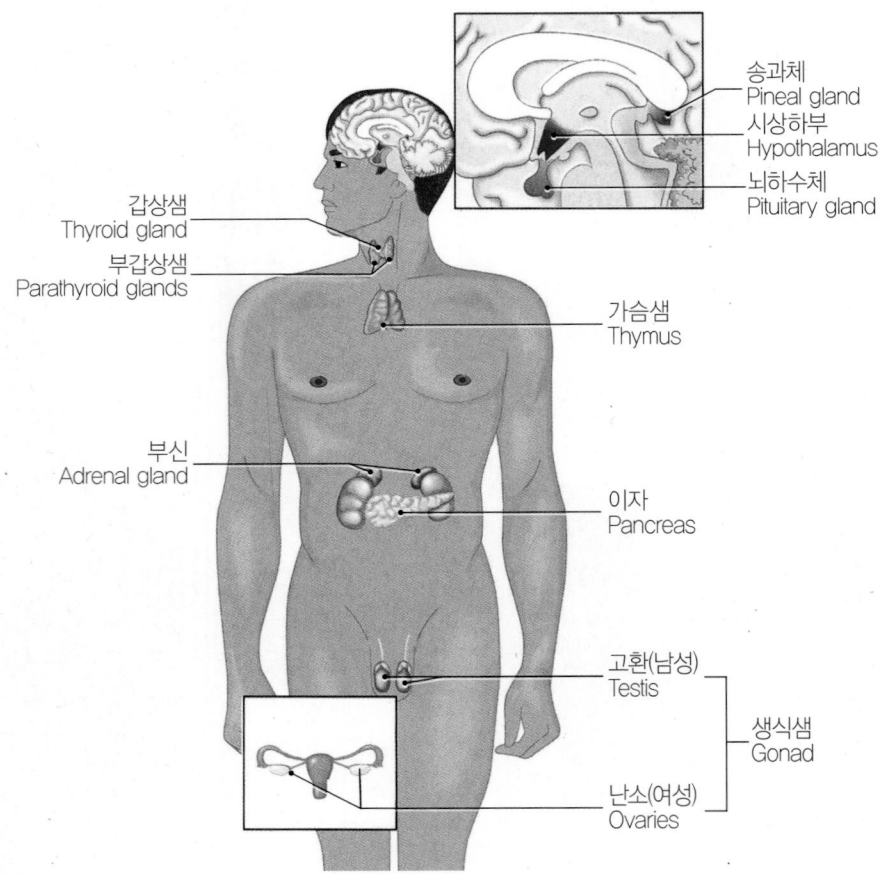

송과체
Pineal gland
시상하부
Hypothalamus
뇌하수체
Pituitary gland

갑상샘
Thyroid gland
부갑상샘
Parathyroid glands

가슴샘
Thymus

부신
Adrenal gland

이자
Pancreas

고환(남성)
Testis

생식샘
Gonad

난소(여성)
Ovaries

그림 6-1   주요 내분비샘

신체 각 부위의 기능을 조절하는 기구로 내분비계통이 있으며, 그림과 같이 내분비샘에서 호르몬이 분비된다. 일반적으로 신경에 의한 조절보다도 느리면서 오래 작용한다.

붙인 이름인데, 그리스어로 '자극하다'라는 의미를 가진 동사 'hormao'에서 유래된 말이다.

1970년 즈음부터 주변분비(paracrine) · 자가분비(autocrine) 등 국소적으로 생산되어 근접부위에서 작용하는 생리활성물질을 연속으로 발견하였고, 현재는 위에 기술한 호르몬의 정의에 들어맞는 호르몬유사물질도 많이 밝혀졌다. 예를 들어 신경시냅스에서 신경전달물질로도 기능하고 있는 노아드레날린이나, 면역세포나 지방세포에서 분비되는 사이토카인류도 특정 수용체에 작용하여 세포의 증식 및 조절기능을 하고 있어 다른 액체생리활성물질과 호르몬의 경계선은 애매해져가고 있다.

(2) 호르몬의 특성

호르몬은 발육 · 성장 · 생식 외에 내부환경의 항상성을 유지하고 에너지대사를 조절한다. 호르몬이 혈액으로 방출되어 작용한다는 것은 전신으로 빠짐없이 전해진다는 뜻인데, 전신의 여러 기관에 작용하는 것도 있지만 한정된 조직에만 효력을 가지는 것도 있다. 예를 들어 인슐린은 전신근육지방조직 · 콩팥 등의 조직에 영향을 미치지만, 부신겉질자극호르몬(ACTH : adrenocorticotropic hormone)은 부신, 그것도 겉질만을 표적으로 한다.

이 정보전달스타일은 불특정 다수의 사람에게 광고를 보내는 다이렉트메일과 비교되기도 한다. 발송회사는 대량으로 우편물을 보내지만, 그 내용을 필요로 하지 않는 사람은 우편물을 버리고, 필요로 하는 사람만 그 정보를 받아 반응을 일으킨다. 즉 '보내는 사람'과 그 정보를 필요로 하는 '받는 사람' 모두 제대로 맞물려 처음으로 정보전달이 성립되는 시스템이다.

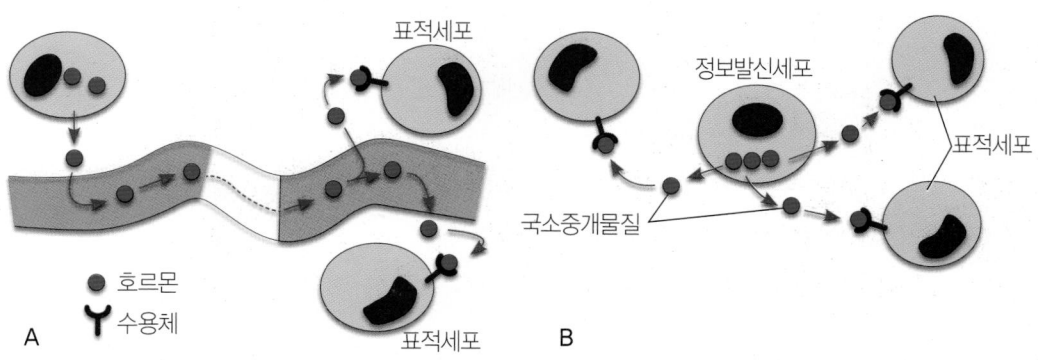

표적세포

정보발신세포

표적세포

국소중개물질

● 호르몬
Y 수용체

A   B

표적세포

그림 6-2   내분비(endocrine)계통의 작용양식(A)와 주변분비계통의 작용양식(B)

endocrine에서 'endo-'는 '내부'를, paracrine의 'para-'는 '외부'를, 'crine'은 '분비'를 의미한다. 내분비의 작용양식은 분비세포에서 혈액 등으로 직접 분비되고, 혈류에 의하여 운반되며, 표적세포(기관, 조직)에서 작용한다. 주변분비는 분비된 물질이 그 세포의 바로 옆세포에서 작용한다.

호르몬의 특징은 다음과 같다.

- 내분비샘에서 직접 혈액 중으로 분비된다.
- 극히 미량으로 효력을 발휘한다.
- 표적이 되는 조직·기관·세포에 특이적으로 작용하는 생리활성물질이다.

이러한 정보전달시스템을 내분비(endocrine)계통이라고 한다(그림 6-2). 내분비계통의 대표적인 기관 및 기능을 표 6-1에 정리하였다.

표 6-1   호르몬의 분비기관과 주요기능

기관	명칭(약칭)	주요 생리작용
시상하부	성장호르몬방출호르몬(GHRH)	성장호르몬의 분비를 촉진
	부신겉질자극호르몬방출호르몬(CRH)	부신겉질자극호르몬의 분비를 촉진
	생식샘자극호르몬방출호르몬(GnRH)	황체형성호르몬과 난포자극호르몬의 분비를 촉진
	갑상샘자극호르몬방출호르몬(TRH)	갑상샘자극호르몬 및 프롤락틴의 분비를 촉진
	소마토스타틴	성장호르몬분비를 억제
	멜라토닌	수면, 인체리듬의 조절
뇌하수체앞엽	성장호르몬(GH)	근육의 단백질합성을 촉진, 뼈의 성장을 촉진, 지방의 이화작용을 촉진
	부신겉질자극호르몬(ACTH)	부신겉질호르몬의 분비를 촉진, 아데노코티코트로핀
	갑상샘자극호르몬(TSH)	갑상샘의 성장을 촉진, 갑상샘호르몬의 분비를 촉진, 사이트로핀
	난포자극호르몬(FSH)	난포의 성숙, 에스트로겐의 분비를 촉진
	황체형성호르몬(LH)	황체의 형성을 촉진, 배란을 촉진, 황체호르몬의 분비를 촉진, 남성은 남성호르몬의 분비를 촉진
	프롤락틴(PRL)	젖샘의 발육을 촉진(임신 중), 젖의 분비를 촉진(분만 후)
뇌하수체뒤엽	항이뇨호르몬(ADH)	혈관 수축작용을 하며, 바소프레신이라고도 불린다. 요세관의 수분재흡수를 촉진하여 소변량 억제, 혈압 상승
	옥시토신(OT)	자궁근육의 수축
갑상샘	트라이아이오딘티로닌(T3)	기초대사의 유지·상승, 혈당의 상승. ※요소(=아이오딘) 원자를 3분자 가졌기 때문에 T3으로 표기된다.
	타이록신(T4)	작용은 T3과 동일하지만 T3이 몇 배 더 작용이 강하다
	칼시토닌(CT)	혈중 칼슘농도의 저하, 뼈의 칼슘분해 억제
부갑상샘(상피소체)	부갑상샘호르몬(PTH)	혈중 칼슘농도의 상승, 혈중에서 인산염을 소변으로 배설

이자	인슐린	뼈대근육, 지방조직의 글루코스 합성을 촉진, 혈중글루코스 농도를 저하
	글루카곤	간의 글리코겐분해 등에 의하여 혈중글루코스농도를 상승
	소마토스타틴	인슐린의 분비를 억제, 성장호르몬의 분비를 억제
심장	심방나트륨이뇨펩타이드(ANP)	이뇨작용 및 말초혈관의 확장에 의한 혈압의 강하(심장의 부담을 가볍게 한다)
	뇌나트륨이뇨펩타이드(BMP)	주로 심실에서 합성, 이뇨작용에 의하여 체액량 및 혈압을 낮춘다, 전구체인 NTproBMP가 심실에 대한 부담의 지표로 이용된다
부신속질	아드레날린(에피네프린)	동공의 확대, 심박수의 상승, 기관지의 확장, 말초혈관의 수축, 혈당의 상승
	노아드레날린(노에피네프린)	혈압의 상승 등, 기능은 아드레날린과 동일하나 혈당의 상승 작용은 약하다
부신겉질	코티솔(당질코티코이드)	아미노산의 분해, 포도당의 합성, 항염증 작용, 항스트레스 작용
	알도스테론(전해질코티코이드)	요세관에 작용하여 나트륨이온의 재흡수와 칼륨이온의 배설을 촉진
정소	안드로겐	테스토스테론, 디하이드로테스토스테론, 디하이드로에피안드로스테론 등의 총칭. 남성의 성기 발달·목소리 변화 등 남성의 2차 성징을 발현, 정자 형성을 촉진, 뼈·뼈대근육의 성장을 촉진(단백질동화작용)
난소	에스트로겐(난포호르몬)	에스트론(E1), 에스트라디올(E2), 에스트리올(E3)의 세 종류로 구성된다. 태반에서도 생산. 여성의 2차 성징을 발현하고, 배란을 촉진한다
	게스타겐(황체호르몬)	주로 프로게스테론이라는 착상 및 임신을 유지하는 여성호르몬. 배란의 억제, 자궁점막의 증식, 젖샘발육을 촉진

2) 호르몬의 분류

호르몬은 50종류 정도가 알려져 있으며, 이것들은 화학적 구조에 따라 크게 세 종류로 구별된다(표 6-2).

(1) 펩타이드호르몬

펩타이드호르몬은 아미노산이 조합되어 구성된 단백형 호르몬으로, 보통 혈장 중의 농도는 10^{-10}~10^{-12}mol로 지극히 미량이다. 사람의 인슐린(그림 6-3)은 21개의 아미노산 잔기로 이루어진 A사슬과, 30개로 이루어진 B사슬이라는 두 줄의 펩타이드사슬로 구성되어 있으며,

표 6-2 호르몬의 분류

	펩타이드호르몬	스테로이드호르몬	아미노호르몬
생합성의 방법	단백질합성경로에서 생성	콜레스테롤의 산화 등에서 생성	아미노산을 재료로 생성
혈액 중에서의 반감기	몇 분	몇 시간	며칠
작용발현의 방법	세포막의 수용체에서 결합된 후 세포 내의 세컨드메시지가 기능을 발현시킨다	세포막을 통과하여 세포질 내의 수용체에 결합하여 핵에서 전사조절에 의하여 작용을 발현시킨다	세포막의 수용체(아드레날린등), 또는 세포질 내의 수용체(티록신)에 작용한다
호르몬의 예	인슐린, 글루카곤, 성장호르몬, 바소프레신, 옥시토신	코티솔, 알도스테론, 테스토스테론, 프로게스테론	티록신, 아드레날린, 세로토닌, 멜라토닌

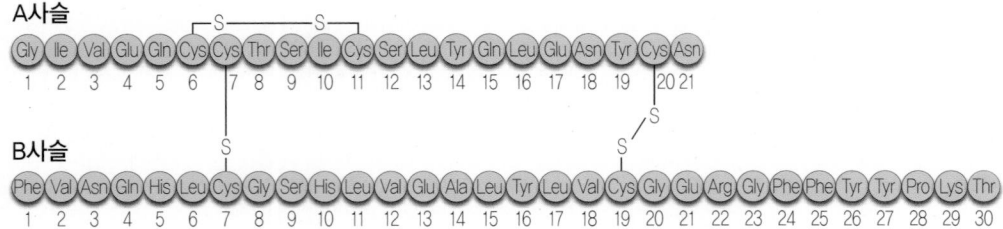

그림 6-3 인슐린의 구조

인슐린은 21개의 A사슬과 30개의 B사슬이라는 두 줄의 사슬로 된 펩타이드호르몬이다.

두 장소에서 시스틴결합(disulfide bond : S-S 결합 ; 기계적으로 강고한 결합이나 화학적인 반응을 받으면 절단 또는 재결합이 가능한 결합)으로 연결되어 있다. 예를 들어 사람의 인슐린은 분자량 5,764로 단백분자로는 크지 않지만, 수용성호르몬인 인슐린은 세포막을 빠져나갈 수 없다. 그러므로 세포막에는 호르몬과 특이적으로 결합하는 단백질인 수용체가 들어 있으며, 수용체에 결합함으로써 세포 내에 이차적 신호가 전송된다.

이상과 같이 펩타이드호르몬은 수용체에 결합함으로써 세포 내의 기능을 활성화시키는 이른바 스위치역할을 한다. 수용체결합 이후의 메커니즘을 살펴보면, 수용체의 입체구조가 변화하고 수용체에 인접한 G단백질을 변화시켜 포스포리파제C를 활성화시키는 유형(그림 6-4)과, G단백질에 인접한 아데닐산사이클라제의 활성화를 발생시키는 유형(그림 6-5)의 두 가지로 크게 구별된다.

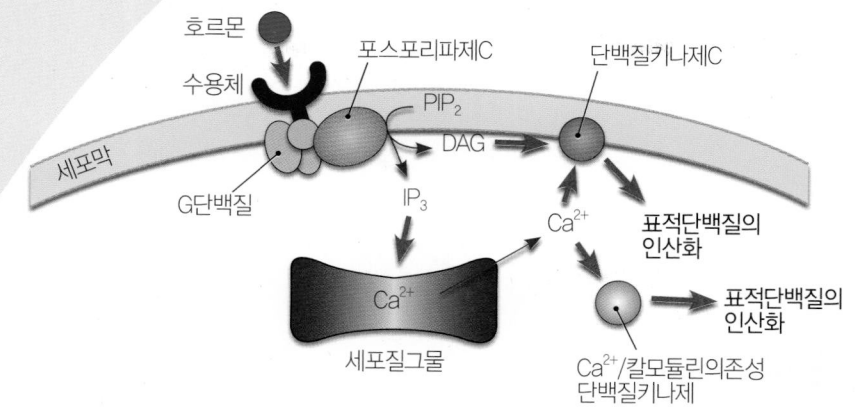

그림 6-4 **G단백질 및 포스포리파제C를 경유하는 호르몬의 작용기전**

이 유형에서는 호르몬의 결합 이후 G단백질을 변화시켜 포스포리파제C를 활성화시키고, 그 결과 IP_3(이노시톨1, 4, 5-3인산) 및 단백질키나제C가 활성화되어 세포 내 단백질의 인산화를 발생시켜 효력을 발휘한다(아드레날린 α1 수용체, 항이뇨호르몬수용체 등)
PIP_2: 포스파티딜이노시톨 4, 5-2인산, DAG : 디아실글리세롤

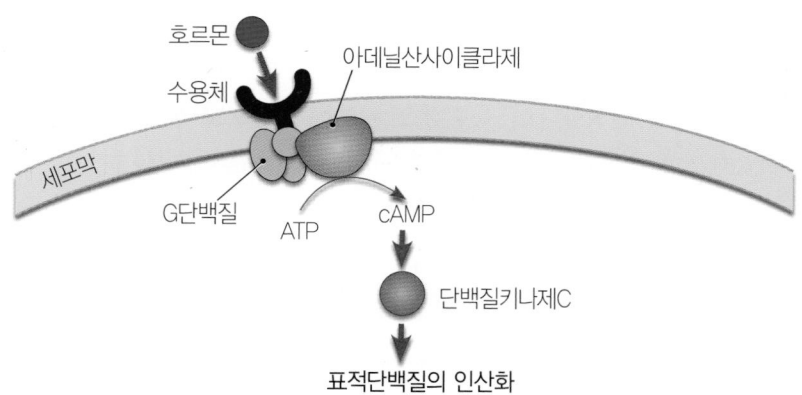

그림 6-5 **G단백질 및 아데닐산사이클라제를 경유하는 호르몬의 작용기전**

이것은 호르몬의 결합 이후 G단백질의 입체구조의 변화에 의하여 아데닐산사이클라제가 활성화하여 사이클릭AMP(cAMP)가 증가하는 유형의 수용체이다. 이 cAMP가 단백질키나제A를 활성화시켜 표적이 되는 단백질의 인산화를 촉진시키고 생리작용을 조절한다(아드레날린 β수용체, 글루카곤수용체). 또한 수용체결합 이후 cAMP가 감소하도록 활동하는 G단백질도 몇 종류(아드레날린 α2수용체) 있다.

(2) 스테로이드호르몬

그림 6-6과 같이 탄소 6원자고리(six-membered ring ; 6개의 탄소가 이어진 고리) 3개, 5원자고리 1개로 구성된 기본구조(스테로이드핵)를 가진 분자를 스테로이드(steroid)라고 한

스테로이드는 탄소 5원자로 구성된 고리모양의 구조 3개(A, B, C)와 탄소5원자로 구성된 고리모양의 구조 1개(D)를 공통으로 가지고 있다.

다. 혈장 중 농도는 10^{-6}~10^{-9}mol 정도이다.

스테로이드 중에서 호르몬으로서의 활동을 하는 것이 스테로이드호르몬인데, 부신겉질호르몬과 성호르몬이 대표적이다. 일반적으로 체내의 콜레스테롤을 재료로 하여 생성되며, 지질의 성질을 가지고 있다. 그러므로 소수성세포막을 쉽게 통과할 수 있으며, 세포 내부의 수용체와 결합하여 효력을 발휘한다. 근육증강을 꾀하는 도핑으로 종종 화제가 되는 것은 화학합성된 남성호르몬과 같은 작용을 가진 동화(anabolic)스테로이드제이다.

스테로이드호르몬과 아미노호르몬의 일부(티록신, 트라이아이오딘티로닌 등)는 세포질 또는 핵 내에 있는 수용체를 통하여 효력을 발휘한다. 이 유형의 호르몬이 수용체와 결합하면 수용체의 입체구조가 변화하고, DNA에 직접 작용하여 표적이 되는 단백질(대부분은 효소)의 전령RNA(mRNA : messenger ribonucleic acid)를 증가시키므로 그 단백질이 많이 합성되게 되어 생리기능을 항진시킨다. 그러므로 펩타이드형 호르몬보다도 효과가 나타날 때까지 시간이 걸리지만, 효과가 비교적 오래 지속되는 특징이 있다.

(3) 아미노호르몬(아미노산유도체호르몬)

NH_2 형태를 가진 것을 아미노기(amino group)라고 하며, 아미노기를 가진 물질을 아민(amine)이라고 한다. 또한 아민인 비교적 간단한 구조의 호르몬을 아미노호르몬(amino hormone)이라고 한다. 아드레날린, 노아드레날린, 도파민 등의 신경호르몬은 그림 6-7과 같은 분자구조를 가진 카테콜핵과 아미노기($-NH_2$)가 결합된 구조를 하고 있는데, 이것들은 총칭하여 카테콜아민이라 한다. 대사촉진활동을 하는 갑상샘호르몬도 아미노호르몬의 일종이

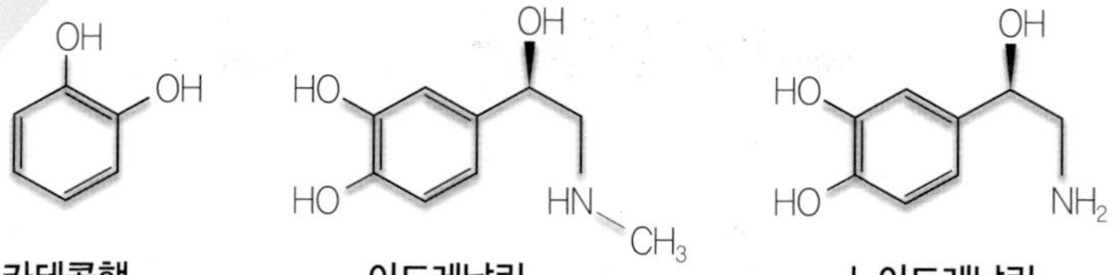

카테콜핵　　　　　아드레날린　　　　　노아드레날린

그림 6-7　카테콜아민류
6각형의 벤젠고리에 수소기(-OH)가 두 개가 붙은 카테콜핵에 아민이 붙은 구조를 하고 있다.

다. 이 중에서 카테콜아민류는 펩타이드호르몬 양식으로, 갑상샘호르몬은 스테로이드호르몬 양식으로 수용체와 결합하여 생리기능을 발생시킨다.

❷ 내분비계통의 기능

1) 호르몬분비의 계층성

인체는 스트레스를 받으면 시상하부(hypothalamic nucleus)에서 부신겉질자극호르몬방출호르몬이 뇌하수체의 부신겉질자극호르몬의 합성과 분비를 촉진시킨다. 그 결과 부신겉질에서 코티솔이 분비된다. 이렇게 보다 상위의 호르몬분비가 하위 호르몬분비를 촉진시켜나가는 구조를 호르몬분비의 계층성 지배라고 한다.

또한 부신겉질자극호르몬방출호르몬은 혈중코티솔의 농도에 따라 분비량이 조정된다. 이것을 호르몬의 피드백제어라고 하며, 시상하부분비호르몬의 대부분에서 이러한 관계가 나타난다(그림 6-8).

2) 호르몬의 작용과 수용체의 역할

아드레날린이나 노아드레날린과 같이 카테콜아민에 반응하는 수용체를 총칭하여 아드레날린수용체라고 한다. 아드레날린수용체는 α와 β라는 2종류의 형태가 있으며, α수용체는 α_1와 α_2, β수용체는 β_1, β_2, β_3라는 아형(subtype)이 있다(표 6-3). 카테콜아민에 의한 작용은 각각의 기관이나 조직에서 어떠한 수용체가 많은가에 따라서 발생방식이 다르다.

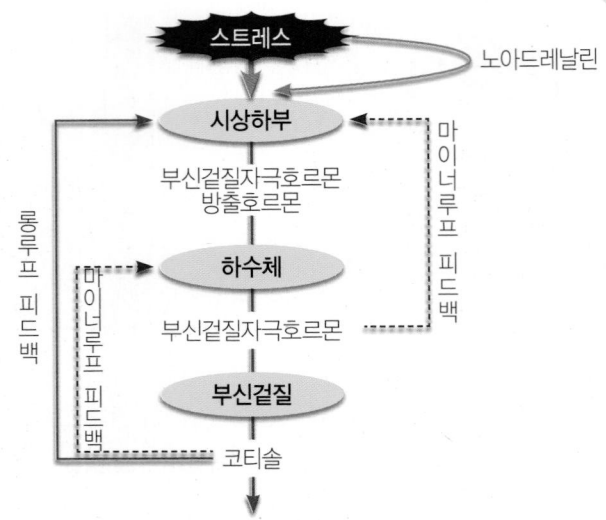

그림 6-8 **호르몬의 분비계층**

시상하부를 상위로 하여 뇌하수체를 조절하고, 각각의 분비샘이 조절되고 있다. 또한 하위의 분비샘은 상위에 작용하여 호르몬의 농도를 일정하게 조절하는 기능이 있다.

표 6-3 **아드레날린수용체**

수용체의 형태	α₁	α₂	β₁	β₂	β₃
친화성	아드레날린=노아드레날린		아드레날린>노아드레날린		
주요 기능	혈관수축 글리코겐분해 (혈당치 상승) 동공의 확대	노아드레날린의 분비 억제 혈관 수축 인슐린 분비 억제 지방분해를 억제	심장수축력의 상승 지방분해의 촉진	혈관 및 기관지의 이완 글리코겐분해 인슐린분비의 항진 당대사의 활성화	체온상승

❸ 호르몬에 의한 대사조절

1) 당대사와 호르몬

　당은 생명활동에 꼭 필요한 아데노신3인산(ATP : adenosine triphosphate)을 만들기 위한 에너지원으로 섭취하는 영양소에서 70%를 차지하고 있으나, 체내에는 체중의 5% 정도밖에 보유하고 있지 않다. 당 중에서도 글루코스는 뇌신경계통의 유일한 에너지원으로, 농도가 너무 낮아지면 생명에 위험을 줄 수도 있으므로 혈중글루코스농도를 높이는 시스템이 인체에 다수 마련되어 있다.

한편 혈당(blood glucose, blood sugar)이란 다양한 종류의 당을 간단하게 분리하여 분석할 수 없었던 시절부터 사용된 관용어로, 정확하게는 혈액 중의 글루코스(포도당)를 가리킨다.

(1) 혈중글루코스농도를 낮추는 호르몬

혈중글루코스농도를 낮추는 활동을 하는 호르몬은 인슐린으로 한정된다. 애당초 혈중글루코스농도는 음식에 의하여 상승하기 때문에 당대사와 혈중글루코스농도의 항상성유지에는 인슐린의 역할이 매우 크다.

혈중글루코스농도의 정상수치는 75~100mg/dℓ 정도이지만, 인슐린 부족이나 인슐린에 대한 조직의 감수성이 저하되면 글루코스흡수능력이 저하되어 혈중글루코스농도가 높은 상태가 계속된다. 혈중글루코스농도가 180mg/dℓ 정도 이상이 되면 콩팥에서의 재흡수가 따라가지 못하여 소변으로 글루코스가 배출되는데, 이것이 당뇨병이다.

당뇨병의 병태는 기원전부터 알려져 있었으나, 이자의 추출물이 혈당치를 저하시키는 것이 밝혀진 것은 1890년 즈음이다. 또한 인슐린이 발견되어 당뇨병의 극적인 치료약으로 이용되게 된 것은 1920년대부터이며, 면역학적 측정법이 개발되어 호르몬으로서 처음으로 정확한 분석이 가능해진 것은 1959년으로 비교적 최근의 일이다.

인슐린의 주요역할은 간에서의 글리코겐합성과 뼈대근육의 강력한 글루코스흡수작용에 의하여 혈중글루코스농도를 저하시키는 것이다. 글루코스의 이용에 뼈대근육은 큰 역할을 가지고(글루코스의 전체 이용량의 7할 정도를 차지한다) 있으므로 인슐린에 의한 글루코스의 흡수촉진은 혈중글루코스농도의 안정에 매우 중요하다.

근육에서는 글루코스나 아미노산의 흡수항진작용 외에 당분해작용을 촉진하여 글리코겐 및 단백질의 합성을 촉진시킨다. 지방세포에서는 단백질 및 DNA의 합성을 촉진함과 동시에 지방분해를 억제하고, 간에서는 글리코겐합성을 촉진(글리코겐합성효소의 활성화)하고 당신생을 억제하는 등의 작용을 한다.

인슐린의 뼈대근육에 대한 글루코스흡수는 세포막에 있는 인슐린수용체로 결합되어 발생한다. 인슐린이 수용체에 결합되면 수용체 자체가 가지고 있는 타이로신키나제(tyrosine kinase)의 활성을 항진시키는데, 이것이 세포 내의 단백질인산화를 촉진함으로써 인슐린의 생리작용을 일으키게 된다.

(2) 혈중글루코스농도를 높이는 호르몬

혈중글루코스농도를 높이는 대표적인 호르몬은 글리카곤과 아드레날린이다. 이외에 갑상샘호르몬·성장호르몬·글루코코티코이드 등도 혈중글루코스농도를 상승시키는 작용을 한다. 글루카곤은 혈당치가 너무 낮아지는 것을 방지하기 위하여 간에서의 글리코겐분해를 촉진하거나 글리코겐합성효소를 억제하여 혈액 중으로 글루코스가 방출되는 것을 높인다. 또한 지방조직에서 지방분해를 진행하는 작용을 가지고 있어 당이나 지방을 에너지로 소비하기 위한 열쇠가 되는 호르몬이다.

아드레날린은 간 및 뼈대근육의 β아드레날린수용체에 결합되어 글리코겐분해를 촉진하고 혈중글루코스를 높이는 활동을 한다. 이밖에 심박을 강하게 하여 혈압을 높이거나 기관을 확장시키는 작용을 하며, 운동 시의 당대사에 큰 영향을 미친다.

2) 지질대사와 호르몬

지질(lipid)이란 물에 잘 녹지 않고 유기용매에 녹는 화합물의 총칭으로, 어떠한 물질인가에 대한 명확한 정의는 없다. 오늘날 과다한 체지방률이 문제가 되는 경우가 많다. 중성지방(triglyceride)은 물을 함유하고 있지 않으므로 체내에서 작은 형태로 저장할 수 있는 우수한 에너지원이며, 콜레스테롤이나 인지질은 세포막을 강하게 하거나 호르몬의 원료이기도 하여 인체에서 매우 중요한 역할을 한다.

혈액 중의 지질은 중성지방이 25%, 인지질과 콜레스테롤이 각각 35~38% 정도이며, 기타 유리지방산(FFA : free fat acid)이 2%(혈장 중에는 5% 정도) 들어 있다. 유리지방산은 운동 시의 에너지원으로 중요한 물질이지만, 물에 녹지 않아 혈액 중의 알부민과 결합하여 순환하며, 뼈대근육·심장근육 등 필요한 조직에서 흡수하여 이용된다.

인슐린은 지방조직에서 지질단백질리파제(lipoprotein lipase)의 활성을 상승시켜 지방세포 내의 중성지방저장량을 증가시킴과 동시에 호르몬감수성리파제의 활성을 저하시켜 지방세포 내의 중성지방분해를 억제한다. 또한 인슐린에 의하여 글루코스운송담체(GLUT4 : glucose transporter type 4)를 활성화하여 지방세포로의 글루코스흡수가 증가하고, 유리지방산을 중성지방으로 저장하는 작용도 높일 수 있다.

지방분해는 아드레날린 및 노아드레날린에 의하여 발생한다. 이밖에 글루카곤·갑상샘자극호르몬(TSH : thyroid-stimulating hormone)·글루코코티코이드 등도 약하게나마 지방분해작용을 한다. 한편 성장호르몬도 지방분해작용을 한다. 이러한 호르몬은 지방세포의 막에 있는 호르몬수용체와 결합하여 세포 내의 아데닐사이클라제(adenylate cyclase)를 활성화시킨다. 그 결과 세포 내의 cAMP(cyclic adenosine monophosphate, 고리모양1인산)가 증가한다. cAMP가 단백질키나제A(PKA ; protein A키나제라고도 한다)를 활성화시키면, 이어서 호르몬감수성리파제를 활성화(인산화)하여 최종적으로 중성지방을 유리지방산과 글리세롤로 분해시키는 연속반응이 발생한다(그림 6-9).

　리파제란 지방을 분해하는 기능을 가진 효소(지방산에스테르를 지방산과 글리세롤로 가수분해한 반응을 촉매한다)를 말한다. 지방세포 및 뼈대근육세포에서 지방분해에 직접 작용하는 것은 활성화된 호르몬감수성리파제이다. 이때 아드레날린 등의 호르몬이 세포막에 있는 지방분해시스템의 스위치를 누르게 된다.

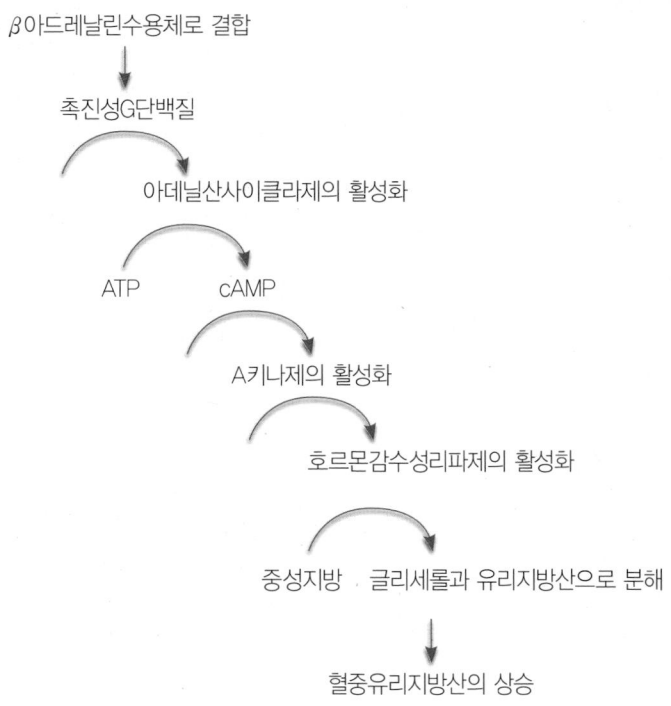

β아드레날린수용체로 결합

촉진성G단백질

아데닐산사이클라제의 활성화

ATP　　cAMP

A키나제의 활성화

호르몬감수성리파제의 활성화

중성지방　글리세롤과 유리지방산으로 분해

혈중유리지방산의 상승

그림 6-9　아드레날린의 수용체결합부터 지방분해까지의 과정

아드레날린의 지방분해작용에는 다음과 같은 단계가 있다. 세포막의 안쪽면에 있는 아데닐산사이클라제에 의하여 2차적인 전령물질(second messenger)인 사이클릭AMP(cAMP)를 통하여 단백질키나제(A키나제)를 활성화한다. 그 결과 호르몬감수성리파제가 활성형이 되어 중성지방이 에너지로 이용 가능한 유리지방산으로 분해된다.

갈색지방조직에는 β_3수용체가 많이 나타난다. β_3수용체에 아드레날린이 결합하면 갈색지방세포 내에 있는 미토콘드리아의 결합저지단백질(UCP : uncoupling protein)이라고 불리는 발열기전을 활성화시켜 지방의 에너지에서 열을 생산한다. 미토콘드리아는 미토콘드리아의 이중막 사이에서 내부로부터 수소를 가져와 ATP를 만드는 에너지를 얻고 있으나, UCP는 수소를 발열에 이용해버린다. 아드레날린의 작용으로 백색지방조직에서 유리된 지방산이 ATP 생산이 아닌 열에너지로 바뀌어 소비된다. 즉 β_3수용체가 많은 사람은 에너지가 열로 방산되기 쉬워 마른 경향을 보일 수도 있다. 사실 β_3수용체의 기능이 저하되면 비만이 되기 쉽다는 점이나, 비만인 사람 중에 UCP의 발현량이 적다는 점도 알려져 있다. 추운 환경의 적응이나 비만예방관점에서 갈색지방세포의 연구가 진행되고 있다.

3) 단백질대사와 호르몬

뼈대근육은 사람의 최대단백저장원이며, 체중의 50%를 차지한다. 건강한 성인은 1일 50g 정도가 혈중아미노산으로 뼈대근육에서 합성(동화)되고 있다. 또한 단백질은 기아 등과 같은 극단적인 환경에서는 아미노산의 공급원으로 이용되기도 한다.

성장호르몬은 뇌하수체앞엽에서 분비되는 펩타이드호르몬으로, 근육에서는 혈액으로부터의 아미노산흡수를 증가시키고 근육단백질합성을 촉진한다. 근력트레이닝에서 사용되었거나 상해를 입은 근육의 재합성에도 성장호르몬이 이용된다. 이 성장호르몬은 수면 초기(1~2시간 후)에 대량으로 분비되는 특징이 있다. 따라서 근력트레이닝은 야간에 실시하는 것이 효과적일 수도 있다.

그러나 야간에 트레이닝을 할 때에는 트레이닝에 의한 흥분이 진정되고 수면에 지장이 없는 시간대가 언제인지는 조정해야 한다. 또한 수면 초기에 방출되는 성장호르몬의 분비패턴은 낮잠을 잘 때에도 나타나므로 합숙훈련을 할 때에는 트레이닝 후에 낮잠시간을 설정하는 것도 효과가 있다. 왜냐하면 근육은 근력트레이닝 중에 증강되는 것이 아니라 트레이닝 후의 수면 시에 만들어지기 때문이다.

테스토스테론은 단백동화작용을 하는 스테로이드호르몬이다. 주로 고환에서 만들어지는데, 난소나 부신에서도 소량 생산된다. 사춘기 이후에 급속하게 분비량이 증가하여 수염이나 음모의 발모와 같은 남성의 이차성징 전반에 영향을 주는데, 근육의 발달에도 강한 작용을 한다. 따라서 근력증강을 위한 본격적인 근력트레이닝은 테스토스테론이 증가하는 사춘기 후부터 실시해야 한다.

　　테스토스테론은 근력의 증강에 효과적이므로 오래 전부터 도핑콘트롤의 대상이지만, 실제로는 테스토스테론으로서 오랫동안 작용하는 스테로이드제가 개발되어(anabolic steroid, 단백동화스테로이드) 많은 스포츠선수가 사용해왔다. 물론 스테로이드제만으로 근력이 강해지는 것은 아니며, 격렬한 트레이닝이 부하되어야 근력의 항진이 발생한다. 따라서 '간단한 근력증강'이라고 생각되는 것은 스테로이드제를 이용하는 선수의 심리를 반영하지 않은 것이다. 그렇다고는 하나 단백동화스테로이드제에는 고혈압, 간기능장애, 발암, 고환위축, 여성화유방, 전립샘비대, 무월경 등의 부작용이 있다는 것이 드러났다. 무엇보다도 경기의 공평성이라는 관점에서 건강한 경기자는 사용해서는 안 된다.

④ 운동과 호르몬

1) 운동 시의 대사와 호르몬

　　운동을 할 때 나타나는 호르몬반응은 표 6-4와 같이 변동하는 것으로 알려져 있다. 운동 중에는 근육의 글루코스흡수량이 증가하는데, 이것은 ATP를 생산하기 위한 에너지로 사용되는 글루코스의 필요량이 증가하기 때문이다.

　　그런데 운동 중에는 글루코스를 근육이나 간에서 방출시키는 호르몬이 대부분 상승함에도 불구하고 혈중인슐린농도는 반대로 저하된다. 이것은 운동 중 뼈대근육이 수축자극에 의하여 근육세포 중의 활성화단백질키나제(AMPK : activated protein kinase)라는 효소를 활성화시키기 때문이다. 이때 인슐린에 의존하지 않고 글루코스수송체의 세포막이행을 촉진한다. 즉 운동 중 인슐린분비가 감소하여도 글루코스흡수는 증가하는데, 이것을 운동에 의한 인슐린절약효과라고 한다. 운동 시에 글루코스를 방출시키는 호르몬작용이 활성화되어 혈액 중의 글루코스농도를 높이고, 그 작용에 대항하는 인슐린이 저하함으로써 필요한 양의 글루코스를 근육이 이용할 수 있게 된다.

　　브래디키닌(bradykinin)은 혈관민무늬근육을 이완시키는 작용을 강력하게 하며, 운동 시에는 혈관을 확장시켜 혈압을 낮추는 작용을 하는 펩타이드호르몬이다. 또한 뼈대근육의 글루코스수송체(GLUT4 : glucose transporter protein 4)를 세포막으로 이행시키는 기능(translocation)도 있다. 과도한 근력트레이닝에 의하여 근육조직이 손상되면 근육에서 브래디키닌이 유리된다. 브래디키닌에는 혈관투과성을 항진시키는 작용도 있어 세정맥의 투과성

표 6-4   일회성운동에 대한 혈중호르몬의 반응

호르몬명	일회성운동에 대한 혈중호르몬의 반응
성장호르몬	상승, 장시간운동의 후반에 감소
프롤락틴	상승
갑상샘자극호르몬	상승, 장시간에서 감소(?)
부갑상샘자극호르몬	상승, 장시간운동에서 더욱 상승
생식샘자극호르몬	변화 없음
바소프레신	상승
티록신	변화 없음, 또는 상승(유리형에서도 불일치)
칼시토닌	일반적으로 변화 없음, 그러나 장시간운동에서 상승
부갑상샘호르몬	변화 없음
광물코티코이드	시간에 따라 상승
글루코코티코이드	상승, 그러나 장시간운동의 후반에 안정수치로 감소
노아드레날린	상승
아드레날린	고강도운동에서 상승
인슐린	감소, 장시간운동에서 더욱 감소(?)
글루카곤	운동의 후반에 상승
소마토스타틴	장시간운동에서 점차 상승
남성호르몬	격렬한 운동에서 상승 또는 변화 없음, 장시간운동에서 감소(?)
여성호르몬	격렬한 운동에서 상승 또는 변화 없음
레닌	상승, 장시간운동에서 더욱 상승
β 엔도르핀	상승
cAMP	상승, 장시간운동에서 더욱 상승

이 증가하고 혈액 중의 단백질이 혈관 밖으로 누출되기 쉬워지면 부종·국소발열·통증 등이 발생한다. 운동 후 조기에 발견되는 근육통의 한 요인은 브래디키닌에 의한 염증반응이다.

2) 호흡순환계통의 기능과 호르몬

활동근육은 운동강도가 높아지면 그 강도에 따른 산소나 에너지공급, 즉 혈류량의 증가를 필요로 한다. 안정상태의 심박은 주로 자율신경계통에 의하여 조절되는데, 운동 시에는 호르몬의 영향이 추가된다. 운동강도가 50%VO$_2$max 정도가 되면 부신속질과 아드레날린 작동성 신경종말기관에서 노아드레날린의 방출량이 증가하여 혈중농도가 상승한다. 그리고 운동이라는 스트레스 반응의 결과로 시상하부-뇌하수체앞엽(ACTH)-부신겉질계에 의하여 60%VO$_2$max 정도부터 혈중코티솔농도가 상승하기 시작하고, 75%VO$_2$max 정도의 강도까지 부신속질에서 유래한 아드레날린분비량이 많아진다.

　어떠한 호르몬도 심장의 수축력을 높이고 혈압을 높이는 기능이 있지만, 아드레날린은 α_1수용체가 많은 피부나 콩팥의 혈관은 수축시키는 한편, β_2수용체가 많은 뼈대근육, 간 및 심장동맥에서 혈관은 확장시키는 작용을 동시에 발생시킨다. 이 뼈대근육의 혈관확장은 혈류를 매끄럽게 하여 산소공급에 효과적이며, 혈압을 과도하게 높이지 않도록 활동하여 압력반사에 의한 심박수 및 심박출량의 저하를 방지하고 있다.

　아드레날린이 천식발작의 치료에 널리 이용되는 이유는 기관지를 넓히는 기능을 하기 때문이다. 아드레날린에는 β_2수용체를 통하여 기관지민무늬근육을 확장함과 더불어 기관지의 수축에 활동하는 히스타민 등과 같은 다른 물질에 대항하는 작용도 있어 운동 시에 환기를 효율 좋고 매끄럽게 한다.

　운동 시에 심장에 걸리는 부하가 증가하면 심장에서 심방나트륨이뇨펩타이드(ANP : atrial natriuretic polypeptide) 및 뇌나트륨이뇨펩타이드(BNP : brain natriuretic peptide ; 심실 유래)가 분비된다. 이러한 호르몬은 혈관을 확장시킴과 더불어 이뇨작용을 높임으로써 혈압을 낮추는 기능이 있다. 이것은 심장 자체에 과잉부하가 걸리지 않도록 하는 방어반응으로 생각된다. 최근에는 BNP의 전구물질인 proBNP가 심장에 대한 부담의 지표로 이용되기 시작하였다.

　에리스로포이에틴(erythropoietin)은 주로 콩팥에서 생산되는 적혈구조절호르몬으로, 동맥혈 중의 산소분압에 따라 조절된다. 조직이 저산소상태가 되면 에리스로포이에틴 생산세포에서 저산소유도인자(HIF-1 : hypoxia inducible factor-1)가 활성화되어 에리스로포이에틴 생산량을 증가시킨다. 에리스로포이에틴은 뼈속질과 같은 적혈구계의 줄기세포에 작용하여 적혈구생산을 유도한다. 고지트레이닝의 결과로 나타나는 적혈구나 헤모글로빈량의 증가는 저산소자극에 의하여 발생한 에리스로포이에틴의 생산이 항진된 결과이다.

3) 체액·전해질·호르몬

　운동을 하여 많은 땀을 흘리거나 그에 따라 나타나는 전해질균형의 변화에 대응하는 대표적인 시스템이 레닌-안지오텐신-알도스테론계(renin-angiotensin-aldosterone system)라고 불리는 일련의 생리활성물질 및 뇌하수체뒤엽에서 분비되는 바소프레신(vasopressin ; 항이뇨호르몬)이다. 이것은 운동 시에는 체액량의 과잉손실을 방지하는 역할을 한다. 콩팥은 수분이나 나트륨농도를 조절한다. 레닌(renin)은 콩팥(토리곁세포)에서 분비되는 단백질분해효소의 일종으로, 콩팥의 혈류량이 감소하면(혈압이 저하되면) 레닌이 분비된다.

레닌은 신체운동으로 교감신경계통의 활동이 왕성해지면 분비량이 많아지는 것으로 볼 때 운동강도가 높아질수록 분비량이 증가한다고 볼 수 있다. 혈액 중의 글로불린에 함유된 안지오텐시노겐을 안지오텐신 I 으로 바꾸고, 다음으로 이 안지오텐신 I 이 안지오텐신변환효소의 활동으로 혈압을 높이는 활성이 강한 안지오텐신 II로 변한다. 그리고 안지오텐신 II는 부신겉질에서 알도스테론분비를 촉진하지만, 이 알도스테론과 안지오텐신 II는 세뇨관에서 Na^+의 재흡수를 높이도록 활동한다. 이 때문에 Na^+와 수분을 유지하고 순환혈액량이나 체액량이 유지된다.

바소프레신은 콩팥집합관의 수분재흡수를 항진시키기 위하여 체액량을 유지시킴과 동시에 운동 시 소변의 양을 감소시킨다. 운동에 의하여 체액이 탈수경향을 보이면 혈장 및 세포바깥액의 수분을 빼앗기고, Na^+을 시작으로 하는 이온농도가 상대적으로 높아져 삼투압이 상승하게 된다. 바소프레신은 삼투압상승을 감지하여 상승한다.

그러므로 운동 시의 혈중바소프레신농도는 체액의 삼투압상태에 따르게 되어 많은 땀이 날 정도의 운동강도에서 상승하기 시작한다. 운동 시의 체액량을 확보해두는 것은 발한을 위한 수분을 확보해기 위해서 중요한 의미가 있다. 다만 많은 땀을 흘리는 운동을 할 때에는 발한에 의한 수분손실이 환경에 따라 1시간당 1~2ℓ도 될 수 있으므로 이 시스템이 정상적으로 기능하였다고 하여도 수분보급을 빠뜨려서는 안 된다.

심방나트륨이뇨펩타이드는 심박수상승 등 심장의 펌프기능에 부담이 갈 때 주로 심장의 심방에서 분비되는 호르몬이다. 이 호르몬은 레닌-안지오텐신-알도스테론계를 억제하고 바소프레신의 분비량을 억제하는 작용과 더불어 혈관을 확장시키고 콩팥에서의 물 재흡수를 억제하고 수분과 Na^+를 배출함으로써 이뇨작용을 높여 혈압을 강하시키는 역할을 한다.

4) 항스트레스호르몬

운동은 신체에 스트레스를 주기도 한다. 운동강도가 상승하거나 운동이 장시간 지속되면 다른 스트레서에 의한 자극과 마찬가지로 시상하부·뇌하수체·부신겉질자극호르몬(ACTH)

등을 시작점으로 스트레스호르몬의 혈중농도가 높아진다. ACTH의 활동에 의하여 항염증 작용이나 혈중글루코스농도를 높이는 역할을 하는 코티솔이 부신겉질에서 분비됨과 더불어 교감신경계통의 활동으로 아드레날린이 부신속질에서 분비된다. 이것은 혈중글루코스농도를 높여 세포의 에너지를 확보하기 쉽게 만들고, 혈관을 확장하여 혈류량을 증가시켜 '투쟁'이나 '도주'를 대응하도록 준비시킨다.

50~70%VO$_2$max를 넘는 강도의 운동이 몇 분 이상 지속되면 뇌하수체로부터 β엔도르핀이 분비되어 혈중농도가 높아진다. 엔도르핀이란 내인성(endogenous) 모르핀(morphine)으로부터 만들어진 단어로, 강력한 진통작용이 있어 운동이라는 스트레스가 고통을 증폭시키지 않도록 작용한다. 러너스하이(runner's high)란 β엔도르핀의 고조에 의하여 발생하는 행복감·다행감·도취감 등으로 볼 수 있으며, 1980년 즈음부터 학술적인 보고가 있다. 현재에도 러너스하이의 발현유무나 메커니즘에 대해서는 분명히 밝혀지지 않았지만, β엔도르핀이 운동 후의 심리적인 행복감과 상관관계가 있다는 보고도 조금씩 있다.

5 트레이닝의 효과

1) 트레이닝과 호르몬

장기트레이닝을 실시하면 호르몬분비기구도 그 운동에 적응하게 된다(표 6-5). 일반적으로 항스트레스호르몬은 운동시간·강도와 같이 그 운동에 대한 생리학적 스트레스에 따라 상승하지만, 같은 강도의 운동이라도 체력이 향상되어 상대적인 부담이 저하되면 항스트레스호르몬의 분비도 적어진다는 보고가 많다.

일회성운동으로 혈중코티솔은 변화하는데, 이때 단련자는 상승한다. ACTH나 혈중아드레날린농도도 운동강도 및 시간에 따라 변화하지만, 장기트레이닝에 의하여 상승 정도가 적어지는 것으로 알려져 있다. 또한 장기트레이닝에 의하여 실시하려고 하는 운동에 대한 심리적인 부담이 낮아지는 것도 항스트레스호르몬을 낮추는 인자가 된다.

2) 오버트레이닝

트레이닝이 과다하거나 트레이닝 후 충분히 회복하지 못한 채 피로가 누적되어버린 현상

표 6-5 트레이닝에 따른 혈중호르몬의 변화

호르몬명	트레이닝 후의 혈중호르몬반응
성장호르몬	같은 운동에 대한 상승 정도가 적다, 장시간운동에서 그 수준을 유지
프롤락틴	여성은 상승
갑상샘자극호르몬	안정상태의 농도가 감소
부갑상샘자극호르몬	같은 운동에 대한 상승 정도가 적다
황체형성호르몬	여성은 상승(?)(안정상태의 감소 때문)
난포자극호르몬	변화 없음
바소프레신	변화 없음(?)
갑상샘호르몬	운동 시에 비단련자의 안정 수준까지 상승, 장시간운동에서도 그것을 유지
광물코티코이드	안정상태의 농도가 감소(?)
글루코코티코이드	지구력 트레이닝에서 동일한 운동에 대한 상승 정도가 적고 격렬한 운동에서 더욱 상승
노아드레날린	동일한 운동에 대한 상승 정도가 적다(%최대산소섭취량으로 나타내면 불변?)
아드레날린	동일한 운동에 대한 상승 정도가 적다(%최대산소섭취량으로 나타내면 불변?)
인슐린	안정상태의 농도가 감소하여 동일운동에 대한 감소 정도가 적다
글루카곤	동일한 운동에 대한 상승 정도가 적다
남성호르몬	(남성) 안정상태의 수치가 근력트레이닝으로 상승, 지구력 트레이닝으로 감소(?) (여성) 상승
여성호르몬	(남성) 안정상태의 에스트로겐이 감소 (여성) 배란기에 감소(안정상태에서 높아지기 때문?)
레닌	안정상태의 농도가 감소하여 동일운동에 대한 상승 정도가 적다(?)
β 엔도르핀	상승 정도가 크다
cAMP	변화 없음

을 오버트레이닝(over training)이라고 하며, 내분비계통에도 큰 영향을 미치는 것으로 알려져 있다. 오버트레이닝은 운동수행능력을 저하시키는 데 그치지 않고 식욕부진과 그에 동반한 체중의 감소, 강한 권태감이나 우울 경향을 초래하기도 한다. 이렇게 되면 오버트레이닝 증후군이라고 하는 병적인 만성피로상태가 되는데, 이 경우 회복까지 몇 주에서 몇 개월이 필요할 수도 있다.

통상적인 스트레스반응으로 교감신경계통의 흥분에 따른 카테콜아민분비와 시상하부-뇌하수체-부신겉질축(HPA : hypothalamic-pituitary-adrenal axis)에서 반응이 나타난다.

오버트레이닝상태에서는 이 반응에 흐트러짐이 발생하고 성장호르몬·부신겉질자극호르몬 등의 분비가 정상일 때보다 둔해진다. 이러한 상태에서는 코티솔·테스토스테론·아드레날린 등의 합성에도 영향을 미치므로 대사 및 전해질의 균형을 무너뜨리고, 운동수행능력도 향상되지 않게 된다. 운동에 의한 피로와 회복의 균형이 유지된다면 오버트레이닝 상태가 되지 않는다. 좋은 운동수행능력을 위해서는 부하의 질·양과 더불어 휴식의 질·양을 적절하게 선택하는 것도 트레이닝에서 중요한 부분이다.

3) 인슐린감수성의 상승

일반적으로 호르몬의 효과가 좋아지는 것을 감수성의 상승이라고 한다. 인슐린농도를 가로축으로, 인슐린에 대한 반응을 세로축으로 잡으면 그림 6-10과 같은 S자형태의 곡선이 되는데, 이것을 용량-반응곡선이라고 한다. 이 곡선이 왼쪽으로 움직이는 것(왼쪽으로의 변이)을 감수성의 상승이라 하고, 최대반응이 높아지는 것을 반응성의 상승이라고 한다. 인슐린감수성의 상승(인슐린저항성의 저하)이란 보통 S자곡선의 중앙에 있는 50%의 반응이 나타나는 양을 가리키는데, 이 곡선이 왼쪽으로 움직인다는 것은 보다 적은 양의 인슐린으로 같은 반응이 나타난다는 뜻이다. 즉 인슐린에 대한 감도가 높아진다는 뜻이다.

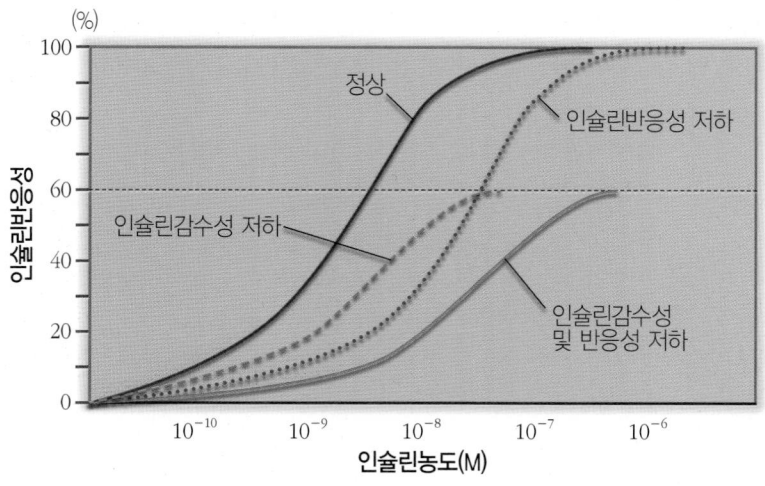

그림 6-10 **인슐린감수성과 반응성**

인슐린농도를 가로축으로 하면 인슐린의 효과는 그림과 같이 S자모양의 곡선이 된다. 정상적인 효과를 나타내는 곡선에서 최대효과가 저하하는 것을 반응성의 저하라고 하고, 농도가 높지 않으면 효과가 없는 것을 감수성의 저하라고 한다.

운동은 인슐린감수성을 상승시키므로 당뇨병의 예방 및 치료를 위한 중요한 수단으로 이용되고 있다. 예를 들어 인슐린감수성이 좋아지면 당뇨병환자의 인슐린주사량을 줄일 수 있다. 이러한 기전으로는 근육량의 증가, 근육모세혈관밀도의 상승 등과 같은 글루코스를 저장하는 공간의 증대나 근육세포에서의 글루코스수송체(GLUT4)의 증가를 들 수 있다.

또한 최근에 운동 중에는 뼈대근육의 수축자극에 따라 근육세포의 AMP키나제가 활성화되어 인슐린과는 관계없이 GLUT4의 막표면 이행이 발생하여 근육세포 내로의 글루코스 흡수를 촉진하는 것이 밝혀졌다. 이 현상도 결과적으로는 '보다 적은 양의 인슐린으로 효과가 있다'는 것을 의미하므로, 인슐린감수성의 개선으로 평가된다.

⑥ 성장·노화와 호르몬

사람의 뼈대근육은 이차성징 이후 남성호르몬의 발현에 의해 성별차이가 나타나게 되는 연령이 되면 남녀차이가 확연해진다. 남성은 뼈대근육의 발달이 현저해지고, 여성은 지방을 띠는 둥그스름한 신체가 된다.

남성호르몬인 테스토스테론은 근력트레이닝에 의하여 상승한다. 이 반응은 지구력트레이닝에서는 나타나지 않는다. 여성도 근력트레이닝에 의하여 테스토스테론이 상승한다고 보고된 점으로 볼 때 테스토스테론은 근육의 비대를 촉진하는 호르몬이라는 것을 알 수 있다.

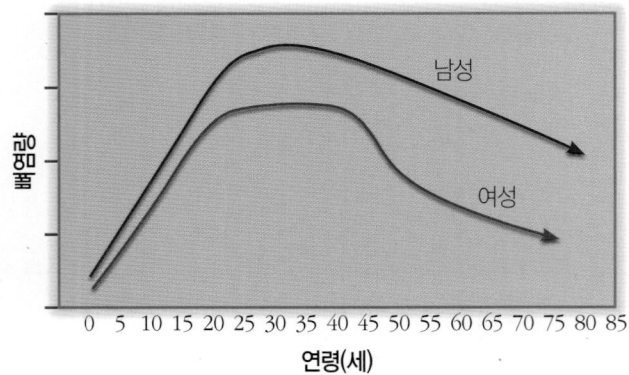

그림 6-11 연령에 따른 뼈염량의 변화
뼈염량은 20세 정도에 최대가 되고, 이후 연령과 더불어 저하한다. 여성은 폐경 후에 뼈염량이 급격히 저하한다.

여성호르몬인 에스트로겐은 트레이닝을 계속한 남성은 감소하고, 트레이닝을 하지 않은 남성은 증가한다. 한편 여성은 일상적인 트레이닝 유무와 관계없이 운동에 의하여 상승하는 것으로 알려져 있다. 또한 뼈대사에 관한 성호르몬의 영향은 여성호르몬인 에스트로겐, 뼈파괴세포(osteoclast), 뼈모세포(osteoblast) 등의 분비균형을 들 수 있다. 보통 뼈파괴세포와 뼈모세포의 활동은 균형이 유지되지만, 폐경이 지난 여성은 에스트로겐분비가 멈추기 때문에 두 가지의 균형이 무너져 뼈파괴세포의 활동이 강해짐으로써 뼈밀도가 저하된다. 여성에게서 뼈엉성증(골다공증)이 많이 나타나는 이유는 이 메커니즘 때문이다(그림 6-11).

7 환경과 호르몬

외부환경의 변화에 대응하여 인체가 항상성을 유지하거나 환경에 적응하려면 호르몬분비시스템이 큰 역할을 해야 한다.

1) 환경온도의 변화

피부의 한랭감각수용기가 자극을 받으면 먼저 피부표면이나 팔다리끝부분의 혈관을 수축시켜 체표면의 열방산을 억제시킨다. 그러다가 더 많이 체열을 빼앗기면 근육의 잔수축(떨림반사)으로 열을 생산하여 체열을 유지한다. 저온환경에 장시간 노출되면 갑상샘호르몬(티록신)이나 부신속질호르몬(카테콜아민) 분비를 증가시키고 대사를 높여 열생산을 촉진한다.

고온환경에서는 피부표면에 가까운 혈관을 확장(복사·대류)시키거나 발한(증발)에 의하여 체열을 방산한다. 동시에 항이뇨호르몬(ADH : anti-diuretic hormone)의 작용에 의하여 목의 갈증을 자극함과 더불어 콩팥에서의 수분과 전해질의 재흡수를 촉구하여 수분을 유지하고, 발한이 발생하기 쉬워지도록 활동한다.

2) 기압의 변화

고지대와 같은 저압환경에서 혈액 중의 산소농도가 저하되면 그 자극에 의하여 저산소유도인자(HIF : hypoxia inducible factors)가 활동하여 에리스로포이에틴 생산을 촉진시킨다. 에리스로포이에틴은 주로 콩팥에서 만들어지는 조혈호르몬으로, 적혈구를 증가시켜 산소운반능력을 높인다. 이것이 고지트레이닝의 중요한 효과 중 하나이다.

8 최근에 발견된 호르몬

최근 분석기술의 진보와 더불어 새로운 생리활성물질(adipocytokine)이 발견되었는데, 그 대부분은 지방조직에서 유래된 것이다. 지방조직은 지방을 축적하는 에너지저장조직에 불과하다고 인식되어 왔으나, 지방세포에서 분비된 물질이 면역·뼈밀도·갑상샘기능·생식 등에 대한 다양한 기능이 있다는 것이 차례로 밝혀지고 있다. 지방세포에서 분비되는 호르몬과 같은 작용을 하는 물질을 아디포사이토카인이라고 하며, 1990년대 이후 렙틴·아디포넥틴·레지스틴 등이 연속해서 발견되었다(그림 6-12).

1) 렙틴

렙틴(leptin)은 지방세포에서 분비되는 사이토카인(cytokine)으로 1994년에 발견되었다.

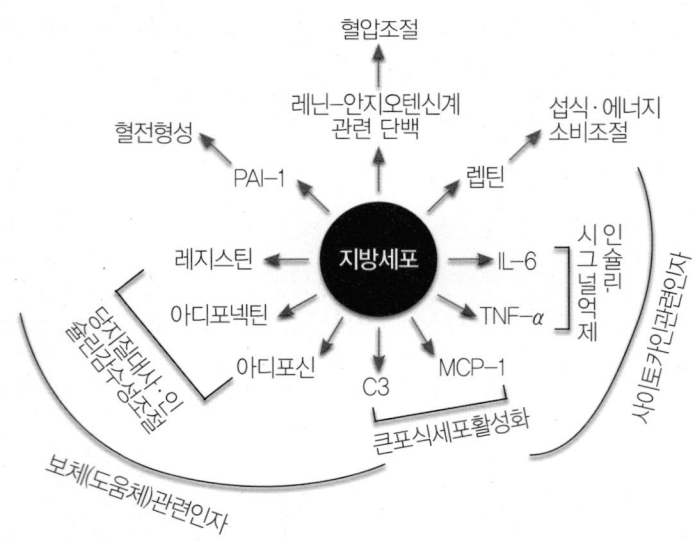

그림 6-12 지방세포에서 분비되는 다양한 생리활성물질

지방세포는 단순히 에너지저장뿐만 아니라 다양한 생리활성물질(adipocytokine)을 분비하여 대사에 큰 영향을 미치는 것이 밝혀졌다.

이것은 체지방이 어느 정도 존재하는가를 중추에 전달하는 피드백기능을 한다. 혈중렙틴농도는 체지방량에 비례한다. 즉 혈중렙틴농도가 높으면 체지방량이 많고, 농도가 낮으면 체지방량이 적다는 것을 의미한다. 이것을 감지하여 뇌가 체지방량을 생리적으로 정상상태라고 인식하는 체지방량(set point)으로 되돌리기 위하여 대사나 식욕을 담당하는 다른 호르몬분비에 영향을 준다(지방정상설).

렙틴은 시상하부의 포만중추(satiety center) 및 섭식중추(feeding center)에 있는 렙틴수용체를 통하여 식욕을 억제하거나 에너지소비를 증대시키는 기능을 한다. 동물실험에서는 렙틴투여가 비만을 억제하고, 장기간 고지방식을 섭취시키면 인슐린이나 먹이와 독립하여 렙틴농도가 증가한다는 보고가 있다. 일회성운동으로는 현저한 변동은 나타나지 않으며, 트레이닝이나 절식에 의하여 혈중농도가 저하하는 것도 보고되었다. 이렇게 장기트레이닝 후에 나타나는 혈중렙틴농도의 저하는 렙틴에 대한 감수성의 증가라기보다는 순수하게 체지방률을 반영한 것일 가능성이 높다.

2) 그렐린

그렐린(ghrelin)은 위에서 분비되는 펩타이드호르몬으로, 공복호르몬(hunger hormone)이라고도 한다. 이것은 렙틴에 대항하는 역할을 한다. 그렐린은 뇌하수체에 작용하여 성장호르몬분비를 강력하게 자극하는 한편, 식욕을 높여준다. 사람에게 그렐린을 투여하면 식욕을 증가시켜 체중증가 및 지방조직의 증대에 관여하는 것으로 나타난다.

3) 아디포넥틴

아디포넥틴(adiponectin)은 백색지방세포에서 분비되며, 인슐린감수성을 항진시키고 동맥경화를 예방하는 효과가 있다. 혈중정상수치는 5~10ug/$m\ell$로, 다른 사이토카인에 비하여 매우 고농도로 존재한다. 혈중아디포넥틴농도는 비만자나 당뇨병환자는 낮고, 체중을 감량할수록 증가하는 것으로 알려져 있다.

아디포넥틴은 뼈대근육 및 간에 수용체가 많고, 활성화단백질키나제(AMPK : activated protein kinase)를 활성화시키는 작용이 있다(그림 6-13). AMPK는 신체운동에 의하여 뼈대근육에서 ATP가 분해되어 발생하는 AMP에 의하여 활성화되는 단백질인산화효소로, 뼈대근육이 당이나 지방을 흡수하여 연소시키는 열쇠가 되는 중요한 효소이다. 아디포넥틴이

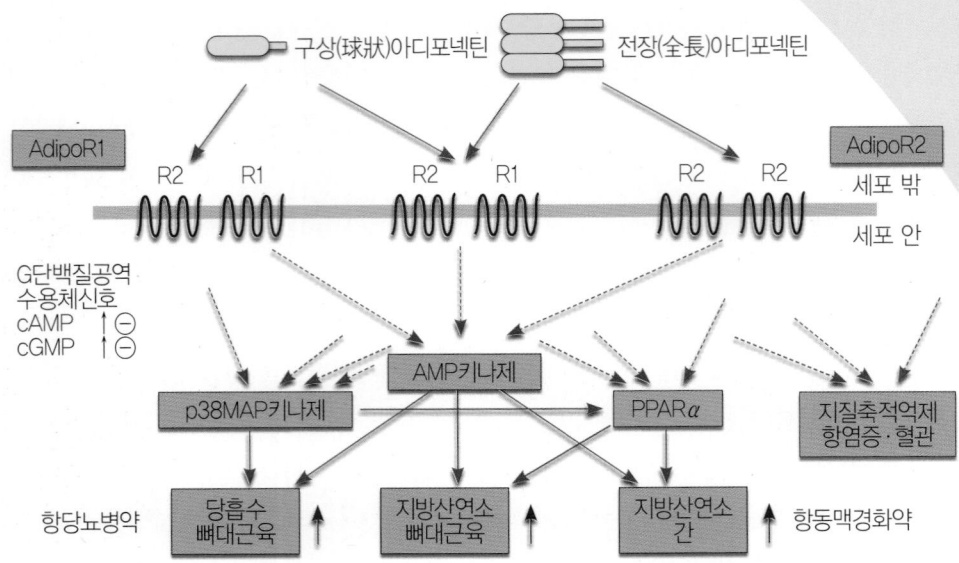

그림 6-13 **아티포넥틴의 작용기전과 대사제어**

지방세포에서 분비되는 아디포넥틴은 AMP키나제, PPAR α 의 활성화를 통하여 지방산의 연소, 에너지소비, 당의 합성을 높이는 것으로 나타난다.

※PPAR(peroxisome proliferator activated receptor, 페록시좀증식활성화수용체)는 α, β, γ 가 발견되었다.

※Adipo R1 : adiponectin receptor 1, Adipo R2 : adiponectin receptor 2

AMPK의 활성화로 인하여 뼈대근육에서 당의 흡수가 증가하고, 간에서 당신생이 억제되어 혈중글루코스농도를 저하시킨다고 하면, 아디포넥틴을 투여함으로써 운동을 하는 것과 동일한 대사가 발생하는 것일 수도 있다.

4) 레지스틴

레지스틴(resistin)은 인슐린저항성에 관여하는 분자로 명명된 약 100개의 아미노산으로 이루어진 지방에서 유래된 사이토카인이다. 사람은 단핵구(monocyte)나 큰포식세포(macrophage)에서의 분비를 확인할 수 있다.

레지스틴은 비만·고혈압·고지질혈증·저HDL혈증 등 대사증후군에 관련된 측정치와 상관관계가 높다는 보고가 많다. 현재에는 대사질환이나 동맥경화에 관련된 전형적인 악성물질일 수 있다고 추측하고 있다. 레지스틴의 작용기전은 분명하게 밝혀지지 않았으며, 운동에 의한 변동에 대해서도 밝혀지지 않은 점이 많다.

5) 종양괴사인자-α

종양괴사인자(TNF : tumor necrosis facror)-α는 큰포식세포나 지방세포에서 분비되는 사이토카인의 하나로, 전신조직에 분포하는 TNF수용체를 통하여 염증을 일으킨 세포의 세포자멸사(apoptosis)를 유발하고, 염증을 억제하는 역할을 한다고 보고 있다.

최근에는 오히려 염증을 유도하는 인자로 혈관내피세포를 방해하여 동맥경화를 발생시키거나, 인슐린저항성을 높여 아디포넥틴의 분비를 억제하는 등 대사의 관점에서 악성물질로 인식되는 경우도 있다. 신체운동에 의하여 지방세포가 감소하면 TNF-α의 분비도 저하된다.

7

호흡계통과 운동

① 호흡계통의 구조와 기능

1) 호흡기관의 구조

호흡은 살아가기 위하여 필요한 가스교환 행위를 말한다. 호흡을 통하여 에너지생산에 필요한 산소를 체내로 받아들이고, 대사를 통해서 이산화탄소와 수증기를 몸 밖으로 배출한

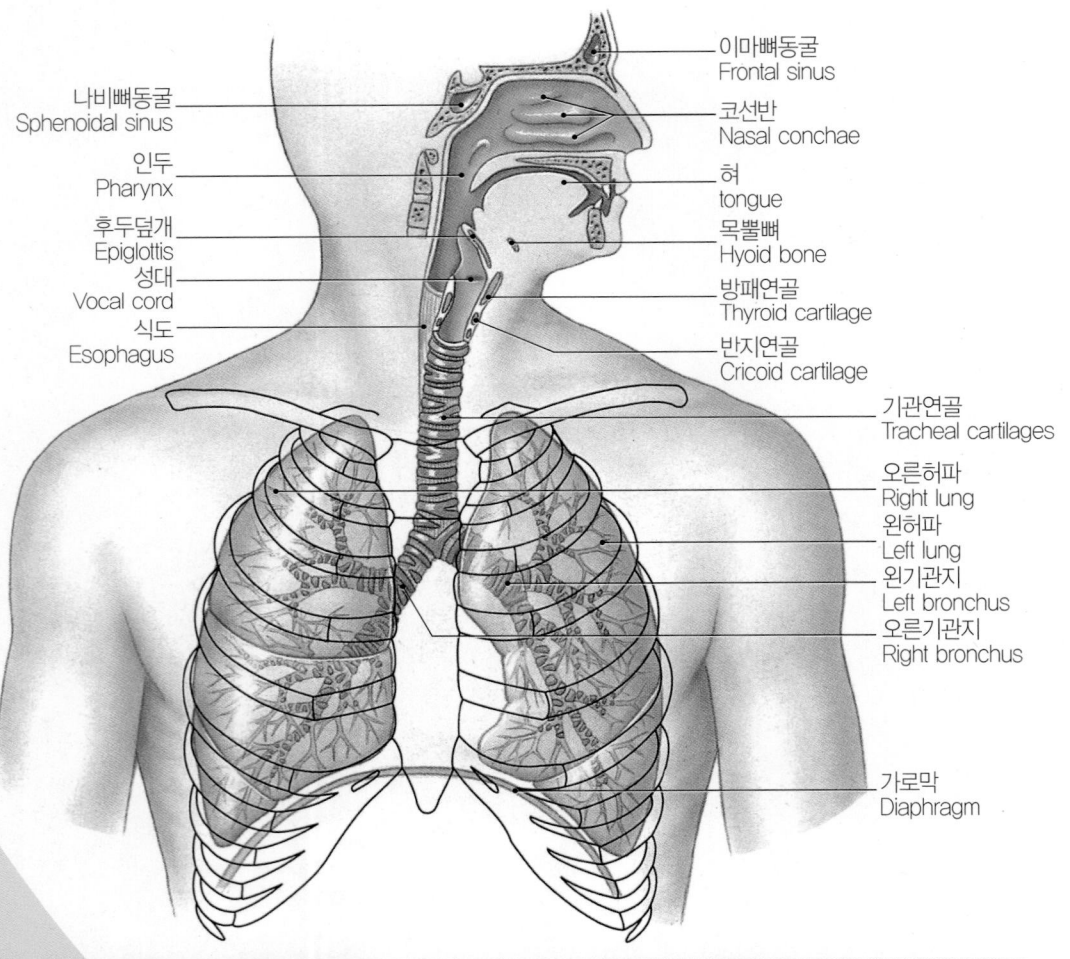

나비뼈동굴
Sphenoidal sinus

인두
Pharynx

후두덮개
Epiglottis

성대
Vocal cord

식도
Esophagus

이마뼈동굴
Frontal sinus

코선반
Nasal conchae

혀
tongue

목뿔뼈
Hyoid bone

방패연골
Thyroid cartilage

반지연골
Cricoid cartilage

기관연골
Tracheal cartilages

오른허파
Right lung

왼허파
Left lung

왼기관지
Left bronchus

오른기관지
Right bronchus

가로막
Diaphragm

그림 7-1 호흡계통의 구조
호흡계통은 산소를 체내로 들여와 이산화탄소와 수증기를 몸 밖으로 배출하는 역할을 한다.

다. 호흡기관은 그림 7-1과 같은 구조를 하며, 최종적으로 가스교환의 중요한 부분인 꽈리주머니(alveolar sac, 폐포낭)로 이어진다.

허파꽈리는 허파동맥에서 갈라져 나온 모세혈관그물에 둘러싸여 있다(그림 7-2). 여기에서 공기 중의 산소는 혈관 내(혈액)로 확산되고, 혈관 내(혈액)의 이산화탄소는 허파꽈리로 확산된다. 이 허파꽈리에서의 가스교환은 바깥호흡이라고 한다.

모세혈관그물 앞부분은 다시 집합하여 허파정맥에 연결된다. 허파꽈리는 한쪽 허파에 약 3억 개가 있으며, 합계 표면적은 약 $60m^2$(약 18평)에 달한다. 이 넓은 표면적이 가스교환(확산)을 용이하게 한다. 바깥호흡으로 얻은 산소는 체내의 각 조직으로 운반되어 세포 내에서 이용된다. 이때 이산화탄소가 세포 밖으로 방출된다. 이러한 조직에서의 가스교환을 속호흡이라고 한다.

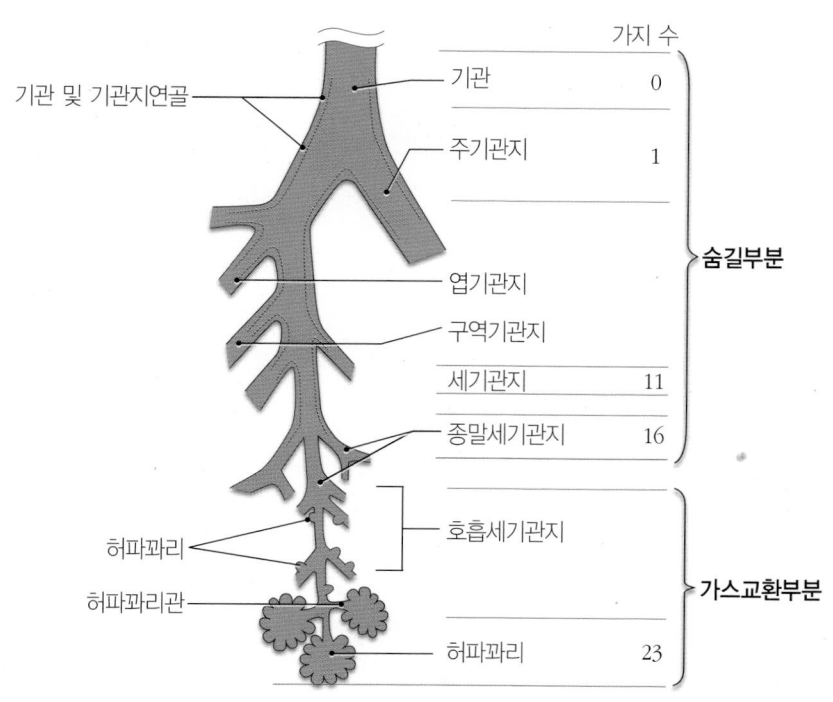

그림 7-2 숨길부분과 가스교환부분

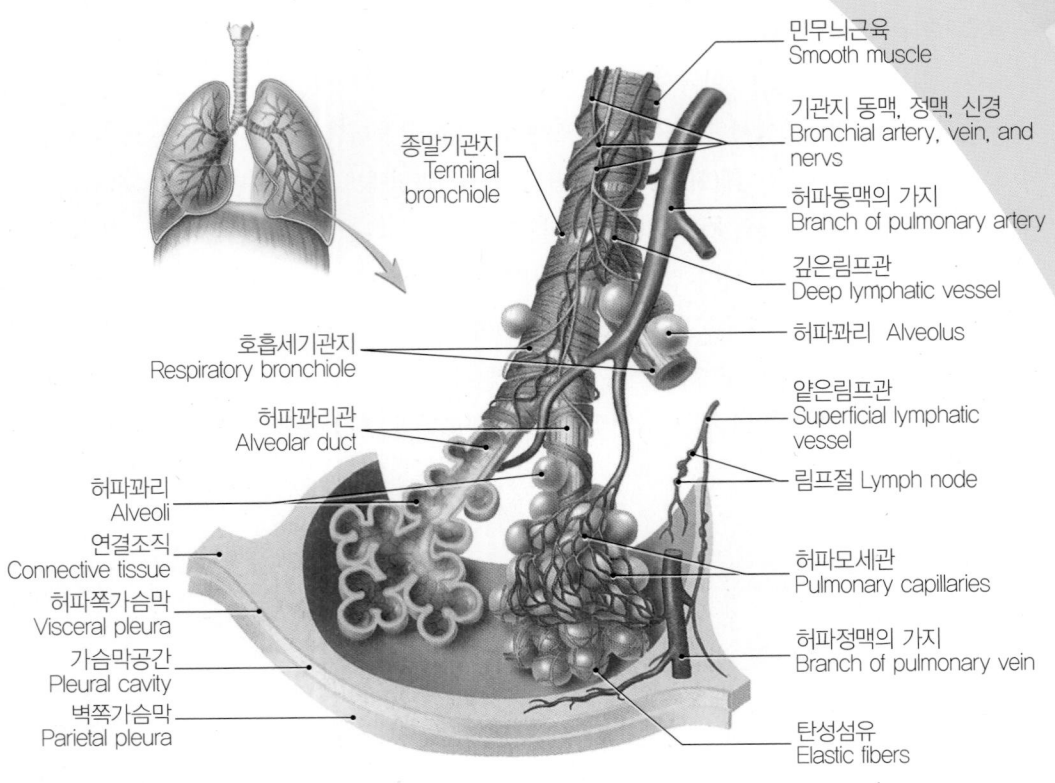

민무늬근육
Smooth muscle

기관지 동맥, 정맥, 신경
Bronchial artery, vein, and nervs

허파동맥의 가지
Branch of pulmonary artery

깊은림프관
Deep lymphatic vessel

허파꽈리 Alveolus

얕은림프관
Superficial lymphatic vessel

림프절 Lymph node

허파모세관
Pulmonary capillaries

허파정맥의 가지
Branch of pulmonary vein

탄성섬유
Elastic fibers

종말기관지
Terminal bronchiole

호흡세기관지
Respiratory bronchiole

허파꽈리관
Alveolar duct

허파꽈리
Alveoli

연결조직
Connective tissue

허파쪽가슴막
Visceral pleura

가슴막공간
Pleural cavity

벽쪽가슴막
Parietal pleura

그림 7-3 허파꽈리의 미세구조

2) 호흡계통의 기능

(1) 호흡작용과 가스교환

① 호흡의 조절

호흡의 중요부위인 허파는 자력으로 확장·수축할 수 없지만, 가슴벽을 뒤덮은 호흡근육이 가슴벽의 입체구조를 변화시켜 허파를 확장하고 수축시킨다. 숨을 들이쉴 때에는 가로막이나 갈비사이근이 수축하여 가슴우리가 넓어지며, 가슴속공간내압은 음압(-10cmH$_2$O)이 된다. 이 때문에 허파가 넓어져 공기가 몸속으로 들어온다.

한편 숨을 내쉴 때에는 호흡근육이 이완되어 가슴우리가 자신의 무게로 인하여 내려가며, 허파는 스스로의 복원력에 의해 원래 크기로 돌아온다. 이에 의하여 수동적으로 허파 밖으로 공기가 흘러나가고 날숨이 이루어진다. 운동 시에는 보조호흡근육이 수축하여 보다 큰

호흡이 가능해진다.

호흡은 무의식적 호흡과 의식적 호흡으로 이루어진다. 무의식적 호흡은 반사적 또는 화학적인 자극이 숨뇌와 다리뇌에 있는 호흡중추에 전달되어 이루어진다. 무의식적인 호흡은 호흡수 및 깊이를 바꾸어 숨을 참거나 과호흡상황을 만들어낼 수 있다. 수영·단거리달리기·격투기 등과 같은 스포츠를 할 때에는 호흡타이밍을 조절하거나 숨을 참는 것과 같은 수의적인 호흡콘트롤 모습을 볼 수 있다.

② 허파활량과 환기량

허파의 용량은 연령·성별·체격에 의해 영향을 받는다. 스파이로미터(그림 7-4)를 이용하면 1회환기량, 들숨예비량, 날숨예비량, 남은공기량, 허파활량 등을 계측할 수 있다. 허파활량은 보통 젊은남성은 4~5ℓ, 여성은 3~4ℓ이다. 스포츠선수는 7~8ℓ의 허파활량으로 보고되었으나, 허파활량의 차이를 나타내는 요인은 유전이나 체격으로 추측된다.

1분 동안 허파를 출입하여 환기되는 공기의 양이 분당환기량인데, 이것은 1회환기량과 1분간 호흡수를 곱한 값이다.

$$분당환기량(ℓ/분)=1회환기량(ℓ)×1분간\ 호흡수(회/분)$$

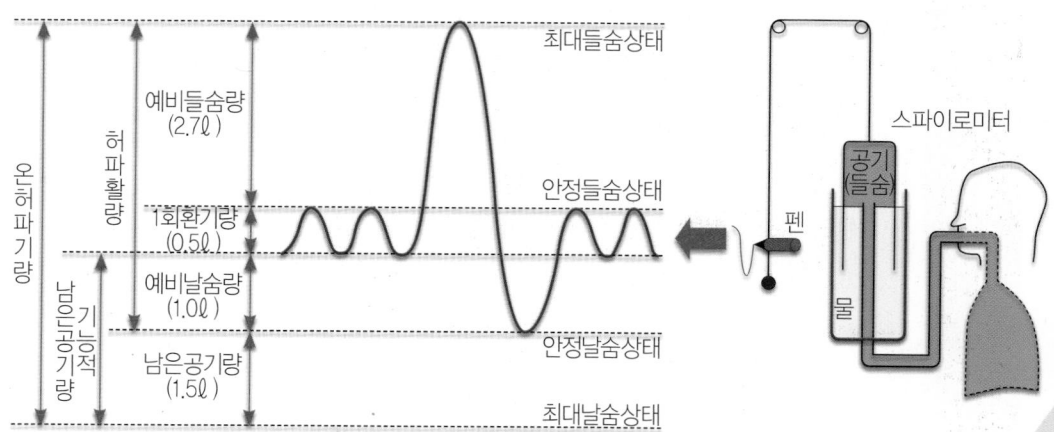

그림 7-4 **스파이로미터에 의한 허파기량의 측정 이미지와 각 허파기량 나눔**
스파이로미터에서는 1회환기량, 예비호흡량, 날숨예비량, 남은공기량, 허파활량 등을 측정할 수 있다. 수치는 예시이며, 연령·성별·체격에 따라 달라진다.

안정상태에서 1회환기량이 0.5ℓ, 호흡수가 12회/분인 경우에는 환기량이 6.0ℓ/분이 된다. 일반성인은 운동 시에 1회환기량이 약 2ℓ, 호흡수가 60~70회/분으로, 환기량은 120~140ℓ/분이다. 스포츠선수는 200ℓ/분을 넘는 수치도 보고되었다.

운동부하강도를 연속적으로 높여나가면 환기량은 부하강도나 산소섭취량에 비례하여 증가한다. 그러나 중간강도부터 고강도의 부하가 되면 직선적인 증가에서 이탈하여 과잉증가현상이 나타난다. 이것은 고강도부하운동에 동반된 이산화탄소 및 젖산의 증가에 대응하기 위해서 나타나는 현상이다.

◆**허파용적(lung volume)**
다음의 4가지로 구분하며, 체격·성·연령·질병·신체활동 등의 영향을 받는다.
−1회호흡량(TV : tidal volume) : 안정상태에서 1회에 들이마시거나 내쉬는 공기의 양. 성인은 약 500㎖.
−예비날숨량(ERV : expiratory reserve volume) : 1회호흡량을 내쉰 후 다시 최대로 내쉴 수 있는 공기의 양. 약 1,000~1,200㎖.
−예비들숨량(IRV : inspiratory reserve volume) : 1회호흡량을 들이쉰 다음 다시 최대로 들이쉴 수 있는 공기의 양. 약 3,000~3,200㎖.
−남은공기량(RV : residual volume) : 최대로 숨을 내쉬었을 때 예비날숨량을 내보내고도 허파 안에 남은 공기의 양. 약 1,200㎖.

◆**허파용량(lung capacity)**
두 가지 이상의 용적을 합한 것으로, 다음의 4가지가 있다.
−들숨용량(IC : inspiratory capacity) : 1회호흡량(TV)과 예비들숨량(IRV)를 합한 값.
−기능적 남은공기량(FRC : functional residual capacity) : 안정날숨 후, 즉 1회호흡량을 내보내고 허파 속에 남아 있는 공기의 양으로, 예비날숨량(ERV)과 남은공기량(RV)을 합한 값.
−허파활량(VC : vital capacity) : 최대로 숨을 들이쉰 후 내쉴 수 있는 공기의 양으로, 예비들숨량(IRV)에 1회호흡량(TV)과 예비날숨량(ERV)을 합한 값.
−총허파용량(TLC : total lung capacity) : 최대로 숨을 들이쉴 때 허파 속에 있는 공기의 양으로, 허파활량(VC)에 남은공기량(RV)을 합한 값.

◆**무용공간(dead space, 사강)**
코속공간에서부터 허파꽈리까지의 숨길(airway, 기도)을 공기가 호흡할 때마다 가스교환에 실제로 참여하지 못하는 부분. 무용공간의 용적은 보통 1회호흡량의 30% 정도임.

◆**허파꽈리환기량(AVV : alveolar ventilation volume)**
허파꽈리 안에서 실제로 환기에 참여하는 공기의 양. 1회호흡량에서 무용공간용적을 뺀 값임.

(2) 혈액에 의한 산소와 이산화탄소의 운반

허파꽈리에서 이루어지는 바깥호흡과 각 조직에서 이루어지는 속호흡에서는 산소와 이산화탄소의 기체압력(분압)차이에 의하여 압력이 높은 쪽에서 낮은 쪽으로 기체가 확산된다(그림 7-5). 이러한 가스교환을 지지하는 것은 혈액에 의한 가스운반이다. 이것은 산소를 필요한 조직으로 운반하고, 생산된 이산화탄소를 몸 밖으로 배출하는 중요한 조직이다.

① 산소의 운반

혈액이 산소를 운반하는 방법은 두 가지가 있다. 그것은 혈액(혈장)에 녹아 있는 상태로 운반하는 방법과 적혈구의 헤모글로빈과 결합한 상태에서 운반하는 방법인데, 대부분 후자에 의한다. 헤모글로빈(혈색소)은 적혈구 안에 있는 색소단백체로, 헴(철)과 글로빈(단백질)의 복합체이다.

혈액 100㎖ 안에 있는 헤모글로빈은 약 15g이며, 1g의 헤모글로빈은 최대 1.34㎖의 산소를 결합할 수 있으므로 최대 20.1㎖(15×1.34)의 산소를 운반할 수 있다(혈액 100㎖당). 이 최대량을 산소용량이라고 한다. 산소용량에 대하여 실제로 혈액 중에 있는 산소헤모글로빈(oxyhemoglobin)의 비율을 헤모글로빈의 산소포화도라고 한다.

헤모글로빈의 산소포화도(%)={산소헤모글로빈/산소용량}×100

② 산소해리곡선과 보어(Bohr)효과

헤모글로빈의 산소포화도는 산소분압과의 관계에서 보면 S자 모양의 곡선을 그리는데, 이것을 산소해리곡선이라고 한다(그림 7-5). 헤모글로빈과 산소의 결합이 촉진되는 경우에는 곡선이 왼쪽으로 기울어져 직각쌍곡선에 가까워진다.

특정조건하에서 이산화탄소분압의 상승, pH의 저하, 온도(체온)의 상승 중에서 어느 것이 발생하면 곡선은 오른쪽 아래로 이동한다. 즉 헤모글로빈이 산소와의 결합을 약화시키고 산소를 잘 떨어져나가게 하는데, 이것을 보어(Bohr)효과라고 한다. 운동 시에는 보어효과를 얻기 쉬우며, 헤모글로빈과 결합하였던 산소가 각 조직 내에서 떨어져나가면서 산소공급이 원활히 이루어지게 된다.

③ 이산화탄소의 운반

조직에서 생산되는 이산화탄소는 안정상태에서는 약 200㎖이다. 체액의 pH를 유지하기 위해서는 이산화탄소를 운반하여 허파에서 몸 밖으로 배출시킬 필요가 있다.

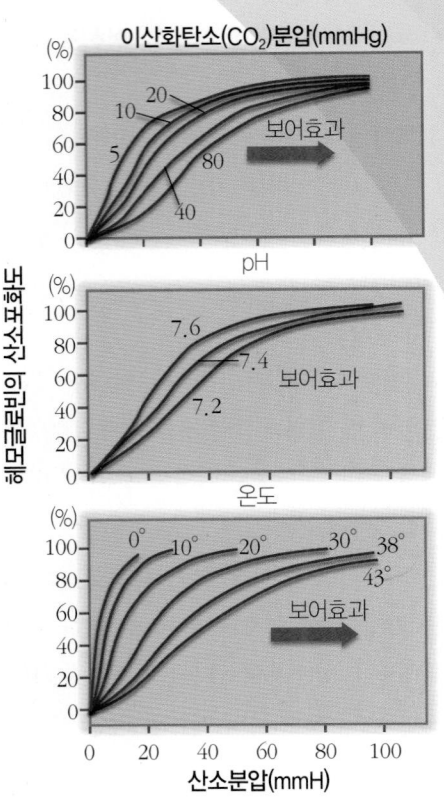

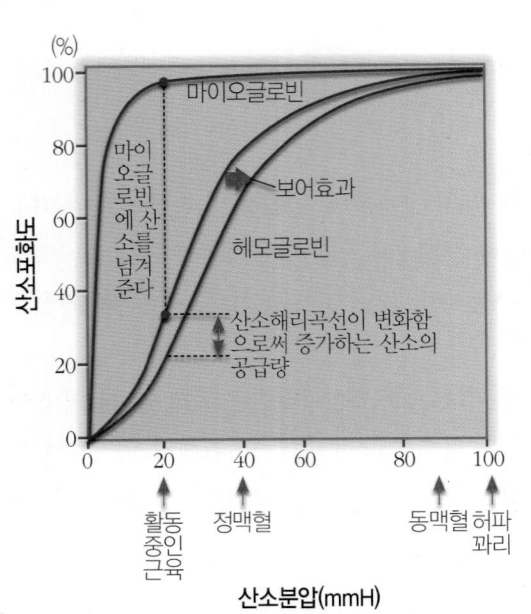

헤모글로빈은 CO_2분압의 상승, pH의 저하, 온도(체온)의 상승으로 인하여 산소와의 결합이 약해진다 (산소친화성의 저하). 운동 중에는 근육조직에서의 대사가 높아져 이러한 상태가 발생하기 때문에 근육조직에서 더욱 많은 산소를 방출할 수 있다(Åstrand Per-Olof, 2003을 수정).

조직에서 허파로 이산화탄소를 운반하는 방법은 다음의 세 가지가 있다.

- 혈장 및 적혈구 안에 물리적으로 녹아든 상태에서 운반하는 방법(10%)
- 중탄산이온(HCO_3^-)을 생성하여 운반하는 방법(65%)
- 카바미노화합물을 형성하여 운반하는 방법(25%)

주된 방법인 두 번째 방법에서는 이산화탄소가 물과 반응하여 탄산탈수효소가 촉매가 되어 탄산을 생성한다. 주로 적혈구 내에서 탄산이 생성되며, 이때 수소이온(H^+)과 중탄산이온도 생성된다.

$$\underset{\text{이산화탄소}}{CO_2} + \underset{\text{물}}{H_2O} \rightleftharpoons \underset{\text{탄산}}{H_2CO_3} \rightleftharpoons \underset{\text{수소이온}}{H^+} + \underset{\text{중탄산이온}}{HCO_3^-}$$

HCO_3^-와 함께 생성된 H^+는 산소헤모글로빈(적혈구 내) 및 혈장단백(혈장 안)에 의한 완충을 받아 중화된다. 조직에서 허파로 운반된 HCO_3^-는 허파모세혈관에서 다시 이산화탄소로 돌아가고, 허파꽈리의 바깥호흡을 거쳐 몸 밖으로 배출된다.

세 번째 방법에서도 생성된 화합물이 허파모세혈관에서 다시 이산화탄소로 돌아가 바깥호흡을 거쳐 몸 밖으로 배출된다.

(3) 호흡지수

조직의 에너지대사에 의하여 소비된 산소량(QO_2)과 생산된 이산화탄소(QCO_2)의 비율(QCO_2/QO_2)을 호흡지수(RQ : respiratory quotient)라고 한다. 영양소에 따라 산화과정에서 소비되는 O_2와 생산되는 CO_2의 양이 다르다는 성질을 이용한 지표인데, 이것으로 어떠한 영양소가 에너지원으로 사용되었는가를 추측할 수 있다.

1mol의 글루코스의 산화에는 O_2, CO_2모두 6mol이 소비되므로 RQ=$6CO_2/6O_2$=1.00이 된다. 마찬가지로 지질(palmitic acid)은 RQ=$16CO_2/23O_2$=0.70, 단백질(ketoacid)은 RQ=$63CO_2/77O_2$=0.82가 된다. 일상의 안정상태에서 탄수화물과 지질의 연소비율은 약 반반으로, RQ는 0.85 부근이다. 운동강도가 높으면 탄수화물의 대사가 높아져 1.00에 가까워진다.

(4) 산소섭취량

① 산소섭취량과 산소부채

인체에서 에너지를 생산할 때에는 산소가 필요하다. 성인은 안정상태에서는 1분 동안 200~250㎖의 산소를 섭취한다. 운동을 할 때에는 운동강도에 비례하여 산소섭취량이 증가한다. 최대하의 일정 부하강도에서 운동을 실시하면, 개시 몇 분 후에 산소의 섭취량과 소비량의 균형이 잡혀 섭취량이 정상상태가 된다. 정상상태가 될 때까지의 산소공급이 지연되면 운동 시 산소부족상태를 초래하여 운동 시의 무산소에너지공급비율을 증가시킨다. 강도가 너무 강하면 정상상태가 될 수 없어 운동종료까지 산소부족 상태가 계속된다.

운동 후에는 운동 초기의 산소부족을 보충하기 위하여 산소섭취량이 완만하게 감소한다. 회복기의 안정수준을 웃도는 산소섭취량의 합계를 산소부채라고 한다. 산소부채는 운동 시에 사용된 ATP나 CP를 보충하기 위한 에너지생산·운동 시에 축적된 젖산의 처리 등에 할당된다. 산소부채의 최대치(최대산소부채)는 무산소운동능력을 반영한다. 성인남자는 최대치가 약 5ℓ이고, 여자는 약 3.5ℓ인데, 단거리종목의 스포츠선수는 이 수치의 3배에 가깝다.

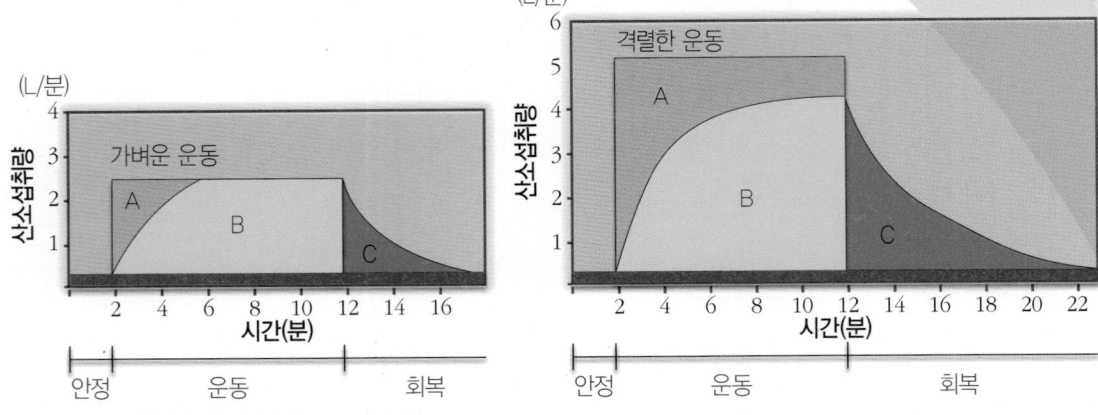

산소섭취량(A), 산소부족(B) 및 산소부채량(C)

빨간색으로 칠해진 부분은 안정상태에서 산소섭취량(약 200㎖/분)을 나타낸다. A와 B를 더한 산소의 양이 운동에 필요한 산소수요량이다. 수요에 대한 산소공급이 충족되지 못한 부분(산소부족)은 유산소에너지공급이 늦어져버린 부분으로, 운동 중에는 무산소에너지공급시스템에서 공급된다. 그 부채를 운동 직후부터 유산소에너지공급시스템으로부터 반환해나가게 된다(C부분). 운동 후에도 얼마 동안은 안정상태의 산소섭취량을 웃도는 상태가 계속된다.

② 최대산소섭취량

최대산소섭취량은 전신지구력의 지표로 활용되는데, 10대 후반부터 20대 전반까지가 절정기이다. 절대치는 체격(체중)에 비례한다. 그러므로 전신지구력을 평가 및 비교할 때에는 상대치인 체중 1kg당 수치로 변환시켜야 한다. 장거리종목선수는 80㎖/kg/분을 넘는 경우도 있으나, 평균적인 20대의 남성은 34~43㎖/kg이고, 여성은 31~38㎖/kg이다.

최대산소섭취량은 주로 호흡순환계통에서 조직으로 운반되는 산소의 양에 따라 정해지는데, 구체적으로는 다음과 같다.

- 혈액에서의 산소와 이산화탄소의 운반능력
- 심장기능(최대심박출량, 최대1회박출량에 관한 기능 → 펌프기능)
- 혈관의 순응(활동조직의 혈관확장, 비활동조직의 혈관수축)
- 동원되는 근육의 산소이용능력(근육섬유의 조성, 모세혈관의 수)

③ 최대산소섭취량의 측정

산소섭취량을 측정할 때에는 자전거에르고미터나 트레드밀을 이용하여 1~2분 간격으로 부하를 올려 12분 정도에 탈진(규정된 템포 및 속도가 늦어지는 상태)될 때까지 점증시키거나

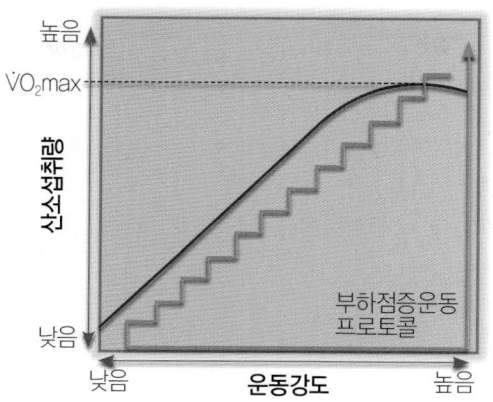

그림 7-7 **운동강도와 산소섭취량의 관계**

운동강도가 증가하면 산소섭취량은 직선적으로 증가한다. 최대강도 부근에서는 부하가 증가하여도 산소섭취량이 증가하지 않는다. 이때 얻어지는 최대치가 최대산소섭취량(VO_2max)이다.

간다(그림 7-7). 그리고 각 부하단계에서 산소섭취량을 측정한다. 마스크 및 마우스피스를 거친 날숨을 커다란 비닐봉지(더글러스백)로 채집·밀폐하여 실시하는 종래의 분석방법이나, 날숨을 센서부분에 통과시켜 자동분석장치로 분석하는 방법 등이 이용된다. 어떤 방법이라도 산소와 이산화탄소의 농도 및 환기량을 측정하여 산소섭취량을 산출한다. 대략 부하의 최종단계에서 얻어지는 산소섭취량이 최대산소섭취량이 된다(그림 7-7).

이때 최대치를 얻었는지 아닌지는 다음과 같이 판단한다.

- 부하의 상승에도 불구하고 산소섭취량의 증가가 나타나지 않는다(leveling off).
- 연령으로 추정하는 최고심박수(220-연령)에 도달하였다.
- 호흡교환비율(이산화탄소배출량/산소섭취량)이 1.05를 넘는다.

중·고령자나 운동부족인 사람 등에게 측정할 때에는 심전도와 심박수를 모니터링하면서 실시한다. 이때 운동강도는 '낮다'부터 '조금 높다'까지의 3단계 정도까지만 한다.

(6) 산-염기평형

생명유지에 필요한 산소의 활동을 적절히 유지하려면 체액 중의 산과 염기가 항상 평형상태를 유지해야 한다. 구체적으로는 산과 염기에 영향을 주는 수소이온농도(H^+)의 항상성 유지가 중요하다. pH의 수치는 보통 동맥혈에서는 약 7.4, 정맥혈 및 사이질액에서는 약 7.35로 되어 있다. 산이 높아져 7.4보다 낮아지는 경우를 산증(acidosis), 염기가 높아져 7.4보다 올라가는 경우를 알칼리증(alkalosis)이라고 한다. 예를 들어 운동 중의 활동근육에서 젖산과 함께 H^+의 농도가 높아지지만, H^+는 중탄산나트륨과 반응하여 중화된다(다음 식).

$$H^+ + HCO_3^- \rightarrow H_2CO_3 \rightarrow CO_2 + H_2O$$

운동이 고강도가 되면 이 완충기전에 부가적으로 호흡항진에 의한(혈액에서의) CO_2배출이 높아져 pH 저하도 억제된다.

3) 호흡역학

공기는 압력이 높은 곳에서 낮은 곳으로 이동한다. 그러므로 숨을 들이마시려면 허파속압(intrapulmonary pressure)을 대기압보다 낮게 해야 하고, 숨을 내쉬려면 허파속압을 대기압보다 높게 해야 한다.

공기가 허파 안으로 들어가도록 만드는 방법에는 다음과 같은 두 가지가 있다.

- 허파속압을 대기압보다 낮게 하는 방법으로, 정상적인 들숨 또는 음압들숨이라고 한다. 들숨근육이 수축하여 가슴우리를 가슴벽쪽으로 확대시켜서 가슴막안압(intra-pleural pressure)을 대기압보다 낮게 만드는 것이다. 그러면 공기가 기도를 통해서 허파꽈리로 빨려가게 된다.
- 대기압을 허파속압보다 높게 하는 방법으로, 이것은 양압들숨이라고 한다. 주로 병원에서 실시하고 있다.

들숨(inspiration)과 날숨(expiration)을 위한 호흡근육의 수축과 이완, 호흡 시 허파 안의 압력변화에 대해서 살펴보기로 한다.

(1) 들숨작용

들숨작용은 가슴우리의 부피를 증가시켜 허파가 팽창되면 허파속압이 감소되어 공기가 허파로 들어가는 것을 말한다. 들숨의 주동근인 가로막이 수축하면 가슴우리쪽으로 좌우가 볼록하게 돔 모양으로 올라가 있던 것이 배속공간쪽으로 내려가면서 편평해진다. 그러면 가슴우리의 부피가 증가한다. 그와 동시에 바깥갈비사이근이 수축하여 갈비뼈 사이를 벌리면 갈비뼈가 위쪽으로 끌려올라가서 가슴속공간이 넓어진다. 즉 가로막과 바깥갈비사이근이 수축해서 가슴속공간의 부피를 증가시키면 허파 안의 압력이 대기압보다 낮아져서 공기가 허파 안으로 빨려 들어가는 것이 들숨작용이다.

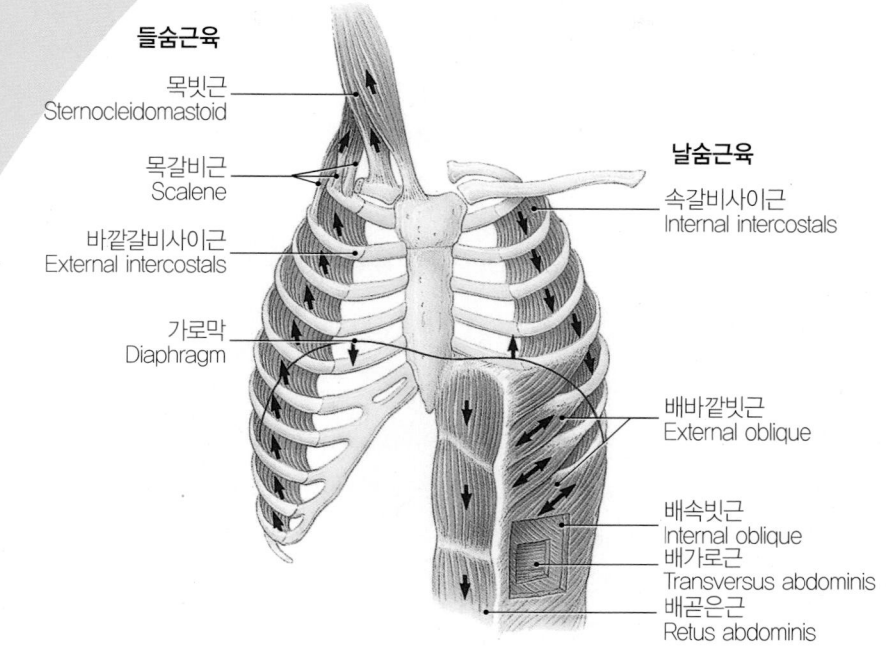

들숨근육

목빗근
Sternocleidomastoid

목갈비근
Scalene

바깥갈비사이근
External intercostals

가로막
Diaphragm

날숨근육

속갈비사이근
Internal intercostals

배바깥빗근
External oblique

배속빗근
Internal oblique
배가로근
Transversus abdominis
배곧은근
Retus abdominis

그림 7-8 들숨근육과 날숨근육

(2) 날숨작용

안정상태에서 날숨작용은 수축된 가로막과 바깥갈비사이근이 이완되면서 가슴속공간이 원래의 크기로 되돌아가는 것이다. 즉 날숨작용은 수동적으로 이루어지는 것으로, 날숨근육은 관여하지 않는다. 들숨으로 인해 퍼졌던 허파의 탄력조직이 원래 상태로 위축되면 가슴속공간의 내압이 증가하고, 그러면 공기가 허파에서 대기로 나간다.

그러나 운동 중에는 날숨작용이 능동적으로 이루어진다. 즉 날숨근육(특히 배부위근육)에 의해서 날숨작용이 촉진된다. 배부위근육이 수축하여 아래갈비뼈들을 압박하면 복압이 상승해서 가로막을 가슴속공간쪽으로 밀어올린다.

2) 호흡능력

호흡능력은 분당환기량, 1회환기량, 허파활량, 기능적 환기량 등으로 구분하고, 실제 호흡에 참여하는 공기는 허파꽈리환기량과 호흡경로인 죽은공간으로 구분된다.

(1) 분당환기량

분당환기량(minute ventilation)은 1분 동안에 들이마시거나 내쉬는 공기의 양을 뜻하지만, 편의상 1분 동안의 날숨량을 사용한다. 분당환기량은 1회호흡량(tidal volume)에 분당호흡수(f : respiratory frequency)를 곱한 값과 같다.

$$V_E(\ell/min) = TV(\ell) \times f(회)$$
$$분당환기량 = 1회호흡량 \times 분당호흡수$$

안정분당환기량은 개인차가 있지만 약 6ℓ/min이고, 안정분당호흡수는 12회 정도이므로 안정1회호흡량은 약 0.5ℓ이다. 장시간의 지속적인 지구력운동 시 성인 남자의 최대환기량은 약 80~100ℓ/min이며, 여자는 약 45~80ℓ/min이다. 그러나 운동선수들의 최대환기량은 남녀가 각각 180ℓ/min과 130ℓ/min에 달하는 경우가 많다. 이러한 분당환기량은 대부분 호흡의 깊이가 증가함으로써 증가하게 된다.

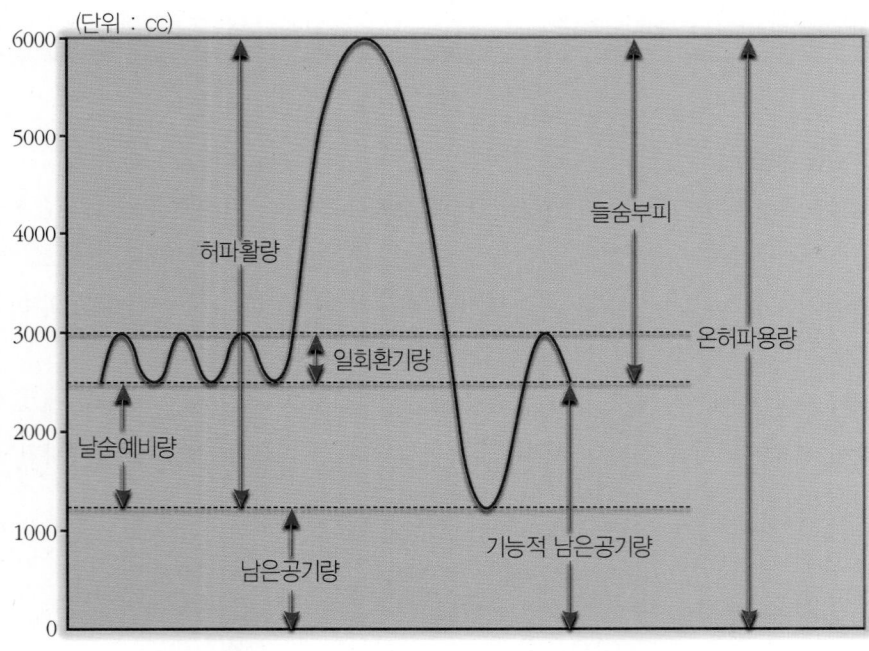

그림 7-9 허파부피와 허파용량

(2) 허파부피와 허파용량

허파의 부피 또는 호흡에 참여하는 공기의 부피는 그 기능에 따라서 몇 가지 부피(volume)로 나누고, 2가지 이상의 부피를 합한 것은 용량(capacity)이라고 한다. 표 7-1과 7-2에 있는 여러 가지 허파부피와 허파용량은 성·연령·체격·신체운동 여부 등에 따라 개인별로 다르다.

(3) 기능적 환기량

호흡 시 기관지 속의 공기흐름을 측정하여 분석하면 허파기능에 대한 중요한 내용을 알 수 있다. 기능적 환기량에는 노력날숨허파활량(FEV : forced expiratory volume)과 최대노력호흡(MVV : maximal voluntary ventilation)이 있다.

표 7-1 허파부피의 구성

구 분	정 의	평균치 (성인남자 기준)
일회호흡량 (TV : tidal volume)	안정상태에서 1회에 들이마시거나 내쉬는 공기의 양	약 500ml
들숨예비량 (IRV : inspiratory reserve volume)	일회호흡량을 들이마신 후에 다시 최대로 내쉴 수 있는 공기의 양	약 1,000~1,200ml
날숨예비량 (ERV : expiratory reserve volume)	일회환기량을 내쉰 후에 다시 최대로 내쉴 수 있는 공기의 양	약 1,000~1,200ml
남은공기량 (RV : residual volume)	호흡을 통해 허파 속의 공기를 배출한 후에도 허파 속에 남아 있는 공기의 양	약 1,200ml

표 7-2 허파용량의 구성

구 분	정 의	평균치 (성인남자 기준)
들숨용량 (IC : inspiratory capacity)	정상호흡에서 최대한 흡입할 수 있는 양	TV+IRV
기능적 남은공기량 (FRC : functional residual capacity)	평상호흡에서 TV를 배출한 후 허파 속에 남아 있는 공기량	ERV+RV
허파활량 (VC : vital capacity)	공기를 최대한 들이마신 후 최대한 배출시킬 수 있는 공기량	TRV+TV+ERV
온허파용량 (TLC : total lung capacity)	최대한 공기를 흡입하였을 때 허파 속에 있는 공기량	VC+RV

① 노력날숨허파활량

노력날숨허파활량은 최대로 숨을 들이마신 후 가능한 한 신속하게 최대로 숨을 내쉴 때 1초 또는 3초 동안 배출되는 양을 말한다. 보통 1초 동안에 강제로 호출된 기체량(FEV_1)을 허파활량에 대한 백분율(%FEV_1/VC)로 나타내면 20대는 0.80, 40대는 0.75, 60대는 0.70 정도 된다. 강제허파활량 측정 시 피검자는 총허파용량 수준까지 숨을 들이마신 후 강하고 신속하게 내쉬는 과정에서 기도가 오므라들어 공기의 흐름을 방해하므로 일반적으로 강제허파활량이 허파활량보다 적다.

허파공기증(폐기종) 때문에 허파의 탄력성이 감소되었거나 천식과 같은 질병 때문에 기도저항이 높아지면 노력날숨허파활량의 비율이 낮아지는데, 이와 같은 상태를 폐쇄성 환기장애(obstructive ventilatory impairment)라고 한다.

한편 섬유모양허파 때문에 허파의 섬유결합조직이 증식되면 허파활량은 현저하게 감소하지만 노력날숨허파활량에는 거의 변화가 없는데, 이러한 상태를 제한성 환기장애(restrictive ventilatory impairment)라고 한다.

② 최대노력호흡

최대노력호흡은 12초 또는 15초 동안 호흡할 수 있는 최대한의 공기량을 측정하는 것으로서, 호흡을 가능한 빠르게 하여 측정한 결과를 분당환기량(ℓ/min)으로 환산하여 나타낸다. 즉 12초(또는 15초) 동안에 최대로 빠르게 호흡한 양에 5를 곱하여 구한다. 일반적으로 최대노력호흡이 최대운동 중의 환기량보다 높게 나타난다. 최대노력호흡이 개인별 예측치의 80% 이하로 떨어지면 기도장애를 의심할 수 있다.

(4) 허파꽈리환기량과 해부학죽은공간

호흡한 공기가 모두 허파에서 가스교환에 참여하는 것은 아니고 허파꽈리에 도달한 공기만이 가스교환에 참여하여 혈액에 산소를 공급해주고 생성된 이산화탄소를 제거해주는 일을 할 수 있기 때문에 그것을 허파꽈리환기량(alveolar ventilation)이라고 한다. 코·입·인두·후두·기관·기관지 등에 있는 공기는 호흡에 의해서 허파 속으로 들어갔다 나오기는 하지만, 가스교환에 직접 참여하지 않기 때문에 그 공간을 해부학죽은공간(ADS : anatomical dead space, 해부학적 사강)이라고 한다.

일반적으로 해부학죽은공간의 부피는 안정 시에 남자는 평균 0.15ℓ이고, 여자는 0.10ℓ 정도이다. 즉 안정 시 들이마시는 공기 0.5ℓ의 70%인 0.35ℓ 정도만 허파꽈리환기에 참여하고,

나머지 30%는 죽은공간에 남아 있다. 허파꽈리환기량은 1회호흡량이 많을수록, 호흡수가 적을수록, 죽은공간의 부피가 작을수록 커진다. 그러므로 분당환기량 하나만 가지고는 허파꽈리환기가 적절히 유지되는지의 여부를 알 수 없다. 즉 분당환기량이 동일하더라도 1회호흡량이 적고 호흡수가 많으면 허파꽈리환기에 참여하는 공기량이 상대적으로 적어 가스교환이 충분히 이루어지지 않는다.

③ 운동 시 호흡계통의 변화

장기간 트레이닝이 심장허파능력에 미치는 효과는 선수, 코치 그리고, 스포츠 과학자의 관심의 대상이 되고 있다. 여기에서는 트레이닝이 호흡계통의 기능에 미치는 효과를 허파부피와 허파용량, 허파환기량, 허파확산, 동정맥산소차와 환기효율, 동적 허파기능 등으로 세분하여 알아보기로 하자.

1) 환기량의 변화

안정 시의 허파환기량은 트레이닝 후에 변화가 없거나 약간 감소되며, 상대적 동일 강도의 최대하운동 시에는 약간 감소된다. 그러나 최대운동 시의 최대환기량은 상당히 증가된다. 비훈련자는 트레이닝 전의 최대환기량이 120ℓ/min이었던 것이 트레이닝 후에는 약 150ℓ/min까지 증가하는 것이 보통이다. 트레이닝 후에 최대환기량이 증가하는 주 원인은 1회환기량의 증가와 호흡수의 증가 때문이다.

트레이닝을 한 후에는 안정상태와 최대하운동 중의 호흡수가 감소되는 것이 보통이지만, 그것은 미미한 수준이다. 이것은 트레이닝에 의해서 호흡효율이 증가된 것을 반영한다. 그러나 최대운동 시에는 트레이닝 후에 호흡수가 증가되는 것이 일반적이다.

(1) 운동 전의 환기량 변화

정상적인 안정상태에서 분당환기량은 사람에 따라 다르다. 일반적으로 안정상태에서의 1회호흡량은 400~600㎖이고, 호흡수는 분당 10~25회이다. 운동을 시작하기 직전에 환기량이 증가하는 현상이 나타나는데, 이는 운동을 예상해서 대뇌겉질로부터 오는 자극이 숨뇌에 있는 호흡중추를 흥분시키기 때문이다.

표 7-3 운동에 따른 환기량의 변화

표 7-2	운동에 따른 환기량의 변화

구 분	변 화	조절인자
운동 전	가벼운 증가	대뇌겉질
운동 중 –운동 초기 –운동 지속	급격한 증가 항정상태, 점진적 증가	근육 및 관절수용체 화학적 인자
회복기 –회복 초기 –회복 지속	급격한 감소 휴식수준까지 느린 감소	운동의 증가 이산화탄소 감소

(2) 운동 중의 환기량 변화

운동 중에는 다음과 같은 두 가지 주요한 환기량의 변화가 일어난다.

▪ 운동 시작 후 몇 초 이내에 급격한 증가가 일어난다. 이러한 증가는 활동근육의 운동 결과로 일어나는 관절에서의 자극과 관계가 있다.

▪ 급격한 증가가 끝난 후 최대수준의 항정상태에 이르기까지 느리게 증가한다.

(3) 회복기의 환기량 변화

회복기에는 다음과 같은 두 가지 주요한 환기량 변화가 일어난다.

▪ 운동종료 직후 환기량이 급격히 감소한다. 이러한 감소는 운동이 끝나서 근육에 대한 관절의 자극이 중단되었기 때문이다.

▪ 환기량이 급격히 감소한 후에 안정 시 수준으로 천천히 감소한다. 격렬한 운동일수록 환기량이 안정 시 수준으로 되돌아가는 데는 오랜 시간이 소요된다. 이 변화는 이산화 탄소 생성의 감소로 인한 자극의 감소와 관련이 있다.

2) 허파부피와 허파용량의 변화

운동 중 1회호흡량의 증가는 분당환기량을 증가시키는 데 부분적으로 공헌한다. 최대운동 중 1회호흡량의 증가는 안정상태의 5~6배나 된다. 1회호흡량의 증가는 들숨예비량과 날숨예비량을 활용하는 데서 비롯되지만, 날숨예비량보다는 들숨예비량이 더 큰 작용을 한다.

운동 중에는 총허파용량과 허파활량이 약간 감소하는데, 이는 허파혈류량의 증가와 관계가 있다. 허파혈류량이 증가하면 허파모세혈관을 흐르는 혈액량이 증가하여 공기가 들어갈 수 있는 기체부피가 감소한다.

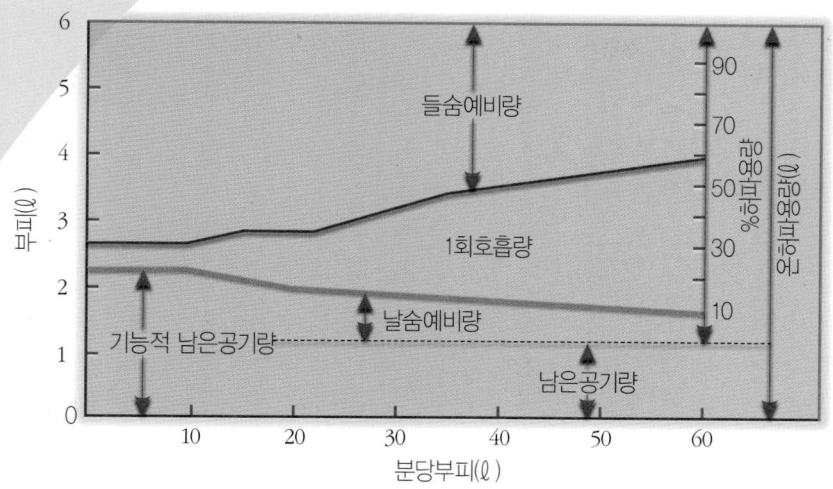

그림 7-10 휴식 시와 운동 시 허파용량과 허파부피의 변화

3) 환기량과 무산소문턱값

운동강도를 점진적으로 증가시키면 산소섭취량은 운동강도에 비례하여 직선적으로 증가하지만, 환기량은 최대강도에 근접하는 어느 시점에서 급격하게 증가한다.

이처럼 환기량이 급격하게 증가하는 시점을 무산소문턱값(AT : anaerobic threshold)이라고 하는데, 이는 무산소대사로 인한 에너지공급이 가속화되는 것과 관련 있다. 즉 당분해과정을 통한 에너지공급량이 크게 증가되고, 젖산의 생성률이 증가하면서 체내에 젖산이 축적되기 시작한다.

젖산은 체내 완충제인 중탄산나트륨($NaHCO_3^-$)과 결합하여 젖산나트륨, 물, 이산화탄소로 변한다. 젖산의 완충과정에서 에너지대사과정 이외에 추가로 발생된 이산화탄소가 화학수용기를 활성시켜서 환기량을 증가시키도록 호흡중추에 자극신호를 보낸다.

그러면 환기량이 급증하기 시작하는데, 이 시점은 젖산이 축적되기 시작하는 젖산축적개시점(OBLA : onset of blood lactate accumulation)과 일치하거나 약간 지연되어 나타난다. 환기량이 급증하는 시점을 환기문턱값(VT : ventilation threshold)으로, 젖산축적이 시작되는 시점을 젖산문턱값(LT : lactate threshold)으로 구분하기도 한다.

일반인은 대체로 최대산소섭취량의 55~75%에 해당하는 운동강도에서 무산소문턱값이 나타나고, 지구력운동선수는 70~85%의 운동강도에서 나타난다. 운동선수들의 무산소문턱값이 지연되어 나타난다는 것은 운동선수들이 "유산소과정에 의한 에너지 생성능력이 높다." 는 것을 말해준다.

4) 산소부채

　　운동 시작과 동시에 산소섭취량이 증가하지만, 필요량을 모두 공급하지는 못한다. 운동 초기에 산소공급이 지연되는 것을 산소결핍(oxygen deficit)이라고 한다. 운동강도가 중간 이하일 때에는 수분 이내에 산소의 수요와 공급이 균형을 이루는 항정상태가 된다.

　　운동 종료와 함께 산소섭취량이 감소하지만 곧바로 안정상태의 값까지 감소하지는 않고, 얼마 동안 안정 시보다 더 많은 산소를 섭취한다. 이것은 운동 초기에 모자랐던 산소결핍량을 보충하는 것이기 때문에 "빚진 것을 갚는다."는 의미로 산소부채(oxygen debt)라고 한다.

　　운동강도가 높으면 산소의 수요량보다 공급량이 항상 적기 때문에 항정상태에 도달하지 못하고, 산소결핍량이 계속해서 증가한다. 그러면 운동이 끝난 다음에 갚아야 할 산소부채량도 계속해서 증가한다. 산소부채량은 한없이 증가할 수는 없어서 어떤 한도가 있는데, 그것을 최대산소부채량이라 하고, 보통 강도가 높은 운동을 탈진 시까지 실시하면 최대산소부채량에 이르게 된다. 일반인의 최대산소부채량은 $4 \sim 5 \ell$ 정도이지만, 육상 단거리종목의 선수

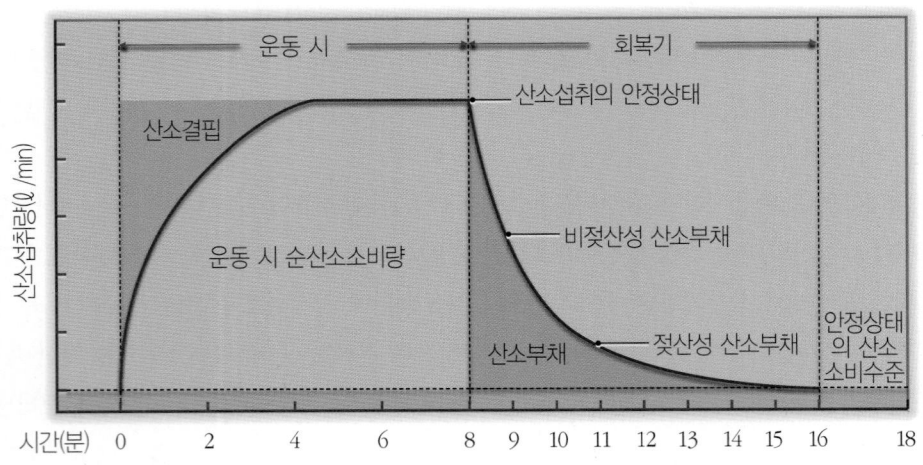

그림 7-11　운동 시 및 회복기 에너지소비량(산소소비량)과 산소부채의 관계
출처 : 정일규(2015). 휴먼퍼포먼스와 운동생리학. 대경북스.

중에는 15ℓ를 넘는 경우도 있다.

산소부채량을 나타낼 때에는 보통 산소수요량에 대한 산소부채량의 비율 즉 '산소부채량 ÷산소수요량'으로 나타낸다. 산소부채량의 비율은 운동강도와 운동종목에 따라서 다르다. 예를 들어 마라톤에서는 겨우 2%이지만, 400m 달리기에서는 80%에 달한다.

단시간 동안 최대강도의 운동을 수행하여 얻은 최대산소부채량은 그 사람의 무산소능력(인원질의 결핍에 대한 내성과 젖산축적에 대한 내성)을 반영하는 것으로 볼 수 있다.

5) 허파확산

허파꽈리 내에서 이루어지는 가스교환, 즉 허파확산은 트레이닝 후에는 안정 시와 상대적 동일 강도의 최대하운동 시에는 변화가 없다. 그러나 최대운동 시에는 허파확산 능력이 커진다. 허파혈류량은 트레이닝 후에 증가되는 것으로 나타났다. 특히 앉아 있거나 서 있을 때 허파의 윗부분으로 오는 혈류량이 증가된다. 이 때문에 허파관류(perfusion)량이 증가된다. 즉 가스교환을 위하여 더 많은 혈액이 허파로 들어오게 되며, 이와 동시에 환기량이 증가하여 더 많은 공기가 허파확산에 관여하게 된다는 것을 의미한다.

6) 동정맥산소차와 환기효율

트레이닝을 하여도 동맥혈의 산소농도는 거의 변화가 없다. 총헤모글로빈(Hb)의 양은 증가되어도 단위 혈액 내에 포함되는 Hb의 양은 같거나 약간 더 감소되기도 한다. 그러나 동정맥산소차는 트레이닝을 하면 증가한다. 특히 최대운동 시에 증가된다.

동정맥산소차가 증가하는 이유는 트레이닝을 하면 혼합정맥혈의 산소농도가 낮아지기 때문이다. 이것은 심장으로 돌아오는 혈액 속에 남아 있는 산소의 농도를 비교하면 훈련자가 비훈련자보다 적다는 것을 의미한다. 즉 조직에서 보다 더 많은 산소를 추출하여 썼고, 혈액을 효율적으로 배분하였다는 것을 나타낸다.

트레이닝은 환기효율을 증가시킨다. 환기효율이 높다는 것은 동일한 산소소비 수준에서 환기량이 적다는 뜻으로, 상대적으로 적은 양의 환기량으로 동일한 운동을 수행할 수 있음을 의미한다.

7) 동적 허파기능

트레이닝 전과 후에 강제허파활량, 노력날숨허파활량, 최대노력호흡 등이 어떻게 변하는 지에 대한 연구가 많이 이루어졌지만, 일반적으로 미미하게 증가하는 것으로 보고되고 있다.

강제허파활량은 운동수행능력과 높은 상관이 있다. 즉 운동선수는 비운동선수에 비하여 강제허파활량이 크고, 달리기 선수가 특히 크게 나타난다. 트레이닝에 의한 강제허파활량의 증가는 가슴벽·갈비뼈·가로막과 같은 호흡근육의 비대 때문에 일어나는 현상이다. 내쉬는 힘과 허파 속의 전반적인 공기 움직임에 대한 저항을 나타내는 1초간 노력날숨허파활량은 운동선수 집단이 비운동선수 집단에 비해 크게 나타났지만, 두 집단 간에는 의미있는 차이가 나타나지는 않았다.

최대노력호흡은 동적인 허파의 환기능력을 가장 잘 평가할 수 있는 지표이다. 최대노력호흡이 증가하는 원인은 가슴우리근육의 준비운동, 호흡중추의 자극, 호흡근육의 강화, 허파의 유연성 증가, 기도저항의 감소 등에 기인한다.

전체적으로 호흡계통은 체내로 적절량의 산소를 받아들일 수 있도록 잘 적응하기 때문에 호흡계통이 지구력 운동수행능력을 제한하는 일은 많지 않다. 또한 호흡계통에서 이루어지는 트레이닝에 의한 적응은 최대운동 중에 가장 뚜렷하게 나타난다.

8

순환계통과 운동

$\overset{\text{순}}{}$ 환계통은 신체 각 부위에 필요한 산소 및 영양물을 운반·공급하고 신체 각 부위에서 발생한 대사산물을 운반·제거하는 역할을 담당한다. 순환계통은 순환의 시작기점이 되는 심장(펌프의 역할)과 온몸에 퍼져 있는 혈관(파이프의 역할)으로 구성된다. 전체적으로는 허파순환과 온몸순환의 두 종류의 순환계통이 직렬로 배치되어 각 계열에서 동맥과 정맥의 압력차이(혈압의 차이)에 의하여 혈액이 흐르고 있다.

❶ 심 장

1) 심장의 구조와 혈류

심장은 가로무늬근육으로 이루어진 심장근육섬유로 구성되어 있으며, 오른심방, 오른심실, 왼심방, 왼심실의 4개의 방을 가지고 있다. 크기는 주먹정도이며, 무게는 250~300g이다.

심장의 근육은 심방근 및 심실근과 같이 펌프기능을 담당하는 고유심장근육과 전기적 흥분을 발생·전도하는 특수심장근육의 두 가지로 분류할 수 있다. 후자는 동굴심방결절(sinoatrial node, 동방결절)부터 푸르킨예섬유(Purkinje fiber)까지의 흥분전도계통의 구조를 포함하며, 여기에서 도출된 활동전위의 복합파형이 심전도이다.

심장의 각 방·실에는 혈액의 역류를 방지하는 판막이 붙어 있다. 오른심방에서 오른심실로 흘러간 혈액은 허파동맥으로 보내지고, 허파에서의 가스교환에 의하여 산소화된다. 그리고 허파정맥을 거쳐 다시 심장의 왼심방으로 돌아온다. 오른심실에서 왼심방까지의 순환을 허파순환이라고 한다.

왼심방에서 오른심실로 이동한 혈액은 대동맥으로 박출되어 위대동맥 → 아래대동맥을 거쳐 전신으로 보내지고, 위대정맥 → 아래대정맥을 거쳐 오른심방으로 유입된다. 이러한 왼심실에서 대동맥 → 전신을 거쳐 오른심방으로 돌아오는 순환을 온몸순환이라고 한다. 허파순환과 온몸순환의 비율은 대략 1:2이다.

2) 혈류가 한 방향으로 가게 하는 심장근육과 심장판막

심장의 벽은 심장근육으로 이루어져 있다. 심장근육은 근육의 일종으로, 자기 의지대로 컨트롤할 수 없는 제대로근(불수의근)이다. 현미경으로 살펴보면 가로줄무늬가 보이는데, 소

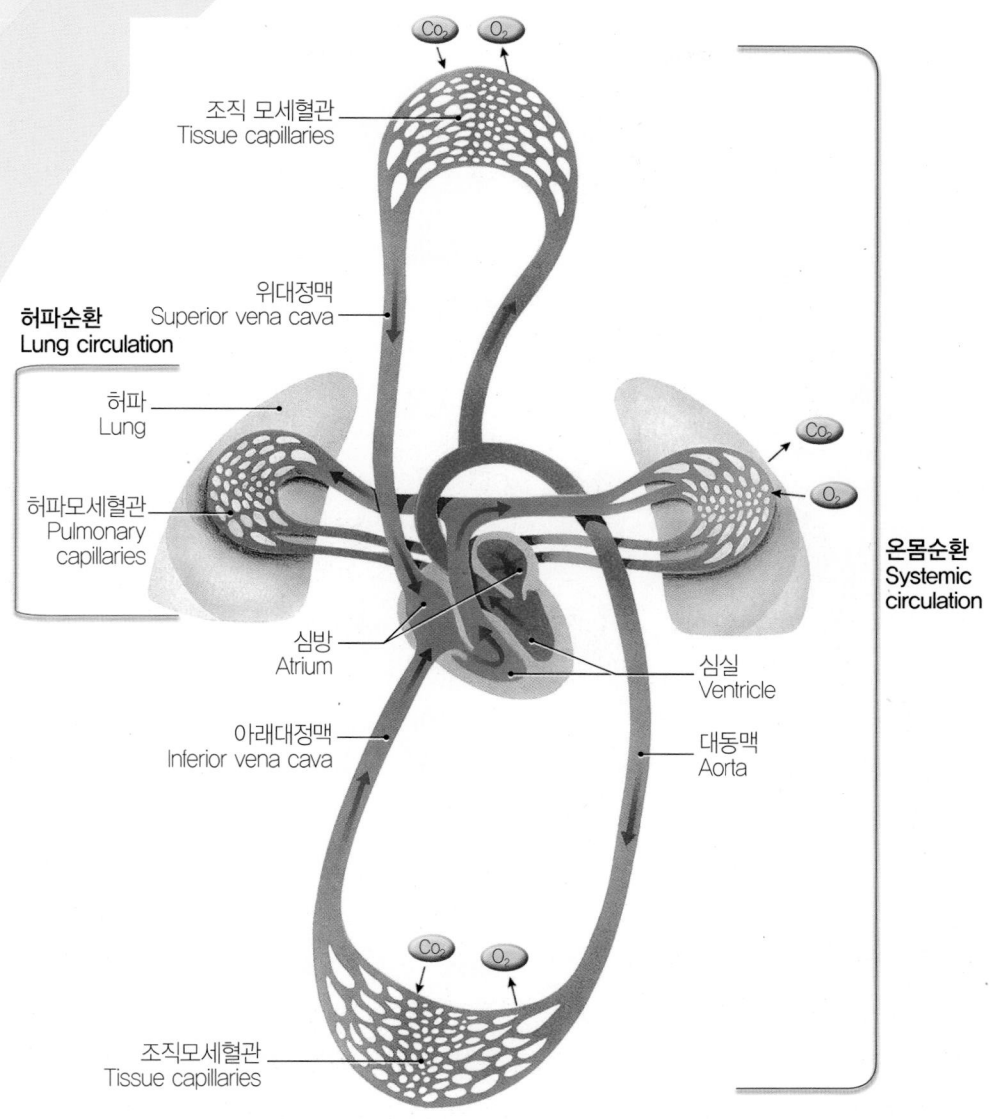

조직 모세혈관
Tissue capillaries

위대정맥
Superior vena cava

허파순환
Lung circulation

허파
Lung

허파모세혈관
Pulmonary
capillaries

심방
Atrium

아래대정맥
Inferior vena cava

조직모세혈관
Tissue capillaries

온몸순환
Systemic
circulation

심실
Ventricle

대동맥
Aorta

CO_2　O_2

그림 8-1　**온몸순환과 허파순환**

화관 등에 있는 제대로근인 민무늬근육과는 다르다. 심장근육을 구성하는 심장근육세포는
스스로 리드미컬하게 수축하는 특별한 성질을 가지고 있다.

　심장에서 보내는 혈류는 항상 한 방향으로 흘러서 역류하는 일은 없다. 그것은 심장에
있는 판막의 활동에 기인한다. 심장의 판막에는 좌우의 심방과 심실 사이에 있는 방실판막
(오른쪽 : 삼첨판막, 왼쪽 : 승모판막)과 왼심실의 출구에 있는 허파동맥판막, 왼심실의 출구

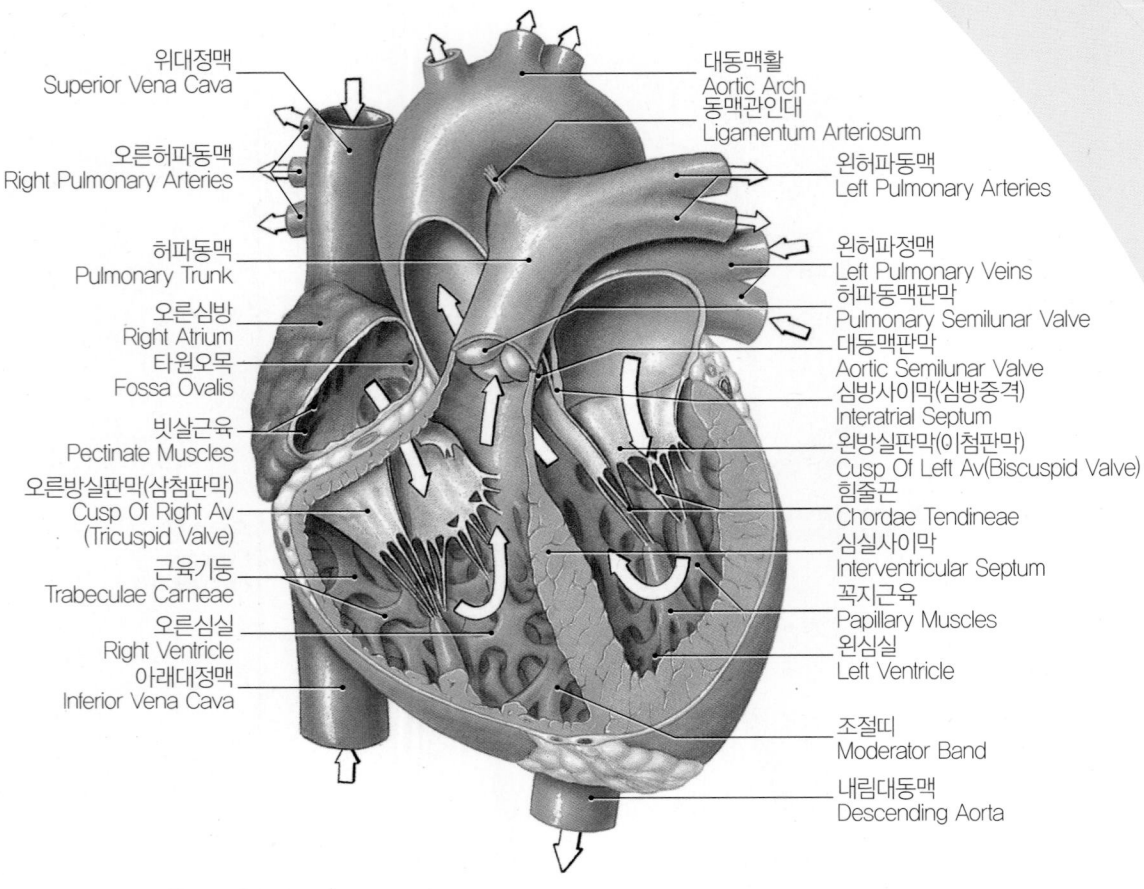

위대정맥
Superior Vena Cava

대동맥활
Aortic Arch
동맥관인대
Ligamentum Arteriosum

오른허파동맥
Right Pulmonary Arteries

허파동맥
Pulmonary Trunk

왼허파동맥
Left Pulmonary Arteries

오른심방
Right Atrium

왼허파정맥
Left Pulmonary Veins
허파동맥판막
Pulmonary Semilunar Valve

타원오목
Fossa Ovalis

대동맥판막
Aortic Semilunar Valve
심방사이막(심방중격)
Interatrial Septum

빗살근육
Pectinate Muscles

왼방실판막(이첨판막)
Cusp Of Left Av(Biscuspid Valve)

오른방실판막(삼첨판막)
Cusp Of Right Av
(Tricuspid Valve)

힘줄끈
Chordae Tendineae

근육기둥
Trabeculae Carneae

심실사이막
Interventricular Septum

오른심실
Right Ventricle

꼭지근육
Papillary Muscles

아래대정맥
Inferior Vena Cava

왼심실
Left Ventricle

조절띠
Moderator Band

내림대동맥
Descending Aorta

그림 8-2 심장의 구조와 혈류의 방향

에 있는 대동맥판막이 있다. 방실판막은 심실 안의 꼭지근(유두근)에 힘줄끈(건삭)으로 연결되어 당겨지고 있기 때문에 심실이 수축하여도 심방쪽으로 반전되는 일은 없다. 허파동맥판막과 대동맥판막은 3장의 반달판막이 주머니처럼 되어 있어서 심실이 확장되면 주머니 부분에 혈액이 들어가 부풀어 오르고, 그 힘으로 꽉 닫을 수 있게 되어 있다.

3) 심장근육에 산소와 영양을 운반하는 심장동맥

심장은 심장 안을 흐르는 혈액으로부터 산소와 영양을 흡수할 수 없다. 심장근육에 산소 등을 보내는 것은 심장동맥이다. 심장동맥은 대동맥의 시작부분에서 좌우로 2줄 나온 것이

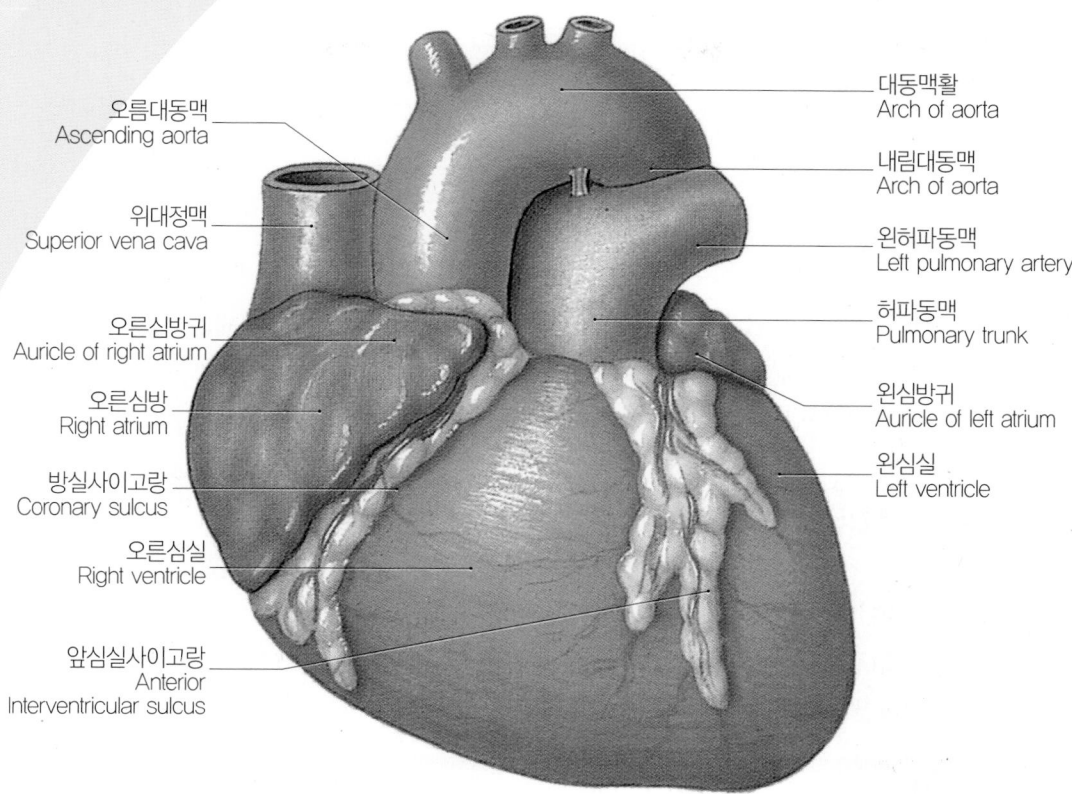

오름대동맥
Ascending aorta

위대정맥
Superior vena cava

오른심방귀
Auricle of right atrium

오른심방
Right atrium

방실사이고랑
Coronary sulcus

오른심실
Right ventricle

앞심실사이고랑
Anterior
Interventricular sulcus

대동맥활
Arch of aorta

내림대동맥
Arch of aorta

왼허파동맥
Left pulmonary artery

허파동맥
Pulmonary trunk

왼심방귀
Auricle of left atrium

왼심실
Left ventricle

그림 8-3 **심장의 외관과 심장동맥**

심장근육에 산소 등을 공급하는 심장동맥은 대동맥의 시작부분에서 좌우로 2줄이 나와 있으며, 왼심장동맥은 앞심실사이가지와 휘돌이가지로 나누어져 있다.

갈라져서 심장 전체에 줄기를 뻗친다. 심장근육에 산소 등을 전달한 혈액은 정맥이 되어 심장 전체에서 합류하여 심장동맥굴에 모여 오른심방으로 들어간다.

4) 심장의 자극전도계와 심전도

(1) 자극전도계의 기능과 심장의 수축

아무것도 하지 않고 놔두면 제멋대로 수축과 이완을 반복하는 심장근육세포를 질서있게 움직이게 하는 것은 자극전도계라고 불리는 시스템이다. 자극전도계는 심장근육을 자극하기 위해 전기자극을 일으키고, 그것을 심장 전체에 전달한다. 자극전도계는 신경조직은 아니며, 특수한 심장근육섬유로 이루어져 있다.

자극전도계는 다음과 같은 방법으로 심장을 수축시킨다.

- 윗심방에 있는 동굴심방결절에서 전기자극이 일어난다.
- 전기자극이 심방 전체에 파도처럼 퍼지면 심방 전체가 수축하여 심방에서 심실로 혈액이 보내진다.
- 심방에 퍼진 전기자극의 일부가 심방과 심실의 경계부분에 있는 방실결절에 도착한다.
- 방실결절에 도착한 전기자극이 히스다발, 오른갈래와 왼갈래, 그리고 푸르킨예섬유에 의하여 심실 전체에 한번에 퍼져서 심실 전체가 자극되어 강하게 수축한다. 혈액이 심실에서 동맥으로 보내진다.

(2) 자극전도계의 활동을 나타내는 심전도

심전도는 자극전도계의 활동에 의하여 심장근육에 발생하는 흥분(활동전위)의 상태를 모니터한 것이다. 심전도의 P파는 심방이 수축하는 모습을, QRS파는 심실 전체가 강하게 수축하는 모습을, T파는 심실 전체의 흥분이 원래대로 돌아가는 모습을, U파는 그 흥분이 원래대로 돌아간 모습을 나타낸다.

◆방실판막

좌우의 심방과 심실 사이에 있는 판막의 총칭. 오른쪽이 삼첨판막(오른방실판막)이고, 왼쪽이 승모판막(왼방실판막)이다. 삼첨판막은 3개 판막의 뾰족한 부분을 맞댄 형태라는 의미이고, 승모판막은 카톨릭의 승려가 쓰는 모자와 형태가 닮은 점에서 명칭이 유래되었다.

◆심장동맥

심장의 심장근육에 산소 및 영양을 보내는 동맥을 말한다. 동맥경화 등으로 막히면 더 앞쪽으로 혈액이 공급되지 않게 되어 심장근육이 괴사하는 심근경색이 일어난다.

◆심장정맥굴

심장근육 전체에 혈액을 보낸 후의 혈액이 모이는 정맥으로, 심장의 뒤쪽을 지나서 윗심방으로 혈액을 되돌려 보낸다. 일부는 이 정맥굴에 들어가지 않고 심방으로 돌아오는 정맥도 있다.

◆심장동맥과 혈액

윗심실의 수축 시에는 대동맥의 시작부분에서 나오는 심장동맥으로는 혈액이 들어가지 않는다. 윗심실이 확장으로 바뀌어 대동맥판막의 주머니에 혈액이 가득 차면 그 압력으로 심장동맥에 혈액이 들어간다.

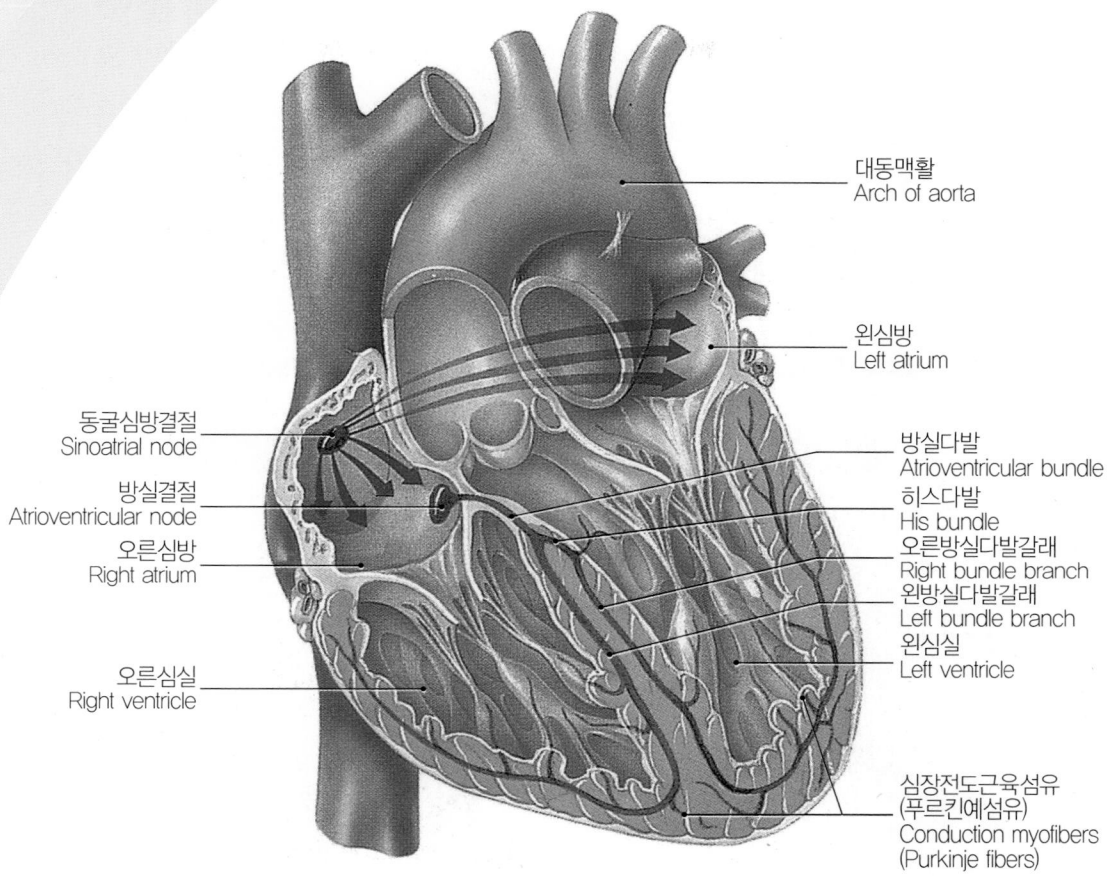

대동맥활
Arch of aorta

왼심방
Left atrium

동굴심방결절
Sinoatrial node

방실결절
Atrioventricular node

오른심방
Right atrium

오른심실
Right ventricle

방실다발
Atrioventricular bundle

히스다발
His bundle

오른방실다발갈래
Right bundle branch

왼방실다발갈래
Left bundle branch

왼심실
Left ventricle

심장전도근육섬유
(푸르킨예섬유)
Conduction myofibers
(Purkinje fibers)

그림 8-4 **자극전도계**

① 동굴심방결절에서 전기자극이 발생한다.
② 전기자극이 심방 전체에 파도처럼 퍼지고, 심방 전체가 수축한다.
③ 전기자극의 일부가 방실결절에 도착한다.
④ 전기자극이 방실결절에서 히스다발, 방실다발오른갈래와 방실다발왼갈래, 푸르킨예섬유에 전달되어 심실 전체에 한 번에 퍼져나가 심실 전체가 강하게 수축한다.

5) 심장주기

심장이 1회수축하여 확장할 때까지의 변화를 심장주기(cardiac cycle)라고 하며, 5기로 나눌 수 있다. 심장주기의 기별 특징은 다음과 같다.

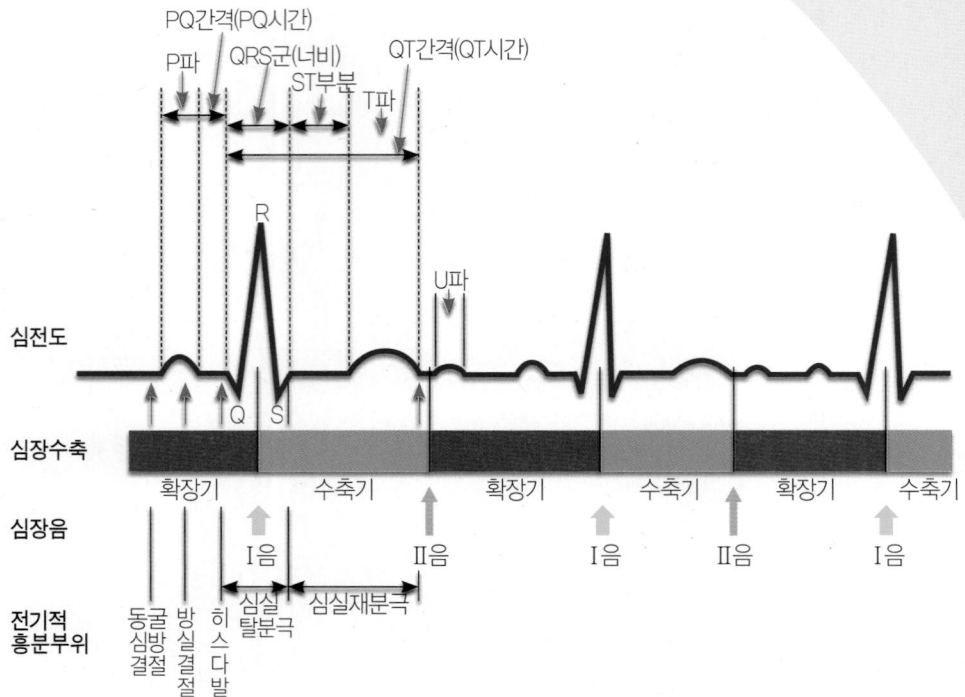

그림 8-5 **정상심전도**

심전도는 자극전도계에 의하여 심장근육에 발생하는 흥분을 모니터한 것으로, 정상인 경우 1회의 수축으로 그림과 같은 파형을 나타낸다.
P파 : 심방이 수축하는 모습, QRS파 : 심실 전체가 강하게 수축하는 모습, T파 : 심실 전체의 흥분이 원래대로 돌아가는 모습, U파 : 흥분이 원래대로 돌아간 모습

① 심방수축기(atrial systole)

▪ 동굴심방결절에서의 전기자극에 의하여 심방이 수축한다.

▪ 좌우의 방실판막이 열리고 혈액이 심방에서 심실로 보내진다.

▪ 심방·심실 모두 압력이 조금 상승한다.

② 등용적수축기(period of isovolumic contraction)

▪ 전기자극이 방실결절에 도착하여 심실로 퍼지고, 심실 전체가 흥분하여 수축을 개시한다.

▪ 허파·대동맥판막은 아직 닫혀 있으며, 혈류는 없다.

▪ 심실의 압력이 한번에 높아진다.

③ 박출기(ejection period, 구출기)

▪ 심실이 더욱 수축하고, 허파·대동맥판막이 열려 혈액이 허파동맥·대동맥으로 내보내진다.

▪ 방실판막이 닫힌다. 이것이 심장음의 제1음이다.

▪ 심실의 압력이 최대가 되고, 후반에는 저하되기 시작한다.

④ 등용적이완기(period of isovolumic relaxation)

▪ 심실이 이완한다. 허파·대동맥판막이 닫히고, 심장음의 제2음이 발생한다. 모든 판막이 닫히고, 혈류는 없다.

▪ 심실압력은 단숨에 저하한다.

⑤ 충만기(filling phase)

▪ 심방과 심실이 확장하여 심방으로 혈액이 유입된다. 방실판막이 조금 열리고, 심실로도 혈액이 흘러들어가기 시작한다.

◆심장주기

심장이 1회 수축과 확장을 실시할 때까지의 변화를 말한다. 판막의 개폐 및 혈액의 흐름의 특징에서 심방수축기, 등용적수축기, 박출기, 등용적이완기, 충만기의 5기로 나누어진다.

◆심장음

주로 판막이 닫히는 소리. 제1음은 방실판막이 닫히는 소리, 제2음은 허파·대동맥이 닫히는 소리, 작게 들리는 제3음은 심방에서 심실로 혈액이 흘러들어가는 소리이다.

◆등용적

용량에 변화가 없다는 의미. 등용적수축기는 심실이 수축을 시작하였으나 판막은 모두 닫히고, 심실의 용량은 변하지 않는다. 등용적이완기도 마찬가지로 심실이 점차 이완하지만 판막이 닫혀 있으므로 혈류가 없고, 심실의 용량은 변화하지 않는다.

◆심장잡음

정상적인 심장음 이외가 들리는 것을 심장잡음이라고 한다. 판막의 개폐기능결핍이나 협착에 의하여 혈류에 역류 및 소용돌이가 생겨 발생하는 소리이다.

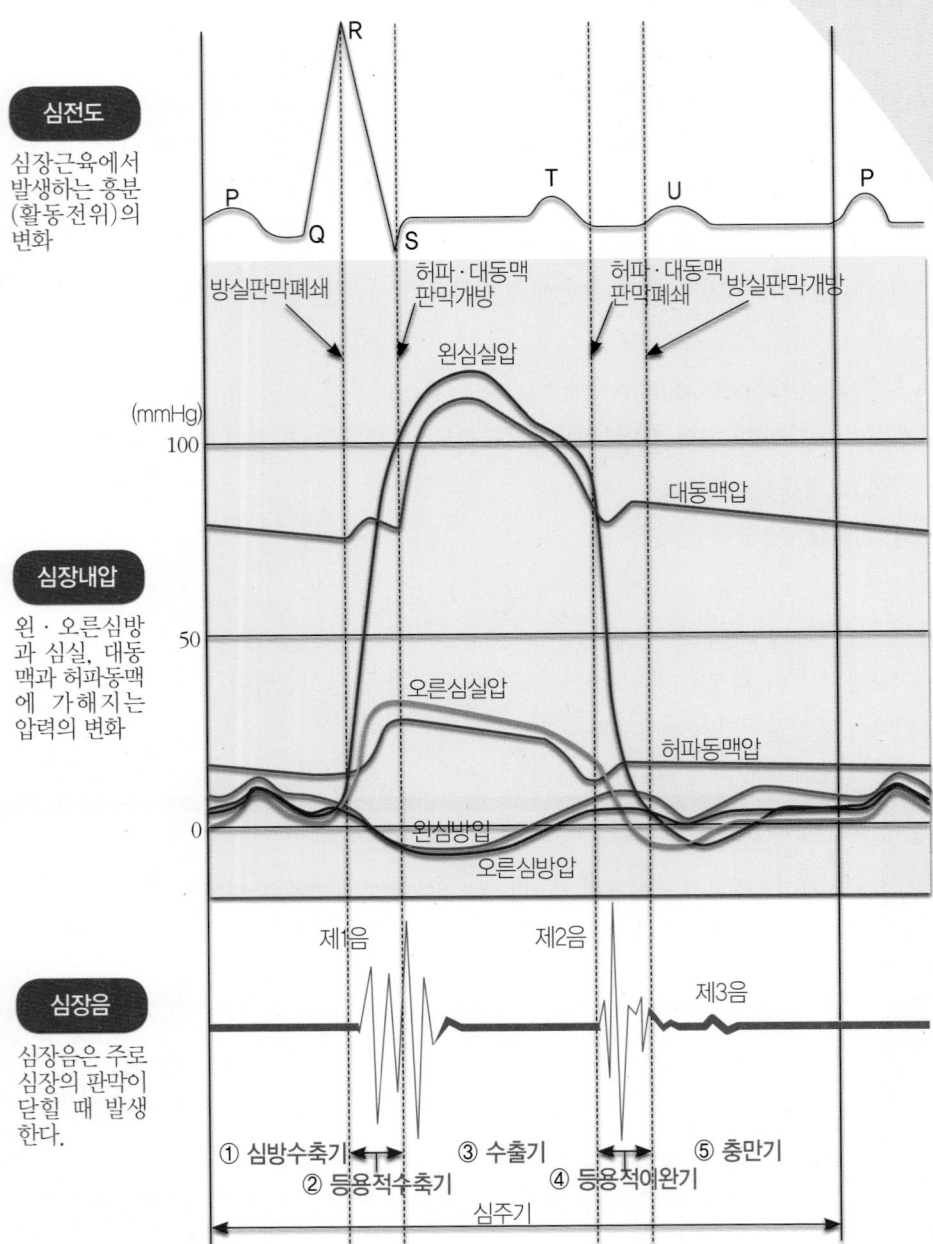

심전도
심장근육에서
발생하는 흥분
(활동전위)의
변화

심장내압
왼·오른심방
과 심실, 대동
맥과 허파동맥
에 가해지는
압력의 변화

심장음
심장음은 주로
심장의 판막이
닫힐 때 발생
한다.

방실판막폐쇄

허파·대동맥
판막개방

허파·대동맥
판막폐쇄

방실판막개방

왼심실압

(mmHg)
100

대동맥압

50

오른심실압

허파동맥압

0

왼심방압

오른심방압

제1음

제2음

제3음

① 심방수축기
② 등용적수축기
③ 수출기
④ 등용적이완기
⑤ 충만기

심주기

그림 8-6 **심장주기의 기별 심장내압과 심장음**
심방이 수축을 시작한 후 심실이 수축하여 확장할 때까지의 심장주기 동안 심전도 및 심장 각 부위의
내압 등은 그림과 같이 변화한다.

6) 심박수-심장박출량과 그 조절

(1) 정상적인 심박수와 심장박출량

성인의 안정심박수는 60~80회/분이
다. 심박수는 어린이는 높고, 고령자는
낮다. 100회/분 이상을 빠른맥, 50회/분
미만을 느린맥이라고 한다.

심장이 1회수축으로 내보내는 혈액
의 양(1회박출량, stroke output)은 약
70ml이다. 심박수가 평균적으로 70회/분
이라고 하면, 1분 동안에 내보내는 혈액
의 양(심장박출량, cardiac output)은 '70
ml×70=4,900ml≒약 5ℓ'가 된다. 심장박
출량은 심박수와 1회박출량(심장의 수축력)에 의하여 증감된다.

표 8-1	심박수		
			맥박수(회/분)
성인		정상	60~80
		빠른맥	≥100
		느린맥	<50
소아		신생아	120~140
		영아	120~130
		유아	100~110
		초등학생	80~90

(2) 심박수와 심장박출량의 조절

심장의 활동은 자율신경계통에 의하여 조절된다. 교감신경은 심박수·심장의 수축력 등
을 항진시키고, 부교감신경은 그것들을 억제한다. 교감신경과 부교감신경은 모두 끊임없이
활동하고 있지만 평상시에는 부교감신경의 활동쪽이 우위이다. 그리고 식사, 운동, 정신적인
흥분, 스트레스 등이 있으면 교감신경이 흥분하여 심장의 활동을 촉진한다.

◆심장박출량
1분 동안에 심장이 내보내는 혈액의 양. 심박수와 1회박출량의 곱으로 계산한다.

◆정맥환류량
정맥에서 오른심방으로 돌아오는 혈액량. 뼈대근육이 수축하면 그 펌프작용으로 정맥
환류량이 증가한다. 또한 깊이 숨을 들이쉬면 가슴속공간의 음압이 높아지고, 혈액을
가슴속공간으로 끌어들이는 힘이 강해지기 때문에 정맥환류량이 증가한다.

◆숨뇌
심장의 활동을 조정하는 심장혈관중추가 있다. 교감신경의 활동을 하는 것은 혈관운
동중추, 부교감신경의 활동을 하는 것은 심장억제중추라고도 불린다.

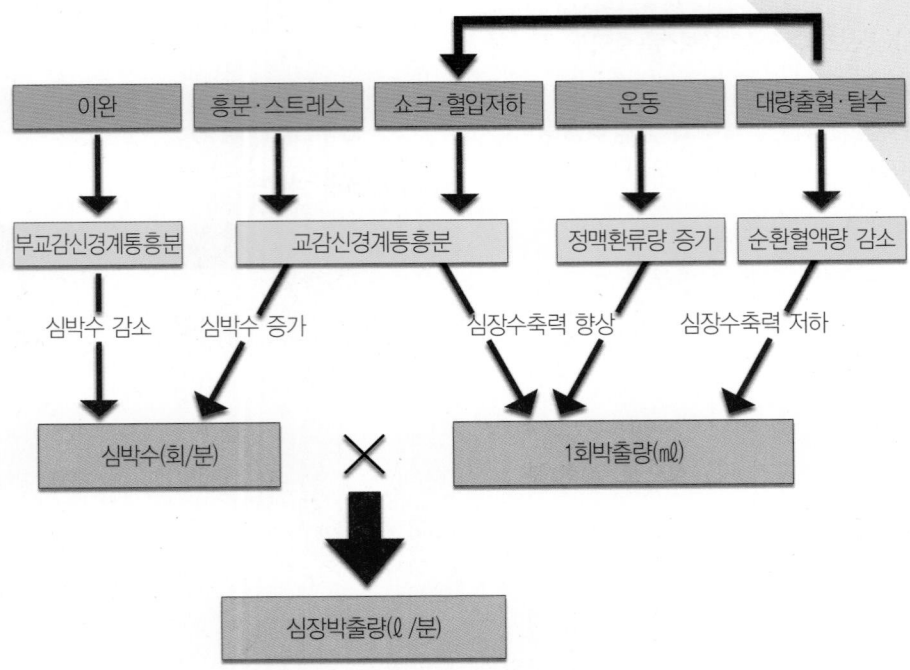

그림 8-7 심장박출량의 조절기전

또한 대동맥활과 목동맥팽대에 있는 압력수용기(baroceptor)가 혈압의 변화를 감지하면 그 정보가 숨뇌로 보내져 주로 교감신경의 활동을 조정한다. 교감신경은 혈압이 저하하면 흥분하고, 혈압이 상승하면 억제된다.

순환혈액량이나 정맥에서 심장으로 돌아오는 혈액량(정맥환류량)이 변화하여도 심장박출량이 변화된다. 운동을 하여 뼈대근육의 펌프작용으로 정맥환류량이 증가하면 심장박출량이 증가하고, 출혈에 의하여 순환혈액량이 감소하면 심장박출량이 감소한다.

2 혈 관

1) 동맥

(1) 동맥벽은 민무늬근육이 두껍고 탄력성이 풍부하다

동맥은 심장에서 조직으로 혈액을 수송하는 역할을 하는 관으로, 세 개의 층으로 되어

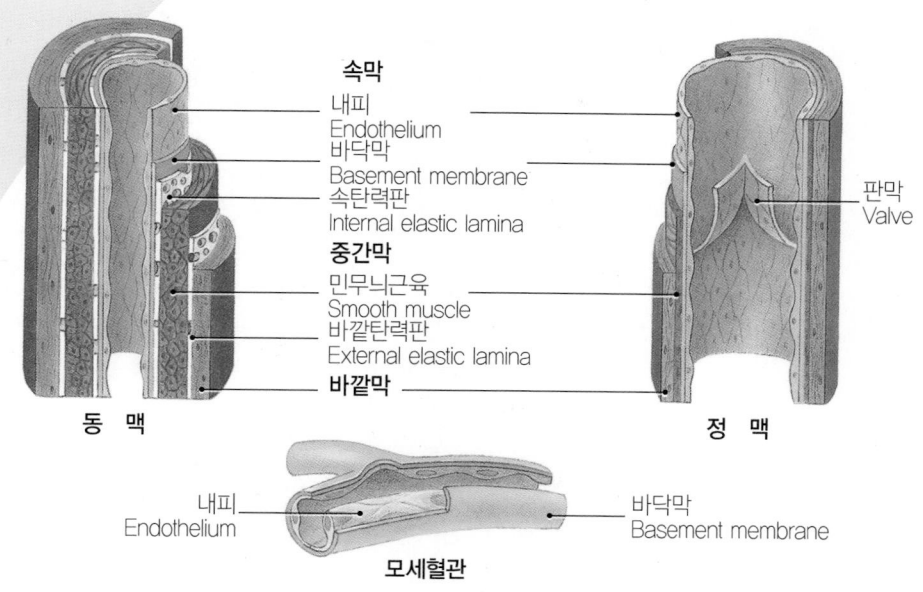

속막
내피
Endothelium
바닥막
Basement membrane
속탄력판
Internal elastic lamina
중간막
민무늬근육
Smooth muscle
바깥탄력판
External elastic lamina
바깥막

판막
Valve

동 맥   정 맥

내피
Endothelium

바닥막
Basement membrane

모세혈관

그림 8-8 혈관의 구조

있다. 바깥쪽에 있는 섬유성의 질긴 막을 바깥막(tunica externa), 가운데에 있는 민무늬근육막을 중간막(tunica media), 안쪽에 있는 얇은 막을 속막(tunica interna)이라고 한다. 동맥은 수축기의 압력을 견디기 위해서 중간막층이 발달되어 정맥보다 두껍고 탄력성과 신전성이 좋다.

동맥에는 심실의 수축에 의하여 한 번에 혈액이 보내진다. 그것을 받아들이는 만큼의 강도와 탄력성이 필요하기 때문에 동맥은 중간막의 민무늬근육층이 두꺼워져 있다. 또한 심장의 수축과 확장의 리듬은 동맥에 맥박으로 전달된다. 동맥의 대부분은 신체의 깊은부위를 주행하므로 대부분의 장소에서 맥박을 만지는 것이 불가능하지만, 온목동맥·노동맥 등 약간 얕은 부위를 주행하는 동맥에서는 만질 수 있다.

(2) 동맥주행의 특징

가장 두꺼운 동맥은 대동맥으로 지름은 약 3cm이다. 동맥이 갈라져 온몸으로 퍼지면서 가늘어지고 지름이 0.3~0.01mm 정도가 된 것을 세동맥이라고 한다. 세동맥의 끝부분은 모세혈관으로 이어진다.

동맥에는 가까이에 있는 동맥끼리 연결된다. 연결(anastomosis, 문합)은 바이패스가 되므

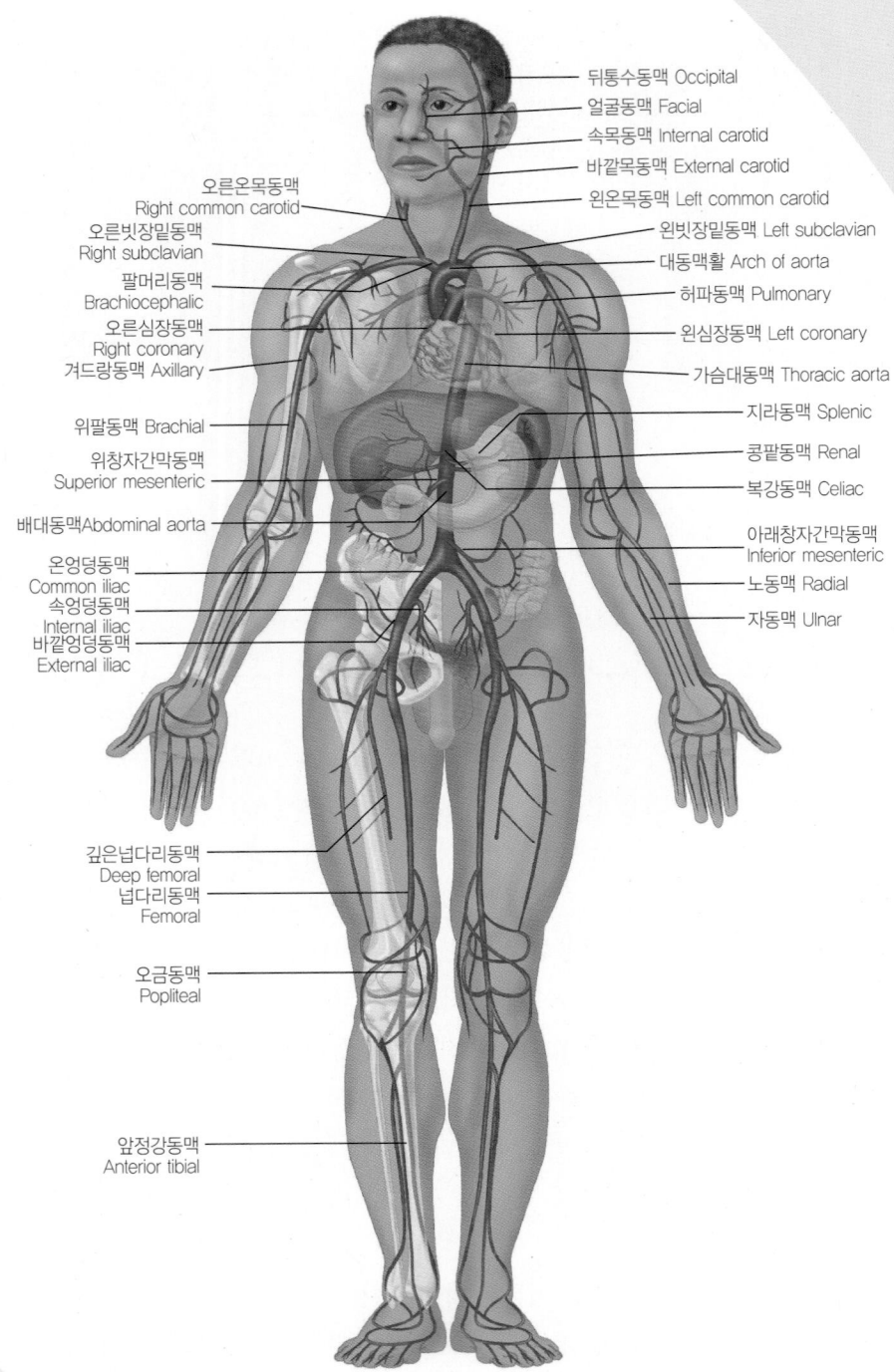

뒤통수동맥 Occipital
얼굴동맥 Facial
속목동맥 Internal carotid
바깥목동맥 External carotid
왼온목동맥 Left common carotid
오른온목동맥
Right common carotid
왼빗장밑동맥 Left subclavian
오른빗장밑동맥
Right subclavian
대동맥활 Arch of aorta
팔머리동맥
Brachiocephalic
허파동맥 Pulmonary
오른심장동맥
Right coronary
왼심장동맥 Left coronary
겨드랑동맥 Axillary
가슴대동맥 Thoracic aorta
위팔동맥 Brachial
지라동맥 Splenic
위창자간막동맥
Superior mesenteric
콩팥동맥 Renal
복강동맥 Celiac
배대동맥Abdominal aorta
아래창자간막동맥
Inferior mesenteric
온엉덩동맥
Common iliac
노동맥 Radial
속엉덩동맥
Internal iliac
자동맥 Ulnar
바깥엉덩동맥
External iliac
깊은넙다리동맥
Deep femoral
넙다리동맥
Femoral
오금동맥
Popliteal
앞정강동맥
Anterior tibial

그림 8-9 **전신의 동맥**

로 어딘가가 막혀도 그 앞쪽의 혈류가 유지된다. 한편 연결이 없는 동맥을 끝동맥이라고 한다. 사람은 어떠한 동맥에도 매우 가느다란 동맥의 연결이 있어 엄밀한 의미에서 끝동맥이 존재하지 않는다. 그러나 가느다란 동맥에서는 바이패스의 기능이 충분히 이루어지지 못하는 경우가 있는데, 그러한 동맥을 기능적 끝동맥이라고 하며, 심장동맥·뇌·허파·간 등에 있다.

2) 정맥

정맥은 조직에서 심장으로 혈액을 수송하는 역할을 하는 관으로서, 두께는 동맥보다 얇지만 층수는 3층으로 되어 있다. 정맥은 압력이 낮기 때문에 중간막의 주성분인 민무늬근육섬유가 덜 발달되어 있다. 정맥은 혈액량이 줄어들면 주위에 있는 조직의 압력에 의해서 쉽게 위축되고, 정맥판막(venous valve)이 있어서 혈액이 역류하지 못하도록 되어 있다.

(1) 동맥과 나란히 주행하는 정맥과 피부밑을 주행하는 정맥

모세혈관을 나와 심장으로 되돌아가는 혈관이 정맥이다. 정맥은 전신의 말초에서 서서히 모여 굵어지고, 위대정맥 또는 아래대정맥이 되어 오른심방으로 되돌아간다. 또한 허파순환

◆세동맥
갈라져서 가늘어진 동맥으로, 일반적으로 지름이 0.3~0.01mm 정도이다. 그 앞쪽은 모세혈관으로 이어진다.

◆연결(문합)
동맥과 동맥을 연결하는 바이패스. 연결이 있으면 어딘가가 막혀도 그 앞쪽으로 가는 혈류가 유지된다.

◆기능적 끝동맥
끝동맥이란 연결이 없는 동맥을 말한다. 나뭇가지처럼 뻗어 나와 있기 때문에 어딘가가 막혀있으면 앞쪽으로 가는 혈류가 끊겨 괴사를 일으킨다. 인체에는 엄밀한 의미에서의 끝동맥은 없지만, 연결이 너무 가늘어서 바이패스의 기능을 다하지 못하는 기능적 끝동맥이 있다.

◆동정맥연결
동맥과 정맥 사이에는 모세혈관이 있는 것이 보통이지만, 인체에는 동맥과 정맥이 직접 이어진 동정맥연결이 있다. 동정맥연결은 손가락 끝이나 음경해면체 등에 있다.

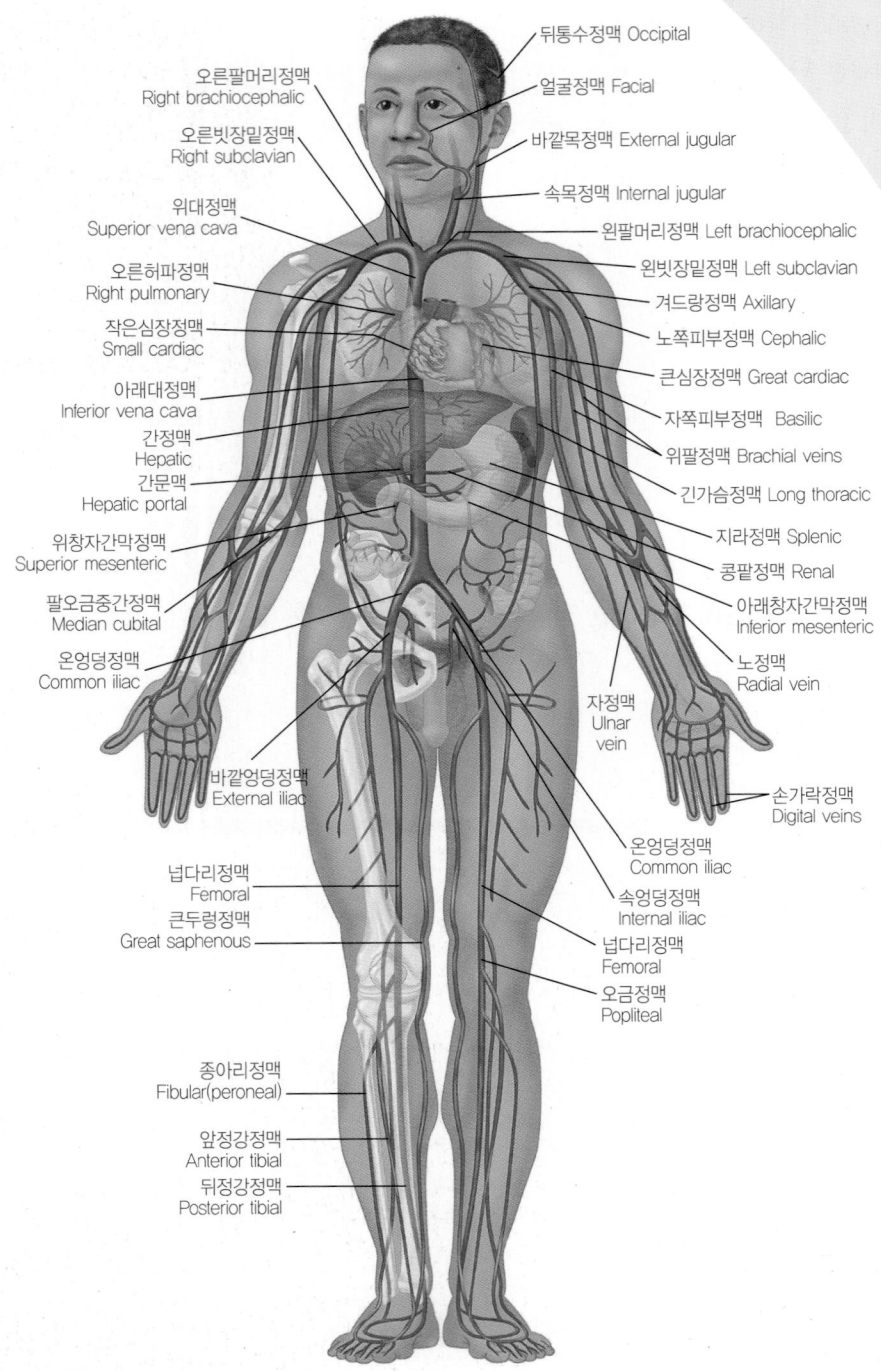

뒤통수정맥 Occipital
오른팔머리정맥 Right brachiocephalic
얼굴정맥 Facial
오른빗장밑정맥 Right subclavian
바깥목정맥 External jugular
속목정맥 Internal jugular
위대정맥 Superior vena cava
왼팔머리정맥 Left brachiocephalic
오른허파정맥 Right pulmonary
왼빗장밑정맥 Left subclavian
겨드랑정맥 Axillary
작은심장정맥 Small cardiac
노쪽피부정맥 Cephalic
아래대정맥 Inferior vena cava
큰심장정맥 Great cardiac
간정맥 Hepatic
자쪽피부정맥 Basilic
간문맥 Hepatic portal
위팔정맥 Brachial veins
위창자간막정맥 Superior mesenteric
긴가슴정맥 Long thoracic
팔오금중간정맥 Median cubital
지라정맥 Splenic
콩팥정맥 Renal
온엉덩정맥 Common iliac
아래창자간막정맥 Inferior mesenteric
노정맥 Radial vein
바깥엉덩정맥 External iliac
자정맥 Ulnar vein
손가락정맥 Digital veins
온엉덩정맥 Common iliac
넙다리정맥 Femoral
속엉덩정맥 Internal iliac
큰두렁정맥 Great saphenous
넙다리정맥 Femoral
오금정맥 Popliteal
종아리정맥 Fibular(peroneal)
앞정강정맥 Anterior tibial
뒤정강정맥 Posterior tibial

그림 8-10   전신의 정맥

으로 가스교환을 실시한 혈액을 심장으로 돌려보내는 허파정맥은 왼심방으로 들어간다. 즉 보통 정맥에는 산소가 적고 이산화탄소가 많은 정맥혈이 흐르고 있지만, 허파정맥만은 동맥혈이 흐르고 있다.

대부분의 정맥은 동맥과 나란히 주행하지만, 혈액의 흐름은 반대방향이다. 정맥에는 전신의 피부밑을 큰 그물코를 만들어 주행하는 것이 있는데, 이것을 피부정맥이라고 한다.

(2) 정맥의 흐름은 판막과 뼈대근육이 만든다

모세혈관을 거친 후의 정맥에는 심장을 수축시키는 박동이나 기세가 없다. 정맥은 동맥보다 벽의 민무늬근육이 얇고, 탄력도 강하지 않다.

정맥혈은 상반신에서는 중력의 도움을 받아서 흐르고, 다른 부위에서는 뒤에서 밀듯이 하여 흐르고 있다. 그러나 그것만으로는 부드럽게 심장으로 환류하는 것이 불가능하다. 그래서 특히 다리의 정맥속벽에는 혈액이 역류하지 않도록 하기 위한 정맥판막이 붙어 있다. 정맥판막은 팔에도 있으나, 내장에는 없다.

팔다리정맥의 혈류는 뼈대근육에 의해 이루어진다. 정맥에 접한 뼈대근육이 수축하여 두꺼워지면 정맥이 압박되고, 뼈대근육이 이완되면 정맥의 압박이 풀린다. 이것이 반복됨으로써 정맥에 흐름이 발생하고, 환류가 촉진된다.

◆**피부정맥**
큰 그물처럼 피부밑을 주행하는 정맥. 혈액검사에서 채혈하는 팔꿈치의 정맥이 피부정맥이다. 피부정맥은 샅굴부위와 다리오금부위에서 깊은부위를 주행하는 정맥과 이어져 있다.

◆**정맥판막**
특히 다리의 정맥 속벽에 있는 판막으로, 혈류가 아래방향으로 역류하는 것을 막는다. 노화 등에 의하여 판막이 부서지면 정맥압이 높아져서 정맥이 혹 모양으로 부풀어 오르는 정맥류가 된다.

◆**정맥의 환류**
정맥에 의하여 심장으로 혈액이 되돌아오는 것. 정맥의 환류량은 심장박출량을 좌우한다. 정맥의 환류는 깊은 날숨에 의해서도 증가한다.

◆**제2의 심장**
발이 제2의 심장이라고 불리는 것은 다리의 뼈대근육의 수축이 다리에서의 정맥환류를 돕기 때문이다.

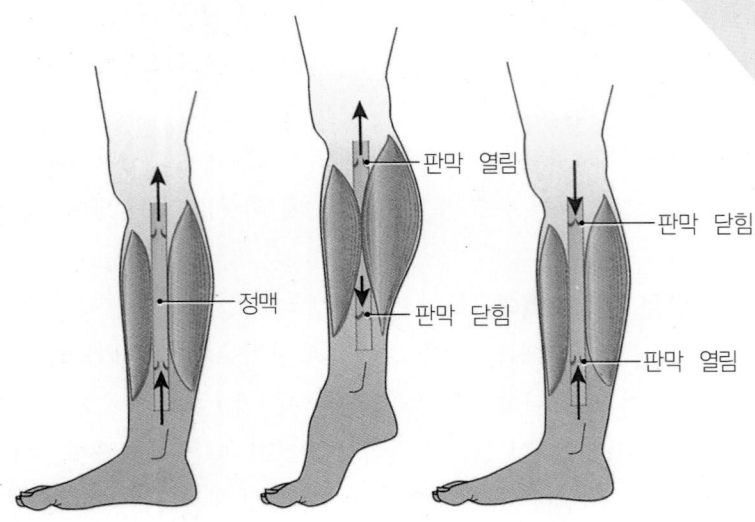

정맥

판막 열림

판막 닫힘

판막 닫힘

판막 열림

그림 8-11 근육수축에 의한 정맥혈의 펌프작용

3) 모세혈관

모세혈관은 속막이 내피세포만으로 되어 있어서 대단히 얇은 막이다. 따라서 혈액 중에서 단백질과 적혈구를 제외한 모든 액체성분들이 확산과 여과에 의해서 모세혈관벽을 손쉽게 통과할 수 있다. 모세혈관은 조직에서 필요로 하는 산소와 영양물질들을 조직에 공급하고, 조직에서 대사의 산물로 만들어진 노폐물질을 모세혈관으로 이동시킨다.

(1) 조직과의 사이에서 물질교환을 실시하는 모세혈관그물

모세혈관은 세동맥에서 이어지는 혈관으로, 전신의 조직으로 그물형태의 구조를 만들어 퍼져나간다. 지름은 5~10μm 정도이며, 혈관벽에는 내피세포가 1층으로 늘어서 있으며, 동맥이나 정맥과 같은 민무늬근육은 없다.

전신의 모세혈관의 단면적을 합치면 3,000cm^2에 달한다. 모세혈관의 혈류속도는 지극히 느려 초속 0.5~1mm 정도이다. 모세혈관을 천천히 흐르는 혈액과 조직세포 사이에서 산소 및 영양, 호르몬 및 노폐물 등이 교환되고 있다.

세동맥이 모세혈관으로 이행되는 부분에는 모세혈관이전조임근이 붙어 있어 모세혈관그물으로 가는 혈류를 조절한다. 예를 들어 운동을 하여 혈중이산화탄소 및 젖산이 증가하면

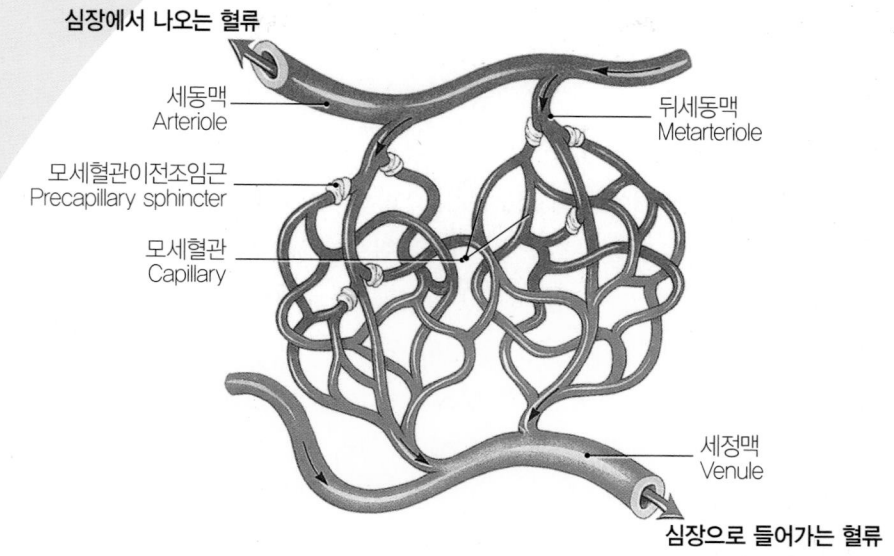

심장에서 나오는 혈류

세동맥
Arteriole

모세혈관이전조임근
Precapillary sphincter

모세혈관
Capillary

뒤세동맥
Metarteriole

세정맥
Venule

심장으로 들어가는 혈류

그림 8-12 모세혈관과 모세혈관이전조임근

조임근이 느슨해져 모세혈관그물로 가는 혈류가 증가한다.

(2) 모세혈관의 종류

모세혈관의 종류는 다음과 같다.

- 연속모세혈관(continuous capillary)은 내피세포가 타일 형태로 늘어서 있으며, 세포끼리의 틈새가 좁은 혈관이다. 뇌·허파·뼈대근육에 있으며, 산소·물·포도당 등 한정된 것만 벽을 통과할 수 있다.

- 내피세포의 여기저기에 작은 구멍이 모여 뚫려 있는 것을 창문모세혈관(fenestrated capillary)이라고 한다. 이것은 소변을 만드는 토리에 있으며, 혈액에서 원뇨를 걸러내는 데 적합하다.

- 통상적인 것보다 굵고, 벽 전체에 크고 작은 구멍이 있는 것을 동굴모세혈관(sinusoidal capillary)이라고 한다. 이것은 간·내분비샘·뼈속질 등에 있으며, 혈구까지도 벽의 구멍을 통과할 수 있다.

③ 혈 액

혈액은 혈장(plasma)과 세포(cell) 두 가지 성분으로 구성되어 있다. 혈장은 수많은 이온, 단백질, 호르몬이 포함된 혈액의 액체 성분이다. 세포는 적혈구세포, 혈소판(platelet), 그리고 백혈구세포(white blood cell)로 구분할 수 있다. 적혈구는 산소를 수송할 때 사용되는 헤모글로빈을 포함하고 있고, 혈소판은 혈액응고(blood clotting) 시 중요한 역할을 수행하며, 백혈구는 감염(infection)방지에 중요한 역할을 한다.

혈액에서 세포가 차지하는 비율을 헤마토크리트(hematocrit)라 한다. 예를 들어 혈액의 40%는 세포이고 나머지는 혈장이라고 하면 헤마토크리트가 40%이다. 혈액에서 적혈구가 가장 큰 비율을 차지하기 때문에 헤마토크리트는 적혈구 수의 증감에 크게 좌우된다.

혈액의 점성은 물보다 몇 배나 더 큰데, 점성의 크기에 가장 크게 영향을 주는 요인 중의 하나는 혈액 내 적혈구농도이다. 그러므로 헤마토크리트가 증가하면 혈액의 점성이 증가되어서 혈액순환을 어렵게 만들고, 반대로 빈혈일 때는 혈액의 점성이 낮아진다.

적혈구는 뼈의 적색뼈속질에서 조혈세포(hematocytoblast)에 의해서 만들어진다. 새로 만들어진 적혈구에는 핵이 있지만, 완전히 성숙하면 핵을 밀어내서 헤모글로빈을 수용할 수 있는 공간을 더 많이 갖게 된다. 적혈구의 평균수명은 120일이고, 생애주기 동안 약 75,000번 신체를 순환한다. 적혈구의 수는 단위부피(mm3)당 여성은 420~540만 개, 남성은 460~640만 개 정도이다.

적혈구의 생산속도는 에리쓰로포이에틴(erythropoietin ; 적혈구 생산을 촉진시키는 효소)이라고 하는 호르몬의 부적 피드백(negative feedback) 작용에 의해서 조절된다. 에리쓰로포이에틴은 대부분 콩팥에서 분비되고, 일부는 간에서 분비되기도 한다. 예를 들어 고지대에 올라가거나 운동을 하게 되면 콩팥의 혈류가 감소하고, 혈액 중 산소 농도도 감소하여 에리쓰로포이에틴의 분비를 자극한다. 분비된 에리쓰로포이에틴이 적색뼈속질를 자극하여 적혈구 생산을 촉진한다.

백혈구는 세포질에 과립을 갖고 있는 과립백혈구와 무과립백혈구로 나눌 수 있다. 과립백혈구에는 중성구, 호염기구, 호산구의 세 가지가 있다. 중성구는 감염부위에 가장 먼저 나타나 박테리아나 균, 일부 바이러스를 식균작용에 의해 처리하며, 전체 백혈구의 54~62%를 차지한다. 호산구는 알러지 반응에 관여하고 기생충에 대항하는 역할을 하며, 전체 백혈구의 1~3%에 해당한다. 호염기구는 손상된 조직으로 이동하여 히스타민(histamin)과 헤파린

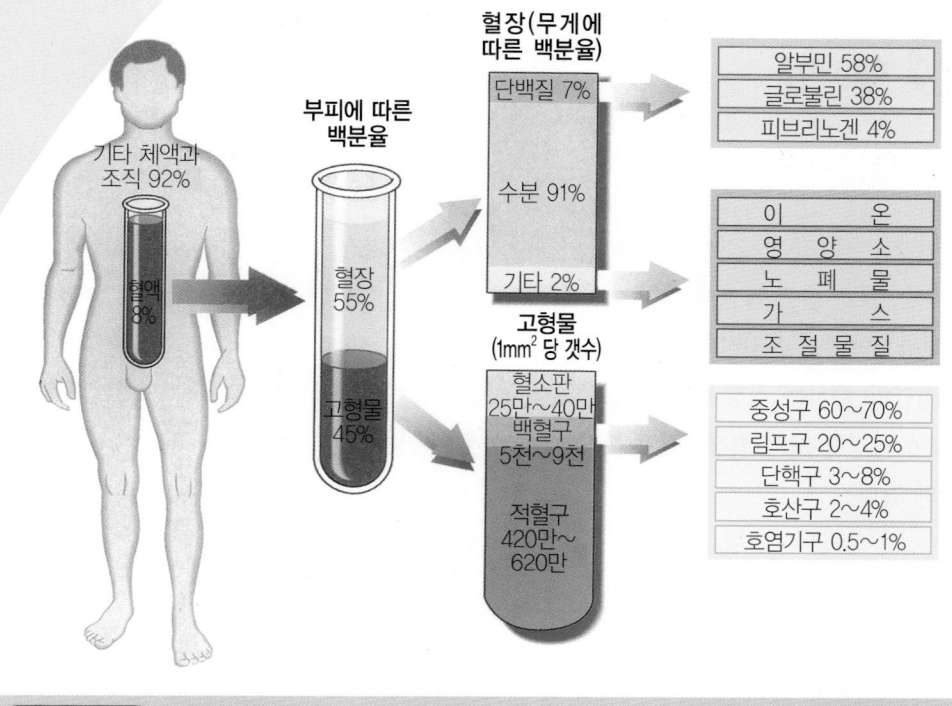

혈장(무게에 따른 백분율)
단백질 7%
수분 91%
기타 2%

알부민 58%
글로불린 38%
피브리노겐 4%

이   온
영   양   소
노   폐   물
가   스
조 절 물 질

부피에 따른 백분율
혈장 55%
고형물 45%

기타 체액과 조직 92%
혈액 8%

고형물 (1mm² 당 갯수)
혈소판 25만~40만
백혈구 5천~9천
적혈구 420만~ 620만

중성구 60~70%
림프구 20~25%
단핵구 3~8%
호산구 2~4%
호염기구 0.5~1%

그림 8-13   혈액의 성분

(heparin)을 분비한다. 히스타민은 손상된 부위의 혈류를 증가시켜 염증반응을 일으키고, 헤파린은 혈액응고를 억제하는 작용을 한다.

　무과립백혈구에는 단핵구(monocytes)와 림프구(lymphocytes)가 있다. 단핵구는 가장 큰 혈구세포로서 적색뼈속질에서 만들어져 혈액으로 보내지며, 혈액을 순환하다가 혈관 밖으로 나올 때는 큰포식세포(macrophages)가 되어 박테리아나 죽은 세포, 또는 조직의 파편을 식균작용에 의해 처리한다.

　림프구는 크게 T림프구와 B림프구로 나뉜다. T림프구는 미생물이나 암세포 또는 이식세포를 직접 공격하고, B림프구는 항체를 생성하여 외부의 세포나 단백질을 공격한다. 림프구는 전체 백혈구의 25~33%를 차지한다.

④ 혈 압

1) 혈압이란

혈압은 혈관벽 안쪽에 가해지는 압력을 말한다. 따라서 어떠한 혈관에도 혈압은 있지만, 일반적으로는 굵은 동맥에 가해지는 압력을 가리킨다. 특별한 경우를 제외하고 성인의 혈압은 위팔동맥에서 측정한다.

혈압의 수치는 심장이 수축하여 혈액을 동맥으로 밀어낼 때의 수축기혈압(최고혈압)과 심장이 확장할 때의 확장기혈압(최저혈압)을 세트로 나타낸다. 한국인의 혈압의 기준치는 표 8-2와 같다.

2) 혈압의 조절

혈압은 순환혈액량과 심장의 수축력과 말초혈관저항으로 정해진다. 혈압이 변화하면 그 모습이 심방 및 대동맥, 목동맥에 있는 압력수용기와 콩팥 등에서 감지되고, 그것이 자율신경계통 및 내분비계통을 자극하여 조절이 이루어진다. 예를 들어 혈압이 극단적으로 내려갔을 때에는 자율신경계통의 교감신경이 세동맥벽의 민무늬근육을 수축시켜 말초혈관저항을 높이거나, 정맥벽의 민무늬근육을 수축시켜 정맥의 혈액을 심장으로 되돌려 동맥으로 공급되는 순환혈액량을 증가시킴으로써 혈압을 높인다.

뇌하수체뒤엽에서는 바소프레신이 분비되어 콩팥에서 Na^+와 물의 재흡수를 촉진하고,

◆콩팥에서의 재흡수
콩팥에서 소변이 만들어질 때 대략적으로 걸러진 원료가 요세관을 지나가는 동안 몸에 필요한 물질을 혈관쪽으로 재흡수하는 활동

◆레닌
콩팥의 혈류량이 감소하면 콩팥에서 분비되는 호르몬. 레닌은 간에서 분비되는 안지오텐시노겐에 작용하고, 그것이 또 다른 물질에 의하여 변화한 안지오텐신Ⅱ가 동맥의 수축 등을 일으켜 혈압을 상승시킨다.

표 8-2　혈압의 기준치(WHO)

	최고 mmHg	최저 mmHg
정상혈압	100~139	89 이하
고혈압 1기	140~159	90~99
고혈압 2기	160~179	100~109
고혈압 3기	180 이상	110 이상
저혈압	100 이하	60 이하
맥박	45~90	

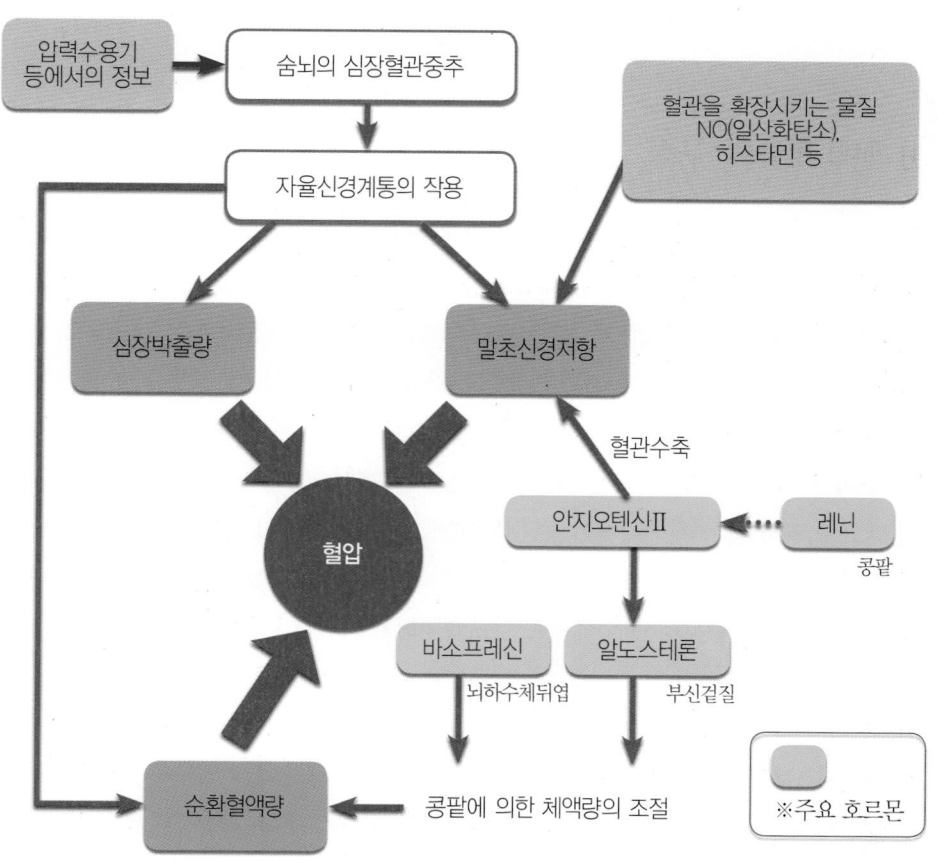

그림 8-14　혈압을 좌우하는 요소

혈압은 순환혈액량, 심장의 수축력(심장박출량), 말초혈관저항 등에 의하여 정해진다.

순환혈류량을 증가시켜 혈압을 높인다. 콩팥에서 분비되는 호르몬인 레닌은 다른 호르몬에 작용하여 동맥의 수축 및 순환혈액량의 증가에 활동하여 결과적으로 혈압을 상승시킨다.

5 림프계통과 면역시스템

인체의 면역시스템은 림프계통을 중심으로 이루어진다. 림프계통은 림프·림프구·림프관·림프샘·편도·지라·가슴샘 등으로 이루어지는데, 주요한 기능은 다음과 같다.

- 조직 내 체액균형의 유지를 돕는다.
- 림프계통은 소화관으로부터 지방과 다른 물질을 흡수한다.
- 림프계통은 인체의 방어시스템을 수행한다.

1) 림프계통의 구성

림프계통은 심장혈관계통과는 달리 조직으로부터 체액을 운반해 나가기만 하고 들어오지는 않는다. 림프계통은 미세한 조직 내 모세림프관에서 시작하여 림프관을 형성한다. 림프관은 정맥과 마찬가지로 한 방향으로만 열리는 밸브를 가지고 있어 림프액의 역류를 방지한다.

뼈대근육의 수축, 림프관 벽에 있는 민무늬근육의 수축, 호흡에 따른 가슴의 압력 변화 등에 의해 림프액이 이동한다. 림프관은 한 곳으로 모여 결국은 두 개의 정맥혈 안으로 림프액을 보내게 된다. 오른팔 전체, 머리와 목, 그리고 가슴의 오른쪽 반에서 온 림프액은 오른빗장밑정맥으로, 나머지 신체부위에서 온 림프액은 가슴림프관에서 왼빗장정맥으로 보낸다.

림프절(lymph node)은 작고 둥근 형태로 여러 림프관에 분포되어 있는데, 대부분의 림프액은 혈액으로 들어가기 전에 적어도 한 번은 림프절을 통과한다. 림프액은 구심성 관을 통해 림프절로 들어가서 림프조직을 지나 도출성 관을 통해 배출된다.

림프액이 림프절을 통과할 때에는 다음의 두 가지 기능을 수행한다.

- 면역시스템의 활성화가 이루어진다. 림프액 내의 미생물이나 외부물질이 림프조직 내에서 림프구의 분화를 촉진시킨다. 이렇게 생성된 림프구는 미생물이나 다른 외부물질을 파괴할 수 있는 능력이 있다.
- 림프액에 들어 있는 미생물이나 외부물질을 큰포식세포에 의해서 제거된다. 지라는 보통 주먹 크기 정도이며, 배속공간 위쪽에 있다. 지라는 혈액을 여과하며 미생물이나 외

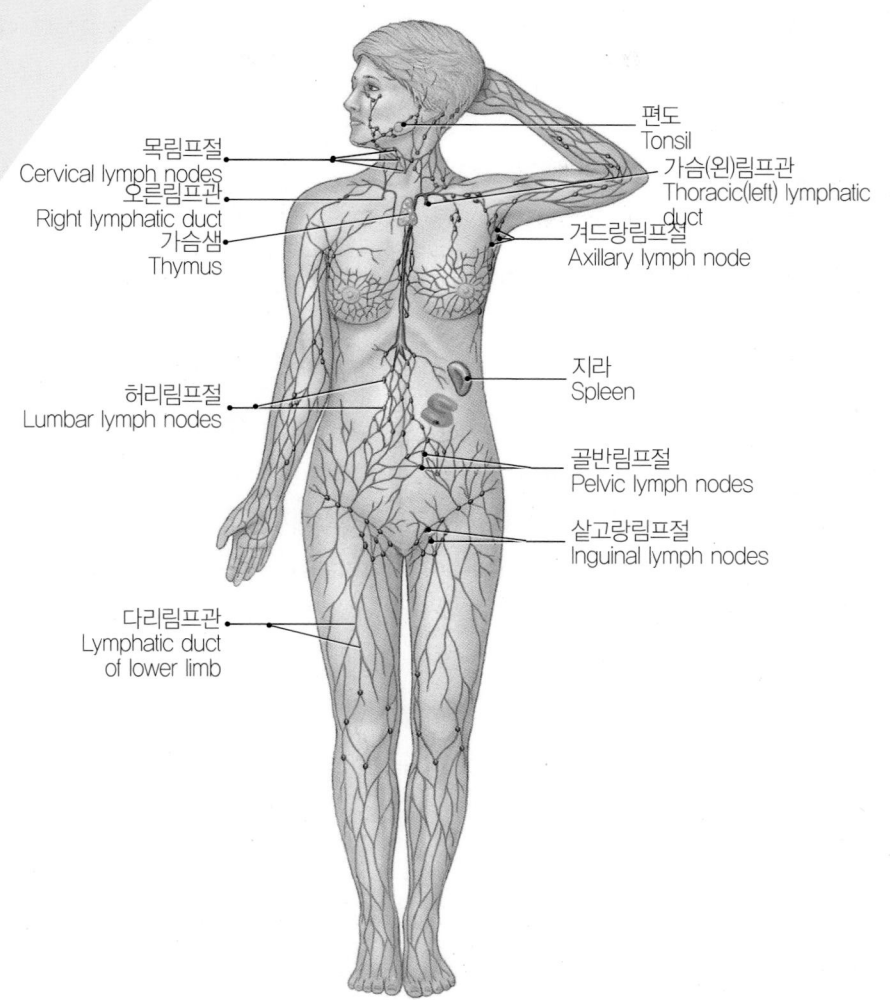

목림프절
Cervical lymph nodes
오른림프관
Right lymphatic duct
가슴샘
Thymus

허리림프절
Lumbar lymph nodes

다리림프관
Lymphatic duct
of lower limb

편도
Tonsil
가슴(왼)림프관
Thoracic(left) lymphatic
duct
겨드랑림프절
Axillary lymph node

지라
Spleen

골반림프절
Pelvic lymph nodes

샅고랑림프절
Inguinal lymph nodes

그림 8-15　림프계통의 구성

부물질, 그리고 오래된 적혈구를 파괴한다. 지라의 림프구는 림프절에서와 같은 방법으로 자극되며, 지라에 있는 큰포식세포는 미생물과 외부물질, 그리고 오래된 적혈구는 식균작용에 의해서 제거한다. 지라는 소량의 혈액을 비축함으로써 혈액 저장기관으로서의 역할도 수행한다.

가슴샘(thymus)은 삼각형 모양의 2엽의 선으로 복장뼈 윗부분에 위치하며 가슴속공간을 좌·우로 분리시킨다. 가슴샘은 림프구를 성숙시키고 가공하는 장소의 역할을 한다. 가슴샘에서 림프구는 외부물질에 대하여 반응을 하지 않지만 가슴샘 림프구가 성숙되면 다른 림프조직으로 이동한 다음 그곳에서 외부물질에 대해 신체를 보호하는 작용을 돕는다.

2) 면역시스템

면역은 크게 비특이저항(nonspecific resistance)과 특이저항(specific resistance)으로 구분할 수 있다.

비특이저항에는 기계적 장벽, 화학매개물, 세포, 염증반응 등이 있다. 기계적 장벽은 피부와 점막층을 통해서 미생물이 체내로 침입하는 것을 방지하는 것이고, 화학매개물은 눈물이나 침 속에 있는 라이소자임(lysozyme)처럼 면역시스템의 반응을 유발하는 물질을 말한다.

도움체(complement)는 혈장에 있는 단백질그룹으로 비활성화된 상태로 혈액을 따라 순환하다가 외부물질이나 항체를 만나서 결합하면 활성화되어 염증반응과 식균작용을 촉진하고 세균세포를 파괴시킨다. 인체는 그밖에도 큰포식세포를 통한 식균작용, 여러 가지 화학매개물, 염증반응 등에 의해서 외부에서 침입한 박테리아를 제거한다.

특이저항은 특정 물질을 인식하고 반응하며 기억하는 능력을 말한다. 특정한 특이저항을 하도록 자극하는 물질분자를 항원(antigens)이라 한다. 특정한 항원에 대하여 항원을 직접 공격하거나, 도움체를 활성화시키거나, 염증반응 등을 통해서 항원의 확산에 대항하는 물질분자를 항체(antibody)라고 한다.

특이저항은 림프구의 활성에 의해서 이루어지고, T림프구에 의한 세포면역과 B림프구에 의한 체액면역으로 나눌 수 있다. T세포는 항원에 대항하는 특정 세포의 반응을 강화하는 사이토카인(cytokine)을 분비한다. T세포는 조력T세포, 세포독성T세포, 기억T세포 그리고 억제T세포가 있다. 조력T세포는 큰포식세포가 식균작용을 통해서 박테리아를 삼키고 항원을 표시하면 이를 인식하여 사이토카인을 분비하고, 사이토카인은 이어서 B세포의 증식을 촉진한다.

기억T세포는 항원에 처음 노출될 때 생성되는 많은 T세포 중 일부로서 항원에 직접 반응하지 않는 세포들이다. 이들은 그 후 동일한 항원에 노출되면 즉각적으로 반응하여 세포독성T세포(cytotoxic T cell)로 분화된다. 세포독성T세포는 암세포 또는 감염된 세포가 자신의 세포막 표면 위의 특정 MHC 단백질 가까이에 비자기항원(nonself antigen)을 표시하면 이와 결합하고, 이어서 활성화되어 증식하기 시작한다.

체액면역(항체중재면역)을 주관하는 B림프구는 항원에 노출될 때 형질세포(plasma cell)

로 분화되며, 형질세포는 항체, 즉 면역글로불린(immunoglobulin)을 생산하여 분비한다. 일반적으로 일회적 운동에 의해 호중구와 자연살해세포(NK cell)가 가장 뚜렷한 증가를 보이며, 특히 자연살해세포의 독성활성(NKCA)은 훈련에 의해서도 증가한다.

6 운동 시 순환계통의 변화

운동에 의한 심장과 순환계통의 변화는 산소공급계에 영향을 미치는 것들이 대부분이다. 산소공급계는 활동하는 근육에 충분한 산소를 공급한다는 공동의 목표를 수행하기 위해서 협동적으로 활동한다.

여기에서는 오랫동안 운동을 한 결과로 순환계통에 나타나는 변화를 안정 시, 최대하운동 시, 최대운동 시로 나누어서 살펴본다.

1) 안정 시의 변화

운동의 결과로 안정 시 순환계통에서 볼 수 있는 중요한 변화는 심장의 크기 변화, 심박수의 감소, 1회박출량의 증가, 혈액량과 헤모글로빈량의 증가 등이 있다.

(1) 심장크기의 변화

운동선수의 심장이 운동선수가 아닌 사람의 심장보다 크다는 사실은 오래 전부터 잘 알려져 있다. 가슴부위에 X-ray나 초음파 심장 촬영을 실시하여 심장근육의 두께와 심실의 부피(cavity)를 측정하면 선수와 일반인의 심장에 관한 정보를 얻을 수 있다.

표 8-3 안정 시 순환계통의 변화

항 목	내용	대상이 되는 운동
심장의 변화	심실속공간의 크기 증가 심장근육층의 두께 증가	지구력운동 비지구력운동
심박수 감소	고유심방수축률 감소 부교감신경자극 증가 교감신경자극 감소	
1회박출량 증가	심장근육수축력 증가	

지구력을 요하는 선수(중거리달리기선수와 수영선수)의 심장은 심실은 크고 심실벽의 두께는 차이가 없는 것으로 나타났다. 이것은 심장이 확장될 때 심실에 차는 혈액의 양이 많다는 것을 뜻하고, 이 효과 때문에 지구력운동종목 선수의 1회박출량이 더 크다.

레슬링이나 투포환같이 저항이 크거나 등척성 근육수축 형태의 운동을 하는 비지구력 운동종목 선수들의 심장의 심실은 정상적인 크기이지만 심실벽은 더 두껍다는 것이 특징이다. 따라서 이 종목선수들의 심장비대의 정도가 지구력 운동종목 선수들과 동일하다고 하더라도 1회박출량은 일반인들과 별 차이가 없다.

과거에는 심장의 크기에 유전적 요인이 큰 역할을 하는 것으로 생각되었으나, 훈련 혹은 수행되는 스포츠활동의 형태와도 큰 상관관계가 있음이 증명되었다. 선수의 심장비대 형태는 지구력 운동종목 선수는 심장의 부피가 크고, 비지구력 운동종목 선수는 심실벽이 두껍다.

(2) 심박수의 감소

안정 시 운동성 느린맥(bradycardia, 서맥, 심박수 감소)은 장기간 강도 있는 훈련을 계속한 결과로 나타난 것이고, 훈련에 의한 안정 시 심박수 감소의 정도는 체력이 우수한 선수일수록 적다. 운동성 느린맥의 정도는 지구력 운동종목 선수와 비지구력 운동종목 선수에서 동일하다.

(3) 1회박출량의 증가

운동선수와 일반인이 안정 시 심장박출량(1분 동안)은 거의 비슷하지만, 안정 시 1회박출량은 운동선수가 더 크다.

지구력 운동종목 선수들에게서 1회박출량의 증가가 가장 뚜렷하게 나타났는데, 이는 장기간의 집중적 훈련 때문에 생긴 것으로 보인다. 그러므로 일반인이 몇 달 정도 훈련받는다고 해도 1회박출량은 증가하지 않는다.

(4) 혈액량과 헤모글로빈량의 증가

훈련에 의해서 총혈액량과 헤모글로빈량이 증가한다. 총혈액량과 헤모글로빈량이 산소운반계에서 중요한 기능을 하는데, 이들 변인은 모두 최대산소섭취량(VO_2max)과 밀접하게 관련되어 있다. 혈액량과 헤모글로빈량은 고지(high altitude)에서 운동할 경우에 매우 중요한 역할을 하고, 운동 중에 체내에서 발생된 열은 혈액에 의하여 피부 부위로 운반되므로 혈액량은 고온에서 운동할 때에도 매우 중요한 역할을 한다.

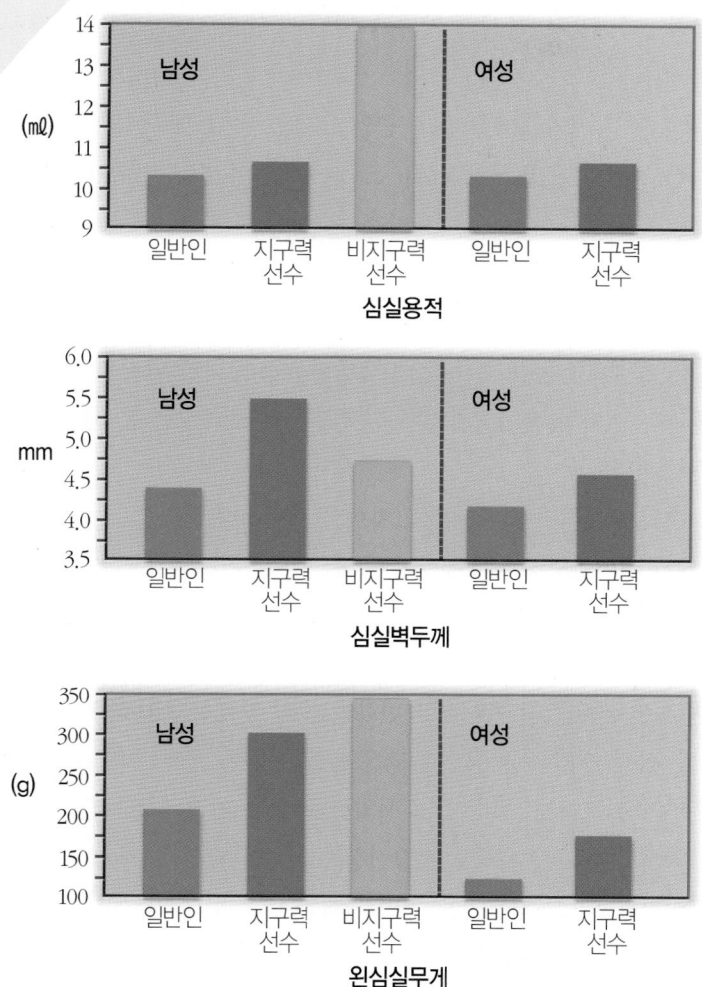

2) 최대하운동 시의 변화

최대하운동(submaximal exercise)을 시작하여 항정상태에 도달했을 때 '운동에 의한 산소운반계의 기능 변화'가 가장 뚜렷하게 나타난다.

(1) 심장박출량 변화와 1회박출량의 증가

최대하운동을 수행할 때 운동선수의 심장박출량(분당)과 일반인의 심장박출량은 동일하거나 약간 낮은데, 그 이유는 확실치 않다. 다만 운동프로그램의 강도·형태·시간과 관계가 있을 것으로 추측된다.

운동에 의하여 안정 시와 최대하운동 중의 1회박출량이 모두 증가한다. 1회박출량의 증가는 운동에 의한 심실의 부피(ventricular cavity) 증가와 주로 관계가 있다. 즉 심장확장기 동안 심실에 혈액이 많이 들어올수록 1회박출량도 증가한다.

(2) 효율성의 증대

주어진 강도의 최대하운동을 할 때 산소소비량을 비교하면 다음과 같다.

▪ 고도로 훈련된 선수와 훈련되지 않은 피험자를 비교해보면 훈련된 선수의 산소소비량이 현저하게 적다.

▪ 우수한 선수와 보통선수를 비교해도 차이가 뚜렷하다.

이같은 결과는 운동 중의 인체효율성이 증대된 것으로 볼 수 있다.

(3) 심박수의 감소

운동과 관련된 가장 일관되고 뚜렷한 변화는 훈련 후에는 최대하운동을 할 때 심박수가 감소하는 것이다. 안정 시의 운동성 느린맥은 고도로 훈련된 선수와 훈련되지 않은 피험자를 비교하면 뚜렷하게 차이가 난다. 안정 시의 운동성 느린맥은 부교감신경의 억제작용으로 인한 것이지만, 최대하운동 시 서맥은 교감신경의 신경임펄스 감소에 의한 것이다.

교감신경의 신경임펄스가 감소하는 원인을 심장 내부와 외부로 나누어 다음과 같은 2가지로 들 수 있다.

▪ 심장 내부의 기전(intracardiac mechanism) : 심장근육의 직접적인 효과가 원인이다. 예를 들어 훈련으로 인해서 최대하운동 중의 1회박출량이 증가되기 때문에 (분당)심장박출량이 동일하거나 조금 감소하게 된다. 그러면 교감신경의 신경임펄스를 증가시켜서 심박수를 증가시켜야 할 필요성이 크게 감소된다.

▪ 심장 외부의 기전(extracardiac mechanism) : 훈련에 의해서 뼈대근육이 변화하는 간접적인 효과가 원인이다.

(4) 근육혈류량의 증가

동일한 최대하운동을 할 때 근육 1kg당 혈류는 훈련된 피검자가 훈련되지 않은 피검자보다 낮게 나타난다. 왜냐하면 훈련자의 활동근육은 같은 혈류량이더라도 더 많은 산소를 추출해내서 사용할 수 있기 때문이다. 이 현상은 동정맥산소차(a-vO$_2$diff.)가 큰 것으로 알 수 있고, 뼈대근육의 생화학적 변화와도 관련이 있다.

총혈류량(심장박출량)은 훈련 전과 같은 동일한 운동부하로서 훈련한 후에도 같거나 약간 감소한다. 심장박출량은 같으면서 근육혈류량이 감소하였다는 것은 피부와 같은 비활동 부위에서 더 많은 혈액을 이용했다는 것을 나타내고, 고온에서 운동할 때는 열순환에 유리하게 작용한다. 그러나 다르게 생각하면 근육으로 순환하는 혈류가 감소하였다는 것은 심장박출량이 감소하였다고 설명할 수도 있다.

운동에 의한 '최대하운동 중의 순환계통 변화'는 다음과 같다.
- 산소섭취량이 변하지 않거나 다소 감소
- 젖산생성량 감소
- 심장박출량이 변화 없거나 약간 감소
- 1회박출량 증가
- 심박수 감소
- 근육 kg당 혈류 감소

3) 최대운동 중 순환계통의 변화

장기간 운동이 최대운동 시 순환계통의 기능에 미치는 변화는 다음과 같다.

(1) 최대심장박출량과 1회박출량의 증가
최대심장박출량은 고도로 훈련된 지구력 운동종목 선수에게서 높게 나타난다. 심장박출량은 1회박출량과 심박수에 의해서 결정되고, 최대심박수가 훈련 후에 조금 감소하거나 변하지 않기 때문에 훈련 후의 심장박출량의 증가는 주로 1회박출량의 증가에 의한다.

훈련의 결과로 얻어지는 최대 1회박출량의 증가는 심장비대와 심장근육섬유의 수축력 증가와 관계가 있다. 왜냐하면 심실부피가 증가하고 수축력도 증가하면 1회 박동할 때마다 더 많은 혈액을 뿜어낼 수 있기 때문이다.

(2) 심박수의 변화
최대심박수는 훈련 후에 변화가 없거나 약간 감소하게 된다. 특히 지구력훈련에 관계된 선수들의 최대심박수는 좀 더 감소한다. 훈련에 의해서 감소되는 심박수는 심장비대로 인한 심장부피의 증가와 교감신경의 신경임펄스 감소의 2가지 요소와 관계가 깊다.

(3) 최대유산소능력의 향상

최대운동 중 분당 소비되는 산소량에 대한 훈련효과에 관해서는 많이 연구되어 왔다. 운동에 의해서 최대산소섭취량은 비교적 적은 향상을 가져온다. 최대산소섭취량의 증가는 여러 가지 요소에 의해 좌우된다.

심장박출량의 증가를 통해 활동하는 근육으로 산소 방출량의 증가 및 심장박출량의 증가는 개개의 근섬유에 대한 산소공급량의 증가를 뜻하는 것이 아니고, 오히려 보다 많은 활동근육의 수에 의해 심장박출량이 증가된다고 볼 수 있다. 뼈대근육에 의한 혈액에서의 산소추출량 증가와 개개의 근육세포에 의한 산소추출은 동정맥산소차의 증가에 의해 최대운동 중에 증가한다.

(4) 총근육혈류량의 증가

운동선수와 일반인은 최대운동 중에 단위면적당 근육으로 흐르는 혈류는 차이가 나타나지 않지만, 전체 활동근으로 공급되는 혈류는 많아지는 것으로 나타났다. 이러한 현상의 발생 이유는 운동 후에는 최대운동부하가 증가되기 때문에 운동을 수행하는 데 필요한 총근육량도 커진다는 사실을 감안하면 근육 전체로 흘러가는 총혈류량은 증가하였지만 단위면적당 근육에 배분되는 혈류량은 일정하게 유지되기 때문이다.

따라서 최대운동 시 산소운반과 관계가 있는 심장혈관계통의 중요한 기능 변화는 다음과 같다.

- 최대산소섭취량의 증가
- 젖산생성량의 증가
- 심장박출량의 증가
- 1회박출량의 증가
- 심박수의 변화가 없거나 약간의 감소
- 활동근육 단위면적당 근육혈류량의 무변화

환경과 운동

1 체온의 조절

인간은 항온동물로 외부온도의 변화나 열생산 여부에 관계없이 체온을 일정하게 유지해야 한다. 인체 각 부위의 체온은 다음과 같다.

- 곧창자 : 37.2~37.7℃
- 내장 : 37.7~37.9℃
- 입안 : 36.6~37.2℃
- 간 : 38℃
- 뇌 : 38℃
- 겨드랑이 : 36.4~36.8℃

체온의 평균치는 36.89±0.346℃이지만, 실제 체온의 범위는 35.2~37.8℃이다

1) 체열의 생성과 방출

신체 각 부위의 온도는 피부온도를 제외하고는 항상 일정하게 유지되어야 한다. 즉 체열의 생성과 방출이 균형을 이루어야 한다. 외부기온이 30℃일 때 체열의 생성량과 방출량이 최소로 되어 균형이 유지된다.

체열의 생성은 소모하는 열량만큼 체열을 생산하는 화학적 열량조절방법이고, 체열의 방출은 물리적으로 열량을 조절하는 방법이다.

체열을 방출하는 방법에는 복사·전도·증발·호흡·배뇨·배변 등이 있다. 전체 방출량의 18%는 배뇨와 배변, 3.5%는 날숨 , 7.2%는 날숨 중의 수분 , 14.5%는 피부에서 증발, 73.0%는 피부에서 복사와 전도에 의해서 방출된다.

2) 체온조절의 기전

인체의 체온조절은 체온조절중추에 의해서 진행되고, 혈액과 피부의 온도변화에 의해서 체온조절중추가 자극을 받는다. 체온조절중추는 시상하부에 있고, 체내에는 온도수용기라고 하는 온도를 모니터하는 기관이 있다. 여기에는 중추성인 것과 말초성인 것이 있다.

중추성 온도수용기는 시상하부에 있고 뇌를 순환하는 혈액의 온도를 모니터한다. 이 수용기는 0.01℃의 온도 변화를 감지할 수 있을 정도로 감도가 아주 높다. 말초성 온도수용기는 몸을 둘러싸고 있는 환경의 온도를 모니터한다. 여기에는 열수용기와 냉수용기가 있는데,

표 9-1		저온, 열자극 시 인체의 체온조절기전	

자극원	요망되는 결과	인체의 조절기전
저온	열손실 감소	피부밑혈관 수축 행동 변화(따뜻한 옷을 입거나, 히터를 켜는 행동)
	열생산 증가	근육의 긴장, 떨거나 수의적인 행동 갑상샘호르몬과 에피네프린 분비 증가 식욕 증가
열	열손실 증가	피부밑혈관의 확장, 발한, 행동 변화(옷을 벗거나, 선풍기를 켜는 행동)
	열생산 감소	근육의 긴장 감소, 수의적인 행동 갑상샘호르몬과 에피네프린 분비 감소 식욕 감소

전자는 38~43℃일 때, 그리고 후자는 15~34℃일 때 체온조절중추 쪽으로 임펄스를 보낸다. 이들 말초수용기로부터 정보를 받은 체온조절중추는 체온을 일정하게 유지할 수 있도록 몸의 각 기관에 지령을 보낸다. 즉 체온조절중추는 자동온도조절장치 역할을 한다.

체온의 변화에 대처하는 기관은 땀샘, 혈관, 뼈대근육, 내분비샘 등이다. 피부온도 혹은 혈액온도가 상승하면 체온조절중추로부터 땀을 분비하라는 지령이 내려오고, 그러면 전신에 있는 약 230만 개의 땀샘에서 땀이 분비된다. 그와 동시에 피부혈관이 확장되고, 팔다리의 표면층에 있는 정맥을 통해서 정맥환류가 이루어진다. 통상 심박출량의 약 5%가 피부혈

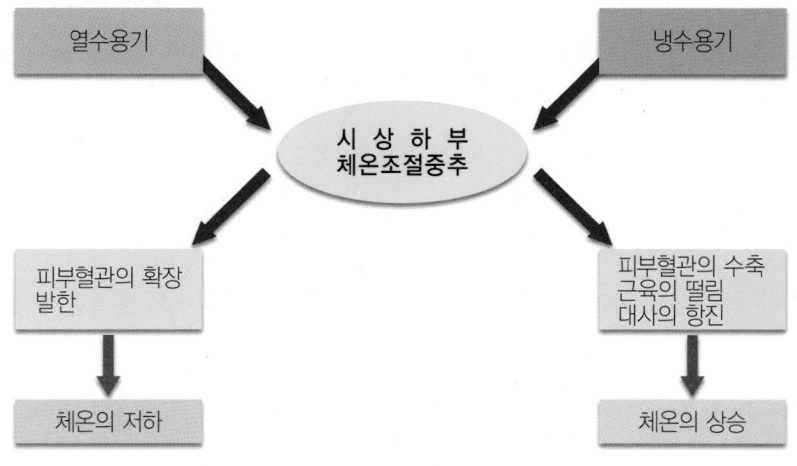

그림 9-1	체온조절중추와 체온조절 기전

관을 통해서 환류하고 있지만 피부혈관이 확장되면 약 20%까지 증대된다. 이 변화에 의해서 깊은부위의 체열이 보다 많이 표면층으로 운반된다.

반대로 피부온도 혹은 혈액온도가 저하되면 피부혈관이 수축되어서 열의 방산을 감소시킨다. 그와 동시에 체온조절중추에서 뼈대근육의 긴장도를 조절하는 부위에 명령을 내려서 근육의 떨림을 일으킨다. 그밖에도 온도조절중추에서 갑상샘호르몬과 카테콜아민분비를 촉진하는 호르몬분비를 재촉해서 열생성을 조장한다.

3) 운동 시의 체온조절

(1) 고온·다습한 환경에서 운동을 할 때

운동을 하면 체내에서 생성되는 열량이 증가하기 때문에 체온이 현저하게 상승한다. 체온이 상승하는 정도는 개인차가 커서 동일한 강도의 운동을 하더라도 체온이 크게 상승하는 사람과 그렇지 않은 사람이 있다. 그렇지만 이것을 최대산소섭취량(VO_2max)에 대한 비율($\%VO_2max$)로 나타내면 개인차는 거의 없다고 볼 수 있다. 이 관계에는 연령차와 성차도 없고, 숙련자와 비숙련자의 차이도 없다. 따라서 운동에 의한 체온상승도는 상대적인 운동강도에 달려 있다고 할 수 있다.

운동에 의해서 생산되는 열은 주로 땀의 증발에 의해서 방출된다. 운동을 시작하고 나서 땀이 날 때까지의 시간은 아주 짧아서 온도가 높은 환경에서 운동을 시작하면 1.5~2초 이내에 땀이 분비되기 시작한다.

고온환경에서 강도 높은 운동을 하면 많을 때는 1시간에 1,000~2,000㎖의 땀이 흐르고, 장거리 주자는 체중의 6~10%가 땀으로 배출되기도 한다. 다습하면 땀이 나더라도 증발되기 어렵기 때문에 열발산이 잘 안 된다. 그래서 동일한 강도의 운동을 하더라도 체온이 크게 상승한다.

땀을 많이 흘려서 탈수가 진행되면 체온이 높아지더라도 땀의 양이 감소하기 때문에 점점 더 체온이 상승하여 위험한 상태에 빠질 수도 있다. 고온환경에서 운동하기 전에 다량의 물(2ℓ까지)을 마시거나, 운동하는 도중에 물을 자주 마시면 땀의 분비를 촉진시켜 탈수 예방 및 작업능력의 향상에 도움이 된다.

고온환경에서 운동을 하면 순환계통의 기능에도 나쁜 영향을 준다. 체내에서 발생된 열을 보다 많이 방출하기 위해 피부혈류량이 증가하고, 그러면 심장으로 돌아오는 혈액량이 감소한다. 그 때문에 심장은 충분히 확장할 수 없고, 결과적으로 1회박출량이 줄어든다. 또 피부혈류량이 증가하면 근육혈류량이 줄 수밖에 없고, 그러면 작업능력이 저하된다.

(2) 저온환경에서 운동을 할 때

저온환경에서는 피부혈류량의 감소, 근육의 떨림, 대사활동의 항진 등에 의하여 체온저하가 억제되지만, 신체의 크기 및 신체조성도 열방출에 영향을 미친다.

어떤 물체에서 발산되는 열량은 체표면적에 비례한다. 예를 들어 어린이가 성인보다 몸의 체중(부피)도 작고 체표면적도 작다. 그러나 체중에 대한 체표면적의 비율(체표면적/체중)을 계산하여 보면 성인이 오히려 적다. 왜냐하면 체중은 길이의 3제곱에 비례하고, 체표면적은 길이의 제곱에 비례하기 때문이다. 즉 몸무게가 많이 나가는 사람이 상대적으로 체표면적이 적기 때문에 열을 발산하는 비율이 낮다. 이것이 어른이 어린이보다 추위에 잘 견디는 이유이다.

다른 조직과 비교해서 지방은 열의 전도도가 낮다. 그래서 몸의 크기가 거의 같으면 체지방이 높은 사람이 저온환경에서 체온이 잘 저하되지 않는다.

물의 열전도도는 공기보다 약 25배나 높다. 따라서 냉수 안에서는 꽤 심한 운동을 하더라도 체온이 저하된다. 그림 9-2는 수영을 할 때 유속, 수온, 분당 산소섭취량의 관계를 그래프로 나타낸 것이다. 빨리 헤엄치면(유속이 높으면) VO_2가 많아지는 것은 당연한데, 흥미로운 점은 같은 속도로 헤엄치더라도 수온이 낮은 쪽이 산소섭취량(VO_2)이 많다는 점이다.

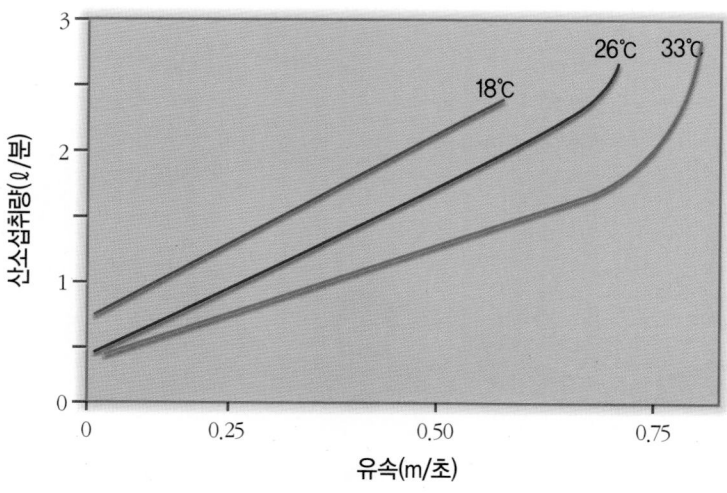

그림 9-2 **수영 시의 유속, 수온과 분당 산소섭취량의 관계**(Nadel 외, 1974)

이것은 냉수에서는 체온저하를 방해하기 위해 근육의 떨림이 일어나고, 수온이 높은 경우와 비교해 많은 산소가 필요하기 때문이다.

　　냉수에서 수영을 하면 근육온도가 충분히 상승하지 않기 때문에 최대노력으로 운동을 하더라도 26℃에서는 VO₂max의 92%, 18℃에서는 85% 정도밖에 도달하지 않는 것도 물이 찰수록 더 많은 양의 산소를 섭취해야 하는 이유이다.

② 환경과 운동

　　인간은 대부분 연평균 10~30℃ 되는 환경온도에서 생활하고 있고, 단시간이라면 광범위한 온도영역에서도 견딜 수 있다. 그러나 항온동물인 인간의 정상체온에 대한 가변성은 체온조절기능을 최대한 활용한다 하더라도 35~40℃의 5℃라는 매우 좁은 범위에 있다. 체온이 44~45℃의 고온이 되면 인체를 구성하고 있는 단백질이 비가역성 변화를 일으키고, 반대로 33℃ 이하의 저온이 되면 의식상실, 30℃ 이하가 되면 체온조절기능을 실조하여 가온성이 되며, 28℃가 되면 심장근육의 제동이 일어나 죽음에 이른다.

　　그러나 조직의 세포 자체는 저온에 잘 이겨낸다. 세포 내외에서 물의 응결이 일어나지 않으면 가역성을 유지한다. 인공적으로 저온은 방어하기 쉬우나 고온은 방어하기 어렵다. 그렇

그림 9-3　수영 시의 유속, 수온과 분당 산소섭취량의 관계(Nadel 외, 1974)

기 때문에 인체는 온열에 대한 대응기구, 특히 발한기구를 진화의 과정으로 획득해 오고 있고, 적응에 의하여 그 능력을 향상시킬 수 있다. 환경의 온도변화에 대한 운동 시의 적절한 대책을 세우기 위해서는 환경온도에 의한 신체의 변화, 또는 스스로 산열하여 체온이 상승하는 운동 시 체온조절의 생리기구를 이해하는 것이 필요하다.

신체로부터의 열방출은 대사활동을 하는 조직에서 외부환경으로 전달되는 열에 의하여 좌우된다. 에너지대사작용에 의하여 생성된 체열은 혈액에 의하여 체표면으로 전달되고, 체표면(피부)에서는 전도(conduction), 대류(convection), 복사(radiation), 증발(evaporation)에 의하여 발산된다.

트레이닝이나 스포츠활동을 할 때 앞에서 언급된 열조절기구에 이상이 나타나거나 외부환경조건이 지나친 열의 축적을 가져오게 되면 생명이 위험한 상황에 놓일 수도 있다. 따라서 여기에서는 고온과 저온환경조건에서 나타나는 신체반응과 트레이닝방법을 알아보기로 한다.

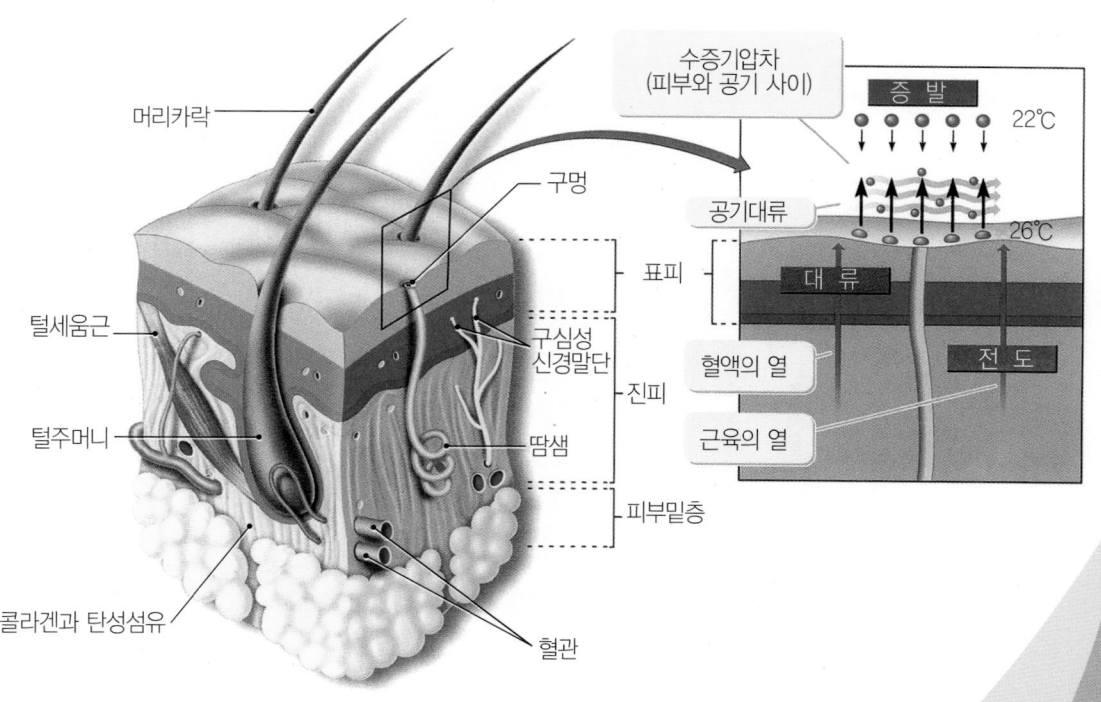

그림 9-4 피부에서의 열전도

1) 고온환경과 운동

(1) 고온환경에 대한 생리적 반응

고온환경에서 격렬한 운동을 하면 발한량이 많아져 다량의 수분과 염분이 손실된다. 그 결과 체액 내의 무기질(미네랄)평형이 깨지므로 피로가 빨리 오게 된다. 고온환경에서 운동을 할 때 기본적으로 수분과 염분을 적당히 보급하고, 비교적 짧은 시간 내에 질·양 모든 면에서 충분한 내용의 운동을 실시할 필요가 있다. 그러나 고온환경(저온조건도 같음)이라 하더라도 그 환경하에서 4~14일간 트레이닝을 계속하면 환경에 대한 적응기능이 발동되어 고온에 적응하게 된다. 예를 들면 발한이 일어나도 발한량을 감소하여 염분상실량이 줄어들어 고온 아래에서도 장시간의 운동이 가능해진다.

고온에 대한 적응성은 개인에 따라 다르다. 그것은 고온환경에 대한 선천적인 적응력의 차이도 있지만, 경험적인 운동에 대한 적응력의 향상, 기타 영양상태와도 관계가 있다. 그러나 신체운동 시 체온상승에 의한 적응은 고체온으로 체열평균을 유지하기 쉬운 내성능력에 의해 정해진다.

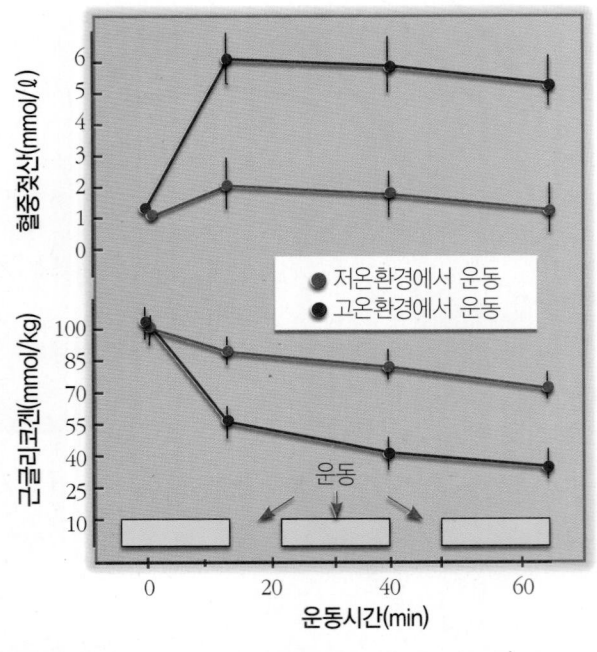

그림 9-5   고온환경(41℃, 15%습도)과 저온환경(9℃, 55%습도)에서 사이클링을 하는 동안 가쪽넓은근의 근글리코겐사용률과 혈중젖산축적

인간의 체온상승의 한계는 받는 열에 의하여 좌우되지 않고, 체열균형능력에 의해 좌우된다. 보통 건강한 사람의 체온이 39~40℃를 넘게 되면 발한량이 현저하게 많아져 다량의 수분과 염분의 손실을 일으키며 몸의 생리적인 기능을 감소시킨다.

Fink 등(1975)의 연구결과에 의하면 고온환경에서 운동을 하면 체온·심박수를 증가시킬 뿐만 아니라 활동근육에서 더 많은 글리코겐이 요구되며, 더 많은 젖산을 생산하게 된다(그림 9-5)고 하였다. 이와 같은 결과는 피로발생을 촉진하며, 장시간의 운동에서 운동수행능력을 현저히 감소시킨다고 하였다.

발한과 호흡기관에 의한 증발을 통하여 발열기전은 고온·고체온 시에 체열을 방출하는 데 큰 역할을 담당하며, 이 양자가 전체발열량의 83~99%를 차지한다. 그러나 열에 대한 적응능력에는 개인차가 크게 나타나는데, 그것은 트레이닝에 의한 생리적인 적응에도 크게 관련된다. 신생아는 체온조절능력이 충분히 발달되어 있지 않지만, 점차 성장하면서 체온조절기능도 발달하여 20~30세에 이르면 기후·기온에 대한 적응능력이 최고가 된다. 그리고 이 고온환경에 대한 적응의 완성에는 적어도 6~9개월이 걸린다고 하지만, 청년기에는 더욱 빨리 나타나 4~14일만 지나면 완전하지는 않아도 어느 정도의 적응은 이루어진다.

(2) 고온환경에서 운동방법

일반적으로 고온환경에서 격렬한 운동을 하면 체열의 방출 때문에 다량의 발한이 동반된다. 발한은 체내에서 수분상실과 동시에 염분상실도 일으키기 때문에 체액의 수분과 염분의 밸런스를 깨게 된다. 따라서 피로의 발생을 촉진하고, 고온상태가 되면 열중증으로 쓰러지기도 한다.

그러므로 여름철 고온환경에서 운동할 때에는 운동생리학적으로 볼 때 그 내용과 목적을 충분히 검토해서 실시할 필요가 있다. 발한 등에 의한 체내수분과 염분의 상실에 대해서는 수분과 염분의 보급(0.3~0.5%의 식염수가 적당)을 생각하지 않으면 안 된다. 왜냐하면 고온환경하에서 열발산은 거의 발한에 의해 이루어지기 때문이다.

발한에 의한 수분손실을 물보급에 의해 보충할 필요가 있다. 체내의 물부족(탈수)은 순환혈액량을 감소시키고, 세포 내 대사에 지장을 준다. 따라서 물부족(탈수)현상이 나타나지 않도록 하기 위해서는 탈수에 의한 체중감소가 3%가 넘지 않도록 하여야 한다.

1960년대 이전에는 운동 중 음료수의 공급이 복통이나 위장장애를 일으킬 수 있다는 염려 때문에 운동 중의 수분섭취를 삼가해 왔지만, 오늘날에는 탈수(dehydration)와 운동 중 수분섭취에 대한 연구결과에 따라서 운동 중 수분섭취를 권장하고 있다. 그림 9-6은 고온환

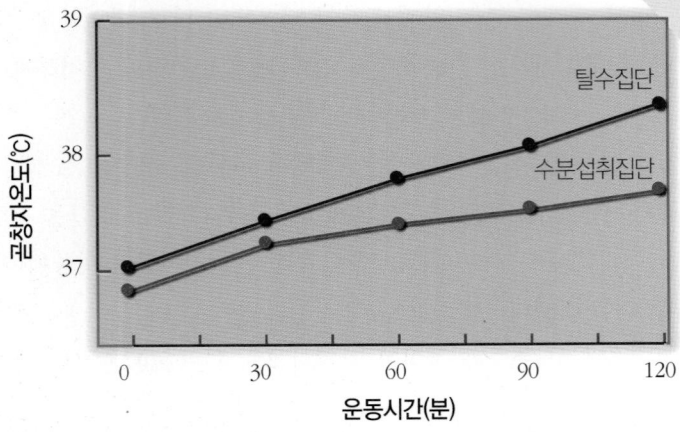

곧창자온도(℃)

탈수집단

수분섭취집단

운동시간(분)

그림 9-6   장시간운동 중 수분섭취가 곧창자온도에 미치는 영향

경하에서 장시간운동을 할 때 운동 전이나 운동 중에 수분을 섭취하면 체온(곧창자온도)의
증가를 감소시켜주고 있음을 보여주고 있다.

　　한편 고온환경에서 운동을 할 때에는 아침이나 저녁의 비교적 서늘한 시간을 골라 단시
간에 하거나 충분한 휴식을 취하면서 할 필요가 있다.

2) 저온환경과 운동

(1) 저온환경에 대한 생리적 반응

　　저온환경에 대한 인체의 생리적 반응과 체온의 하한에는 명확히 개인차가 있지만, 저온
에 노출된 몸이 냉각되는 초기에는 온몸에 떨림과 전율이 일어난다. 왜냐하면 이 경우에는
근육이 불수의적으로 활동하여 체내의 산열량을 높이기 때문이다. 이때에는 의식적으로 팔
짱을 낀다거나 걷는다거나 해서 근육활동을 통한 체열의 생산량을 증대시키게 된다. 이러한
현상은 옷을 벗고 있는 것이 아니더라도 추위를 강하게 느끼면 누구나 경험하는 현상이다.

　　그러나 다시 저온환경으로 인하여 몸이 냉각되면 체온은 저하되기 시작한다. 이때에는
체내의 조직과 세포 내에 있는 화학반응은 감퇴하여 신진대사가 저하된다. 신체의 중요기관
은 기능이 저하되고, 특히 중추신경계통의 움직임에 현저한 변화가 나타난다.

　　곧창자의 온도가 35℃를 나타내면 권퇴감과 졸음이 오며, 현기증도 나타나고, 사고나 판
단을 잘못하게 되는 경우가 많아진다. 계속하여 곧창자온도가 다시 저하되면 피부감각·시

력·청력 등의 감각기능이 감퇴하고, 근육이 경직되어 생각대로 몸이 움직이지 않고 행동이 둔해진다. 그 이유는 곧창자온도가 저하되는 것은 체표면에서의 체열방출이 체내에서의 발열량보다 높기 때문이다. 그러나 곧창자온도의 저하가 일어나기 전에 인체의 반응은 개인특성, 트레이닝 정도, 영양상태 등에 따라 큰 차이가 있다.

저온환경에 잘 트레이닝된 사람은 피부혈관반사가 예민해져 어느 정도까지는 체표면에서의 열방출을 억제할 수 있게 된다. 또한 비만이거나 피부밑지방층이 두꺼운 사람은 마르거나 지방층이 얇은 사람보다 추위에 대한 내성이 크다. 한편 식생활에서 공복 시와 만복 시의 저온환경 적응 정도가 다르고, 특히 비교적 많은 양의 식염을 섭취하거나 고단백식을 섭취하는 사람은 추위에 대한 내성이 강하다.

(2) 저온환경에서 운동방법

저온환경에서 운동을 할 때 필요한 첫 번째 조건은 운동 시작 전까지 체온의 방출을 최대로 막는 것이다. 그다음 워밍업을 충분히 해서 체온을 상승시켜 근육과 신경의 불필요한 긴장을 제거하는 것이다. 또한 트레이닝 중에 신체활동이 정지되지 않도록 계획을 세워 지속적으로 효과적인 트레이닝을 실시하여야 한다.

한편 외부공기와 접촉하는 손가락과 발꿈치 등의 방한을 충분히 고려하면 주관적인 한랭감에서 해방될 수 있다. 다만 기능적인 트레이닝은 환경온도와 의복조건에 따라 충분히 실행하기 어려우므로 저온에서의 운동은 주로 기초적인 체력만들기를 의도하는 것이 주목적이 될 수 있도록 해야 한다.

3) 고지환경과 운동

고지환경이 인체의 생리적 반응에 영향을 미치는 주요인은 기압의 저하에 따른 산소분압(PO_2)의 감소이다. 고도 3,000m에서는 기압이 평지의 2/3 정도로 감소하기 때문에 산소의 절대량도 평지에서보다 2/3 정도로 감소한다. 대기 중에 있는 산소의 양(분압)이 줄었기 때문에 동맥혈의 산소포화도가 저하된다. 따라서 평지와 같은 양의 산소를 섭취하기 위해서는 호흡수를 적어도 1/3 이상 늘려야 한다. 그러면 호흡근육의 산소소비량도 함께 늘어나게 된다.

3,000m 고도에서는 적응력을 가지고 있지 않은 사람은 숨쉬기 힘들게 됨과 동시에 동요, 몸의 부조화, 불안, 불면 등의 증상을 호소하는 경우가 많다. 이것을 산멀미 혹은 고산병 초기증상이라고 한다. 그러나 일시적으로 산소호흡을 하거나 안정상태에서 여러 날을 보내면

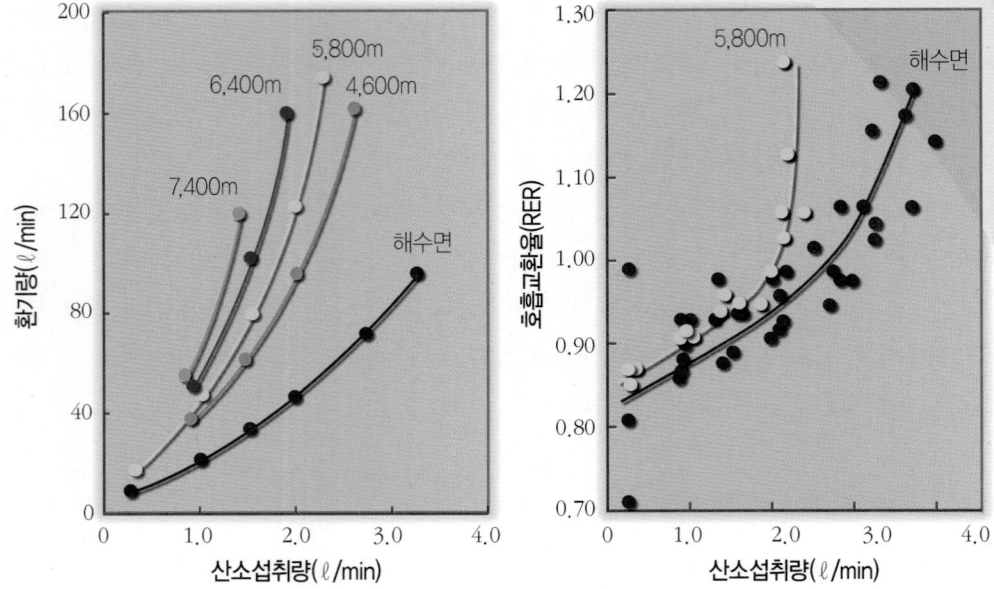

그림 9-7 해수면과 고지환경에서 운동 시 환기량, 호흡교환율

몸의 적응기능이 발휘되어 이러한 증상이 없어지게 된다. 왜냐하면 인체는 고산병의 초기증상에 적응(acclimation)하는 능력을 가지고 있기 때문이다.

한편 고지에서 오래 생활했거나 고지에 적응된 사람에게는 다음과 같은 특징이 나타난다.

- 허파환기량의 증대
- 심박출량의 증대
- 허파확산능력의 증대(허파모세혈관의 증가에 의한 것으로 추정)
- 적혈구수의 증가 또는 헤모글로빈의 농도 증가
- 조직혈관의 증가
- 말초조직의 산소이용률 증가
- 근육 내의 마이오글로빈농도 증가

고지환경에서는 공기의 밀도가 낮아지기 때문에 공기의 저항이 운동수행에 직접적으로 영향을 미치는 단거리달리기, 뛰기, 던지기 등에는 유리하다. 그러나 경기를 하려면 생리적으로 적응하기 위한 적응기간이 필요하다. 이와 반대로 유산소에너지에 크게 의존하는 종목은 고도가 높아질수록 경기력이 감소하게 된다.

고지환경에 인체가 완전히 적응하기 위해서는 최소 4~6주가 필요한 것으로 알려져 있다. 그러나 고지환경에 대한 적응은 개인차가 심해서 전혀 적응되지 않고 고산병에 걸리는 경우도 종종 있다. 고지환경에 장기적으로 적응하면 조직 내 모세혈관밀도 증가, 근육 내 마이오글로빈농도 증가, 세포 내 미토콘드리아밀도 증가, 산화효소의 활성도 증가 등의 현상이 나타난다.

(1) 고지환경(저기압상태)에 대한 생리적 반응

저산소분압의 환경에서는 필요한 산소를 섭취하는 기관·기능의 적응현상이 가장 현저하게 나타난다. 우선 호흡기능에서는 환기량의 증대가 일어난다. 최초로 고지에 올라갔을 때에는 호흡수가 증가되어 환기량을 돕지만, 고지에 익숙해지면 호흡수는 평지에서와 같은 수준으로 돌아오고 호흡의 깊이가 커져서 매회환기량이 증대하게 된다. 이것은 호흡기능이 증가되어 허파꽈리에서 산소를 흡입하기 쉬워지게 된 것을 의미한다.

다음으로 현저하게 나타나는 것이 혈액 중에서 산소를 포획하고 운반하는 적혈구수와 그 속에 함유되어 있는 헤모글로빈량의 증대이다. 이것은 보다 많은 산소를 흡수하기 위하여 나타나는 현상이다. 그리고 산소와 헤모글로빈의 결합은 허파꽈리에서 결합되기 쉽고, 조직에서는 떨어지기 쉽다. 다시 말해서 헤모글로빈의 산소친화력에 변화가 일어나게 된다는 것이다. 그 결과 고지에서 오랫동안 머물러서 적응되어 있는 사람은 산소가 희박한 환경에서도 필요한 산소를 효과적으로 섭취하고 이용하는 능력이 증대된다.

한편 산소를 운반하는 혈액도 현저한 변화가 나타난다. 고지에 오르면 우선 심박수가 증가하는데, 고지에 점점 적응되면서 증가되었던 심박수가 감소되기는 하지만 결코 평지의 수준으로 돌아가지 않고, 심박출량이 증대하는 것을 알 수 있다. 이 현상은 말초조직에 필요한 산소를 공급하는 데 유리하다. 그밖에 세포조직 등에서 산소이용도가 향상된다.

(2) 고지환경(저기압상태)에서 운동

고지트레이닝(altitude training)의 목표에는 다음 두 가지가 있다.

▪ 일정 고도 이상의 고지(1,800m 이상)에서 트레이닝을 하여 신체를 고지의 저산소환경에 적응시켜 호흡·순환계통기능을 위주로 한 전신지구력을 획득한 후 평지로 되돌아와서 지구력스포츠종목, 즉 중·장거리 달리기 등을 하면 체력적으로나 기록적으로 큰 효과를 기대할 수 있다.

- 신체의 여러 가지 원인이 되는 생리적 컨디션을 고지의 조건에 맞게 조절하며, 고지에서 충분한 운동능력을 발휘하도록 한다.

고지환경에서 하는 트레이닝은 평지에서 하는 트레이닝과 크게 다를 것이 없다. 다만 고지에 도착한 다음 수일 동안은 몸이 충분히 적응되지 않기 때문에, 처음에는 트레이닝의 질과 강도를 낮추었다가 적응현상이 진전됨에 따라 트레이닝의 질과 강도를 강화시키는 것이 필요하다.

고지환경에서 하는 트레이닝방법에서 문제가 되는 것은 고도와 트레이닝기간이다. 생리적인 기능의 변화에서 볼 때 고지적응은 최소 8~14일이 필요한데, 높은 운동능력발휘라는 측면에서 보면 좀 더 긴 시간이 필요하다. 적응상태는 고지의 체재기간이 길수록, 그리고 고도가 높을수록 좋아지는 것이 당연하지만, 생리적 적응에는 한도가 있다. 영국의 Pugh가 발표한 마칼루원정대를 대상으로 한 연구자료에 의하면 5,790m의 고지에 작은 집을 지어 5개월 정도 살면 생리적 적응은 충분히 나타나지만, 체중이 감소하고 체력도 저하되는 것으로 보고하였다.

그런데 고지에 대한 적응과 더불어 체력도 저하시키지 않으면서 운동수행능력을 충분히 유지·발휘시키기 위해서 '인터벌 고지트레이닝'이라는 트레이닝방식이 고안되었는데, 그 내용은 다음과 같다.

- 우선 처음 10~14일 정도는 생리적 기능을 적응시키는 데 중점을 두어야 하는데, 고지에서는 산소분압이 낮기 때문에 트레이닝의 질과 양을 떨어뜨려야 한다.
- 그다음 산소분압이 높은 1,600m 전후의 고도에서 편안하게 충분한 트레이닝을 할 수 있는 장소로 내려와 트레이닝의 질과 양을 높여야 한다.
- 다시 처음의 고도로 돌아가서 획득된 부분의 신체기능과 운동수행능력을 충분히 트레이닝하고 발휘한다.

이 인터벌 고지트레이닝을 고지에서 고정된 트레이닝을 하는 것과 비교해보면 기분전환도 되고, 질적·양적으로 충분한 트레이닝이 될 수 있다. 신체적응을 위해서는 적어도 10~14일이 필요하기 때문에 운동수행능력의 적응을 생각한다면 전체적으로 3~4주간의 계획이 필요하다.

기본적인 방식을 생각해보면 2,000~2,500m의 고지에서 2주, 1,600m~전·후의 고지에서 1주, 다시 2,000~2,500m의 고지에서 1~2주의 관계를 그림으로 나타내면 그림 9-8과 같다.

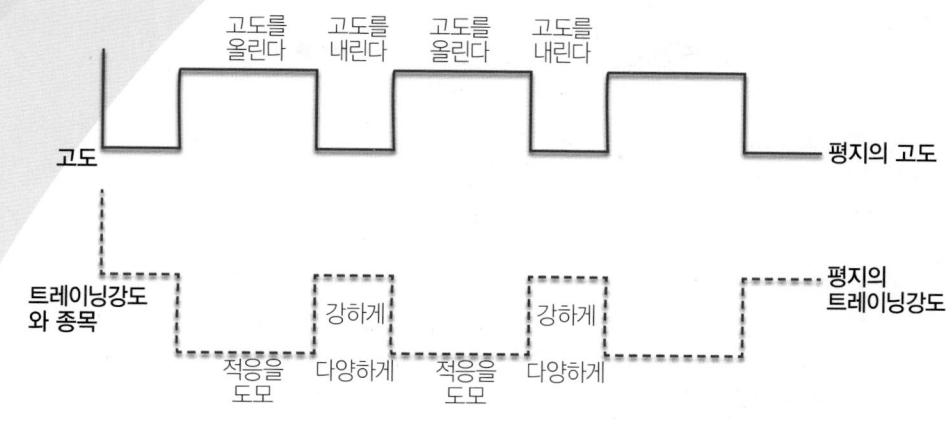

그림 9-8 인터벌 고지트레이닝의 모식도

4) 수중환경과 운동

압력은 해수면에서 약 10m 내려갈 때마다 1기압씩 증가하기 때문에 해저 10m 지점의 압력은 2기압, 해저 20m 지점의 압력은 3기압이 된다. 물속에 잠수할 때 나타나는 적응현상으로는 ① 느린맥(서맥) 현상, ② 심박출량 감소, ③ 말초혈관의 수축, ④ 근육으로의 혈류저하와 젖산축적 등을 들 수 있다.

다이빙은 장비의 도움없이 잠수하는 스킨스쿠버와 압축공기가 들어 있는 탱크를 이용하는 스쿠버다이빙으로 나눌 수 있다. 스킨스쿠버를 할 때는 입수 전에 과다호흡(hyperventilation)을 해야 한다. 이것은 수중에서 숨을 참는 시간을 증가시키는 효과도 있지만, 수중에서 의식을 잃게 하는 원인이 되기도 한다. 숨을 참는 시간의 한계는 동맥혈의 이산화탄소분압(PCO_2)이 50mmHg에 도달할 때까지이다. 잠수하기 전에 과호흡을 하면 동맥혈의 이산화탄소분압은 정상값인 40mmHg에서 15mmHg까지 감소한다. 이처럼 동맥혈의 이산화탄소분압을 낮추어주면 이산화탄소분압이 숨참기의 한계점인 50mmHg에 도달할 때까지 시간이 연장된다.

그러나 이산화탄소분압이 한계점에 도달하면 산소분압은 최소가 되기 때문에 혈액 중의 산소가 허파꽈리로 역행하게 되고, 그러면 혈중산소농도가 더 낮아져서 뇌로 공급되는 산소가 줄어 의식을 잃게 된다.

한편 잠수하는 깊이가 깊어질수록 가슴속공간에 가해지는 압력이 커지기 때문에 허파조직에 광범위한 손상을 초래한다. 허파용량이 남은공기량 이하의 수준으로 압박되면 허파압착현상이 일어난다. 잠수 중 총허파용량이 남은공기량 이하로 감소되면 허파 속의 공기압은 외부 수압보다 작아지는데, 이로 인해 허파는 상대적인 진공상태가 된다. 이런 상황에서 더 깊이 잠수하면 외부의 압력에 의해서 가슴속공간이 안으로 압축되면서 갈비뼈가 골절될 수도 있다.

스쿠버다이빙은 약 200기압까지 압축한 공기탱크를 이용해서 수중에 있는 다이버에게 공기를 공급한다. 스쿠버다이빙도 스킨스쿠버와 마찬가지로 여러 가지 위험이 있으므로 주의해야 한다.

수면에서 흡입한 공기는 10m 깊이로 내려가면 부피가 절반으로 줄고, 반대로 수면으로 올라올 때는 흡입한 공기의 부피가 2배로 늘어난다. 급하게 수면으로 올라오면 허파꽈리 안의 공기가 급격히 팽창하여 허파꽈리가 파열된다. 그 결과 공기방울이 혈관으로 유입되어 심장동맥이나 뇌동맥으로 들어가는 혈류를 차단하면 생명에 위험이 올 수도 있다.

혈류의 흐름을 차단하는 물질을 색전(embolus)이라 하는데, 위의 경우는 공기색전(air embolus)에 해당된다. 그리고 허파조직이 파열되어서 가슴막안 내로 공기가 유입되는 현상을 공기가슴증(pneumothorax)이라고 한다. 이처럼 공기탱크에서 흡입한 공기가 팽창하여 생기는 공기색전과 공기가슴증(기흉)을 예방하기 위해서는 수면으로 올라올 때 항상 숨을 내쉬어야 한다.

잠수한 상태에서 너무 빨리 수면으로 올라오면 혈액 중에 용해되어 있던 기체가 기포로 나오고, 그 기포에 의해서 감압증(dysbarism)이 일어나는데, 이를 벤드증상(bends)이라고 한다. 체내에 산소가 과다하게 축적되면 말초조직에서 얼얼한 감각, 시각장애와 환청, 근육경련, 호흡장애, 현기증 등이 나타나는데, 이를 산소중독(oxygen poisoning)이라고 한다.

5) 대기오염과 운동

스모그의 성분은 발생지역의 환경에 따라서 다르지만 운동수행능력에 영향을 미칠 수 있는 성분은 오존(O_3), 일산화탄소, 이산화질소, 이산화유황, 석면분자 등이다.

쥐에게 오존을 흡입시킨 후 1일에 15분씩 6회 가벼운 운동을 시켰더니 200일 후에 운동을 시키지 않고 오존만 흡입하게 한 쥐보다 사망률이 높더라는 연구결과가 있다. 이 실험결과를 통해서 오존은 생존율에 대한 산화제(oxidant)의 역할을 한다는 것을 알 수 있다. 일시적으로 오존을 흡입하면 호흡수가 늘어나고, 1회환기량이 감소한다.

일산화탄소는 헤모글로빈과 결합하여 정상적인 산소운반기능을 방해하고, 일산화탄소를 흡입한 다음 약 2시간 정도는 운동수행력이 극단적으로 저하된다는 연구결과도 있다.

일반적으로 오염물질(pollutant)은 기관지협착을 일으키거나, 다량의 점액을 분비시키거나, 표면활성물질(surfactant)을 저하시키거나, 부종을 만들어 공기의 유통저항을 커지게 한다. 그 결과로 허파꽈리에서의 산소와 이산화탄소의 교환에 장애가 생긴다.

오염물질을 장시간 흡입하면 허파꽈리의 큰포식세포(alveolar macrophage ; 유해물질에서 인체를 보호하는 역할을 한다)가 손실되거나, 공기증(emphysema, 기종 ; 기능적인 허파꽈리의 감소)이 생긴다.

6) 습도와 운동

우리를 둘러싸고 있는 대기 중에 포함되어 있는 수분의 양은 보통 상대습도(대기가 수증기로 포화된 때의 절대습도에 대하여 현존하는 수증기의 절대습도를 백분율로 나타낸 것)로 나타낸다. 습도가 낮으면 점막과 피부에서 수분증발량이 많아져 건조감을 느끼고, 습도가 높으면 피부에 습윤감을 느끼게 된다. 이 건조감과 습윤감은 환경기온에 크게 좌우된다. 일반적으로 기온 18~20℃이고 습도 65~70% 전후일 때가 가장 쾌적한 상태라고 하는데, 여기에서 습도가 10% 이상 증가하면 발한에 의한 체온의 방열기전이 억제되기 때문에 큰 불편을 겪게 된다.

인간의 작업능력과 운동에 기온이 큰 영향을 미치는데, 여기에는 습도도 관계되어 있다. 고습환경에서도 온도가 낮을 때에는 비교적 긴 시간 작업에 견딜 수 있다. 그러나 Wieslaw 등의 연구에 의하면 기온 27℃에서는 작업 중인 사람도 일정 시간 동안은 습도 100%의 환경에 견딜 수 있지만, 기온이 32℃가 되면 견딜 수 없게 된다. 또한 기온이 35℃가 되면 작업 중이 아닌 안정 시에도 기류(100ft/min 이상)가 없다면 절대로 견딜 수 없다고 한다. 고온고습환경에서 장시간의 작업과 운동이 불가능한 이유는 호흡·순환계통에 부담이 커지고, 수분과 염분의 상실에 의해 전면적인 기능의 저하가 일어남과 동시에 발한에 의한 체열발산기능이 극한에 이르러 체열의 상승과 발열이 생기기 때문이다.

발한이 심해져서 땀이 피부면을 적시며 흐르게 되면 피부에 부착되어 있는 땀의 양이 증가하게 되고, 그러면 실제 체열을 발산하는 데 관여하는 증발효과가 제한된다. 그 결과 피부온도와 심부체온이 상승된다.

③ 환경이 운동에 미치는 영향

운동은 기온·기압 등과 같은 환경의 영향을 받으면서 이루어진다. 따라서 환경의 영향을 이해하는 것은 경기력 향상뿐만 아니라 스포츠현장의 위험요인 관리에서도 중요하다.

1) 고온환경과 수분보급

야외의 고온환경에서는 태양으로부터 받는 복사열 때문에 신체 주위의 기온이 체온(피부온도)을 웃돌게 되어 열이 몸속으로 들어가기 쉬워진다. 운동 시에는 생산되는 열에 이러한 열이동이 더해짐으로써 체온이 현저히 상승한다. 고온환경에서 운동할 때 과도한 체온상승을 방지하기 위해서는 피부혈관의 확장 및 발한조절로 열을 몸 밖으로 방출시킬 필요가 있다.

피부혈관의 확장에 의한 피부혈류량의 증가는 신체의 깊은부위에서 체표면으로의 열이동을 활발하게 하여 피부온도를 상승시킨다. 외부기온과 상승한 피부온도의 차이로 인하여 열방산이 이루어진다. 한편 피부혈류량의 증가는 활동근육으로 가는 혈류량을 감소시키고, 지구력을 저하시킬 가능성이 있다. 고온환경에서는 최대하운동 시의 1회박출량 저하도와 최대산소섭취량의 저하도가 비례하는 것으로 보고되었다.

외부공기와 피부온도의 차이가 적거나, 운동으로 열생산이 많아진 경우에는 발한에 의한 기화열을 이용한 열방산(습식)이 이루어진다. 발한에 의하여 소실된 체액량은 수분보급 및 콩팥요세관(renal tubule)에서의 수분재흡수에 의하여 보충된다. 그러나 보충량이 부족하면 혈장량감소로 혈액점성이 증가하여 순환계통의 부담이 증가한다. 그리고 땀으로 체내의 염분이나 전해질이 소실되어 근육경련을 일으킬 가능성도 증가한다. 혈장량이 한계까지 감소하면 발한이 억제되어 열중증(heat stroke)이 될 위험성이 높아진다.

이렇게 고온환경하에서는 발한량을 보충하기 위하여 적정량의 수분을 보급할 필요가 있다. 운동 전에 500㎖, 운동 중에는 10~15분 간격으로 1회당 100~200㎖ 섭취하면 좋다. 약 10℃로 차갑게 마시면 체온을 낮추는 효과도 얻을 수 있다. 고온환경에서 이와 같이 트레이닝을 하면 고온적응현상이 발생하여 체온조절기능이 활발해진다.

(1) 열중증

열중증(heat stroke)이란 더운환경 때문에 생기는 장애의 총칭이며, 크게 다음의 3가지 증상으로 나뉜다.

① 열경련

열경련(heat cramp)은 땀을 많이 흘렸을 때 물로만 수분을 보급하면 체내의 나트륨·칼슘 등의 전해질농도가 저하되어 근육의 흥분성이 항진하여 경련이 일어나는 증상이다.

② 열피로

다량의 발한으로 탈수상태가 되면 순환하는 혈액량이 부족해져 심박출량이 저하한다. 이 때문에 순환부전 혹은 쇼크상태가 되어 전신권태감·탈력감·현기증·토하고 싶은 기분·구토·두통 등이 일어나는 증상을 열피로(heat exhaustion, 열탈진)라 한다. 이때 체온상승현상이 뚜렷하지 않다는 점이 열사병과는 다르다.

③ 열사병

열중증 중에서도 심각한 상태이며, 적절하고 신속한 대응이 필요하다. 열사병(heat py-rexia)은 체온조절기능의 파탄으로 일어나며 고체온과 의식장애가 특징이다. 체온이 42도 이상이 되거나 발한정지(피부의 건조)가 나타나는 경우에는 특히 주의해야 한다.

표 9-2는 열중증의 증상과 중증도를 분류한 것이다. 실제현장에서는 증상의 진단보다도 이 중증도에 맞게 대처하여야 적절한 조치가 될 것이다. 1도의 증상이 있으면 바로 차가운 장소로 이동하여 몸을 차게 하고, 수분을 보급해주는 것이 필요하다. 또한 누군가가 옆에서 관찰하여 개선되지 않는 경우나 악화하는 경우에는 병원으로 이송한다. 2도나 3도의 증상이면 바로 병원으로 이송해야 한다.

(2) 열중증의 예방

표 9-3은 열중증예방을 위한 운동지침이다. 여기에서는 온열쾌적지수(WBGT : wet-bulb globe temperature index)를 지표로 하고 있다.

열중증예방의 원칙은 다음과 같다.

- 운동지침에 기반하여 환경조건에 맞는 운동을 실시한다.
- 쉬지 않고 수분을 보급한다.
- 더위에 익숙해지는 기간을 만든다.
- 통기성이나 흡습성이 좋은 옷을 입고, 직사광선은 피한다.

표 9-2 열중증의 증상과 중증도 분류

분류	증 상	중증도
1도	현기증, 실신 '일어섰을 때 현기증을 느끼는 상태'로, 뇌로 가는 혈류가 순간적으로 불충분하게 되었음을 나타내며, '열실신'이라고도 한다. 근육통, 근육경직 주로 '장딴지에 나는 쥐'이며, 그 부분에 통증이 동반된다. 발한에 의해 염분(나트륨 등)이 결핍되어 생긴다. 이것을 '열경련'이라고도 한다. 땀을 많이 흘림	
2도	두통, 불쾌한 기분, 토하고 싶은 기분, 구토, 권태감, 허탈감 몸이 녹초가 된다, 힘이 들어가지 않는 경우가 있으며, 종래부터 '열피로'라고 불리던 상태이다.	
3도	의식장애, 경련, 팔다리의 운동장애 부르는 소리나 자극에 반응이 이상하다, 몸이 바들바들 떨리는 경련이 있다, 똑바로 달리지 못한다, 걷지 못한다 등 고체온 몸에 닿으면 뜨겁다고 하는 감촉이며, 종래부터 '열사병'이나 '중증일사병'이라고 불리던 것이 여기에 해당한다.	

표 9-3 열중증의 중증도 분류와 열중증예방을 위한 운동지침

WBGT℃	습구온도℃	건구온도℃		
31	27	35	원칙적으로 운동중지	WBGT가 31℃ 이상이면서 피부온도보다 외부온도가 높으면 몸에서 열이 방출되지 않는다. 특별한 경우 이외에는 운동을 중지한다.
28	24	31	엄중경계 (격렬한 운동중지)	WBGT가 28℃ 이상이면서 열중증의 위험성이 있으며, 격렬한 운동이나 오래달리기를 하면 체온이 상승하므로 운동은 피한다. 운동을 하려면 적극적인 휴식과 수분보충이 필요하다. 체력이 저하되고 더운 날씨라면 운동을 중지한다.
25	21	28	경계 (적극적인 휴식)	WBGT가 25℃ 이상이고 열중증의 위험이 증가하면 적극적인 휴식과 수분보충이 필요하다. 격렬한 운동을 할 때에는 30분 이상 휴식을 취한다.
21	18	24	주의 (적극적인 수분공급)	WBGT가 21℃ 이상이면 열중증에 의한 사망사고가 발생할 수 있다. 열중증 발생에 주의하고 운동 사이에 적극적으로 수분을 보충해준다.
			대체로 안전 (적당한 수분공급)	WBGT가 21℃ 이하이면서 열중증위험이 적으면 수분을 적당히 공급한다. 시민참가 마라톤대회 등을 할 때에는 열중증 발생에 주의한다.

◆온열쾌적지수(WBGT : wet-bulb globe temperature index, 습구흑구온도)
- WBGT는 밀폐된 환경에서 사용된다. 이 지수는 건구온도(Tdb : dry-bulb temperature), 혹은 건구온도와 흑구온도/Tg : black-bulb temperature, globe temperature)와 자연습구온도(Tnwb : natural wet-bulb temperature)의 가중평균이다.
- 습구온도(Twb : wet-bulb temperature)는 인체가 발한에 의해 조절할 수 있는 온도의 상한에 가까워졌을 때 특히 유용하며, 공기온도와 공기움직임의 결합으로 습도의 영향을 고려한 것이다.
- 건구온도는 보통 대기온도를 측정해서 얻으며, WBGT는 다음의 방정식에 따라 얻어진다.
    ⇒ WBGT실내＝0.3Tdb+0.7Tnwb
    ⇒ WBGT실외＝0.2Tg+0.1Tdb+0.7Tnwb
- WBGT는 젖은 심지온도계의 안쪽에 검게 칠해진 구리구슬로 측정한다.
- WBGT의 특징은 자연습구온도(Tnwb)의 측정에서 반영되므로 공기의 속도를 직접 측정하지 않아도 된다는 것이다. 미국의 작업안전과 건강관리국(OSHA)은 공기의 속도와 다양한 작업량에 대한 최대 WBGT 온도를 다음 표와 같이 추천하였다.

작업량	공기속도	
	낮음(1.5m/s 이하)	높음(1.5m/s나 그 이상)
가벼움(200kcal/h나 그 이하)	30.0℃	32.2℃
중간(201~3000kcal/h)	27.8℃	30.6℃
무거움(300kcal/h 이상)	26.1℃	28.9℃

- 비만인 등 특히 더위에 약한 사람은 주의한다.

2) 저온환경

　저온환경은 피부혈관의 수축과 그에 동반되어 피부혈류량을 감소시키며, 피부온도를 저하시킨다. 이러한 현상은 피부에서의 열방출을 감소시켜 체온유지에 도움이 된다. 그러나 체온유지에는 신체 깊은부위에서의 열생산을 증대시키는 활동도 중요하다. 뼈대근육이 불수의하게 수축하는 '떨림'은 에너지를 많이 사용하고 열생산량을 증가시킨다. 안정 시에는 떨림에 의하여 기초대사가 2~3배 증가한다. 또한 저온환경에서의 순화로 노에피네프린의 활동에 의한 비떨림열생산의 구조를 이용할 수 있게 된다.

　저온환경은 운동에 의해 생산되는 열을 효율적으로 방열할 수 있으므로 장시간운동수행에는 유리한 조건이 된다. 예를 들어 마라톤경기에서는 기온이 5~10℃일 때 좋은 기록이 나오기 쉽다. 이것은 체열이 차가운 외부공기로 효율적으로 방출되어 방열을 위한 피부혈류량의 증가를 억제하는 것이 가능하기 때문이다. 피부혈류량의 억제는 심장으로의 정맥환류량을 증대시키고 1회박출량 증가·심박수 감소 등과 같은 효율적인 순환계통의 반응으로 이어진다고 추측된다. 한편 젖산의 생산·환기량의 증가 등과 같은 마이너스측면도 존재한다. 또한 방열을 방지하기 위하여 말초혈관이 수축되면 혈압상승을 초래할 가능성이 있으므로 고령자나 심장혈관계통질환자들은 옷을 많이 입거나 워밍업을 충분히 실시하는 것과 같은 대책이 필요하다.

최근 건강증진을 위한 운동으로 수중운동이 인기가 높다. 물의 적정온도(뜨겁지도 차갑지도 않은 수온)는 안정 시에 34℃, 운동 시에 약 27℃이다. 온수수영장의 수온은 27~30℃이므로 운동을 할 때 체온을 적정온도로 유지할 수 있다. 그러나 운동강도가 낮거나 물속에 있는 시간이 긴 경우에는 체온을 빼앗기기 쉬우므로 주의가 필요하다. 이것은 물의 열전도율이 공기에 비하여 약 23배 높고, 물에 닿아 있는 체표면에서 열을 빼앗기기 쉬워지기 때문이다. 일반적으로 수영·수중운동을 실시하는 환경은 수온과 기온의 합계가 50℃ 이상이 되는 것이 바람직하다.

3) 저압환경

해수면높이에서의 대기압을 표준기압, 즉 1기압(1013hPa, 760mmHg)이라고 하면, 고도 3,000m 정도까지는 100m마다 10hPa(7.5mmHg) 저하한다. 대기 중 산소·질소·이산화탄소 등의 구성비율은 고도가 상승하여도 변하지 않지만, 각 기체의 분압(분자수)은 감소한다. 평지에서 약 160mmHg인 분압은 에베레스트산 정상(해발 약 8,840m)에서는 30mmHg까지 저하된다. 평지에서도 허파꽈리 내의 산소분압은 약 100mmHg로 대기 중보다 낮다. 이것은 체내에서 만들어진 이산화탄소와 수증기가 섞여 분압이 감소하기 때문이다.

동맥혈의 산소포화도는 평지에서 거의 100%이지만, 고도상승에 따른 산소분압의 저하에 의하여 에베레스트산 정상에서는 50% 정도로 저하된다. 이러한 저압·저산소상태에 적응하여 각 조직에 산소를 공급하기 위하여 인체에서는 환기량과 혈류량이 상승한다. 이것들은 호흡수 및 심박수의 증가에 의해 나타난다. 활동근육에서는 혈관이 확장되고 혈류량이 증가한다. 또한 교감신경계통의 항진 및 스트레스성반응에 의하여 수분의 체내 저류가 발생하고, 악화되면 허파부종이나 뇌부종(cerebral edema)이라는 심각한 고산병증상을 초래하게 된다.

고지에서는 100m마다 0.6℃ 내려가기 때문에 백두산 정상(해발 약 2,744m)에서는 평지보다도 약 16.7℃ 기온이 낮아진다. 고지에서는 저온환경의 영향과 저기압의 영향이 더해져 인체의 부담이 한층 증가한다. 또한 고지는 습도가 낮고 탈수에 의한 혈장량의 저하로 혈액점성이 높아질 가능성이 있으므로 수분보급에도 충분히 유의할 필요가 있다.

저압환경(low-pressure environment)에서는 호흡·순환계통의 부담이 커지므로 지구력이 저하한다. 1,000m 이상의 고도에서는 고도가 1,000m 상승할 때마다 최대산소섭취량이 약 10%씩 저하된다. 산소포화도의 저하와 심장기능 저하에 따른 심박출량의 저하를 그 요인으로 보고 있다. 한편 무산소작업능력에는 지구력만큼의 영향은 없다고 본다. 그러나 고지에서는 공기밀도가 낮고 공기저항이 적기 때문에 공기저항이 영향이 있는 단거리종목 등에서는 기록이 올라갈 가능성이 있다.

고지에서의 지구력저하는 동일강도의 운동이 평지에 비하여 힘들어지는 것을 의미한다. 그러므로 고지트레이닝은 평지트레이닝보다 지구력효과가 높고, 혈청에리스로포이에틴(EPO : erythropoietin)·적혈구량·헤모글로빈농도 등에 유의한 변화가 발생하며, 산소운반능력의 향상이 한층 기대된다. 고지트레이닝이 주목을 받은 것은 1968년 멕시코올림픽 때부터이다. 고지에 체재하며 고지에서 트레이닝을 실시하는 방법, 2,000~2,500m의 고지에 체재하며 1,200m 정도의 저지에서 트레이닝을 실시하는 방법, 보통의 평지트레이닝환경 속에서 저산소 및 저압환경을 시뮬레이트하는 방법 등이 이용되고 있다.

4) 고압환경

자연적인 고압환경(high-pressure environment)에서 하는 대표적인 운동은 스쿠버다이빙이다. 수중에서는 10m마다 수압이 1기압씩 증가한다. 그러나 실제로는 수면 0m의 대기 1기압을 가산하기 때문에 30m에서는 4(1+3)기압이 된다. 수심 30m에서 Bombe(고압기체 등을 수송·저장할 때 쓰는 원통형용기)로부터 허파 한가득 공기를 들이마시면 그 공기는 4기압의 압력에서 1/4로 압축된다. 숨을 내쉬지 않고 수면으로 부상하면 허파가 4배로 부풀어 오르므로 다이버는 부상할 때에 참지 말고 공기를 내뱉어야 한다.

또한 수압이 높아지면 허파 속 기체의 압력을 높이고, 헨리의 법칙(Henry's law ; 액체에 녹는 기체의 양은 그 기체의 압력에 비례한다)에 기초하여 보다 많은 기체를 혈액 속에 녹인다. 그러므로 잠수 중에는 공기의 주요성분인 질소가 혈액에 녹아 질소중독증상(현기증, 심리장애, 행복감, 고정적 사고 등)을 일으킬 가능성이 있다. 그 대책으로 잠수심도를 40m까지로 제한하는 경우가 많다. 한편 다이버가 급부상하면 혈액 중에 녹아 있던 기체(특히 질소)가 기포가 되어 조직의 혈액에 섞여 나오거나, 색전(embolus)이 되는 경우가 있다(잠함병, 잠수병). 증상이 심하면 가압실에서 재가압치료를 받아야 한다.

인공적인 고압고산소환경은 저산소증의 개선·말초순환의 개선(부종개선) 등과 같은 의학적인 치료에 이용된다. 이것은 고압산소요법이라고 부르며, 전용캡슐 또는 방을 이용하여 실시한다. 내부의 기압은 2.8기압 이하로 하고, 100%의 순산소 흡입을 동반하는 경우가 많다. 최근 트레이닝 및 시합 후의 피로회복이나 기분전환을 위하여 일반용 산소캡슐도 활용되고 있다. 환경적인 부하는 가볍고, 1.1~1.3기압으로 약 30~50%의 산소농도이며, 40분 정도 노출되는 방법이 이용된다. 일상생활의 스트레스에 대한 기분전환 등에 도움이 되는 것으로 추측된다.

5) 수중환경

고령자 및 저체력자들의 운동 또는 재활로 수영·수중운동이 널리 채용되고 있다. 물속에서는 수위가 높을수록 수압이 높아지고, 가슴 이상의 수위가 되면 날숨예비량의 감소 및 가슴속공간 안의 혈액량이 현저히 증가한다. 이것들은 다리 및 배부위의 정맥이 압박되어 보다 많은 정맥혈이 심장·가슴방향으로 되돌아오는 것에 기인하고 있다. 따라서 예비부하(preload ; 심실의 확장말기용적)와 1회박출량이 증가하며, 그 결과 심박수가 감소한다.

수중에서는 육상과 비교하여 심박수가 낮아지므로 심박수로 운동강도를 설정할 때는 10% 낮게 잡으면 좋다. 수압은 호흡계통에도 작용한다. 수압에 대항하여 호흡근육이 활동하므로 호흡근육을 단련시킬 수 있다. 특히 수영을 할 때에는 수중에서 숨을 내뱉거나 빠르게 호흡을 함으로써 호흡근육에 대한 부하를 높일 수 있다. 수영·수중운동은 호흡근육의 단련에 효과적인 운동이므로 천식환자의 운동요법 등으로 이용되고 있다. 수중에서는 부력에 의하여 부유상태가 되기 쉬워 편안해지기 쉽다. 물에 들어감으로써 부교감신경활동이 활발해진다는 사실도 확인되었다.

참고문헌

강희성 외 역(2011). 운동과 스포츠생리학(Physiology of Sport and Exercise). 대한미디어.

권영미 외 역(2015). Structure and Function of the Body. 대경북스.

김광회 외(1991). 운동생리학. 태근문화사.

김기진 외역(2014). NASM 스널 트레이닝. 한미의학.

김용수 외(2011). 비주얼 아나토미. 대경북스.

김재구 외(2010). 운동처방총론. 대경북스.

김창국 외(2014). 인체해부학아카데미. 대경북스.

김창국 외(2014). 체력 및 퍼포먼스 향상을 위한 트레이닝 방법론. 대경북스.

김창균(2008). 운동생리학의 이해와 적용. 대경북스.

서영환 외(2010). 퍼포먼스 향상을 위한 뉴 스포츠영양학. 대경북스.

서영환 외(2013). 운동처방과 질환별 운동치료프로그램. 대경북스.

이윤관 외(2012). 스포츠의학 총론. 대경북스.

이윤관 외(2014). 스포츠의학 특강. 대경북스.

전태원(1994). 운동검사와 처방. 태근문화사.

정일규(2010). 휴먼퍼포먼스와 운동영양학. 대경북스.

정일규(2012). 휴먼퍼포먼스와 운동생리학(전정판). 대경북스.

한국심장질환연구소(1989). 심전도 속성 판독법. 고려의학.

한상숙 외 역(2010). 해부생리학(Anatomy & Physiology). 메디시언.

한용봉 외(1999). 최신 영양생리학. 효일문화사.

Åstrand, P.-O. & Rodahl, K.(1986). *Textbook of Work Physiology*(3rd eds.), New York : McGraw-Hill Book Company.

Åstrand, P.-O. & Saltin, B.(1967). Maximal oxygen uptake in athletes, *J. Appl. Physiol., 23* : 353-358.

Basmajian, J. V.(1974). *Muscle Alive*, Baltimore : Williams & Wilkins.

Baxter, M., Middleton, B., & White, D. A.(1984). *Hormones and Metabolic Control*, Edward Arnold.

Billings, C. E., Mathews, D. K., Fox, E. L., Bartels, R. L., & R. Bason(1973). Fitness standards for male college students, *Int. Z. Angew. Physiol., 31* : 231-236.

Borkman, M., Cambell, L. V., Chisholm, D. J., & Storlien, L. H.(1991). Comparison of the effects on insulin sensitivity of high carbohydrate and high fat diets in normal subjects, *J. clin. Endocrinol. Metab. 72* : 432-437.

Bowers, R. W., Foss, M. L., & Fox, E. L.(1989). *The Physiology Basis of Phyical Education and Athletics,*. Wm. C. Brown Publishers, Dubuque, Iowa.

Broeke, L. J., Demacker, P. N. M., Groot, M. J. M., Katan, M. P, Mensink, R. P., & Severijnen-Nobles, A. P.(1989). Effects of monounsaturated fatty acids and comples carbohydrates on serum lipoproteins and apoprotein in healthy men and women, *Metabolism, 38* : 172-178.

Brooks, G. A.(1985). Anaerobic threshold : Review of the concept and direction for future research, *Med. Sci. Sports Exer.*

Brooks, G. A., & Fahey, T. D.(1984). *Exercise Physiology : Human Bioenergetics and Its Applications*. New York : John Wiley & Sons, Inc..

Brooks, G. A., Fahey, T. D., & Baldwin, K. M.(2005). *Exercise Physiology : Human bioenergetics and its applications*(4th ed.). New York : McGraw-Hill.

Carola, R., Harley, J. P., & Noback, C. R.(1992). *Human Anatomy and Phsiology,* McGraw-Hill.

Close, R.(1967). Properties of motor units in fast and slow skeletal muscles of the rat. *Journal of Physiology(London), 193*, 45-55.

Colbert, Bruce J. ; Ankney , Jeff; Lee, Karen(2007). *Anatomy & Physiology for Health Professions*, Prentice Hall.

Costill, D. L.(1974). Muscular exhaustion during distance running, *Phys. Sportsmed. 2(10)* : 36-41.

Costill, D. L., & E. L. Fox(1969). Energetics of women to exercise, *Med. Sci. Sports. 1* : 81-86.

Costill, D. L., & Wilmore, J. H.(1995). *Physiology of Sport and Exercise,* London : Human Kinetics.

Costill, D. L., Daniels, J., Evans, W., Fink, W., Krahenbuhl, G., & Saltin, B.(1976). Skeletal muscle enzymes and fiber composition in male an female track athletes. *Journal of Applied Physiology, 40*, 149-154.

Costill, D. L., Fink, W. J., & Pollock, M. L.(1976). Muscle fiber composition and enzyme activities of elite distance runners. *Medicine and Science in Sports, 8,* 96-100.

Costill, D. L., Fink, W. J., Flynn, M., & Kirwan, J.(1987). Muscle fiber composition and enzyme activities in elite female distance runners. *International Journal of Sports*

Medicine, 8, 103-106.

deVries, H. A.(1980). *Physiology of Exercise.* Wm. C. Brown Company Publishers.

Fox, E. L.(1984). *Spors Physiology,* Saunders College Publishing, second Edition.

Hodgin, F. M.(1960). *Conduction of the Nervous Impulse*, Springfield, Ⅲ., Charles C. Thomas.

Horton, E. S.(1983). Introduction : an overview of the assessment and regulation of energy balance in humans, *Am. J. Clin. Nutr. 38* : 972-977.

Howley, E. T., & Powers, S. K.(1990). *Exercise Physiology ; Theory and Application to Fitness and Performance*, McGraw-Hill.

Hultman, E., & L. H. Nilssom(1971). Liver glycogen in man, Effect of different diets and muscular exercise, In Pernow, B., and B. Saltin(eds.), *Muscle Metabolism during Exercise*, New York : Plenum Press.

Karlsoon, J. & Saltin, B.(1971). Muscle glycogen utilization during work of different intensities, In Prnow, B. & B. Saltin(eds.), *Muscle Metablism during Exercise,* New York : Plenum Press, 289-299.

Katch, F. I., Katch, V. L., & McArdle, W. D.(1991). *Exercise Physiology, Energy, Nutrition, and Human Performance*(3rd.), Philadelphia : Lea & Febiger.

Lamb, D. R.(1984). *Physiology of Exercise*(2nd ed.), Macmillan Co..

Lehninger, A. L.(1982). *Principles of Biochemistry,* Worth Publishers.

Luciano, D. S., Sherman, J. H. & Vander, A. J.(1990). *Human Physiology : The Mechanisms of Body Function.* International Edition Fifth Edition.

MacIntosh, B. R., Gardiner, P. F., & McComas, A. J.(2006). *Skeletal muscle form and Function*(2nd ed.). Champaign, IL : Human Kinetics.

McArdle, W. D., Katch, F. I., Katch, V. L.(2015). *Exercise Physiology.* Wolters Kluwer.

Noble, B. J.(1986). *Physiology of Exercise and Sport.* Times Mirror/Mosby College Publishing.

Power, S. K., Howley, E. T.(1990). *Exercise Physiology.* Wm. C. Brown Publishers.

Saltin, B. & Karlsson, J.(1971). *Muscle Metabolism during Exercise*, B. Pernow & B. Saltin eds. Courtesy of Plenum Press, New York.

Sharkey, B. J.(1990). *Physiology of Fitness*(3rd ed.), Human Kinetics.

WHO(1990). Technical Report Series, No. 724. Diet, nutrition and the prevention of chronic disease, Geneva.

찾아보기

저 자 소 개

서영환

조선대학교 체육대학 체육학과 졸업
조선대학교 대학원 석사
조선대학교 대학원 이학박사(운동생리학 전공)
한국체육학회 부회장
현 조선대학교 체육대학 체육학과 교수
　　한국발육발달학회 회장
　　한국유산소과학회 부회장
　　한국운동생리학회 이사
　　광주광역시 배드민턴협회 이사

운동생리학 아카데미

초판인쇄 / 2016년 11월 5일
초판발행 / 2016년 11월 10일
발행인 / 민유정
발행처 / 대경북스
ISBN / 978-89-5676-587-7

등록번호 제 1-1003호
서울시 강동구 천중로 42길 45 2F
전화: 02) 485-1988, 485-2586~87 · 팩스: 02) 485-1488
e-mail: dkbooks@chol.com · http://www.dkbooks.co.kr